Auf Deutsch!

Auf Deutsch! 3 DREI

LIDA DAVES-SCHNEIDER
Chino Valley (CA) Unified School District

KARL SCHNEIDER
Chino Valley (CA) Unified School District

DANIELA DOSCH FRITZ

STEPHEN L. NEWTON
University of California, Berkeley

Chief Academic and Series Developer
ROBERT DI DONATO
Miami University, Oxford, Ohio

McDougal Littell
A HOUGHTON MIFFLIN COMPANY
Evanston, Illinois • Boston • Dallas

Auf Deutsch!
3 Drei

1 2 3 4 5 6 7 8 9   WVK   06 05 04 03 02 01 00

ISBN 0-618-02963-X

Cover photographs *Clockwise from top:* © Owen Franken/Stock Boston; © Wolfgang Kaehler; © Robert Maass/Corbis Images; © Corbis Royalty-Free Images

Internet: www.mcdougallittell.com

CONTENTS

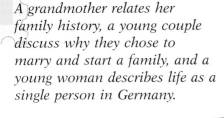

A grandmother relates her family history, a young couple discuss why they chose to marry and start a family, and a young woman describes life as a single person in Germany.

Young people talk about their beliefs, their attitudes, and their lives in today's Germany.

STRUKTUREN

PERSPEKTIVEN

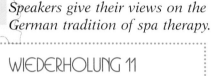

PREFACE

Welcome to **Auf Deutsch! 3 Drei,** the third part of the textbook program that is integrated with the **Fokus Deutsch** video program. **Fokus Deutsch** brings German language and culture to life with a video series that spans three levels of instruction. Whether you have used **Auf Deutsch!** Level 1 and 2, or are just starting with **Auf Deutsch!** Level 3, you will find that the approach offers a seamless transition for using the textbook and the video series. The textbook features a uniquely clear and user-friendly organization, with a chapter structure similar to both Level 1 and 2, while the video series begins a new format. Of course, Level 3 can also follow any beginning German program. Overall, the self-contained modules of the **Fokus Deutsch** video series maximize flexibility for your German course.

THE AUF DEUTSCH! PROGRAM

FOKUS DEUTSCH AND AUF DEUTSCH!

Fokus Deutsch is a video-based course for German language and culture consisting of three levels that span the introductory and intermediate stages of learning. Each level of the video series consists of twelve fifteen-minute episodes and four fifteen-minute reviews. A total of twelve hours of video across the three levels of the series brings the richness of German language and culture to beginning and intermediate learners.

The video episodes of **Fokus Deutsch** Level 1 follow the lives of the fictional Koslowski family: Marion, her brother Lars, and their parents, Vera and Heinz. Level 2 presents a number of mini-dramas that offer insights into the lives of other speakers of German. Level 3 offers cultural, historical, and personal perspectives on themes of interest to teachers as well as students. This intermediate course can follow any beginning level program.

THE CONCEPT OF THE VIDEO SERIES

The **Fokus Deutsch** video series integrates mini-dramas, authentic cultural and his-

torical footage, and personal testimonials to provide students with an in-depth view of German language, society, culture, and history. The ***Fokus Deutsch*** series develops a simple concept: A young German student (Marion Koslowski) comes to the United States to help an American professor (Dr. Robert Di Donato) develop a contemporary German language course that focuses on historical and cultural studies. Together through the videos, they teach German language and culture as they present a variety of issues important to German-speaking people today and offer insights into the historical contexts of these topics.

A CULTURAL APPROACH

Together, ***Fokus Deutsch*** and ***Auf Deutsch!*** teach language while covering a wide array of cultural and historical topics from many different perspectives. Video topics range from everyday life, family, work, and daily routines to political and social issues that affect German-speaking people today. Themes also include the worlds of art, theater, and film. In Levels 1 and 2, Professor Di Donato and Marion introduce the topics, which unfold within the context of the mini-dramas and through commentaries of speakers of German from Austria, Switzerland, and Germany. Cultural footage, interspersed throughout, provides actual views of life in various geographical locations and authentic treatment of topics such as the **Abitur** and **Karneval**. Level 3 picks up the

topics introduced in Levels 1 and 2 and explores them from a documentary perspective through historical and contemporary cultural footage. This approach to language learning enables viewers (1) to gain a wide variety of insights into the culture, society, and history of speakers of German; (2) to explore topics from multiple perspectives; and (3) to learn gradually to understand and communicate in German.

Auf Deutsch!, used in conjunction with ***Fokus Deutsch***, enables students to focus on the following "Five Cs of Foreign Language Education" outlined in *Standards for Foreign Language Learning: Preparing for the 21st Century* (1996; National Standards in Foreign Language Education Project, a collaboration of ACTFL, AATG, AATF, and AATSP). *Communication* and *Cultures:* With the ***Auf Deutsch!*** approach, students communicate in German in meaningful contexts as they learn about and develop an understanding of German-speaking cultures. *Connections:* The videos, readings, activities, and exercises all encourage students to connect their German language study with other disciplines and with their personal lives. *Comparisons:* ***Auf Deutsch!*** helps students realize the interrelationships between language and culture and compare the German-speaking world with their own. *Community:* ***Auf Deutsch!*** offers many opportunities for students to relate to communities of German-speaking peoples through a variety of interactive resources, including the Internet.

USING FOKUS DEUTSCH WITH AUF DEUTSCH!

Auf Deutsch! offers several options for using the materials in a traditional classroom setting. For example, teachers may:

- use both the **Auf Deutsch!** textbook and **Fokus Deutsch** video series in the class, assign most of the material in the **Arbeitsheft** for homework, and follow up with selected activities and discussions in class.

- use only the **Auf Deutsch!** textbook in class and have students view the video episodes at home, in the media center, or in the language laboratory.

Fokus Deutsch is also designed as a complete credit telecourse for the distant ("at-home") learner. Telecourse students can watch each episode and complete all sections of the **Auf Deutsch!** textbook and **Arbeitsheft**.

In all cases, students should watch each episode from beginning to end without interruption. They can replay and review selected segments once they are familiar with the content of an episode. The Teacher's Manual provides more detailed suggestions for using the **Auf Deutsch!** textbook program with the **Fokus Deutsch** video series.

THE VIDEO SERIES

The **Fokus Deutsch** video series consists of 36 fifteen-minute episodes. A video review follows every third episode. The videos are time-coded for easier classroom use.

STRUCTURE OF LEVEL 3

Whereas Levels 1 and 2 of **Fokus Deutsch** rely primarily on the story lines of various mini-dramas, Level 3 develops from documentary footage. The documentaries present a cultural or social topic in its historical as well as its contemporary contexts. Each episode—usually four to five minutes in length—contains two perspectives: The historical view presents a retrospective survey, whereas the contemporary view usually focuses on one particular aspect of the topic. Thus, for example, the episode **"Urlaub gestern und heute"** explores the Germans' love of vacation and its historical development. Viewers then experience the excitement of a virtual **"Abenteuerurlaub"** (*adventure vacation*).

Professor Di Donato guides learners through Level 3. He usually introduces the cultural footage and then offers comments that provide a transition from historical to contemporary viewpoints. Finally, he summarizes the topic at the end of the episode and often poses a question to provoke thought. For example, he might ask viewers to ponder the differences and similarities between going to school in a German-speaking country and in their own country. Throughout Level 3 native speakers comment on the topics at hand, either by elaborating on specific aspects and thereby providing further cultural information, or by addressing the topic from a personal perspective.

CAST OF CHARACTERS

CHARACTERS IN THE FRAMEWORK OF *FOKUS DEUTSCH*

Robert Di Donato, an American professor of German, continues his role from Levels 1 and 2 of presenting German language and culture to students through a video-based program.

Susanne Dyrchs, who plays the role of Marion Koslowski in Levels 1 and 2, speaks as herself in Level 3 and offers commentary on various contemporary issues and topics.

PERSONS IN THE LEVEL 3 DOCUMENTARIES

The people who appear throughout the Level 3 documentaries play themselves. They exemplify and personalize the topics.

Meta Heyn narrates her family history to her granddaughter. The family album simultaneously tells the history of the Heyn family and reveals German life through two world wars and reconstruction.

Sybilla Heyn looks at photos with her grandmother, Meta Heyn.

Sabine and **Peter Schenk** discuss why they decided to marry and have children. Each had different reasons for wanting to marry. They discuss what family means to them.

Karolin attends a **Gesamtschule** (similar to an American high school) about forty kilometers from Frankfurt. She takes viewers through a typical school day, which includes her classes and extracurricular activities.

Nora Bausch talks about being single and what her life is like as a single person.

Ulla, 19 years old, talks about what she wants to do after she finishes her **Abitur.**

Guy, a student from Cameroon who is studying in Aachen, writes a letter to his brother Eric. Through the letter viewers learn about Guy's daily life at the university and how he feels as a foreign student in Germany.

Ramona, an apprentice in a floral shop in Erfurt, tells why she wants to be a florist.

Monika Schneider works as a representative of the employment bureau in Cologne. She assists unemployed workers in their search for a job. Viewers meet Monika Schneider as she is interviewing a client, Herr Weinert.

Kristian, whose family originally came from Croatia, works as an apprentice in a bank in Frankfurt. He talks about how he sees his future.

Julia works in a feminist bookstore, where she combines her political activities with her job. Julia compares her situation today with that of her mother, grandmother, and great-grandmother.

Christa Piper lives in Saarbrücken and works to resolve women's issues in the workplace.

Ergün Çevik takes viewers on a tour of things German from the perspective of a Turk living in Germany. He presents stereotypical ideas of German culture and calls them into question.

Frau Vogtlander, acting director of the **Volkshochschule** (similar to a community college) in Potsdam, describes the types of courses adults can take at the school in their free time.

Bärbel Barmbeck shows viewers her specially built, environmentally friendly house. Not only does the house save energy, but the family tries to protect the environment through their various domestic activities.

Birgit wants to go on an adventure vacation. She goes "canyoning" and afterward describes her experiences.

Volker Ludwig talks about the "Grips," a children's theater in Berlin, and describes a performance of the musical **"Linie 1."**

Sven Schuder goes to the doctor for preventative health care. His exam is covered by the health care system, which is interested in making sure that people lead healthy lives.

THE TEXTBOOKS: A GUIDED TOUR

Three *Auf Deutsch!* textbooks correspond to the three levels of the *Fokus Deutsch* video series. Each textbook contains twelve regular chapters and four review chapters. Each chapter corresponds to one episode of the video series. Review chapters—in which students review the video story line, vocabulary, and grammatical structures—follow every third regular chapter. Level 3, like Levels 1 and 2, begins with an introductory chapter, **Einführung.**

ORGANIZATION OF *LEVEL 3*

Auf Deutsch! features a uniquely clear and user-friendly organization. Each regular chapter consists of the following self-contained teaching modules that maximize flexibility in designing a German course.

KAPITEL 3

FRAUEN UND MÄNNER

In diesem Kapitel

- lernen Sie Julia, eine Buchhändlerin in einem Frauenbuchladen, kennen.
- diskutieren Sie über das Thema Gleichberechtigung.
- lernen Sie Christa Piper, eine Frauenbeauftragte in Saarbrücken, kennen.

Sie werden auch

- lernen, wie man die indirekte Rede gebraucht.
- lernen, wie man indirekte Fragen stellt.
- die Formen des Imperativs wiederholen.
- eine Geschichte über Emanzipation lesen.
- die Gedanken und Gefühle von drei Frauen beschreiben.

Vor 1900 durften nur Männer höhere Schulen besuchen.

Heute steht jegliche Berufsmöglichkeit offen.

Wie geht es den Frauen von heute? Leben sie immer noch in einer Männerwelt?

116 hundertsechzehn

hundertsiebzehn 117

CHAPTER OPENER

Chapter learning goals prepare learners for what is to come in the chapter and in the accompanying video episode. The photos illustrate both historical and contemporary aspects of the chapter themes.

VIDEOTHEK

Pre- and post-viewing activities coordinate directly with the video episode to help students gain a thorough comprehension of what they see and hear.

KAPITEL 34

VIDEOTHEK

Was heißt für Sie „deutsch"? In diesem Kapitel sehen Sie, was ausländische Einwohner von Deutschland und den Deutschen halten und wie Deutsche und Österreicher auf ihre ausländischen Mitbürger reagieren.

I: Typisch deutsch?

In dieser Folge lernen Sie Ergün Çevik kennen, der schon lange in Deutschland lebt. Was heißt für ihn „deutsch"?

A Ergün erwähnt drei Eigenschaften, die ihm einfallen: Sauberkeit, Ordnung und Pünktlichkeit.

SCHRITT 1: Welche dieser drei Eigenschaften werden in den folgenden Aussagen dargestellt?

1. „Bei Rot stehen, bei Grün gehen."
2. „Wenn du eine Verabredung mit einem Deutschen hast, verspäte dich nie länger als fünf Minuten."
3. „Samstag ist in Deutschland Putztag."
4. „Damit sich alle an die Regeln halten, ist alles beschildert."
5. „Ein Terminkalender ist in Deutschland eine sehr wichtige Sache."

SCHRITT 2: Wie finden Sie die „Regeln", die Ergün beschreibt? Gibt es solche Regeln auch bei Ihnen? Erklären Sie Ihre Antwort.

B Verkehrsschilder. Verbinden Sie jede Beschreibung auf Seite 211 mit dem richtigen Verkehrsschild.

Ergün Çevik.

WORTSCHATZ ZUM VIDEO

der Putztag	cleaning day
der Schrebergarten	small allotted garden
der Fahrplan	transit schedule
die Aufführung	performance
die Paßkontrolle	passport control
die Flitterwochen	honeymoon

FOKUS INTERNET

For more information on the cultures represented in Germany, visit the **Auf Deutsch!** Web Site at www.mcdougallittell.com.

VOKABELN

A section of thematic vocabulary linked to the two video episodes offers abundant activities for vocabulary development.

KAPITEL 34

VOKABELN

die Eßgewohnheit	eating habit
die Genauigkeit	accuracy; exactness
die Nichtakzeptanz	nonacceptance
die Ordnung	order
die Pünktlichkeit	promptness; punctuality
die Regel	rule
die Sauberkeit	cleanliness
die Verabredung	appointment; date
die Verachtung	contempt
der Auswanderer / die Auswanderin	emigrant
der Einwanderer / die Einwanderin	immigrant
das Asyl	political asylum
das Bedürfnis	necessity
annehmen	to accept, take on
beachten	to observe
beitragen zu	to contribute to
darstellen	to depict, portray; to present
duzen	to address someone with du
einfallen	to come to mind
einhalten	to keep (an appointment)
siezen	to address someone with Sie
vereinbaren	to arrange
verfolgen	to persecute
sich verspäten	to be late

Das Essen in Deutschland ist multikultureller geworden.

deutlich	clear(ly)
inzwischen	in the meantime
rechtlich	legal(ly)
unmittelbar	directly
unweigerlich	inevitable; inevitably

Sie wissen schon
die Ausländerfeindlichkeit, der Ausländer, der Schritt, beeinflussen, unbedingt

Aktivitäten

A Ausländer in der Bundesrepublik. Ergänzen Sie die Sätze mit Wörtern aus dem Kasten.

Die fünfziger Jahre waren eine Zeit des Wohlstands in Deutschland. 1950 gab es wenige _____ in der Bundesrepublik, aber seit _____ ist die Zahl der ausländischen Arbeiter in Deutschland enorm gestiegen. Die deutsche Wirtschaft brauchte dringend Arbeitskräfte. Viele junge Männer, besonders Türken und Griechen, kamen nach Deutschland, um zu arbeiten. Sie haben Arbeiten

Asyl	rechtlich	Ausländer
inzwischen	Verachtung	
		beeinflußt
		...folgt

KAPITEL 33

STRUKTUREN

REVIEW OF REFLEXIVE VERBS AND PRONOUNS
DOING SOMETHING FOR ONESELF

As you recall, some verbs have reflexive pronouns that refer back to the subject. Note the objects in the following sentences.

Ich ziehe **mich** an. *I'm getting dressed.*
Ich ziehe **mir** eine Jacke an. *I'm putting on a jacket.*

Reflexive pronouns occur in the accusative or dative case. The only distinctly different case forms are **mich/mir** and **dich/dir**. All other reflexive pronouns are identical in the accusative and dative cases.

SINGULAR				PLURAL			
ACCUSATIVE		DATIVE		ACCUSATIVE		DATIVE	
mich	myself	mir		uns	ourselves	uns	
dich	yourself	dir		euch	yourselves	euch	
sich	yourself	sich		sich	yourselves	sich	
	herself				themselves		
	himself						
	itself						

Note that the verbs **legen** and **setzen** require accusative reflexive pronouns to describe the process of lying or sitting down.

Ich lege **mich** ins Bett. *I'm going to lie down in bed. (I'm going to put myself to bed.)*

Du hast **dich** an den Tisch gesetzt. *You sat down at the table. (You seated yourself at the table.)*

If a sentence with a reflexive verb contains a direct object, the reflexive pronoun will be in the dative case.

KURZ NOTIERT

Some German verbs are always reflexive, although their English counterparts may not be.

sich erinnern an (+ acc.)	to remember
sich interessieren für	to be interested in
sich unterhalten	to have a conversation
sich übergeben	to vomit
sich aufregen	to decide
sich entspannen	to get excited
sich freuen auf (+ acc.)	to relax / to look forward to
sich freuen über (+ acc.)	to be glad about
sich vorstellen	to imagine; to introduce
sich schminken	to put on makeup

STRUKTUREN

Three sections, each introducing a single grammar point through clear and concise explanations, offer a wide range of practice, from controlled and form-focused exercises to open-ended and creative activities.

PERSPEKTIVEN

The chapter culminates in four-skills development through this final section, which includes the following features.

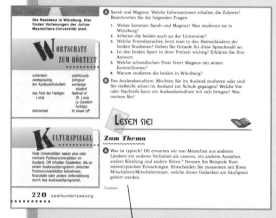

HÖREN SIE ZU! develops listening comprehension skills as it features testimonials, interviews, narratives, and other types of listening passages, along with follow-up comprehension exercises.

LESEN SIE! exposes students to a wide variety of German texts, including author-written passages, as well as authentic literary and non-literary reading selections.

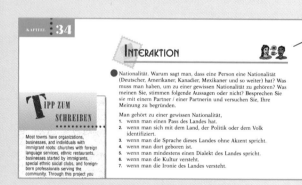

INTERAKTION, a combination of role-playing, partner, and group activities, gives students a chance to integrate what they've learned in real communication with others.

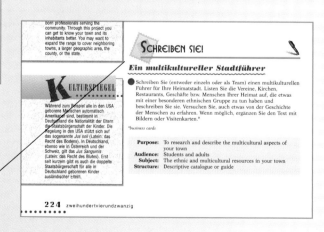

SCHREIBEN SIE! guides students carefully through the pre-writing, writing, and editing processes and facilitates their use of chapter vocabulary and grammatical structures in a personalized context.

OTHER FEATURES

Many other features round out the chapters of *Auf Deutsch!* The linguistic notes in **Sprachspiegel** offer practical insights into the similarities between German and English. **Tipp zum Hören, Tipp zum Lesen,** and **Tipp zum Schreiben** tips aid students in developing listening, reading, and writing skills.

SIND SIE WORTSCHLAU? Vocabulary notes offer tips for learning and expanding vocabulary in German.

KULTURSPIEGEL Cultural notes provide information pertaining to concepts presented in the videos, readings, or activities.

WORTSCHATZ ZUM VIDEO / WORTSCHATZ ZUM HÖRTEXT / WORTSCHATZ ZUM LESEN Brief vocabulary lists aid viewing, listening, and reading comprehension.

KURZ NOTIERT Grammar notes provide brief but essential information for understanding language structures and/or for carrying out a particular activity.

FOKUS INTERNET Cues direct students to the *Auf Deutsch!* Web Site where they can connect to sites on the World Wide Web and explore cultural concepts more fully.

PROGRAM COMPONENTS

BOOKS, VIDEOS, AND ORDERING INFORMATION

The 36 *Fokus Deutsch* videos, as well as the complete program of textbooks and supplementary materials for *Auf Deutsch!*, is available through McDougal Littell. To order videos, call the Annenberg/CPB Foundation at 1-800-LEARNER. To order desk copies of the textbooks and supplements, contact your McDougal Littell representative.

The following descriptions of components apply to all three levels of *Auf Deutsch!*

PUPIL'S EDITION

The *Auf Deutsch!* Level 3 textbook correlates to the third level of the video series and contains viewing activities, vocabulary activities, grammar explanations and exercises, cultural and historical readings, listening comprehension activities, and reading and writing activities.

ARBEITSHEFT (WORKBOOK)

A combined Workbook and Laboratory Manual accompanies the Pupil's Edition for each level. Each chapter is divided into sections that mirror the sections in the main textbook, and each section, as appropriate, may contain both laboratory and workbook exercises. All sections provide practice in global listening comprehension, pronunciation, speaking, reading, and writing.

AUDIO PROGRAM

Each set of audio CDs or Cassettes provides thirty minutes of material correlated with the listening comprehension sections in the Pupil's Edition. In addition, the Audio Program provides another six hours of additional listening material correlated with the listening portions of the **Arbeitsheft** (Workbook).

WORLD WIDE WEB

Correlated with the **Fokus Internet** feature in the Pupil's Edition, this feature allows students to explore interesting links by connecting to the *Auf Deutsch!* Web Site (www.mcdougallittell.com). Available in 2000, this site also includes engaging web-based activities.

TEACHER'S EDITION

The Teacher's Edition is identical to the corresponding Pupil's Edition, except that it contains an interleaf with a planning guide, listening scripts, pacing guides for 50- and 90-minute classes, and teaching suggestions for each chapter.

AUDIO SCRIPT

Packaged with the Instructor's Audio Program, the Audio Script contains the complete recording script of the Audio Program.

TEACHER'S RESOURCE CD-ROM

The Teacher's Resource CD-ROM contains visuals—from all three levels of the main textbooks and videos—for use in creating overhead transparencies, Power Point™ slides for classroom use, and the complete Assessment Program in Microsoft Word 97 format. The Assessment Program consists of chapter quizzes, review tests, and a final exam.

ASSESSMENT PROGRAM

The *Auf Deutsch!* Assessment Program contains 12 chapter tests, 4 review tests, and a final exam. It is also available on the *Auf Deutsch!* Teacher's Resource CD-ROM.

OVERHEAD TRANSPARENCIES

A collection of Overhead Transparencies from the textbook contains visuals from the vocabulary sections as well as the grammar presentations.

HIGH SCHOOL DISTANCE LEARNING GUIDE

The High School Distance Learning Guide contains useful information on implementing a distance learning course and how to incorporate the *Fokus Deutsch* video series and the print materials in that environment.

ACKNOWLEDGMENTS

A project of this magnitude takes on a life of its own. So many people have helped with the video series and print materials that it is impossible to acknowledge the work and contributions of all of them in detail. Here are some of the highlights.

MEMBERS OF THE ADVISORY BOARD, THE ANNENBERG/CPB PROJECT AND WGBH

Robert Di Donato, Chief Academic and Series Developer
Professor of German
Miami University of Ohio

Keith Anderson
Professor Emeritus and Acting Director of International Studies
St. Olaf College

Thomas Keith Cothrun
Past President, American Association of Teachers of German
Las Cruces High School

Richard Kalfus
German Instructor and Foreign Language Administrator
Community College District, St. Louis, Missouri

Beverly Harris-Schenz
Vice Provost for Faculty Affairs and Associate
  Professor of German
University of Pittsburgh

Marlies Stueart
Wellesley High School

Dr. Claudia Hahn-Raabe
Deputy Director and Director of the Language
  Program
Goethe-Institut

Jürgen Keil
Director
Goethe-Institut

Manfred von Hoesslin
Former Director of the Language Department
Goethe-Institut

REVIEWERS AND FOCUS GROUP PARTICIPANTS

Karen Alms, Laguna Hills High School, CA
John Austin, Georgia State University, GA
Helga Bister-Broosen, University of North Carolina
  at Chapel Hill, NC
Marty Christopher, Woodward High School, OK
Donald Clark, Johns Hopkins University, MD
Sharon Di Fino, University of Florida, FL
Judy Graunke, Temple High School, CA
Ingeborg Henderson, University of California,
  Davis, CA
Richard Kalfus, St. Louis Community College,
  Meramec, MO

David Kleinbeck, Midland College, TX
Alene Moyer, Georgetown University, DC
Margaret L. Peo, Victor J. Andrew High School,
  Orland Park, IL
Barbara Pflanz, University of the Redlands, CA
Monica Polley, Wilmette Junior High, Wilmette, IL
Donna Van Handle, Mount Holyoke College, MA
Morris Vos, Western Illinois University, IL

The authors of *Auf Deutsch!* would also like
to extend very special thanks to the following
organizations and individuals:

- The Annenberg/CPB Project (Washington,
  DC), especially to Pete Neal and Lynn Smith
  for their support across the board.

- WGBH Educational Foundation, especially
  to Michele Korf for her guidance in shap-
  ing the series, to Project Director Christine
  Herbes-Sommers for her tireless work on
  the project and for her wonderfully creative
  ideas, and to Producer-Director Fred
  Barzyk for his creative leadership.

- The Goethe-Institut, especially Claudia
  Hahn-Raabe for her stewardship in developing the series, and to Jürgen Keil in
  Boston for his creative and intellectual support and for sharing the use of Boston's
  beautiful Goethe-Institut building.

- InterNationes, especially to Rüdiger van
  den Boom and Beate Raabe.

**Deutschland und Luxemburg
Einwohner**
Deutschland (1998): 82,0 Mio.
Luxemburg (1998): 418 000
Maßstab 2,0 cm = 100 km

DÄNEMARK

OSTSEE

NORDSEE

Flensburg

Helgoland

Ostfriesische Inseln

Kiel

SCHLESWIG-
HOLSTEIN

Hiddensee

Rügen
Sellin

Stralsund

Rostock
Greifswald

Lübeck

MECKLENBURG-
VORPOMMERN

Güstrow

Neubrandenburg

Cuxhaven

HAMBURG

Hamburg

Schwerin

Bremerhaven

Emden

Leer

BREMEN

Bremen

Lüneburg

Prenzlau

BRANDENBURG

POLEN

Oldenburg

NIEDERSACHSEN

LÜNEBURGER
HEIDE

Kirchlinteln

Havel

Oder

BERLIN

Berlin

DIE NIEDERLANDE

Osnabrück

Bielefeld

TEUTOBURGER WALD

Hannover

Wolfsburg

Brandenburg

Potsdam

Frankfurt

Oder

Braunschweig

Ems

Münster

Hameln

Bad
Harzburg

Magdeburg

SACHSEN-

Eisenhüttenstadt

Weser

Dortmund

Paderborn

Brocken

Wernigerode

Dessau

Wittenberg

Cottbus

NORDRHEIN-WESTFALEN

Essen

HARZ

ANHALT

Neiße

Duisburg

Rheinhausen

Ruhr

Göttingen

Eisleben

Halle

Görlitz

Krefeld

Wuppertal

Kassel

Leipzig

SACHSEN

Dresden

Düsseldorf

THÜRINGEN

Weser

Erfurt

Weimar

Wengelsdorf

Meißen

Köln

Saale

Chemnitz

Aachen

Marburg

Eisenach

Kosmar

Gera

Zwickau

Bonn

Rhein

Gießen

Fulda

THÜRINGER WALD

Suhl

ERZGEBIRGE

BELGIEN

Limburg

HESSEN

RHÖN

Koblenz

Frankfurt

Mosel

EIFEL

Wiesbaden

RHEINLAND-

Main

Bayreuth

TSCHECHIEN

HUNSRÜCK

Mainz

Würzburg

LUXEMBURG

PFALZ

Trier

Worms

Nürnberg

FRÄNKISCHE ALB

BÖHMER WALD

Luxemburg

Ludwigshafen

Mannheim

SAARLAND

Kaiserslautern

Heidelberg

Rothenburg
ob der Tauber

BAYERN

BAYERISCHER
WALD

Saarbrücken

BADEN-
WÜRTTEMBERG

Karlsruhe

Regensburg

Rhein

Straubing

Passau

FRANKREICH

Stuttgart

Donau

Isar

VOGESEN

SCHWARZWALD

Neckar

SCHWÄBISCHE ALB

Tübingen

Ulm

Augsburg

Inn

München

Rottweil

Tegernsee

Chiemsee

Freiburg

Friedrichshafen

Lindau

Garmisch-
Partenkirchen

BAYERISCHE ALPEN

Berchtesgaden

ÖSTERREICH

Weil am Rhein

Konstanz

Bodensee

Zugspitze

DIE SCHWEIZ

Europa, Nordafrika und der Mittlere Osten

Maßstab 2,0 cm = 500 km

Moskau

RUSSLAND

KASACHSTAN

ARALSEE

USBEKISTAN

UKRAINE

KASPISCHES

TURKMENISTAN

Tiblis

Baku

GEORGIEN ASERBAIDSCHAN

ARMENIEN

MEER

SCHWARZES MEER

Eriwan

Ankara

Teheran

DIE TÜRKEI

DER IRAN

Nikosia

SYRIEN

Bagdad

ZYPERN

Beirut

Damaskus

DER IRAK

DER LIBANON

KUWAIT

Tel Aviv

Amman

Kuwait

JORDANIEN

PERSISCHER

ISRAEL

TOTES MEER

Kairo

GOLF

ÄGYPTEN

SAUDI
ARABIEN

EU-LÄNDER (1998)	EINWOHNER (1998)
Belgien	10,2 Mio.
Dänemark	5,3 Mio.
Deutschland	82,0 Mio.
Finnland	5,1 Mio.
Frankreich	58,5 Mio.
Griechenland	10,5 Mio.
Großbritannien	58,9 Mio.
Irland	3,6 Mio.
Italien	57,5 Mio.
Luxemburg	0,4 Mio.
Niederlande	15,6 Mio.
Österreich	8,0 Mio.
Portugal	9,9 Mio.
Schweden	8,9 Mio.
Spanien	39,3 Mio.
Gesamtbevölkerungszahl	373,7 Mio.

Mio. = Millionen

Österreich

Einwohner (1998). 8 Mio.
Maßstab 1,5 cm = 50 km

TSCHECHIEN

DEUTSCHLAND

Gmünd
Horn
Krems
Donau
WIEN
Linz
Sankt Pölten
Wien
Melk
OBERÖSTERREICH
Amstetten
NIEDERÖSTERREICH
Baden
Gmunden
Eisenstadt
Neusiedler See
Salzburg
Bad Ischl
Salzkammergut
Wiener Neustadt
Kufstein
Sankt Johann in Tirol
Hallstatt
Liezen
Mariazell
BURGENLAND
Bregenz
Reutte
Wörgl
Bischofshofen
Enns
Bruck an der Mur
VORARLBERG
Kitzbühel
Zell am See
STEIERMARK
Oberwart
Feldkirch
Innsbruck
Bruck
Radstadt
Arlberg
SALZBURG
Sankt Georgen
Landeck
TIROL
Mauterndorf
Güssing
Bodensee
Inn
Osttirol
(zu Tirol)
Graz
Mur
DIE SCHWEIZ
Vintschgau
Lienz
Spittal an der Drau
Feldkirchen
Meran
Drau
KÄRNTEN
Klagenfurt
SÜDTIROL
Bozen
Villach
Wörther See
UNGARN
ITALIEN
SLOWENIEN

SCHAFFHAUSEN
DEUTSCHLAND
Rhein
Schaffhausen
Kreuzlingen
BASEL
(STADT)
Thur
THURGAU
Bodensee
Basel
Liestal
Baden
Winterthur
Frauenfeld
St. Margrethen
FRANKREICH
Rhein
ZÜRICH
St. Gallen
AUSSER-RHODEN
Delemont
BASEL
(LAND)
AARGAU
Herisau
APPENZELL
Appenzell
JURA
Aarau
Zürich
INNER-RHODEN
SOLOTHURN
Reuss
Zürichsee
ÖSTERREICH
Solothurn
LUZERN
Zug
SANKT
Vaduz
Biel
ZUG
Einsiedeln
GALLEN
LIECHTENSTEIN
JURA
Luzern
Glarus
Neuchâtel
Bern
Vierwaldstätter See
Schwyz
GLARUS
Chur
NEUENBURG
BERNER
OBERLAND
Stans
Schwyz
Braunwald
Klosters
Neuenburger See
Fribourg
BERN
Sarnen
NIDW.
Altdorf
Davos
UNTERWALDEN
Engelberg
OBW.
WAADT
Thun
Brienz
URI
Disentis
GRAUBÜNDEN
FREIBURG
Thuner See
Interlaken
Andermatt
St. Moritz
Lausanne
Jungfrau
Grindelwald
P
E
N
Montreux
Jungfraujoch
A
L
Genfer See
Gstaad
Brig
R
TESSIN
Rhône
Genf
Sion
Bellinzona
GENF
WALLIS
Locarno
NIDW = NIDWALDEN
Zermatt
OBW = OBWALDEN
Matterhorn
Lugano
Langensee

Die Schweiz und Liechtenstein
Einwohner

Schweiz (1998): 7,1 Mio.
Liechtenstein (1998): 30 000
Maßstab 2,0 cm = 50 km

ITALIEN

EINFÜHRUNG

In diesem Kapitel

* werden Sie Ihre Mitschüler/Mitschülerinnen kennen lernen.
* werden Sie nützliche Grundvokabeln und Ausdrücke wiederholen.

Sie werden auch

* die Formen des Nominativs und des Akkusativs wiederholen.
* Verben im Präsens gebrauchen.
* den Gebrauch von trennbaren Verben wiederholen.
* besprechen, was Sie bereits über Kultur und Alltag in den deutschsprachigen Ländern wissen.

Studenten und Studentinnen bei einer Vorlesung an der Uni.

VOKABELN

„Darf ich vorstellen?"

A Begrüßungen. Suchen Sie sich drei von Ihren Mitschülern/Mitschülerinnen aus und stellen Sie sich ihnen vor. Hier sind mögliche Fragen, damit Sie sich besser kennen lernen können.

1. Wie heißt du?
2. Was ist dein Lieblingsfach?
3. Welche Kurse belegst du dieses Semester?
4. Warum belegst du Deutsch?
5. Was machst du gern in deiner Freizeit?

B Tanja und ihre Freundin Sabine wollen nach dem Abitur an einer Universität studieren. Die beiden schmieden Plane. Ergänzen Sie die Lücken mit den Wörtern im Kasten.

Tanja überlegt gemeinsam mit ihrer Freundin Sabine, was sie als _____¹ studieren soll. Obwohl Tanjas Lieblingsfach Mathematik ist, interessiert sie sich auch für Architektur. Sabine mag Sprachen und will Französisch als Hauptfach studieren. Als Nebenfach will sie _____² in Englisch _____.³ Beide Freundinnen möchten mit ihrem _____⁴ schnell _____⁵ sein. Obwohl Studenten in Deutschland keine _____⁶ bezahlen müssen, sprechen die beiden Freundinnen davon, dass sie nach dem Abitur für ein paar Monate Geld verdienen wollen. Außerdem diskutieren sie darüber, ob sie in einem _____⁷ wohnen möchten oder sich lieber eine Wohnung mit einer Freundin teilen sollen.

Hauptfach
Studium
Studentenwohnheim
fertig
Vorlesungen
Studiengebühren
belegen

C Im Klassenzimmer. Ordnen Sie jedem Ausdruck links eine passende Situation rechts zu.

1. „Ich stimme damit überein."
2. „Was meinen Sie damit?"
3. „Was halten Sie davon?"
4. „Das steht auf Seite . . . "
5. „Können Sie das bitte wiederholen?"
6. „Ich schlage vor, . . . "

a. Sie haben den Lehrer / die Lehrerin nicht gehört. *Oder:* Sie möchten etwas noch einmal hören.
b. Sie wollen einen Vorschlag machen.
c. Sie möchten sagen, wo etwas im Text steht.
d. Sie möchten wissen, warum jemand etwas sagt oder glaubt.
e. Sie möchten sagen, dass Sie gleicher Meinung sind.
f. Sie möchten jemanden fragen, welche Meinung er/sie zu einem bestimmten Thema hat.

Der Professor hält einen Vortrag.

STRUKTUREN

REVIEW OF THE NOMINATIVE AND ACCUSATIVE CASES

MARKING SUBJECTS AND DIRECT OBJECTS

In English, subjects tend to come right before the verb and direct objects right after the verb. In German, subjects may come before or after the verb. In the following example, subjects appear in blue and direct objects in red.

Marion besucht den Professor.	*Marion visits the professor.*
Wen besucht sie?	*Whom does she visit?*
Der Professor serviert einen Kuchen.	*The professor serves a cake.*
Was serviert er?	*What does he serve?*

Notice that in the preceding examples the forms of the definite article show the function of the noun within the sentence.

In German, subjects are in the nominative case, direct objects in the accusative case. Feminine nouns are identified by the articles **die/eine,** masculine nouns by **der/ein,** neuter nouns by **das/ein,** and all plural nouns by **die.**

The forms of the accusative case are exactly the same as those of the nominative case, with the following exception: The masculine articles **der** and **ein** become **den** and **einen.**

NOMINATIVE	ACCUSATIVE
der Mann	**den** Mann
ein Mann	**einen** Mann

Übungen

A Das Semester fängt schon an! Klara beschreibt, was sie morgens macht. Ergänzen Sie die Lücken mit der richtigen Form des Artikels im Nominativ oder im Akkusativ.

KURZ NOTIERT

Some masculine nouns take an **-n** or **-en** ending in the accusative case.

der Herr → den Herr**n**
ein Herr → einen Herr**n**
der Student → den Student**en**
ein Student → einen Student**en**

The following are some common **-n** or **-en** masculine nouns.

der Junge, der Nachbar, der Mensch, der Kollege, der Name, der Neffe, der Patient, der Polizist, der Präsident, der Soldat, der Student

KURZ NOTIERT

A singular or plural noun in the accusative case always follows the expression **es gibt.**

Gibt es **einen neuen** Schüler in der Klasse?
Is there a new student in class?

Es gibt **viele Jugendliche,** die sportlich interessiert sind.
There are a lot of young people interested in sports.

Klara steht vor dem schwarzen Brett.

Um halb sieben klingelt _____ ¹ Wecker (der). Ich sehe auf _____ ² Wecker (der) und mache ihn aus. Ich stehe nur langsam auf. Ich gehe in _____ ³ Küche (die) und mache mir _____ ⁴ Tasse (eine) Tee. Während _____ ⁵ Teewasser (das) kocht, gehe ich unter _____ ⁶ Dusche (die) und dusche mich schnell. Ich mache _____ ⁷ Kleiderschrank (der) auf, aber ich weiß nicht, ob ich am ersten Tag _____ ⁸ blauen oder dunkelbraunen Rock (der) tragen soll. Es ist zu früh am Morgen, um solche Entscheidungen zu treffen!

B Hausarbeit. Wie ist die Rollenverteilung in Ihrer Familie? Bilden Sie Fragen, und stellen Sie diese Fragen einem Partner / einer Partnerin.

MODELL: Abendessen kochen →
    A: Wer kocht bei euch das Abendessen?
    B: Mein Vater kocht das Abendessen.

1. Geschirr spülen
2. Wäsche waschen
3. Rasen mähen
4. Tisch decken
5. Schlafzimmer aufräumen

REVIEW OF INFINITIVES AND THE PRESENT TENSE
TALKING ABOUT DOING THINGS

The verbs **brauchen** and **arbeiten** are two examples of regular verbs. To form the present tense, drop the **-en** from the infinitive and add the present-tense personal endings.

Verbs with stems that end in **-t** or **-d** insert an **-e-** before the endings for the forms for **du** and **sie/er/es.**

INFINITIVE: **brauchen** *to need*	
STEM: **brauch-**	
ich brauche	wir brauchen
du brauchst	ihr braucht
Sie brauchen	Sie brauchen
sie/er/es braucht	sie brauchen

INFINITIVE: **arbeiten** *to work*	
STEM: **arbeit-**	
ich arbeite	wir arbeiten
du arbeitest	ihr arbeitet
Sie arbeiten	Sie arbeiten
sie/er/es arbeitet	sie arbeiten

The verb **haben** has irregular forms for **du** and **sie/er/es.**

INFINITIVE:	**haben** *to have*		
STEM:	**hab-**		
ich	hab**e**	wir	hab**en**
du	**hast**	ihr	hab**t**
Sie	hab**en**	Sie	hab**en**
sie/er/es	**hat**	sie	hab**en**

Some German verbs have stem-vowel changes in the forms for **du** and **sie/er/es.**

VERBS WITH STEM-VOWEL CHANGE a → ä

INFINITIVE:	**schlafen** *to sleep*		
STEM:	**schlaf-**		
ich	schlafe	wir	schlafen
du	schl**ä**fst	ihr	schlaft
Sie	schlafen	Sie	schlafen
sie/er/es	schl**ä**ft	sie	schlafen

Also: fahren: du fährst, sie/er/es fährt
laufen: du läufst, sie/er/es läuft

VERBS WITH STEM-VOWEL CHANGE e → i

INFINITIVE:	**essen** *to eat*		
STEM:	**ess-**		
ich	esse	wir	essen
du	**i**sst	ihr	esst
Sie	essen	Sie	essen
sie/er/es	**i**sst	sie	essen

Also: sprechen: du sprichst, sie/er/es spricht
geben: du gibst, sie/er/es gibt
nehmen: du nimmst, sie/er/es nimmt
vergessen: du vergisst, sie/er/es vergisst

VERBS WITH STEM-VOWEL CHANGE e → ie

INFINITIVE:	**lesen** *to read*		
STEM:	**les-**		
ich	lese	wir	lesen
du	**lie**st	ihr	lest
Sie	lesen	Sie	lesen
sie/er/es	**lie**st	sie	lesen

Also: sehen: du siehst, sie/er/es sieht

Das Deutsche Museum in München.

Birgit steigt in den Zug ein.

Übungen

A Urlaub in München. Sie reisen mit Freunden nach München. Bilden Sie Sätze, um Ihren Urlaub zu beschreiben.

MODELL: Wir übernachten heute Abend im Hotel „Bayerischer Hof".

ich	übernachten	nächste	an der Isar
wir	liegen	Woche	in der Sonne
meine	genießen	am Montag	im Englischen
Freundin	ändern	am Freitag	Garten
mein	besuchen	heute	in einer
Freund	fotografieren	ein paar Tage	Jugendherberge
meine	machen	jeden Tag	das Deutsche
Freunde	reservieren	abends	Museum
	verbringen	morgen früh	das warme Wetter
		heute Abend	im Hotel
			„Bayerischer
			Hof"
			Aufnahmen
			eine
			Stadtrundfahrt
			ein Picknick

B Birgits Reise. Birgit macht Urlaub in Österreich. Beschreiben Sie die Reise.

MODELL: nach Österreich fahren →
        Sie fährt nach Österreich.

1. viel Gepäck haben
2. eine Broschüre lesen
3. ihr Portemonnaie vergessen
4. eine alte Schulfreundin in Wien treffen
5. in die Oper gehen
6. müde werden
7. ins Hotel gehen
8. morgens sehr lange schlafen

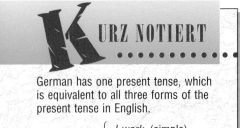

KURZ NOTIERT

German has one present tense, which is equivalent to all three forms of the present tense in English.

Ich **arbeite.**
{
I work. (simple)
I do work. (emphatic)
I am working. (progressive)
}

REVIEW OF TWO-PART VERBS
MORE ON DOING THINGS

German has a number of two-part verbs that consist of a prefix, such as an adverb or preposition, plus the infinitive. The prefixes slightly or significantly alter the meaning of the basic verb. Such two-part verbs appear as a single word in the infinitive form. However, when the verb is conjugated, the prefix goes at the end of the clause or sentence.

Susanne **will** ihre Schwestern **anrufen.**	*Susanne wants to call her sister (on the phone).*
Susanne **ruft** ihre Schwester **an.**	*Susanne calls her sister (on the phone).*

In the present perfect tense, the past participle of a two-part verb appears as one word with **-ge-** separating the prefix from the verb form.

Susanne **hat** ihre Schwester schon **angerufen.**	*Susanne already called her sister.*

The following are some common two-part verbs.

aufhören	*to stop*	mitkommen	*to come along*
aufpassen	*to watch out*	umziehen	*to move*
aufstehen	*to get up*	vorbeikommen	*to come by*
aussehen	*to look, appear*	vorhaben	*to plan, intend*
einladen	*to invite*	zurückkommen	*to come back*

To help you identify two-part verbs, a dot separates the prefix from the infinitive in the chapter vocabulary lists in this book: **an•rufen.** The vocabulary list at the end of the book identifies two-part verbs in this way: **anrufen (ruft an).**

Übungen

A Klaus geht zur Kur. Schreiben Sie vollständige Sätze.

MODELL: Klaus / eine Erholungsreise / vorhaben →
Klaus hat eine Erholungsreise vor.

1. Klaus / sehr früh / aufstehen
2. zwei Freunde / mitkommen
3. sie (*pl.*) / am Bahnhof / ankommen
4. sie (*pl.*) / in den Zug / einsteigen
5. die Reise / schon / anfangen
6. der Kurort / sehr schön / aussehen

Bad Ems – ein berühmter deutscher Kurort.

7. sie (*pl.*) / im Wald / spazieren gehen
8. Klaus / sich gut / ausruhen
9. am Freitag / sie (*pl.*) / nach Hause / zurückfahren

B Vorwürfe.[a] In den Ferien haben Sie in einem anderen Staat gearbeitet. Sie sind jetzt wieder zu Hause und Ihre Eltern machen Ihnen viele Vorwürfe. Widersprechen Sie ihren Vorwürfen im Perfekt.

MODELL: Du rufst uns nie an! →
Ich habe euch doch angerufen.

1. Du kommst nie pünktlich an!
2. Du hörst uns nie zu!
3. Du stellst uns deine Freunde nie vor!
4. Du bringst nie zurück, was du von uns leihst!

[a]*Accusations*

PERSPEKTIVEN

A Wo ist das? Welche Beschreibung passt zu welcher Stadt?

1. Köln
2. Berlin
3. Zürich
4. Hamburg
5. München
6. Wien
7. Frankfurt

a. Stadt an der Isar, die für das Oktoberfest berühmt ist
b. Internationales Finanzzentrum und Sitz der Europäischen Zentralbank
c. Stadt an der Elbe mit einem großen Hafen
d. berühmte Handelsstadt in der Schweiz
e. Stadt am Rhein, die von den Römern gegründet wurde
f. Stadt, die seit der Wiedervereinigung wieder die Hauptstadt Deutschlands ist
g. Stadt, die einmal die Hauptstadt der Doppelmonarchie Österreich-Ungarn war

B Wie gut kennen Sie Europa? Was stimmt? Was stimmt nicht? Wenn ein Satz nicht stimmt, korrigieren Sie ihn mit der richtigen Information.

1. In Köln feiert man Karneval.
2. Das Abitur ist eine Art von Schule, ähnlich wie die amerikanische „High-School".
3. In der Drogerie kann man Rezepte abholen.
4. Nach der Wende wurde Bonn die neue Bundeshauptstadt.
5. Nach der Wende wurden viele Deutsche im Osten arbeitslos.
6. Deutschland, Österreich und die Schweiz sind Mitglieder der Europäischen Union.

Blick vom Rheinufer auf den Kölner Dom, ein Meisterwerk deutscher Gotik.

WORTSCHATZ

Substantive	Nouns
die **Gebühr, -en**	fee
die **Wäsche**	laundry
der **Kurort, -e**	health spa, resort
das **Geschirr**	dishes
das **Geschirr spülen**	to wash or do the dishes

Verben	Verbs
aus•sehen (sieht aus), sah aus, ausgesehen	to appear
bei•stehen, stand bei beigestanden	to support
ein•laden (lädt ein), lud ein, eingeladen	to invite
genießen, genoss, genossen	to enjoy
halten (hält), hielt, gehalten	to hold
halten von	to have an opinion of
leihen, lieh, geliehen	to borrow
meinen	to think; to mean
übereinstimmen (mit etwas)	to agree (*with something*)
übernachten	to spend the night
wiederholen	to repeat

Adjektive und Adverbien	Adjectives and adverbs
fertig	finished
immer	always

Sie wissen schon	You already know
die **Freizeit**	free time
die **Vorlesung, -en**	lecture
die **Zwischenprüfung, -en**	mid-diploma exam

der **Kurs, -e**	(*academic*) course
der **Rasen**	lawn
den **Rasen mähen**	to mow the lawn
der **Schüler, -** / die **Schülerin, -nen**	student (*not in a university*)
der **Student (-en** *masc.*) / die **Studentin, -nen**	student (*at a university*)
der **Vortrag, ¨e**	lecture; talk
einen **Vortrag halten**	to give a talk
das **Hauptfach, ¨er**	minor subject
das **Nebenfach, ¨er**	minor subject
das **Semester, -**	semester
das **Studentenwohnheim, -e**	dormitory
das **Studium,** *pl.* **Studien**	course of study (*at a university*)
an•rufen, rief an, angerufen	to call on the phone
auf•hören	to stop
auf•passen	to watch out, pay attention
auf•räumen	to clean up, organize
belegen	to take (*a course*)
brauchen	to need
mit•kommen, kam mit, ist mitgekommen	to come along
verbringen, verbrachte, verbracht	to spend (*time*)
vorbei•kommen, kam vorbei, ist vorbeigekommen	to drop by
vor•schlagen (schlägt vor), schlug vor, vorgeschlagen	to suggest
zurück•kommen, kam zurück, ist zurückgekommen	to come back
bald	soon

MITEINANDER

In diesem Kapitel

- lernen Sie deutsche Familien kennen.
- erfahren Sie, wie sich das Ideal der Familie geändert hat.
- besprechen Sie, was für Sie eine Familie bedeutet.

Sie werden auch

- über die Vergangenheit erzählen.
- Komplexe Sätze und Satzverbindungen gebrauchen.
- Gegensätze ausdrücken.
- das Imperfekt, Konjunktionen und **nicht/kein** wiederholen.
- eine kurze Biografie schreiben.

Susanne Dyrchs mit
ihrer Familie.

Eine deutsche Familie
von damals.

Familienfoto mit Kindern, Eltern
und Großeltern.

VIDEOTHEK

Susanne mit ihrer Großmutter.

Das Konzept „Familie" hat sich über die Jahre geändert. In diesem Kapitel sehen Sie „Familie" aus persönlicher und historischer Sicht.

I: Eine Familiengeschichte

In dieser Folge erfahren wir etwas über Familie. Zuerst beschreibt Susanne Dyrchs ihre Familie.

A Welche Familienmitglieder erwähnt Susanne?

1. Bruder	4. Onkel	7. Tante
2. Mutter	5. Opa	8. Urgroßeltern
3. Oma	6. Schwester	9. Vater

B Wen in Susannes Familie beschreiben diese Sätze? Verbinden Sie die Satzteile.

a. ihr Vater **b.** ihre Mutter **c.** ihre Oma **d.** ihre Familie

1. _____ hat früher in Dresden gewohnt.
2. _____ ist Professor/Professorin für Jura.
3. _____ ist Richter/Richterin.
4. _____ kocht dreimal die Woche für die Familie.
5. _____ wohnt etwas außerhalb von Köln, in einem Vorort.
6. _____ wohnt in Köln.

C In dieser Folge erfahren wir auch etwas über die Familie Heyn. Meta erzählt ihrer Enkelin Sybilla die Geschichte der Familie Heyn. Wen beschreiben diese Sätze? Meta, Sybilla oder beide Frauen?

1. Sie hat in einer WG gewohnt.
2. Sie heiratete mit 22 Jahren und hatte drei Kinder.
3. Sie musste ihren Beruf aufgeben.
4. Sie löste die Verlobung zu ihrem Freund.
5. Sie wohnt jetzt allein.

D Sybilla und ihre Familie: als sie Kind war und heute. Verbessern Sie die falschen Informationen.

MODELL: Sybilla ist die Tochter von Meta Heyn. →
Sybilla ist die Tochter von Meta Heyns Sohn Karl.
oder: Sybilla ist die Enkelin von Meta Heyn.

SPRACHSPIEGEL

In English, the word *family* follows the family's name:

the Dyrchs family;

but in German, the word **Familie** precedes the family's name:

die Familie Dyrchs.

The word **Familie** may also be omitted:

die Meiers.

WORTSCHATZ ZUM VIDEO

sich entscheiden	*to decide*
der Vorort	*suburb*
die Vergangenheit	*past*
das Jahrhundert	*century*
die Macht	*power*
aus	*over with, finished*
eng	*close*
spüren	*to feel*
der Begriff	*expression*
zu jemandem halten	*to stick with someone*

1. Sybillas Mutter studierte Jura.
2. Sybillas Eltern machten beide Karriere.
3. Sybillas Vater kümmerte sich um seine Tochter und den Haushalt.
4. Erst nach einer langen Zeit bekam die Familie ein Auto und ein eigenes Haus.
5. Sybilla wuchs in einer untypischen deutschen Großfamilie auf.
6. Erst in den siebziger Jahren änderten sich die Ideale von Ehe und Familie.
7. Sybilla teilte sich mit einer Freundin eine Wohnung.
8. Heute wohnt Sybilla mit ihrem Mann zusammen.

Großmutter und Enkelin.

II: Lebensstile

In dieser Folge hören wir die Meinungen von drei Menschen über Familie und Ehe.

A Sabine und Peter Schenk

SCHRITT 1: Sehen Sie sich das Video an, und beantworten Sie die Fragen.

1. Wie lange sind sie schon verheiratet?
2. Wie viele Kinder wünschen sich die Schenks?
3. Was bedeutet für Peter Ehe? Wie sieht Sabine das?
4. Was erwarten die beiden voneinander?

SCHRITT 2: Und Sie? Was bedeutet für Sie Heiraten? Was erwarten Sie von einem Ehepartner / einer Ehepartnerin?

B Nora Bausch. Nora lebt allein und möchte nicht heiraten. Was sagt sie?

1. Wie lange hat sie schon allein gewohnt?
2. Fühlt sie sich als Single „allein"? Warum oder warum nicht?
3. Warum möchte sie nicht heiraten?

C Diskussion. In diesem Video haben Sie sehr verschiedene Lebensstile gesehen: eine traditionelle Familie, eine moderne Ehe und eine Frau, die lieber allein lebt. Wie stellen Sie sich Ihr Leben vor? Möchten Sie heiraten, oder wohnen Sie lieber allein? Was sind die Vor- und Nachteile davon?

Nora Bausch.

VOKABELN

die Jugend	*youth*	befreundet	*friends with*
die Trennung	*separation*		*someone*
die Umstellung	*adjustment*	damals	*at that time,*
die	*independence*		*earlier*
Unabhängigkeit		ehelich	*marital*
die Veränderung	*change*	geboren	*born*
die Verlobung	*engagement*	getrennt	*separated*
der/die	*adult*	unabhängig	*independent*
Erwachsene		verheiratet	*married*
(*decl. adj.*)		verliebt	*in love*
der Vertrag	*contract*	verlobt	*engaged*
das Ehepaar	*married couple*		

auf•wachsen	*to grow up*
betreffen	*to concern, affect*
beweisen	*to prove*
ernähren	*to nourish*
erreichen	*to achieve*
erwarten von	*to expect from*
respektieren	*to respect*
nah stehen	*to be close to*
überleben	*to survive*

Sie wissen schon

aufgeben, die Ehe, die
Scheidung, der
Familienstand, der
Haushalt, die Eltern,
aufgeben, heiraten, sorgen
für, verdienen, berufstätig,
eigen, ledig/single

**Famile, Ehe, Partnerschaft – wie trennt man
die Rollen in der Familie?**

verdienten

verheiratet

aufwachsen

befreundet

heiratete

eigene

überlebten

Umstellung

Verlobung

Aktivitäten

A Welches Wort passt? Ergänzen Sie die
Sätze mit Vokabeln aus der Liste.

1. Wir waren froh, dass wir den Krieg
   _____.
2. Sybilla löste ihre _____ und zog in eine
   WG.
3. Wenn ich das Wort Familie höre,
   denke ich an meine _____ Familie.
4. Sie war _____ und bekam drei Kinder.
5. Die Männer _____ das Geld.
6. Mit 22 Jahren _____ Meta Franz Heyn.
7. Peter und Sabine waren acht Jahre
   _____, bevor sie verheiratet waren.
8. Die Schenks finden, Kinder sollen in
   einer Familie _____.
9. Am Anfang ist es eine große _____,
   allein zu leben.

B Familie und Beruf. Wie kann man das anders sagen?

1. Es war schön *damals* in der WG.
2. Sie *gab* ihren Beruf *auf* und bekam drei Kinder.
3. Ihre Enkelin *wuchs* in einer typisch deutschen Kleinfamilie *auf*.
4. Wir waren vorher acht Jahre *befreundet* und irgendwann wollten wir denn einfach heiraten.
5. Ich *erwarte von* meinem Ehepartner, dass er sich um seine Familie kümmert.
6. Am Anfang war es schon eine große *Umstellung*, alleine zu leben.
7. Die Hausfrau *sorgte für* den Haushalt.

a. Sie machte nicht mehr Karriere, sondern sie blieb mit ihren drei Kindern zu Hause.
b. Während dieser Periode meines Lebens fand ich die WG schön.
c. Wir waren acht Jahre Freunde, bevor wir uns entschieden, Mann und Frau zu werden.
d. Die Hausfrau machte alle Hausarbeit: Sie kochte, putzte, nähte . . .
e. Ihre Enkelin verbrachte ihre Kindheit in einer typisch deutschen Kleinfamilie.
f. Am Anfang musste sie sich an die neue Situation anpassen.
g. Mein Ehepartner soll sich um seine Familie kümmern. Ich halte das für selbstverständlich.

C Meinungen. Was bedeutet „Familie"? Im Video hören Sie verschiedene Meinungen zum Thema „Familie". Mit welchen Meinungen sind Sie einverstanden? Mit welchen nicht? Warum?

ANETT: Wenn ich das Wort „Familie" höre, denke ich an meine eigene Familie. Die bedeutet mir sehr viel. Ich lebe mit meinen Eltern zusammen, und ich habe auch eine große Schwester.

DANIELA: Ich finde Familie ist das, womit jeder glücklich ist. Und jeder muss es selbst definieren. Für mich sind's eben Kinder und ein Hund. Für andere ist es vielleicht eine Person oder nur die Person alleine.

STEFAN: Ich hoffe sehr, dass die traditionelle Familie überleben wird, weil in der modernen Familie vielleicht beide Eltern arbeiten und die Kinder sind meistens alleine. Das führt doch nur zu Scheidungen in meiner Meinung.

SABINE: Für mich ist Heiraten etwas ganz Romantisches. Ich wollte eigentlich schon immer heiraten.

NORA: Single heißt ja nicht, dass ich alleine bin. Ich habe ja haufenweise Freunde. Seit ich alleine lebe, unternehme ich viel mehr als früher, treffe mich mit Freunden, gehe ins Kino, ins Theater.

Daniela.

STRUKTUREN

REVIEW OF THE SIMPLE PAST TENSE
TELLING ABOUT PAST EVENTS

Remember, that to relate connected events that happened in the past—such as a story, narrative, or anecdote—use the simple past tense.

Strong verbs

Strong verbs form the simple past tense by changing their stem-vowels and adding special past-tense endings. No ending is added in the first- and third-person singular.

INFINITIVE: **bleiben** *to stay*			
STEM: **blieb-**			
ich	blieb	wir	blieb**en**
du	blieb**st**	ihr	blieb**t**
Sie	blieb**en**	Sie	blieb**en**
sie	blieb		
er	blieb	sie	blieb**en**
es	blieb		

The stem vowels of most strong verbs change according to one of the following patterns.

	VOWEL CHANGE	INFINITIVE	PAST-TENSE STEM	
1.	**ei → ie**	bl**ei**ben	bl**ie**b	*to stay*
2.	**ei → i**	b**ei**ßen	b**i**ss	*to bite*
3.	**ie → o**	fl**ie**gen	fl**o**g	*to fly*
4.	**i → a**	s**i**ngen	s**a**ng	*to sing*
5.	**o → a**	k**o**mmen	k**a**m	*to come*
6.	**e → a**	n**e**hmen	n**a**hm	*to take*
7.	**a → ie**	schl**a**fen	schl**ie**f	*to sleep*
8.	**a → u**	aufw**a**chsen	w**u**chs auf	*to grow up*

Some strong verbs undergo a change of consonants as well as vowels in the simple past tense. (See the appendix for a list of the simple past-tense forms of many common strong verbs.)

gehen, ging	*to go*	treffen, traf	*to meet*
reiten, ritt	*to ride*	tun, tat	*to do*
sein, war	*to be*	werden, wurde	*to become*
stehen, stand	*to stand*	ziehen, zog	*to move, pull*

Weak verbs

As you recall, weak verbs form the simple past tense by adding the tense marker **-t-** to the verb stem and then the past-tense endings.

Weak verbs with stems that end in **-t** or **-d** insert an **-e-** before the past-tense marker **-t-** plus endings.

INFINITIVE: **brauchen** *to need*	
STEM: **brauch-**	
ich brauch**te**	wir brauch**ten**
du brauch**test**	ihr brauch**tet**
Sie brauch**ten**	Sie brauch**ten**
sie brauch**te**	
er brauch**te**	sie brauch**ten**
es brauch**te**	

INFINITIVE: **heiraten** *to marry*	
STEM: **heirat-**	
ich heirat**ete**	wir heirat**eten**
du heirat**etest**	ihr heirat**etet**
Sie heirat**eten**	Sie heirat**eten**
sie heirat**ete**	
er heirat**ete**	sie heirat**eten**
es heirat**ete**	

Mixed verbs

Like weak verbs, mixed verbs (also called irregular weak verbs) take the past-tense marker **-t-**; like strong verbs, they have a stem change. The following are the most common mixed verbs in German. Four of the modal verbs fall into this category.*

brennen, brannte	*to burn*
bringen, brachte	*to bring*
denken, dachte	*to think*
haben, hatte	*to have*
kennen, kannte	*to know, be familiar with*
nennen, nannte	*to name*
rennen, rannte	*to run*
wissen, wusste	*to know*
dürfen, durfte	*to be permitted*
können, konnte	*to be able to, can*
mögen, mochte	*to like to, care to*
müssen, musste	*to have to, must*

SPRACHSPIEGEL

German and English have three main types of verbs: strong, weak, and mixed. Notice the similarities in the simple past-tense forms.

GERMAN	ENGLISH
STRONG VERBS	
sprechen, sprach	*speak, spoke*
stehen, stand	*stand, stood*
sein, war	*be, was*
WEAK VERBS	
lachen, lachte	*laugh, laughed*
leben, lebte	*live, lived*
MIXED VERBS	
bringen, brachte	*bring, brought*
können, konnte	*can, was able to*

---

*Note that **sollen/sollte** and **wollen/wollte** are weak verbs.

Übungen

A Verben im Imperfekt.[a] Wie war es damals in der Familie? Ergänzen Sie die Sätze. Benutzen Sie jedes Verb nur einmal.

zog wuchs... bekam
blieb ... auf
verloren
brach ... auf
gab ... auf traf

1. Der Vater _____ alle wichtigen Entscheidungen.[b]
2. Meta Heyns Mann wollte, dass sie zu Hause _____.
3. Meta _____ ihren Beruf _____ und _____ drei Kinder.
4. Im Krieg _____ viele Frauen ihre Männer.
5. Meta Heyns Enkelin Sybilla _____ in einer typischen Kleinfamilie _____.
6. Als Frau _____ Sybilla mit der Tradition.
7. Sie löste ihre Verlobung und _____ mit Freunden in eine WG.

[a]*simple past tense*   [b] Entscheidungen treffen . . . *to make decisions*

B Sybilla stellt ihrer Großmutter viele Fragen. Bilden Sie die Fragen im Imperfekt.

MODELL: Wie geht es der Familie? → Wie ging es der Familie?

1. Warum bleiben die Frauen zu Hause?
2. Wo schlafen die Kinder?
3. Welche Lieder singen sie?
4. Reiten die Kinder gern?
5. Wann werden die Söhne Soldaten?
6. Was tun die deutschen Familien?
7. Wann wird die wirtschaftliche Situation besser?
8. Wo steht das Familienhaus?
9. Wann ziehen viele Familien aus der Stadt?

C Damals und heute. Bilden Sie Sätze im Imperfekt.

MODELL: die Familie / leben / damals / in einer festen Ordnung → Die Familie lebte damals in einer festen Ordnung.

1. Meta / heiraten / Franz Heyn
2. die traditionelle Frau / sorgen / für Haus und Familie
3. dein Großvater / wollen, / dass ich daheim blieb
4. der Vater / verdienen / das Geld für die Familie
5. Meta Heyn / sollen / sich um den Haushalt kümmern
6. dennoch / lernen / sie, *sg.* / einen Beruf
7. der Krieg / trennen / die Familie Heyn
8. nach dem Krieg / suchen / viele Frauen / ihre Männer
9. Metas Sohn Karl / studieren / Jura
10. die Ideale von Familie / ändern / sich in den sechziger Jahren
11. Sybilla / lösen / ihre Verlobung
12. Meta / denken / oft an ihre Familie
13. die Frauen / wissen / nicht, wo ihre Männer waren
14. der Krieg / bringen / viele Veränderungen im Familienleben

CONJUNCTIONS
CONNECTING WORDS, SENTENCES, AND IDEAS

German has two types of conjunctions: coordinating and subordinating. Coordinating conjunctions join words, phrases, and complete sentences. The most common ones are **aber, denn, sondern,** and **und.**

> Stefan denkt oft an die Ehe, **und** eines Tages will er eine Frau und Kinder haben.

> *Stefan often thinks of marriage, and one day he wants to have a wife and children.*

Subordinating conjunctions join two dependent clauses or ideas. The most common ones are **als, dass, weil,** and **wenn.** Subordinating conjuctions may appear before the first or second clause.

> **Wenn** ich an „Familie" denke, denke ich meistens an Kinder und einen Hund.

> *When I think about "family," I usually think about children and a dog.*

Note that the conjugated verb appears at the end of clauses that begin with a subordinating conjunction. Note also that when a sentence begins with a subordinating conjunction, the second clause begins with the verb.

KURZ NOTIERT

Coordinating conjunctions:

aber	*but, however*
denn	*because, for*
sondern	*but rather*
und	*and*

Subordinating conjunctions:

als	*when*
dass	*that*
weil	*because*
wenn	*whenever, when, if*

The conjunctions **als** and **wenn** can both mean *when*. **Als** refers to a single fact or event in the past. **Wenn** refers to habitual actions in the past or present.

> Als es regnete, wurde ich völlig nass.
> *When it rained, I got completely wet.*

> Wenn es regnete, ging ich spazieren.
> *When(ever) it rained, I would go for a walk.*

> Wenn es regnet, gehe ich spazieren.
> *When(ever) it rains, I go for a walk.*

Denn and **weil** both mean *because*. **Denn** is used when indicating the cause of something; **weil** the reason.

Übungen

A Kommentare über Ehe, Kinder und Lebensstil. Verbinden Sie die Satzteile.

1. Die Nationalsozialisten kamen an die Macht, aber _____
2. Frauen suchten ihre Männer, und _____
3. Ich lebe mit meinen Eltern zusammen und _____
4. Ich erwarte von meinem Ehepartner, dass _____
5. Wir waren froh, dass _____
6. Beide Frauen leben heute allein, aber _____
7. Es war schön damals in der WG, aber _____
8. Als wir noch klein waren, _____
9. Ich möchte eine Zeit lang Single bleiben, weil _____

a. das Familienleben in Deutschland ging weiter.
b. er sich um seine Familie kümmert.
c. hat Großmutter immer auf uns aufgepasst.
d. heute bin ich lieber alleine.
e. mir meine Freiheit wichtig ist.
f. sie fühlen sich eng miteinander verbunden.
g. sie sind mir sehr wichtig.
h. Väter suchten ihre Familien.
i. wir den Krieg überlebt hatten.

KURZ NOTIERT

With the conjunctions **und** and **oder,** a comma can separate the two sentences to make the meaning clear.

> Kaiser Wilhelm regierte in Deutschland, und Österreich war unter den Hapsburgern.

However, you do not need to use a comma if the meaning is clear without one.

> Kaiser Wilhelm regierte in Deutschland und Franz Josef herrschte in Österreich.

B Familien. Verbinden Sie die beiden Sätze mit der angegebenen Konjunktion. Achten Sie auf Wortstellung.

MODELL: Ich denke an meine eigene Familie. (wenn) Ich höre das Wort „Familie". →
Ich denke an meine eigene Familie, wenn ich das Wort „Familie" höre.

1. Viele Frauen mussten außer Haus arbeiten. (weil) Die Männer waren Soldaten.
2. Meta heiratete Franz Heyn. (als) Sie war 22 Jahre alt.
3. Stefan hofft. (dass) Die traditionelle Familie wird überleben.
4. Wir waren einige Zeit befreundet. (und) Irgendwann wollten wir heiraten.
5. Meine Schwester ist verheiratet. (aber) Mein Bruder und ich sind Singles.
6. Sabine wollte schon immer heiraten. (denn) Heiraten ist für sie sehr romantisch.
7. Susanne wohnt nicht in der Stadt. (sondern) Ihre Familie hat ein Haus in einem Vorort.
8. (wenn) Die Großmutter kommt zu Besuch. Sie kocht für Familie Dyrchs.

C Wie war Ihre frühe Kindheit? Beantworten Sie die folgenden Fragen. Benutzen Sie einige oder alle dieser Konjunktionen: **aber, denn, sondern, und, als, dass, weil** und **wenn.**

MODELL: Meine Tante und Onkel wohnten in Seattle, aber meine Familie wohnte in Boston.

1. Wo wohnten Ihre Familienmitglieder (Ihre Mutter [Stiefmutter, Großmutter, Tante], Ihr Vater [Stiefvater, Großvater, Onkel])?
2. Was machten Ihre Familienmitglieder von Beruf?
3. Blieb Ihre Mutter (Stiefmutter, Großmutter, Tante) zu Hause, oder machte sie Karriere?
4. Als Sie Kind waren, gingen Sie gern in die Grundschule?
5. Wer passte auf Sie als Baby auf? Warum?

REVIEW OF NEGATION
NEGATING WORDS, SENTENCES, AND CONCEPTS

German, as you recall from your previous study, has two words for negation: **kein** and **nicht. Kein** is equivalent to English *no, not a,* or *not any;* **nicht** is equivalent to English *not.*

Use **kein** to negate nouns that would otherwise be preceded by an indefinite article or no article.

Ich habe **keine** Ahnung.	*I have no idea.*
Ich trinke **keinen** Tee.	*I don't drink tea.*
Ich brauche **keinen** Tisch.	*I don't need a/any table.*

Use **nicht** to negate an entire sentence or just part of it. To negate a specific part of the sentence, place **nicht** before that particular noun, adjective, adverb, or prepositional phrase.

Das ist **nicht** mein Mann.	*That is not my husband.*
Dein Cousin ist **nicht** verheiratet.	*Your cousin is not married.*
Das Leben war damals **nicht** sehr einfach.	*Life wasn't very simple in those days.*

To negate the entire sentence or idea, place **nicht** at the end of the sentence or just before the nonconjugated verb.

Viele Frauen fanden ihre Männer **nicht.**	*Many women did not find their husbands.*
Metas Bruder hat den Krieg **nicht** überlebt.	*Meta's brother did not survive the war.*

Übungen

A Das stimmt aber nicht! Verneinen Sie die Informationen mit **nicht** oder **kein.**

MODELL: Familie Dyrchs wohnt in der Stadt. →
Familie Dyrchs wohnt nicht in der Stadt.

1. Nora fühlt sich einsam.
2. Anja kam pünktlich zum Essen.
3. Susanne hat einen Bruder.
4. Mein Vater war geduldig.
5. Meine Großmutter hatte einen Hund.
6. Meine Mutter hat ein neues Auto.
7. Wir kennen die Nachbarn gut.

B Nein, das ist nicht so gewesen. Ein neugieriger Freund stellt Sabine Fragen über ihre Familie. Sabine antwortet auf alle Fragen negativ. Geben Sie ihre Antworten.

MODELL: Bist du in Rheinhausen geboren? →
Nein, ich bin nicht in Rheinhausen geboren.

1. Bist du auf Rügen aufgewachsen?
2. Hattest du eine langweilige Kindheit?
3. Musste deine Familie nach Köln umziehen?
4. War dein Vater Ingenieur?
5. Hat deine Mutter bei der Post gearbeitet?

KURZ NOTIERT

The phrase **noch kein / noch nicht** occurs primarily in negative answers to questions with **schon.**

Habt ihr **schon** ein Auto?
—Nein, wir haben **noch kein** Auto.
Do you already have a car?
—*No, we don't have a car yet.*

Kennst du **schon** diesen Film?
—Nein, ich kenne ihn **noch nicht.**
Do you already know this film?
—*No, I'm not yet familiar with it.*

The phase **kein . . . mehr / nicht mehr** occurs often in negative answers to questions with **noch.**

Wo finde ich die Zettel?
—Es gibt **keine Zettel mehr.**
Where do I find the slips?
—*There aren't any more slips.*

Willst du **noch** nach Neuseeland fahren?
—Nein, das ist **nicht mehr** mein Wunsch.
Do you still want to go to New Zealand?
—*No, that's no longer my wish.*

PERSPEKTIVEN

WORTSCHATZ ZUM HÖRTEXT

außergewöhnlich	unusual
prahlen	to boast
jüdisch	Jewish
das Mitglied	member
der Philosoph	philosopher
der Dichter	poet
das Vorbild	model
berühmt	famous
das Schauspiel	play
der Klavierlehrer	piano teacher
verursachen	to cause

TIPP ZUM HÖREN

In the biography, you will hear Felix Mendelssohn-Bartholdy talk about his family. In a biography in German, the sentences are usually in the simple past tense, but in some instances the present tense is used. That is the case in this biography. What is the effect of this change from one tense to another?

HÖREN SIE ZU!
DIE FAMILIE MENDELSSOHN

A Sie hören jetzt biographische Information über die Familie Mendelssohn. Sagen Sie, wie die Familienmitglieder miteinander verwandt sind.

1. Felix sagt . . .
   a. Menachem ist mein _____.
   b. Fanny ist meine _____.
   c. Dorothea ist meine _____.
   d. Moses ist mein _____.
2. Menachem sagt . . .
   a. Felix ist mein _____.
   b. Fanny ist meine _____.
   c. Moses ist mein _____.
3. Fanny sagt . . .
   a. Felix ist mein _____.
   b. Lea ist meine _____.
   c. Friedrich ist mein _____.

B Wie waren sie verwandt? Wofür war jeder/jede bekannt? Kombinieren Sie!

MODELL: Menachem war (Fannys Urgroßvater / Abrahams Großvater / ?). Er war Schreiber.

Menachem	Großvater	Autor/Autorin und
Moses	Vater	Theoretiker/Theoretikerin
Dorothea	Urgroßvater	Schrifsteller/Schriftstellerin
Fanny	Mutter	Komponist/Komponistin
Lea	Sohn	Philosoph/Philosophin
Friedrich	Onkel	Klavierlehrer/Klavierlehrerin
Felix	Tante	Beruf unbekannt
Abraham	Schwester	
	Bruder	
	Tochter	

LESEN SIE!

Zum Thema

A Zum Titel

SCHRITT 1: Was bedeutet der Titel vielleicht?

1. Die Großmutter hat keine Persönlichkeit.
2. Die Großmutter hat etwas Schreckliches getan und hat Ansehen[a] verloren.
3. Der Erzähler / Die Erzählerin kennt die Großmutter nicht sehr gut.
4. Die Großmutter wurde in Wirklichkeit ohne Gesicht geboren.

[a]*respect*

SCHRITT 2: Warum ist das Verb in diesem Titel im Imperfekt?

1. Die Großmutter hat sich sehr geändert. In der Vergangenheit war sie ganz anders als heute.
2. Die Großmutter lebt nicht mehr.

B In diesem Gedicht porträtiert die Dichterin ihre Großmutter. Am Anfang des Gedichts sind alle Verben im Imperfekt, aber am Ende sind sie im Präsens.

1. Wovon handeln die meisten Zeilen des Gedichts?
2. Wovon handeln die letzten vier Zeilen?
3. Suchen Sie das erste Verb im Präsens. Was bedeutet dieser Tempuswechsel zwischen Präsens und Imperfekt?

KULTURSPIEGEL

Die deutsche Schriftstellerin Annemarie Zornack wurde 1932 in Aschersleben geboren. Nach dem Zweiten Weltkrieg kam sie nach Kiel, wo sie heute noch lebt.

meine grossmutter hatte kein gesicht

meine grossmutter hatte kein gesicht
aber ein gebiss in der schürzentasche
einen einsteckkamm auf der kommode
graue haare in der bürste
und auf dem nachttisch ein feines haarnetz
sie hatte keine arme aber finger
die heisse teegläser auf den tisch stellten   5
und dauernd die wachstuchdecke glattstrichen
einen körper hatte sie überhaupt nicht
aber eine stimme die ist immer noch
unheimlich stark und flüstert
und hetzt und fieselt mir sachen ins ohr   10
die darf ich nie jemand erzählen

Annemarie Zornack (1932–   )

WORTSCHATZ ZUM LESEN

das Gesicht	*face*
das Gebiss	*dentures*
die Schürzentasche	*apron pocket*
die Bürste	*hairbrush*
dauernd	*constantly*
die Wachstuchdecke	*oilcloth tablecloth*
glattstreichen	*to stroke smooth*
unheimlich	*strangely*
flüstern	*to whisper*
hetzen	*to hurry*

Zum Text

Was hatte die Großmutter? Was können Sie darüber sagen? Füllen Sie die Tabelle aus.

MODELL:

WAS	WIE	WO	WAS SIE DAMIT MACHTE
ein Gebiss ein Haarnetz	fein	in der Schürzentasche auf dem Nachttisch	

Zur Interpretation

A Was meinen Sie dazu?

1. Ist es möglich, dass die Großmutter wirklich kein Gesicht, keine Arme und keinen Körper hatte?
2. Was bedeuten die folgenden Zeilen: meine großmutter hatte kein gesicht / sie hatte keine arme aber finger / einen körper hatte sie überhaupt nicht?
3. Wer beschreibt die Großmutter? Welche Bemerkungen macht diese Person über die Großmutter?
4. Was können Sie über diese Person sagen?

B Kontraste. Das Bindewort (die Konjunktion) *aber* hat eine wichtige Funktion: es stellt einen Kontrast her.

1. Suchen Sie das Wort *aber* im Gedicht. Wie oft kommt es im Gedicht vor?
2. Welche Eigenschaften sind in jedem Fall um das Wort *aber* gruppiert? Welche Gemeinsamkeiten gibt es in jeder Gruppe? Welche Unterschiede?
3. Warum kann sich diese Person noch gut an viele kleinere Eigenschaften der Großmutter erinnern, aber gar nicht an ihr Gesicht?

For more information, visit the
Auf Deutsch! Web Site at
www.mcdougallittell.com.

INTERAKTION

● Ein Spiel: Wen beschreiben wir?

SCHRITT 1:

1. Arbeiten Sie mit einem Partner / einer Partnerin. Denken Sie an eine berühmte Person, die Sie beide beschreiben möchten. Vielleicht möchten Sie eine Politikerin, einen Rockstar, eine Sportlerin oder einen Schauspieler beschreiben?
2. Notieren Sie zusammen drei bis fünf Substantive und drei bis fünf Verben, die Sie mit dieser Person verbinden, zum Beispiel körperliche oder persönliche Eigenschaften, konkrete Gegenstände.ᵃ Schreiben Sie dann gemeinsam ein kurzes Porträt der Person (drei bis fünf Sätze).
3. Teilen Sie die Sätze der Beschreibung zwischen Ihnen und Ihrem Partner / Ihrer Partnerin auf, um sie der Klasse vorzulesen.

SCHRITT 2: Lesen Sie Ihre Beschreibung der Klasse vor.

SCHRITT 3: Nach dem kurzen Vortrag, darf die Klasse Ihnen Fragen stellen, um herauszufinden, wer die Person ist. Beantworten Sie die Fragen. Wer die Person kennt, nennt ihren Namen.

ᵃobjects

SCHREIBEN SIE!

Eine kurze Biografie

● Nehmen Sie das Foto eines älteren Familienmitglieds (oder das Foto einer bekannten Person aus einer Illustrierten) und schreiben Sie die Lebensgeschichte dieser Person.

Purpose:	To write about someone's life
Audience:	A classmate; readers seeking biographical information about a person
Subject:	An older family member or a celebrity
Structure:	Illustrated biographical sketch

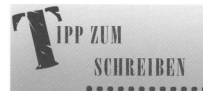

TIPP ZUM SCHREIBEN

Short illustrated biographical sketches are printed on the dust cover of new novels, in the liner notes for CDs, and in encyclopedias. These sketches are factual and concise, yet packed with vital data, pointing out all the significant events and accomplishments in that person's life.

Schreibmodell

The city and state are separated by a slash mark. Prose is written in the simple past tense.

The writer uses several paragraphs to illustrate the most important stages of the person's life. In German, paragraphs are not indented.

By using conjunctions and relative pronouns the writer creates more complex sentences and adds variety.

Helen aus Indiana

Meine Großmutter Helen Guy wurde am 1. August 1913 in Whiting/Indiana geboren. Als Tochter von Immigranten aus der Slowakei war ihre Muttersprache Slowakisch; erst im Kindergarten lernte Helen Englisch. Helens Vater arbeitete in einer Ölraffinerie, Helens Mutter war Hausfrau.

Als Helen neun Jahre alt war, starb ihr Vater bei einem Motorradunfall. Auf einmal waren sie und ihre vier jüngeren Schwestern Halbwaisen[a] und die Familie hatte kein Einkommen mehr. Mit siebzehn Jahren musste Helen deshalb die Schule abbrechen, um Geld für die Familie zu verdienen. 1931 verliebte sich meine Großmutter in einen jungen Mann aus Kentucky, Joseph, der in Whiting Arbeit gefunden hatte, und die beiden heirateten. Helen und Joseph bauten ein Haus und hatten vier Kinder miteinander, zwei Töchter und zwei Söhne. Mein Vater, der 1950 geboren wurde, war der Jüngste.

[a]persons who have lost one parent

1971, als ihre Kinder schon erwachsen waren, wurde Helen auf einmal sehr krank. Die Ärzte kannten die Krankheit nicht, für die es keine Behandlung gab und an der sie beinahe starb. Erst viele Jahre später wurde festgestellt, dass sie eines der allerersten Opfer der „Legionärskrankheit" gewesen war und eine damals tödliche Krankheit überlebt hatte. Heute ist meine Großmutter Witwe, aber sie ist noch sehr aktiv und versucht, jeden Tag eine Meile spazieren zu gehen. Und für die Familie kocht sie noch immer die slowakischen Spezialitäten aus ihrer Kindheit.

The concluding paragraph brings the reader up to date on the subject of the sketch.

Schreibstrategien

Vor dem Schreiben

To prepare for writing this biographical sketch, follow these steps:

- Read several biographical sketches and decide what information is essential, what provides interesting detail, and what could be left out.

- Choose a person in your family or a celebrity whose life history makes an interesting story. Quickly jot down all interesting facts and memories you have of this person.

- Write a loose outline for the biographical sketch, giving each major life stage of your subject a separate entry or section.

- Determine what you know and what you'd like to know about this person, and make a list of questions that need to be answered.

- Ask others who know your subject to help fill in information gaps. If possible, contact your subject, ask your questions directly, and take good notes.

- Locate a picture of your subject to illustrate the biography.

TIPP ZUM SCHREIBEN

To write a biographical sketch you will need to use the past tense. If you are not sure how to form the simple past tense, review pages 16–17 of this chapter and consult Appendix A, 11. *Principal Parts of Irregular Verbs,* and 13. *Conjugation of Verbs.*

Ein echter Sportler

Mein Onkel Jeff wurde am Juni 7. 1965 in Tyler/Texas geboren. In der Schule hatte Jeff immer sehr schlechte Noten, aber im Sport war er ein Star. Im Finalspiel der Football-Liga gewann er mit dem letzten Touchdown die Meisterschaft. Wegen seines sportlichen Talents gab ihm Texas A&M ein Stipendium. Jeff studierte Betriebswirtschaft aber seine Noten waren manchmal so schlecht, dass er bekam fast Spielverbot. Aber dann verbesserte er seine Noten und durfte weiter spielen. 1987 erhielt er sein B.A. Diplom. Heute arbeitet mein Onkel als Verkaufsmanager für eine deutsche Firma. In seiner Freizeit arbeitet er als Coach und Trainer für die Little League.

Beim Schreiben

- As you prepare to write, remind yourself who your audience is so you can shape your prose and set the right tone.

- Determine how long your sketch should be in advance, and stick to your plan. Write your draft double-spaced, leaving room for changes and corrections.

- Vary the way you begin sentences to add flavor and interest to your writing.

- Check your outline frequently. Some detail may be informative and entertaining, but it may make the biographical sketch stray from its purpose. Follow your outline.

- Once you have completed your first draft, read it critically before showing it to others. Give yourself time to edit and make changes.

Nach dem Schreiben

- Ask another student to peer edit a copy of your sketch. Keep your original copy for yourself. (You will be a peer editor for another student as well.)

- Peer editors make corrections in grammar and word choice, and provide positive feedback on successful passages. Peer editors also read critically and point out problems in the prose. Suggestions for improvement are helpful.

- Once you get back the edited copy, read your peer editor's comments and suggestions. Read through your sketch again, and start revising your first draft.

- After you complete each paragraph, stop and read the changes you have made. Is this the tone and style you wanted? You may choose to include or ignore suggested changes in your final draft.

- Double-check your facts. Are the names, dates, places, and occurrences accurate and in the right chronological order?

Stimmt alles?

- Read your revision a last time for accuracy in spelling, grammar, and style.

- Prepare a clean copy of your finished sketch, leaving space for the picture. Position this illustration on the page, and make sure your name is on the page.

WORTSCHATZ

Substantive	Nouns
die **Fürsorge, -n**	support
die **Jugend**	youth
die **Kusine, -n**	(female) cousin
die **Schwägerin, -nen**	sister-in-law
die **Schwiegermutter, ⸚**	mother-in-law
die **Trennung, -en**	separation
die **Umstellung, -en**	adjustment
die **Unabhängigkeit**	independence
die **Veränderung, -en**	change
die **Verlobung, -en**	engagement
der/die **Erwachsene, -n** (*decl. adj.*)	adult
der **Schwager, -**	brother-in-law
der **Schwiegervater, ⸚**	father-in-law
der **Stiefbruder, ⸚**	stepbrother
der **Vertrag, ⸚e**	contract
der **Vetter, -n**	(male) cousin
das **Ehepaar, -e**	married couple
die **Urenkel** (*pl.*)	great-grandchildren
die **Urgroßeltern** (*pl.*)	great-grandparents

Verben	Verbs
auf•wachsen (wächst auf), wuchs auf, ist aufgewachsen	to grow up
aus•prägen	to mark, impress
betreffen, betraf, betroffen	to concern, affect
beweisen, bewies, bewiesen	to prove
ernähren	to nourish
erreichen	to achieve
erwarten von	to expect from
regeln	to regulate
respektieren	to respect
jemandem nah stehen, nah gestanden	to be close to someone
überleben	to survive

Adjektive und Adverbien	Adjectives and adverbs
befreundet	friends with someone

damals	at that time
ehelich	marital
getrennt	separated
männlich	masculine, male
unabhängig	independent(ly)
verheiratet	married
verliebt	in love
verlobt	engaged
weiblich	feminine, female

Sie wissen schon	You already know
die **Ehe, -n**	marriage
die **Enkelin, -nen**	granddaughter
die **Mutter, ⸚**	mother
die **Nichte, -n**	niece
die **Scheidung, -en**	divorce
die **Tante, -n**	aunt
die **Tochter, ⸚**	daughter
der **Bruder, ⸚**	brother
der **Enkel, -**	grandson
der **Familienstand**	marital status
der **Haushalt, -e**	household
der **Neffe (-n** *masc.*)	nephew
der **Onkel, -**	uncle
der **Sohn, ⸚e**	son
der **Vater, ⸚**	father
die **Eltern** (*pl.*)	parents
die **Geschwister** (*pl.*)	siblings
die **Großeltern** (*pl.*)	grandparents
auf•geben (gibt auf), gab auf, aufgegeben	to give up
heiraten	to marry
sorgen für	to care for
verdienen	to earn
berufstätig	employed
eigen	own
geboren	born
ledig/single	single, unmarried

JUGEND

In diesem Kapitel

- sehen Sie, wie sich die Vorstellungen der Jugendlichen in den letzten Jahrzehnten geändert haben.
- erfahren Sie, wie deutsche Jugendliche von heute ihre Zukunft planen.

Sie werden auch

- über Jugendliche und Politik diskutieren.
- die Kasusformen des Nominativs, Akkusativs und Dativs wiederholen.
- wiederholen, wie man den Genitiv benutzt.
- den Gebrauch von Präpositionen wiederholen.
- eine Geschichte über einen deutschen Jugendlichen lesen.
- ein Flugblatt schreiben.

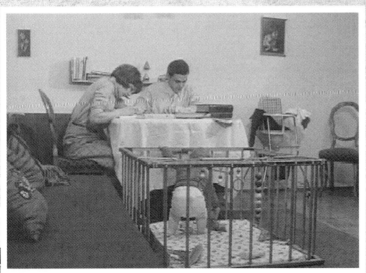

Die Ideale der fünfziger Jahre:
Ausbildung, Familie und Beruf.

Schweizer Gymnasiasten
am Rheinufer in Basel.

Jetzt können Jugendliche zwischen
verschiedenen Lebensstilen wählen.

VIDEOTHEK

Die Jugendbewegungen der sechziger und siebziger Jahre haben zu neuen Möglichkeiten und Lebensstilen geführt. Was waren die Ziele und Hoffnungen der Jugend damals und wie sieht die Zukunft für junge Leute von heute aus?

I: Jugend in Bewegung

In dieser Folge hören Sie, wie sich das Bild der Jugendlichen in den letzten fünfzig Jahren geändert hat.

A Die letzten fünf Jahrzehnte werden durch bestimmte Ereignisse charakterisiert. Schauen Sie sich das Video an. Welches Ereignis passt zu welchem Jahrzehnt?

Studentenprotest in den sechziger Jahren.

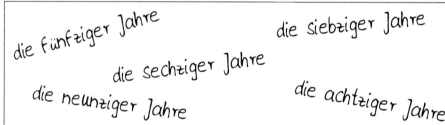

die fünfziger Jahre   die siebziger Jahre

die sechziger Jahre

die neunziger Jahre   die achtziger Jahre

1. Die wichtigen Themen sind Frieden, soziale Gerechtigkeit und Umweltschutz.
2. Der Rock 'n' Roll ist Ausdruck des Protests gegen die Ideale der Eltern.
3. Die Demonstrationen waren am Anfang friedlich.
4. Der Protest ist leiser geworden, dafür die Musik etwas lauter.
5. Junge Leute fangen an, ihre eigene Kultur zu schaffen.
6. Musik und lange Haare sind Zeichen des Protests.
7. Es gibt große Techno-Parties für Jugendliche aus ganz Europa.

B Wer sagt das im Video, Susanne, Erika oder Stefan?

1. Viele Jugendliche sind desillusioniert.
2. Es gibt unterschiedliche Typen von Jugendlichen.
3. Man ist politisch nicht sehr interessiert.
4. Alles wird jetzt in Frage gestellt.
5. Diese Person ist in der SPD, bei den Jungsozialisten.
6. Diese Person beschreibt die deutsche Jugend als „sehr, sehr gute junge Leute".

WORTSCHATZ ZUM VIDEO

über einen Kamm scheren	to treat everyone alike
der Wandel	change
die fünfziger Jahre	the Fifties
träg	lazy; sluggish
das Bestehende	the prevailing situation
auf Tour	on the road
schick	chic; stylish
sich selbst verwirklichen	to develop one's personality; to fulfill oneself

C Ereignisse. Sie haben ein bisschen über die Ereignisse in den letzten Jahrzehnten in deutschsprachigen Ländern gelernt. Welche dieser Ereignisse hat man auch in Ihrem Land erlebt? Wie waren die Ereignisse in Europa und in Nordamerika ähnlich? Wie waren sie anders?

II: Drei Jugendporträts

In dieser Folge lernen Sie drei Jugendliche kennen. Welche Hoffnungen haben sie für die Zukunft?

A Was stimmt? Was stimmt nicht? Wenn ein Satz nicht stimmt, geben Sie die richtige Information.

MODELL: Ulla möchte Psychologie studieren. →
Das stimmt nicht. Ulla möchte Meeresbiologie studieren.

1. Ulla ist Studentin an der Uni.
2. Ramona lernt Floristin.
3. Kristian ist in Kroatien geboren.
4. Ramona wohnt in München, in Süddeutschland.
5. Kristian ist mit seiner Ausbildung fertig.
6. Ulla findet, das Wichtigste ist einfach leben.
7. Kristian will seine privaten Ziele sofort verwirklichen.
8. Ramona möchte beides haben, Karriere und Familie.

B Zukunftsträume. Wer ist das, Ulla, Kristian oder Ramona?

1. Diese Person möchte eine große Familie, also viele Kinder, haben. Erfolg ist dieser Person sehr wichtig, aber nicht unbedingt wegen des Geldes.
2. Diese Person ist sehr optimistisch, will sich ein eigenes Haus und ein großes, schickes Auto kaufen, und vielleicht auch eine Familie haben.
3. Diese Person will sich selbst verwirklichen und studieren. Das Leben ist viel wichtiger als das Geld.

C Eine neue Bekanntschaft. Stellen Sie sich vor, Sie können Ulla, Kristian oder Ramona kennen lernen. Wen möchten Sie am liebsten kennen lernen? Warum finden Sie diese Person besonders interessant? Wie stellen Sie sich das Treffen vor? Was unternehmen Sie zusammen?

Ulla.

Kristian.

Ramona.

KULTURSPIEGEL

Mit der Wiedervereinigung veränderte sich das Leben für Jugendliche im Osten wie Ramona Baum. Die staatlichen Jugendorganisationen, wie zum Beispiel die Freie Deutsche Jugend (FDJ), verschwanden. Auch wegen Veränderungen in der Regierung und in der Wirtschaft hatten junge Leute nicht mehr die Garantie eines zukünftigen Jobs. Während viele junge Leute sich über ihr neues Leben freuten, hatten sie auch Angst vor den Unsicherheiten der Zukunft.

VOKABELN

die Auseinandersetzung	*dispute, argument*
die Bewegung	*movement*
die Gerechtigkeit	*justice*
die Identität	*identity*
die Suche	*search*
die Zukunft	*future*
der Einfluss	*influence*
der Frieden	*peace*
der/die Jugendliche (decl. adj.)	*young person, teenager*
der Lebensstil	*lifestyle*
der Staatsbürger / die Staatsbürgerin	*citizen*
der Wandel	*change*
das Ideal	*ideal*
das Jahrzehnt	*decade*
das Ziel	*goal, aim*
an•passen (+ dat.)	*to conform to*
begeistern	*to inspire; to make enthusiastic*
diskutieren über (+ acc.)	*to discuss*
sich engagieren für	*to get involved in*
führen zu	*to lead to*
gestalten	*to shape*
reagieren auf (+ acc.)	*to react to*
teil•nehmen an (+ dat.)	*to take part in*
um•gehen: mit etwas umgehen	*to deal with, handle*

Jugendliche bei einer Diskussion.

wählen	*to choose; to elect; to vote*
sich wehren gegen	*to defend oneself against*
angepasst	*conformist*
ehrgeizig	*ambitious(ly)*
friedlich	*peaceful(ly)*
gewalttätig	*violent(ly)*
leise	*soft(ly), quiet(ly)*
unterschiedlich	*various*
vergangen	*past; preceding*

Sie wissen schon
der Erfolg, erleben

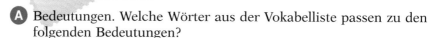

Aktivitäten

A Bedeutungen. Welche Wörter aus der Vokabelliste passen zu den folgenden Bedeutungen?

1. junge Menschen
2. die erst kommende Zeit, zum Beispiel morgen, nächste Woche, nächstes Jahr, . . .

3. Mitglied des Staates: Man darf einen Pass dieses Landes haben.
4. ambitiös
5. starkes, persönliches Interesse für etwas haben
6. konformistisch
7. erfreuen, entflammen
8. freundschaftlich, wohlwollend
9. positives Resultat nach viel Arbeit
10. Justiz

B Welches Wort passt? Ergänzen Sie die Sätze mit Hilfe der Wortliste.

> anpassen   Auseinandersetzungen
> engagiert   Jahrzehnt
> vergangenen   Suche   friedlich

KULTURSPIEGEL

Ein Drittel der Einwohner der Bundesrepublik Deutschland ist jünger als siebenundzwanzig Jahre. Sowohl im Osten als auch im Westen Deutschlands setzen diese Jugendliche die gleichen Prioritäten für ihr Leben. Nach einer Umfrage steht „gute Freunde haben" als wichtigstes Lebensziel. Danach folgen: Erfolg im Beruf, die eigene Familie, Unabhängigkeit, und Selbstverwirklichung.

1. Die _____ nach Identität ist für die Jugend ein wichtiger Teil des Lebens.
2. In den sechziger Jahren haben sich viele Jugendliche für Politik _____.
3. Damals gab es viele gewalttätige _____ auf den Straßen.
4. Nicht alle jungen Leute waren Radikale; es gab auch viele, die sich den Idealen der Eltern _____ wollten.
5. Die fünfziger Jahre waren das _____ des Rock 'n' Roll.
6. Die Studenten wollten, dass alle Menschen _____ zusammenlebten.
7. In den _____ Jahren hat sich das Bild über die Jugendlichen stark geändert.

C Arbeiten Sie in Gruppen. Jede Gruppe wählt eine der folgenden Thesen. Die Hälfte der Gruppe sucht jetzt nach Argumenten, die die These stützen, die andere Hälfte sucht nach Argumenten dagegen. Diskutieren Sie anschließend alle gemeinsam die These mit Hilfe der gefundenen Pro- und Contra-Argumente.

Eine junge Familie in den fünfziger Jahren.

• man soll alles tun, um die Umwelt zu schützen
• die heutige Jugend denkt nicht an die Zukunft
• Jugendliche können keinen Einfluss auf die Welt üben
• Erfolg heißt viel Geld haben

STRUKTUREN

REVIEW OF THE ACCUSATIVE AND DATIVE CASES

MARKING DIRECT AND INDIRECT OBJECTS

In German, the accusative case marks the direct object of a sentence; the direct object tells who or what is immediately affected by the action.

Ich kenne **diesen Mann** nicht.	*I don't know this man.*
Er macht **das Fenster** auf.	*He's opening the window.*

The dative case identifies the indirect object, which tells who benefits from or receives the result of the action.

Ich gebe **meiner Schwester** einen Rat.	*I'm giving my sister some advice.*
Frau Stumpf hat **mir** Abendessen gekocht.	*Frau Stumpf cooked dinner for me.*

Here are the forms of the definite and indefinite articles in the nominative, accusative, and dative cases.

KURZ NOTIERT

Some masculine nouns take special endings in the accusative and dative cases. Three common ones are:

der Herr → den/dem Herr**n**
ein Herr → einen/einem Herr**n**

der Nachbar → den Nachbar**n**
ein Nachbar → einen/einem Nachbar**n**

der Student → den/dem Student**en**
ein Student → einen/einem Student**en**

der Tourist → den/dem Tourist**en**
ein Tourist → einen/einem Tourist**en**

	SINGULAR			PLURAL
	FEMININE	MASCULINE	NEUTER	ALL GENDERS
NOMINATIVE	**die** Frau	**der** Mann	**das** Kind	**die** Kinder
	eine Frau	**ein** Mann	**ein** Kind	**keine** Kinder
ACCUSATIVE	**die** Frau	**den** Mann	**das** Kind	**die** Kinder
	eine Frau	**einen** Mann	**ein** Kind	**keine** Kinder
DATIVE	**der** Frau	**dem** Mann	**dem** Kind	**den** Kinder**n**
	einer Frau	**einem** Mann	**einem** Kind	**keinen** Kinder**n**

A personal pronoun can also stand as the subject, direct object, or indirect object of a sentence.

Hat der Vater seiner Tochter den Mantel gegeben?	*Did the father give his daughter the coat?*
Ja, **er** hat **ihn ihr** gegeben.	*Yes, he gave it to her.*

Remember, the indirect object usually precedes the direct object, unless the direct object is a pronoun.

Also recall that a pronoun must agree in gender, case, and number with the noun it replaces. The forms of the personal pronouns in the nominative, accusative, and dative cases are as follows.

NOMINATIVE	ACCUSATIVE	DATIVE
SUBJECT	DIRECT OBJECT	INDIRECT OBJECT
ich *I*	mich *me*	mir *(to/for) me*
du *you*	dich *you*	dir *(to/for) you*
Sie *you*	Sie *you*	Ihnen *(to/for) you*
sie *she*	sie *her*	ihr *(to/for) her*
er *he*	ihn *him*	ihm *(to/for) him*
es *it*	es *it*	ihm *(to/for) it*
wir *we*	uns *us*	uns *(to/for) us*
ihr *you*	euch *you*	euch *(to/for) you*
Sie *you*	Sie *you*	Ihnen *(to/for) you*
sie *they*	sie *them*	ihnen *(to/for) them*

A number of German verbs frequently have both an accusative and a dative object. Such verbs include **erklären, erzählen, geben, schenken, schicken, schreiben, wünschen,** and **zeigen** among others.

| Der Lehrer erklärt dem Studenten die Antwort. | *The teacher is explaining the answer to the student.* |
| Ich erzähle meinem Freund eine Geschichte. | *I'm telling my friend a story.* |

A small number of verbs have only dative objects. Some of these are **danken, gefallen, gehören, helfen,** and **schmecken.**

| Könnten Sie **mir** helfen? | *Could you help me?* |
| Dieser Pulli gefällt **mir** nicht. | *I don't like this sweater.* |

Übungen

A So viele Fragen. Akkusativ oder Dativ? Ergänzen Sie die Fragen mit der richtigen Form des bestimmten Artikels.[a]

1. Haben Sie _____ Film mit Peter gesehen?
2. Haben Sie _____ Kindern ein Eis gekauft?
3. Haben Sie _____ Mann einen guten Rat gegeben?
4. Könnten Sie bitte _____ Fenster aufmachen?
5. Möchten Sie _____ neuen Mitarbeitern die Situation erklären?
6. Kennen Sie _____ Frau von nebenan?
7. Möchten Sie _____ Lehrerin Blumen schenken?

[a]*definite article*

B Eine Verabredung. Ergänzen Sie das Gespräch zwischen Peter und Maria mit dem richtigen Pronomen.

MARIA: Hast du den Film „Jenseits der Stille" gesehen?
PETER: Nein, ich habe _____¹ noch nicht gesehen. Wo läuft _____²?
MARIA: In dem kleinen Kino nebenan. Kennst du _____³?
PETER: Ja, ich gehe oft dahin. Vielleicht kann Jens auch mitkommen.
MARIA: Naja, ich will nicht mit _____⁴ ausgehen. Er hat meine neuen CDs ausgeliehen, und ich habe _____⁵ noch nicht zurückbekommen.
PETER: Also kannst du _____⁶ heute Abend fragen, wenn wir uns treffen!

C Was sagt Ihr Freund über ein Familienfest? Was fragen Sie ihn, um alles richtig zu verstehen? Stellen Sie Fragen mit der richtigen Form von **wer.**

MODELL: *Meine Schwester Jutta* ist zu Besuch gekommen. →
Wer ist zu Besuch gekommen?

1. Jutta hat *meiner Mutter* ein Geschenk gekauft.
2. *Jens* hat das Abendessen gekocht.
3. *Meine Tante und ich* waren sehr froh.
4. Wir haben *ihm* mit dem Essen geholfen.
5. Ich habe *meine Freundin* eingeladen.

D In der Schule / auf der Uni. Ergänzen Sie die Sätze mit der richtigen Form der Wörter in Klammern.

1. Das Essen in der Mensa schmeckt _____ nicht. (ich, er, wir)
2. Dieses Buch gehört _____. (du, sie [*sg.*], eine Studentin)
3. Die Lehrer haben _____ immer geholfen. (ich, wir Schüler, die Kinder)
4. Die neue Bibliothek gefällt _____ sehr. (Herr Lenz, die Studentinnen, der Student)
5. Wir haben _____ herzlich gedankt. (die Lehrerin, der Direktor, die Nachbar)

KURZ NOTIERT

As you recall, the German interrogative pronoun for *who/whom* has three forms: **wer** (nominative), **wen** (accusative), and **wem** (dative).

Wer ist dieser Junge?
Who is that boy?
Wen rufen Sie an?
Whom are you calling?
Wem erzählst du den Witz?
Whom are you telling the joke to?

Even though English speakers frequently use *who* instead of *whom*, German requires the correct form for each case.

REVIEW OF THE GENITIVE CASE
SHOWING RELATIONSHIPS AND POSSESSION

You have learned to use the preposition **von** to talk about relationships and possessions.

Die Freunde **von** meinem Sohn waren besonders nett.
My son's friends were particularly nice.

In more formal writing, the genitive case indicates family or personal relationships, ownership, and characteristics of persons, objects, or ideas.

FAMILY RELATIONSHIP
Die Eltern **des Jungen** waren böse.
The boy's parents were angry.

OWNERSHIP
Die Schultasche **des Jungen** war schwarz.
The boy's school bag was black.

CHARACTERISTICS OF PERSONS/OBJECTS/IDEAS
Die Laune **des Jungen** war schlecht.
The boy's mood was bad.

The following table shows the forms of the definite article and the endings for **der-** and **ein-**words in the genitive case.

SINGULAR			PLURAL
FEMININE	MASCULINE	NEUTER	ALL GENDERS
der Mutter dies**er** Mutter mein**er** Mutter	**des** Vaters dies**es** Vaters mein**es** Vaters	**des** Kindes dies**es** Kindes mein**es** Kindes	**der** Kinder dies**er** Kinder mein**er** Kinder

Note that most masculine and neuter nouns add **-s** in the genitive case. Masculine and neuter nouns of just one syllable add **-es.** Also, masculine nouns that add **-n** or **-en** in the dative and accusative also add **-n** or **-en** in the genitive case.

Der Vater beantwortet die Fragen **des Polizisten.**
The father answers the policeman's questions.

Das Leben **eines Studenten** kann schwierig sein.
A student's life can be difficult.

Furthermore, as you already know, the genitive case follows certain prepositions: **wegen** (*because of*), **außerhalb** (*outside of*), **innerhalb** (*inside of*), **trotz** (*in spite of*), and **während** (*during, in the time of*). Notice that the English equivalents frequently contain the preposition *of.*

Wegen **des Telefongesprächs** war Rolf erleichtert.
Rolf was at ease because of the phone call.
Während **seiner Reise** schrieb Rolf in sein Tagebuch.
During his trip Rolf wrote in his diary.

SPRACHSPIEGEL

In German, the noun in the genitive case usually follows the noun it modifies, whereas the opposite is true in English.

die Rolle des Mannes
the husband's role

The genitive form occasionally comes first in antiquated German constructions.

Wo ist des Deutschen Vaterland?
Where is the German's homeland?

In conversational German, the dative frequently replaces the genitive after these prepositions.

A small number of verbs also takes the genitive case: **bedürfen** (*to have need of*) and **gedenken** (*to recall, remember*) among others.

Er bedarf **meiner Hilfe.**   *He has need of my help.*
Ich gedenke oft **des schönen**   *I often recall the nice day in*
Tages in Basel.   *Basel.*

Übungen

A Protest und Politik. Schreiben Sie die Sätze neu. Benutzen Sie den Genitiv und nicht Dativ.

MODELL: Die Geschichte von dem alten Gymnasium war interessant. →
Die Geschichte des alten Gymnasiums war interessant.

1. Das Bild über die Jugendlichen hat sich stark verändert.
2. Der Protest von den Studenten war am Anfang friedlich.
3. Die Ziele von der Demonstration waren Frieden und Umweltschutz.
4. Der Unterrichtsstil von dem Lehrer war damals sehr streng.
5. Die Rede von dem Kanzler war sehr wichtig.

B Unser Jahrhundert. Was assoziieren Sie mit den vergangenen Jahrzehnten?

MODELL: Die fünfziger Jahre waren das Jahrzehnt des Rock 'n' Rolls.

der Rock 'n' Roll   die Disko
die Inflation   der Wandel
die Techno-Partys   die Glasnost
der Vietnam-Krieg   die Hippies

1. die fünfziger Jahre
2. die sechziger Jahre
3. die siebziger Jahre
4. die achtziger Jahre
5. die neunziger Jahre

REVIEW OF ACCUSATIVE, ACCUSATIVE/ DATIVE, AND DATIVE PREPOSITIONS
COMBINING WORDS AND CONNECTING IDEAS

Different prepositions require nouns in different cases, sometimes depending on the meaning of the sentence. The following group of nouns requires only the accusative case: **durch** (*through*), **für** (*for*), **gegen** (*against*), **ohne** (*without*), **um/herum** (*around*).

> Ramona geht **durch** den Blumenladen.
> Viele Jugendliche engagieren sich **für** die Umwelt.
> Sie demonstrieren **gegen** die Umweltverschmutzung.
> **Ohne** eine Ausbildung bekommt man schlechte Arbeit.
> Die Demonstranten marschieren **um** die Altstadt (**herum**).

Another group of prepositions takes the accusative case to indicate motion, and the dative case to indicate location: **an** (*to; at*); **auf** (*to; on*); **hinter** (*behind*); **in** (*in; into*); **neben** (*beside, next to*); **über** (*over, above*); **unter** (*under, beneath, below*); **vor** (*before; in front of*); and **zwischen** (*between*).

ACCUSATIVE	DATIVE
Ich gehe **auf die Bank.**	Ich arbeite **auf der Bank.**
Er stellt die Vase **auf den Tisch.**	Die Vase steht **auf dem Tisch.**
Er parkt das Auto **vor das Hotel.**	Das Auto steht **vor dem Hotel.**

Many verbs also combine with the prepositions **an, auf,** and **über,** such as **denken an** (*to think about*), **sich freuen auf** (*to look forward to*), and **diskutieren über** (*to talk about*). The prepositions in these three verbal expressions take the accusative case.

Er denkt oft **an sie.**	*He often thinks about her.*
Sie freut sich **auf ihre Reise.**	*She's looking forward to her trip.*
Wir haben **über die Umwelt** gesprochen.	*We discussed the environment.*

However, these same prepositions take the dative case with certain other verbs in other expressions.

Wir nehmen **an einer Demo** teil.	*We're taking part in a demonstration.*
Sie ist **an dieser Tat** schuld.	*She's guilty of this deed.*
Ich erkenne ihn **an seiner Stimme.**	*I recognize him by his voice.*

KURZ NOTIERT

Recall these two idiomatic expressions with dative prepositions: **nach Hause**, which occurs with verbs of motion such as **fahren, gehen,** and **kommen;** and **zu Hause,** which occurs with verbs of location such as **arbeiten, bleiben,** and **sein.**

Er fährt morgen **nach Hause.**
He's driving home tomorrow.
Er bleibt den ganzen Tag **zu Hause.**
He'll stay home the entire day.

Do not confuse these verb/preposition combinations with two-part verbs, in which the preposition is part of the infinitive (**anrufen, aufgeben**) but goes at the end of a sentence when the verb is in the main clause: **Er ruft mich oft an.**

The following group of prepositions always takes the dative case: **aus** (*from; out of*); **außer** (*besides, except for*); **bei** (*with; at the home of; next to; near*); **gegenüber** (*across*); **mit** (*with; along with; by means of*); **nach** (*to a place; after*); **seit** (*since; for an amount of time*); **von** (*of; from*); **zu** (*to; for an occasion*)

> **Außer dem neuen Schüler** nimmt die ganze Klasse an der Demonstration teil.
> Wohnen Jugendliche in Deutschland meistens **bei den Eltern**?

Übungen

A Drei Jugendporträts. Ergänzen Sie die Sätze.

Ramona bei der Arbeit.

1. Ramona wohnt in _____ (ein Dorf) nicht weit von Erfurt. Sie lernt Floristin. Das ist für _____ (sie) ein Beruf, der Freude bringt und sehr kreativ ist, weil sie viel mit _____ (die Natur) zu tun hat.
2. Kristian arbeitet auf _____ (eine Bank). Nach _____ (die Schulzeit) hat er dort eine Lehre bekommen. Er fährt jeden Tag mit _____ (die U-Bahn) zur Arbeit. Für _____ (er) sind Geld, Haus und Familie sehr wichtig.
3. Ulla wohnt bei _____ (ihre Mutter). Ulla ist optimistisch und freut sich auf _____ (die Zukunft).

B Jugendliche heute und damals. Ergänzen Sie die Sätze mit der richtigen Präposition.

1. Die Studenten marschieren _____ die Straßen.
2. Die Friedensbewegung protestierte _____ den Krieg.
3. Viele Jugendliche wollen sich nicht _____ Politik engagieren.
4. Wie haben die Demonstranten _____ die Nachricht reagiert?
5. Man muss sich _____ falsche Hoffnungen wehren.
6. Ich freue mich _____ eine bessere Zukunft.
7. Im Klassenzimmer diskutieren wir _____ alles Mögliche.
8. Die Situation damals hatte _____ einer Krise geführt.
9. Die Suche _____ Identität ist für junge Leute sehr wichtig.
10. Ramonas Dorf liegt _____ der Stadt Erfurt.
11. _____ Kristian interessieren sich die drei Jugendlichen nicht für Geld.

Jugendliche müssen große Entscheidungen treffen!

C Und Sie? Was ist Ihnen und Ihren Mitschülern/Mitschülerinnen wichtig? Finden Sie einen Partner / eine Partnerin, und stellen Sie ihm/ihr die folgenden Fragen. Berichten Sie der Klasse, was Ihr Partner / Ihre Partnerin sagt.

1. Wofür interessierst du dich?
2. Worauf freust du dich?
3. Wovon träumst du?
4. Woran denkst du oft?
5. Woran denkst du nicht oft?
6. Wofür engagierst du dich am liebsten?

Politik   Universität   Menschenrechte

Naturschutz   Beruf   Freund/Freundin   Familie

Hobby   Sommerferien

For more information, visit the
Auf Deutsch! Web Site at
www.mcdougallittell.com.

PERSPEKTIVEN

HÖREN SIE ZU!
NEUER ERZIEHUNGSSTIL IN ÖSTERREICH

Eltern haben sich auch in den vergangenen Jahrzehnten geändert. Sind die Eltern von heute so streng wie damals? Wie werden die Kinder erzogen? Hören Sie diesen kurzen Bericht, und beantworten Sie dann diese Fragen.

WORTSCHATZ ZUM HÖRTEXT

der Erziehungsstil	style of parenting
die Forschung	research
berichten	to report
die Befragten	people being asked

● Was sagen Kinder in Österreich über ihre Eltern? Verbinden Sie die richtigen Satzteile.

1. Die Tendenz führt
2. Ein Drittel sagen, dass
3. Ein Viertel sagen, dass
4. Acht Prozent sagen, dass
5. Die Hälfte sagen, dass

a. die Eltern gute Freunde sind.
b. sie Angst haben.
c. sie tun müssen, was die Eltern sagen.
d. die Eltern sehr streng sind.
e. zu einem weniger autoritären Erziehungsstil.

TIPP ZUM HÖREN

In reportage, subordinate clauses frequently tell what others have said or written.

Die Jugendlichen sagen, **dass ihre Eltern nicht mehr so autoritär sind.**

Listen for introductory clauses with verbs such as **sagen, berichten, erzählen, fragen,** and so forth, since they often signal subordinate clauses with key information.

LANDESKUNDE IN KÜRZE
JUGENDLICHE IM OSTEN UND IM WESTEN

Sie hören einen Text über deutsche Jugendliche im Osten und im Westen.

Ⓐ Die erste gesamtdeutsche Jugendstudie. Beantworten Sie die folgenden Fragen.

1. Woher kommen die befragten Schüler und Schülerinnen?
2. Wie alt sind die befragten Schüler und Schülerinnen?
3. Die Wissenschaftler haben 1990 diese Studie durchgeführt. Was ist an diesem Datum wichtig? Was können wir von den Ergebnissen lernen?

Ⓑ Prioritäten. Welches Prozent? Machen Sie sich eine Tabelle wie auf Seite 45, und füllen Sie sie aus.

	PROZENTANTEIL IM WESTEN	PROZENTANTEIL IM OSTEN
gute Freunde haben		
Erfolg im Beruf		
die eigene Familie		
Unabhängigkeit		
Selbstverwirklichung		
modische Kleidung		

LESEN SIE!

Zum Thema

● Viele junge Menschen zweifeln oft an sich selbst und haben Angst vor Veränderungen und Herausforderungen. Waren Sie selbst schon einmal verzweifelt? Wie haben Sie das Problem gelöst und wie wurden Sie wieder optimistisch? Sie lesen jetzt die Geschichte von einem Schüler, dessen Eltern seine schlechten Noten in der Schule wiederholt mit Hausarrest bestrafen.

WORTSCHATZ ZUM LESEN

der Käfig	*cage*
der Versager	*failure*
der Knast (*slang*)	*clink, can*
das Gefängnis	*prison*
der Streich	*trick, prank*
trippeln	*to dance around*
stumm	*silent*
jemanden in die Pfanne hauen	*to be very critical of someone*
der Riss	*crack*

Notgroschen für das Sorgentelefon

„Das ist das Ende", flüsterte Rolf. „He, Rolf", riefen die Freunde aus der Klasse, „kommst du mit ins Schwimmbad?" – Rolf hob den Kopf und schwieg. Er fühlte sich schrecklich – wie in einem Käfig aus
5 dickem Glas. Da war Lars. Er sprang fröhlich auf sein Fahrrad. Lars blickte zu Rolf und wartete auf eine Antwort. Aber Rolf war mit seinen Gedanken weit weg. Dachte er überhaupt an etwas? Nein. Die Wörter flogen ihm weg. Er fühlte sich schlecht: wie
10 ein schwarzer Rabe auf einem schwarzen Baum in der Wüste. Das Bild hatte er in sein Tagebuch gemalt. Vor ein paar Tagen. Er hatte vier Wochen Hausarrest. Für eine Vier in Erdkunde. „Was wollt ihr eigentlich", weinte Rolf, „eine Vier ist doch
15 ausreichend." „Uns reicht das nicht", schimpften die Eltern. – Lars fuhr mit seinem Fahrrad weg. „Er ist mein bester Freund", dachte Rolf. „Aber ich werde ihn auch verlieren."

In seiner Schultasche war das Unglück: eine Vier in Mathematik. „Es muß eine Zwei werden", hatte
20 der Vater gesagt. „Ich habe stundenlang mit dir geübt." Doch dann, bei der Arbeit kam die Panik. Wieder flogen die Gedanken davon. „Du bist besser geworden", hatte der Mathematiklehrer gesagt, „nur ein halber Punkt fehlt, dann wäre es eine Drei
25 Minus." Rolf hörte schon die Worte seiner Eltern. Der Vater: „Du bist einfach miserabel." Die Mutter: „Aus dir wird nie etwas!" Rolf glaubte selbst, daß er ein Versager war. „Kein Wunder, daß du keine Freunde hast", sagten die Eltern. Die wollten ja nur sein
30 Bestes.

Und jetzt saß er auf einer Bank gleich neben der Eisdiele. Er rechnete aus: eine Vier in Mathe, das sind mindestens drei Wochen Knast. Rolf haßte sein Zimmer, es war sein Gefängnis. Bis auf sechs
35 Groschen hatte er sein letztes Taschengeld ausgegeben. Da sah er das kleine gelbe Telefonhäuschen. Manchmal, zu Hause, kam er auf die merkwürdigsten Ideen. Telefonstreiche nannte er

40 das. Er wählte einfach irgendeine Nummer und
lauschte der Stimme am anderen Ende, dann legte
er wieder auf.

Rolf stand nun in dem Häuschen und wollte
wieder Stimmen hören. Eine Nummer für das

45 Sorgentelefon starrte ihn an. Rolf stutzte.
Sorgentelefon? „Mal sehen, was die für Sorgen
haben", kicherte er, nahm den Hörer in die Hand
und wählte. Es klingelte zweimal, eine männliche
Stimme meldete sich: „Sorgentelefon für Kinder und

50 Jugendliche." Rolf fiel vor Schreck der Hörer aus der
Hand. „Eigentlich", dachte er „müßten meine Eltern
da anrufen, die haben ja Sorgen mit ihrem Kind."

Ungefähr eine halbe Stunde trippelte Rolf vor
dem gelben Häuschen hin und her, diesem

55 Sorgentelefon wollte er unbedingt einen Streich
spielen. Er wählte erneut. Zweimal klingelte es,
dann war sie wieder da, diese Stimme. „Nicht
unsympathisch", dachte Rolf und sagte kein Wort.
„Hallo, wer bist du, melde dich", sagte die Stimme.

60 „Nee", sagte Rolf. „Dann eben nicht", war die Antwort
am anderen Ende, und plötzlich fragte die fremde
Stimme: „Wie geht es dir?" Er blieb stumm, eine
ganze Weile. Die Stimme am anderen Ende blieb
auch stumm. Meist wurde dann der Hörer wütend

65 aufgeknallt. Nein, der Mann am anderen Ende blieb
ruhig und wartete. „Hallo", hörte er ihn sagen, „willst
du dich mit mir unterhalten?" Rolf schluckte einmal
und noch einmal, und dann murmelte er muffig:
„Warum sollte ich?" „Ja, warum eigentlich",

70 antwortete die Stimme am anderen Ende, „dann leg
doch einfach den Hörer wieder auf."

Aber Rolf legte den Hörer nicht wieder auf.
Irgendwas hinderte ihn, dem Typ am anderen Ende
einfach abzuhängen. „Weißt du, mit wem du
sprichst?" fragte Rolf. „Woher soll ich das wissen, du 75
hast dich ja nicht vorgestellt." – Rolf machte eine
Pause, und dann wollte er witzig sein: „Du redest
mit dem größten Idioten von . . . " stotterte er. –
Schweigen. „Nee", sagte die fremde Stimme am
anderen Ende der Leitung, „das Spiel mach' ich nicht 80
mit. Du kannst dich ja gerne in die Pfanne hauen,
aber mich überzeugst du nicht so schnell davon,
daß du ein Idiot bist. Wer hat dir denn diesen Floh
ins Ohr gesetzt?"

Rolf verschlug es den Atem. „ . . . Ich muß jetzt 85
Schluß machen", stammelte er. „Okay", antwortete
die Stimme, „wenn du Lust hast, kannst du ja mal
wieder anrufen." – „Geht nicht", sagte Rolf. „Ich
verreise für ungefähr vierzehn Tage", und – peng –
knallte er den Hörer auf. Schweißgebadet verließ er 90
die Telefonzelle. „Sorgentelefon . . . ", flüsterte Rolf,
„daß ich nicht lache, war der nun nett oder nur ein
bißchen doof?"

Die „Reise" dauerte genau siebzehn Tage. Die
Eltern hatten den Stubenarrest verschärft. Rolf 95
schrieb in dieser Zeit lange Briefe in sein Tagebuch,
und kein einziges Mal stand darin: Ich hasse mich.
Irgendwie ahnte er, daß er doch nicht ganz allein
auf der Welt war, daß es sogar für ihn noch Freunde
gab. Den Telefonstreich wollte er wiederholen. Seit 100
diesem Gespräch, das spürte Rolf ganz deutlich,
hatte das Glas von seinem Käfig, in dem er sich oft
gefangen fühlte, Risse und Sprünge bekommen.

Zum Text

A Was wissen Sie über Rolf? Was stimmt? Was stimmt nicht?

1. Für jede schlechte Note muss Rolf mit mehr Hausarrest rechnen.
2. Um seine Einsamkeit zu überwinden, ruft er manchmal sogar fremde Leute an.
3. Rolf ist erstaunt, dass der Mann beim Sorgentelefon mit ihm sprechen will.
4. Der Mann am Sorgentelefon glaubt Rolf alles, was er sagt.
5. Rolf legt auf, weil er nichts mehr hören will.
6. Während der siebzehn Tage Hausarrest wird Rolfs negatives Selbstbildnis[a] noch schlimmer.
7. Im Endeffekt meint Rolf, dass es noch Hoffnung für ihn gibt.

[a]*self-portrait*

B Warum hält Rolf so wenig von sich selbst? Welche Personen und Ereignisse tragen zu Rolfs negativem Selbstbildnis bei? Welche Gefahren gibt es für einsame Teenager mit schlechtem Selbstwertgefühl? Wie könnte jemand wie Rolf ein positiveres Selbstbildnis entwickeln?

SCHREIBEN SIE!

Ein Flugblatt

Schreiben Sie ein Flugblatt, mit dem Sie für die Gründung eines neuen Jugendzentrums in ihrer Stadt werben wollen.

Purpose:	To gain support for a citizen action program
Audience:	Adult residents and students of your hometown
Subject:	Plans for a new youth center in town
Structure:	Handbill or flyer

Schreibmodell

> **„Aktion Jugendzentrum"**
> *sucht Ihre Unterstützung*
> *für einen Treffpunkt für die Jugendlichen*
> *von Eschenbach*
>
> **„Aktion Jugendzentrum" möchte einen**
> *Jugendtreffpunkt mit Platz für*
>
> • Studios, Werkstätten und AGs für Kunst, Tanz, Theater und Musik
> • Sport- und Fitnessprogramme
> • Computerspiele, Flipper, Tischfußball, Billard und Tischtennis
>
> **Was hat Eschenbach davon?**
>
> • ruhigere Straßen, angenehmeres Alltagsleben
> • Förderung gesunder Lebensstile und kooperativer Gemeinschaftsarbeit
> • Aktivierung des sozialen Jugendprogramms der Gemeinde
>
> **Wir laden Sie ein zum Diskussionsabend**
> **Dienstag, 27.11.   19.30 Uhr**
> **Stadtbibliothek   Günter-Grass-Str. 37**
> **Weitere Infos: Rufnummer (07502) 55 539 79**

The writer immediately identifies the name of the group.

The writer describes the goals and the benefits.

This section describes the benefits to the town.

Note that the genitive case is used twice in this item.

Factual information is given: the type of meeting, date, time, and place, and a phone number.

TIPP ZUM SCHREIBEN

In many towns there is no place for teenagers to go after school—no safe, inexpensive place to meet, get exercise, play games, pursue hobbies, or just hang out. A center specially suited to the interests and needs of young people can be a great solution to their problems and the concerns of their communities. However, youth centers are expensive and require strong public support to succeed. How could you express the center's benefits in terms that would be convincing to both young people and adults? How would you try to raise support for your plan?

Schreibstrategien

Vor dem Schreiben

- Consider what kind of youth programs already exist in your area (in schools, churches, social organizations, sports groups, scouting groups, etc.) and how popular and effective they are. Which kids participate? Which kids do not? Why not?

- Jot down all the things your ideal youth center would offer: after school, evenings, weekends, and vacation recreational programs, classes, clubs, crafts, arts, sports, outings, social activities, and support. Write down your ideas for the ideal facilities: the site, building, rooms, equipment, entertainment, and personnel.

- How would the community benefit from your youth center? Make notes of your ideas.

Beim Schreiben

- Keep your lists (youth center offerings, facilities, benefits) in front of you and refer to them often.

- Decide what your most important message is and how you want to highlight it for maximum attention. Use short, information-packed phrases and sentences.

- Focus on your most important points and decide whether details add or detract from the effectiveness of your handbill.

Nach dem Schreiben

- Read your draft critically and then share it with a peer editor to get reactions, suggestions, and advice.

- Revise your flyer, taking all suggestions for changes and corrections into consideration.

- Consider whether illustrations and attractive graphic design will enhance your message or not, and if so, include them.

Stimmt alles?

- Hold up the latest version of the handbill and check it for legibility and attractiveness; if either is a problem, fix the layout and the particulars of the design.

- Print or publish your finished text, complete with illustrations.

Ein neues Jugendzentrum!

Wir fordern neue Ideen und neue Aktivitäten. Wir brauchen Ihre Hilfe!

Was wir für ~~der~~ de *Zukunft sehen wollen:*

- *Ein Grundstück und Pläne für das neue Jugendzentrum*
- *einen Platz für alle Jugendlichen nach der Schule, am Wochenende und in de*n *Ferien*
- *eine tolle Auswahl von Clubs, Vereinen, Werken, Sport und Spaß*

Wir brauchen Ihre Stimme und Ihre Unterstützung. Kommen Sie zu uns ~~an den~~ am *Tag der Offenen Tür, Montag* Meinst du 18.30? *11.05. um* (6.30) *in die Aula* ~~das~~ des *Heine-Gymnasium*s, *Schulstraße 25.*

WORTSCHATZ

Substantive	Nouns
die **Art, -en**	type, sort
die **Auseinandersetzung, -en**	dispute, argument
die **Bescheidenheit**	modesty
die **Bewegung, -en**	movement
die **Gerechtigkeit, -en**	justice
die **Identität, -en**	identity
die **Suche, -n**	search
die **Zukunft, ⁻e**	future
der **Ausdruck, ⁻e**	expression
der **Einfluss, ⁻e**	influence
der **Frieden**	peace
der **Gymnasiast (-en** *masc.***) /** die **Gymnasiastin, -nen**	student at a *Gymnasium*
der/die **Jugendliche** (*decl. adj.*)	young person, teenager
der **Kunde (-n** *masc.***) /** die **Kundin, -nen**	customer
der **Lebensstil, -e**	lifestyle
der **Schutz**	protection
der **Staatsbürger, - /** die **Staatsbürgerin, -nen**	citizen
der **Wandel**	change
der **Wohlstand**	prosperity
das **Geschäft, -e**	business; store
das **Ideal, -e**	ideal
das **Jahrzehnt, -e**	decade
das **Wissen**	knowledge
das **Zeichen, -**	sign; token
das **Ziel, -e**	goal, aim

Verben	Verbs
an•passen	to conform
begeistern	to inspire
bewegen	to set into motion
denken an (+ *acc.*)	to think about
diskutieren über (+ *acc.*)	to discuss; to talk about

sich engagieren für	to get involved in
sich erinnern an (+ *acc.*)	to remember
erkämpfen	to gain by struggle
führen zu	to lead to
gestalten	to shape
reagieren auf (+ *acc.*)	to react to
teil•nehmen an (+ *dat.*) **(nimmt teil), nahm teil, teilgenommen**	to take part in
mit etwas um•gehen: ging um, ist umgegangen	to deal with, handle
vermitteln	to convey, impart
verwirklichen	to realize; to fulfill oneself
wählen	to choose; to elect
sich wehren gegen	to defend oneself against

Adjektive und Adverbien	Adjectives and adverbs
andererseits	on the other hand
angepasst	conformist
dafür	instead; in return; for it/them
ehrgeizig	ambitious(ly)
freudig	joyful(ly); happy (happily)
friedlich	peaceful(ly)
gewalttätig	violent(ly)
leise	quiet(ly)
tabu	taboo
unterschiedlich	various
vergangen	past; preceding

Sie wissen schon	You already know
der **Erfolg, -e**	success
erleben	to experience

KAPITEL 27 SCHULALLTAG

Schüler im neunzehnten Jahrhundert.

In diesem Kapitel

- lernen Sie einiges über die Geschichte eines alten Gymnasiums in Bremen.
- erleben Sie den Schultag einer deutschen Schülerin von heute.

Sie werden auch

- darüber sprechen, wie Schulen und Gymnasien damals waren, und wie sie heute sind.
- wiederholen, wie man zwischen **der** und **ein** Wörtern unterscheidet.
- Adjektivendungen wiederholen.
- lernen, wie man unbestimmte Zahlwörter wie **einige, mehrere** und **viele** gebraucht.
- eine Geschichte über das Schulleben am Anfang des zwanzigsten Jahrhunderts lesen.
- einen Antrag auf Schulreform schreiben.

Schule in der Vergangenheit und in der Gegenwart – was ist anders?

Szene in einem Klassenzimmer von heute.

VIDEOTHEK

Schule macht Spaß—aber nicht immer! Der Schulalltag hat sich stark geändert. Was hat man aus den alten Zeiten behalten, und was ist jetzt anders?

I: Geschichte eines Gymnasiums

In dieser Folge lernen Sie ein altes Gymasium und seine bewegte Geschichte kennen.

"Die Schule ist besetzt!"

A Was passiert?

SCHRITT 1: Schauen Sie sich das Video an, und bringen Sie die folgenden Sätze in die richtige Reihenfolge.

a. Die Schüler und Schülerinnen protestierten, und die Schulen wurden reformiert.
b. Die Schule stand trotz weitgehender Zerstörung in Bremen, noch immer.
c. Es gab neue Fächer, wie zum Beispiel Biologie, Chemie und Physik.
d. Die Schüler und Schülerinnen können mitbestimmen und Hauptfächer selbst auswählen.
e. Sport wurde zu dieser Zeit zum Hauptfach.
f. Das Gymnasium wurde für die Söhne der reichen Kaufleute in Bremen gegründet.
g. Die Unterrichtsmethoden waren trotz der Demokratisierung in Deutschland streng.

SCHRITT 2: Wann ist das passiert? Verbinden Sie die Sätze oben mit dem richtigen Datum im Kasten.

WORTSCHATZ ZUM VIDEO

wählen	to choose, elect
bewegt	eventful; turbulent
die Kaufleute	merchants
das Zeltlager	tent camp
die Hitlerjugend	Hitler Youth
die Skikurswoche	week of ski class
der Waldeinsatz	forestry expedition
schulisch	school (adj.)
der Felsen	cliff
hochklettern	to climb up

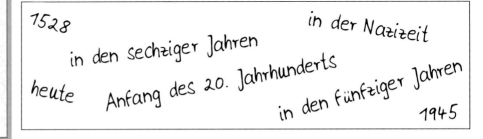

1528   in der Nazizeit
in den sechziger Jahren
heute   Anfang des 20. Jahrhunderts
in den fünfziger Jahren
1945

B Schulzeiterinnerungen. Auf Seite 53 lesen Sie Erinnerungen von Daniela, Dirk, Anett und Erika. Ordnen Sie die Sätze den Personen zu. Wer erinnert sich an was?

1. Wir sind mit dem Bus nach Budapest gefahren. Wir haben die Stadt erobert.
2. Wir sind im März eine Woche auf Skikurs gefahren. Das ist meine beste Erinnerung.
3. Wir sind in die Berge gefahren. Der Lehrer hat uns gesagt, dass wir nicht auf einen Felsen klettern dürfen. Aber wir haben ihn und seinen Freund hoch auf dem Felsen gesehen.
4. Wir haben in der achten Klasse einen Waldeinsatz gemacht. Wir haben zwei Wochen lang im Wald gelebt, haben Waldarbeit gemacht und viel über die Umwelt gelernt.

C Schulreise oder Alltag? Die schönsten Erinnerungen aus der Schulzeit waren alles Erlebnisse, die diese Personen auf einer Schulreise gemacht hatten. Finden Sie einen Partner / eine Partnerin, und stellen Sie einander folgende Fragen.

1. Ist es besonders schön auch für dich, mit den Schulkameraden zu reisen oder Klassenausflüge zu machen?
2. Wohin bist du gefahren?
3. Was hast du dort gemacht?
4. Wie war das anders als der Alltag in der Schule?
5. War die Schulreise viel schöner als der Alltag in der Schule? Warum?
6. Was ist deine schönste Erinnerung an die Schule?

II: Der Schulalltag

A Was wissen Sie über Susannes und Karolins Schulalltag? Machen Sie sich eine Tabelle wie die folgende, und füllen Sie sie aus.

	SUSANNE	KAROLIN
1. Um wie viel Uhr beginnt die Schule?		
2. Wie viele Stunden gibt es am Tag Unterricht?		
3. Wie kommen sie zur Schule?		
4. Welches sind ihre Lieblingsfächer?		
5. Welches Fach ist für sie langweilig?		

B Schulablauf

SCHRITT 1: Karolins Schulalltag. Beschreiben Sie einen typischen Schultag von Karolin. Welche Fächer hat sie? Was macht sie nachmittags? Was macht sie in der Freizeit?

1. Zuerst . . .   2. Dann . . .   3. Danach . . .   4. Zuletzt . . .

SCHRITT 2: Ihr Schultag. Beschreiben Sie jetzt den typischen Schultag für Sie selbst. Welche Pflichtfächer[a] haben Sie? Welche Wahlfächer haben Sie? Warum belegen Sie gerade diese Wahlfächer?

[a]*required courses*

Karolin mit Sammy.

KULTURSPIEGEL

Karolin ist Schülerin auf einer Gesamtschule, eine Schule, die Aspekte eines Gymnasiums, einer Realschule und einer Hauptschule verbindet. Schüler und Schülerinnen besuchen die Gesamtschule von der fünften bis zum Ende der zehnten Klasse. Dann können sie entweder den Hauptschulabschluss bekommen, oder sie können ihre Schulausbildung bis zum Abitur weiterführen.

Karolins Schulablauf.

VOKABELN

die Gegenwart	*present time*
die Unsicherheit	*insecurity, uncertainty*
die Unterrichtsmethode	*teaching method*
die Vergangenheit	*past*
die Wirkung	*result; effect*
die Wissenschaft	*science*
der Alptraum	*nightmare*
der Ratschlag	*advice*
der Wettbewerb	*competition*
das Pflichtfach	*required course*
das Wahlfach	*optional course, elective*
sich begegnen	*to meet*
besetzen	*to occupy*
erobern	*to conquer*
gründen	*to found*
legen: Wert legen auf	*to value something;*
(+ *acc.*)	*to consider important*
mit•bestimmen	*to have a say*
rechnen	*to calculate*
sich unterscheiden von	*to differ from*
sich verändern	*to change*
vertreten	*to appear; to represent*
(sich) vor•bereiten (auf)	*to prepare (for)*
zerstören	*to destroy*
auswendig (lernen)	*(to learn) by heart;*
	(to memorize)

Gymnasiasten und Gymnasiastinnen genießen ihre Freizeit.

bewegt	*eventful; turbulent*
eher	*rather; sooner*
fast	*almost, nearly*
gegen	*approximately*
häufig	*often, frequent(ly)*
weitgehend	*extensive(ly),*
	far-reaching

Sie wissen schon
die Gesamtschule, die Nähe, die Realschule, das Dorf, das Fach, das Gymnasium, sich beschäftigen mit, bestehen, lehren, unterrichten, verbieten, verlassen, langweilig, streng

Die Nacht vor einer großen Prüfung!

A Bedeutungen. Welche Wörter aus der Wortliste passen zu den Bedeutungen unten?

1. eine sehr kleine Stadt
2. ein schrecklicher Traum
3. nicht weit weg
4. ein Fach, das alle Schüler belegen müssen
5. um eine ungefähre Zeit
6. sehr oft
7. treffen
8. jemandem sagen, dass sie oder er etwas nicht machen darf

B Vokabelarbeit. Ergänzen Sie die Sätze auf Seite 55 mit den Wörtern in dem Kasten.

rechnen   häufig   bewegte   unterscheiden
Vergangenheit   Nähe   gegen
langweilig   Fast   Alptraum

1. In der _____ waren die Unterrichtsmethoden streng, aber heute gibt es mehr Eigeninitiative und Kreativität.
2. Damals hat Schule keinen Spaß gemacht; für manche Schüler war es ein _____.
3. Karolin wohnt in der _____ von Frankfurt.
4. Mathe kann ein sehr interessantes Fach sein, aber Karolin findet es _____.
5. Schüler und Schülerinnen sollen _____ in die Bibliothek gehen, wenn sie gute Noten bekommen wollen.
6. Die Schulen in Österreich und Deutschland _____ sich sehr von den Schulen in Nordamerika.
7. In Deutschland beginnt die Schule normalerweise _____ acht Uhr.
8. Das alte Gymnasium in Bremen hat eine _____ Geschichte.
9. Im Kindergarten in Nordamerika lernen viele schon lesen, schreiben und _____.
10. Viele deutsche Städte wurden im Zweiten Weltkrieg _____ total zerstört.

C Alles über die Schule. Lesen Sie die Sätze links, und suchen Sie die passende Definition für die kursiv gedruckten Wörter aus der rechten Spalte.

1. Heute können die Schüler *mitbestimmen* und zum Beispiel ihre Hauptfächer selber wählen.
2. Trotz der Demokratisierung blieben die Unterrichtsmethoden *streng.*
3. Schule in Deutschland: Spaß oder *Alptraum*?
4. In Bremen wurde 1528 das alte Gymnasium *gegründet.*
5. Die Gesellschaft *veränderte sich,* und die Schulen wurden reformiert.
6. Meine Klassenlehrerin *unterrichtet* uns in Mathematik und Deutsch.
7. Nach dem Krieg war Bremen weitgehend *zerstört.*
8. In Kursen wie Deutsch und Philospohie bin ich *häufig* zu finden.

a. lehren
b. oft
c. genau, sehr korrekt, strikt
d. an wichtigen Entscheidungen teilnehmen
e. anders werden
f. ruinieren
g. instituieren, etablieren
h. ein schlechter Traum

D Das Schulsystem. Sie besuchen Freunde in Deutschland, die wissen wollen, wie die Schulen in Nordamerika sind. Wie viele Fächer hat man? Wie lange muss man Hausaufgaben machen? Beschreiben Sie ihnen den Schulalltag eines Schülers / einer Schülerin.

STRUKTUREN

DER- AND EIN-WORDS
REFERRING TO SPECIFIC OR GENERAL PERSONS OR THINGS

The forms of **der**-words closely resemble those of the definite article, **die, der, das.** The most common **der**-words are the following.

alle (*pl.*)	*all*	welcher	*which*
dieser	*this, that*	mancher	*some*
jeder (*sg.*)	*every, each*	solcher	*such*
jener	(*the one*) *that*		

Note that **jeder** occurs only in the singular, **alle** only in the plural.

Jeder Schüler hielt den Atem an. *Every pupil held his breath.*
Der Professor versuchte mit **allen** *The professor tried all the keys*
Schlüsseln die Tür zu öffnen. *to open the door.*

Welcher is a question word.

Zu **welcher** Stunde kamen *What time did the boys get out*
die Jungen aus dem *of the classroom?*
Klassenzimmer heraus?

Here are all the forms of **dieser.** Notice the similarity between the endings and the forms of **die, der, das.**

	SINGULAR			PLURAL
	FEMININE	MASCULINE	NEUTER	ALL GENDERS
NOMINATIVE	dies**e** Frau	dies**er** Mann	dies**es** Kind	dies**e** Kinder
ACCUSATIVE	dies**e** Frau	dies**en** Mann	dies**es** Kind	dies**e** Kinder
DATIVE	dies**er** Frau	dies**em** Mann	dies**em** Kind	dies**en** Kinder**n**
GENITIVE	dies**er** Frau	dies**es** Mann**es**	dies**es** Kind**es**	dies**er** Kinder

As always, the dative plural of the noun also takes a special ending, **-n.**

Ein-words, as you might have guessed, follow the same pattern as the indefinite article **ein**. The most common **ein**-words are the possessive adjectives and the negative article **kein**. Here are all the forms for **mein**.

	SINGULAR			PLURAL
	FEMININE	MASCULINE	NEUTER	ALL GENDERS
NOMINATIVE	mein**e** Frau	mein Mann	mein Kind	mein**e** Kinder
ACCUSATIVE	mein**e** Frau	mein**en** Mann	mein Kind	mein**e** Kinder
DATIVE	mein**er** Frau	mein**em** Mann	mein**em** Kind	mein**en** Kinder**n**
GENITIVE	mein**er** Frau	mein**es** Mann**es**	mein**es** Kind**es**	mein**er** Kinder

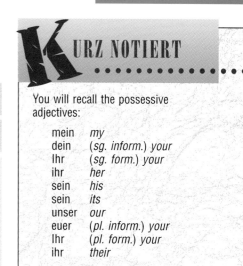

KURZ NOTIERT

You will recall the possessive adjectives:

mein	*my*
dein	(*sg. inform.*) *your*
Ihr	(*sg. form.*) *your*
ihr	*her*
sein	*his*
sein	*its*
unser	*our*
euer	(*pl. inform.*) *your*
Ihr	(*pl. form.*) *your*
ihr	*their*

The possessive adjective **euer** drops the last **-e-** before adding a case ending: **euer Sohn,** but **euren/eurem Sohn, eures Sohnes, eure Söhne, euren Söhnen, eurer Söhne.**

Übungen

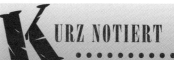

A Schüler und Schülerinnen. Ergänzen Sie die richtige Form der Wörter in Klammern.

1. Susanne sagt, ihr Schulalltag ist wie der Schulalltag von _____ (jeder) Schüler.
2. Sie interessiert sich sehr für Biologie und Deutsch. _____ (Solcher) Fächer machen ihr Spaß.
3. Normalerweise muss man _____ (jeder) Abend Hausaufgaben machen.
4. _____ (Jeder) Schüler ist anders.
5. _____ (Mancher) Studenten haben gute Erinnerungen an die Schule.
6. _____ (Welcher) Fach gefällt Ihnen am besten?
7. _____ (Welcher) Kurs belegen Sie jetzt?

B Meinungen. Junge Leute reden über ihr Leben und ihre Familien. Ergänzen Sie das Gespräch auf Seite 58.

KURZ NOTIERT

German uses the accusative case in expressions that refer to specific time. You already know the greetings **guten Morgen** and **guten Abend**. In context, the accusative forms of the definite article or **der**-words often occur with nouns relating to time.

Ich arbeite **jeden Donnerstag. Dieses Wochenende** fahre ich aufs Land.
Ich wohne **den ganzen Sommer** im Dorf.

KAI: _____¹ (Mein) Alltag ist ziemlich anstrengend. Ich habe immer viel zu tun. _____² (Mein) Freunde sagen mir, ich sollte weniger arbeiten. Ich lege Wert auf _____³ (ihr) Meinung.

JULIA: In _____⁴ (unser) Familie ist das Leben sehr friedlich. Wenn ich mit _____⁵ (mein) Eltern rede, verstehen wir einander. Wie ist es in _____⁶ (euer) Familie?

WOLF: Die Eltern brauchen auch _____⁷ (ihr) Freizeit. Man kann sich nicht immer nur um die Kinder kümmern! Ich habe _____⁸ (mein) Vater gesagt, er sollte ab und zu Urlaub machen.

HAIKE: Ich möchte _____⁹ (kein) Kinder haben. In _____¹⁰ (mein) Zukunft sehe ich nur Beruf und Freunde.

ADJECTIVES
DESCRIBING PEOPLE, OBJECTS, PLACES, AND IDEAS

You have learned to recognize and use both predicate and attributive adjectives. Predicate adjectives follow nouns and have no endings, whereas attributive adjectives precede nouns and do take endings.

Attributive adjectives that follow articles or **der-** or **ein-**words take one of two endings: **-e** or **-en.** Here are all the forms for adjectives that follow the definite article or a **der-**word.

		SINGULAR		PLURAL
	FEMININE	MASCULINE	NEUTER	ALL GENDERS
NOM.	die lieb**e** Mutter	der alt**e** Pfarrer	das klein**e** Kind	die streng**en** Lehrer
ACC.	die lieb**e** Mutter	den alt**en** Pfarrer	das klein**e** Kind	die streng**en** Lehrer
DAT.	der lieb**en** Mutter	dem alt**en** Pfarrer	dem klein**en** Kind	den streng**en** Lehrer**n**
GEN.	der lieb**en** Mutter	des alt**en** Pfarrer**s**	des klein**en** Kind**es**	der streng**en** Lehrer

Adjectives that end in **-el** or **-er,** such as **dunkel** and **teuer,** drop the **-e-** before adding the endings.

Wer hat das **teure** Gemälde gekauft?

Who bought the expensive painting?

The adjective **hoch** becomes **hoh-** before adding an adjective ending.

Jutta ist auf den **hohen** Berg geklettert.	*Jutta climbed up the high mountain.*

When adjectives follow each other, all take the same endings.

Wo sind die **schönen alten** Fotos?	*Where are the nice old photos?*
Dieses **kleine blaue** Auto gehört Stefan.	*This little blue car belongs to Stefan.*

Adjectives that follow **ein-**words have the same pattern of endings as those that follow **der-**words, with three exceptions.

	MASCULINE	NEUTER
NOM.	**ein kleiner** Junge	**ein schweres** Examen
ACC.		**ein schweres** Examen

Attributive adjectives that do not follow articles or **der-** or **ein-**words must have endings that show the gender, number, and case of the nouns they modify. Note that these endings are very similar to the forms of the missing definite articles **die, der, das,** with two exceptions: masculine and neuter singular in the genitive case.

	SINGULAR			PLURAL
	FEMININE	MASCULINE	NEUTER	ALL GENDERS
NOM.	klein**e** Stadt	streng**er** Lehrer	klar**es** Wasser	schwer**e** Examen
ACC.	klein**e** Stadt	streng**en** Lehrer	klar**es** Wasser	schwer**e** Examen
DAT.	klein**er** Stadt	streng**em** Lehrer	klar**em** Wasser	schwer**en** Examen
GEN.	klein**er** Stadt	streng**en** Lehrer**s**	klar**en** Wasser**s**	schwer**er** Examen

Attributive adjectives that do not follow articles or **der-** or **ein-**words often appear in telegraphic-style messages, on signs, and in ads.

Gesucht: **strenger Lehrer** für Nachhilfe in Englisch	*Wanted: strict teacher for coaching in English*

kreativer hohen
bewegte
typischen
kleinen guten
interessantes
besseren

Übungen

A Meine Schulerlebnisse

SCHRITT 1: Ergänzen Sie die Sätze mit den Wörtern aus dem Kasten.

1. Meine Schule hat eine _____ Geschichte.
2. Biologie ist für mich ein sehr _____ Fach.
3. Ich wohne in einem _____ Dorf, und wir machen Ausflüge in die Natur.
4. Auf unserer Klassenreise durften wir nicht auf einen _____ Felsen klettern.
5. Ich träume von einer _____ Zukunft.
6. Mein Lehrer hat mir einen _____ Ratschlag gegeben.
7. In einer _____ Gesamtschule wie meiner gibt es viele Wahlfächer.
8. Für manche Jugendlichen ist ein _____ Beruf sehr wichtig.

SCHRITT 2: Machen Sie die Sätze interessanter! Wählen Sie fünf Sätze, und fügen Sie andere Adjektive hinzu!

B Über meine Familie. Ergänzen Sie die Sätze mit den Adjektiven in Klammern.

1. Meine Großmutter hat dieses _____ (alt) Buch geschrieben.
2. Der _____ (klein) Junge da ist mein Neffe.
3. Die _____ _____ (nett älter) Frauen sind meine Tanten.
4. Meine Schwester liest den _____ (berühmt) Roman[a] von Thomas Mann.
5. Manche _____ (jung) Familienmitglieder engagieren sich für Politik.
6. Solche _____ (teurer) Sachen gefallen meiner Familie nicht.
7. Meine Eltern haben der _____ (neu) Lehrerin ein Geschenk gekauft.

[a]*novel*

C Eine Kleinanzeige. Sie haben eine neue Wohnung und brauchen mindestens einen Mitbewohner / eine Mitbewohnerin. Wie würden Sie sich selbst beschreiben? Wie viele Mitbewohner/Mitbewohnerinnen suchen Sie? Welche Eigenschaften sollten sie haben? Gebrauchen Sie die Wörter im Kasten. Schreiben Sie eine Anzeige, in der Sie das alles sehr kurz ausdrücken.

faul gutgelaunt aktiv
sauber kreativ nett
interessant ? berufstätig

MODELL: Netter, kreativer Student mit vielen Interessen sucht drei interessante, berufstätige Mitbewohner für eine große Wohnung.

INDEFINITE NUMERALS AND THE INTERROGATIVE PRONOUN WAS FÜR (EIN)

TALKING ABOUT AMOUNTS AND ASKING ABOUT THINGS

The following indefinite numerals may precede nouns with or without other adjectives: **einige** (*a few*), **mehrere** (*several*), **viele** (*many*), and **wenige** (*few*). These words take the same endings as other plural attributive adjectives that do not follow **der-** or **ein-**words.

> Die Jungen verbrachten **viele** lange Stunden mit Professor Heimbach.
> *The boys spent many long hours with Professor Heimbach.*

Do not confuse **alle** with this category of indefinite numerals. **Alle** takes the endings of a plural **der-**word; adjectives that follow **alle** take the plural ending **-en.**

> Die Jungen haben **alle** möglichen Ausreden probiert.
> *The boys tried all possible excuses.*

The expression **was für** asks the question *what kind(s) of*. Remember, **für** does not function as a preposition in this construction and, therefore, does not influence the case endings of the noun expression that follows. Rather, the case of **ein** plus the noun depends on whether it functions as the subject, direct object, indirect object, or object of a preposition within the sentence.

> Was für **ein Lehrer** ist dieser Herr?

> *What kind of a teacher is this gentleman?*

Übungen

● Eine Reise nach Bremen. Sie sind gerade von einer Reise nach Bremen zurückgekommen. Ihre Freunde haben viele Fragen. Beantworten Sie die Fragen mit den Wörtern in Klammern.

MODELL: Was für eine Stadt ist Bremen? (alt, hochinteressant) →
Bremen ist eine alte, hochinteressante Stadt.

1. Was für Tage hast du in Bremen verbracht? (viele schöne)
2. Was für Gebäude hast du gesehen? (einige interessant)
3. Was für Deutsche hast du kennen gelernt? (mehrere jung)
4. Was für Postkarten hast du gekauft? (wenig alt)
5. Was für Musik hast du gehört? (neu, deutsch)

Die Stadt Bremen wurde im Zweiten Weltkrieg weitgehend zerstört.

PERSPEKTIVEN

HÖREN SIE ZU!
EINSTEINS FRÜHE JAHRE

Sie hören eine kurze Biografie des Wissenschaftlers Albert Einstein.

A Schule und Ausbildung. Welche Probleme hatte Albert Einstein? Was stimmt? Was stimmt nicht?

Albert Einstein . . .
1. lernte spät sprechen.
2. zeigte kein Interesse an Mathematik und Physik.
3. war nicht gut diszipliniert.
4. verließ mit fünfzehn Jahren das Gymnasium.
5. konnte keine klassischen Fremdsprachen lernen.
6. besuchte die Vorlesungen nicht.
7. bestand sein zweites Examen nicht.

Der berühmte Wissenschaftler Albert Einstein.

B Kindheit und Familie. Hören Sie gut zu, und machen Sie sich Notizen.

GEBURTSDATUM:	
GEBURTSORT:	
BERUF DES VATERS:	
WOHNORTE:	

WORTSCHATZ ZUM HÖRTEXT

Mailand	Milan
das Musterkind	model child
geistig	mentally
zurückgeblieben	challenged
die	entrance
Aufnahmeprüfung	exam
die Vertretung	stand-in
fehlen	to be missing

C Die frühen Jahre Albert Einsteins. Schreiben Sie mit Hilfe Ihrer angekreuzten Sätze in Aktivität A und Ihrer Notizen in Aktivität B eine kurze Biografie des jungen Albert Einsteins.

LESEN SIE!

Zum Thema

● Haben Sie schon einmal jemandem einen Streich gespielt? Erzählen Sie Ihren Mitschülern/Mitschülerinnen davon.

Sie lesen jetzt eine Kurzgeschichte von Heinrich Spoerl. Die Geschichte handelt von Schülern, die ihrem Englischlehrer einen Streich spielen. Wer zeigt es am Ende wem?

Der Stift

Eine Türklinke besteht aus zwei Teilen, einem positiven und einem negativen. Sie stecken ineinander, der kleine wichtige Stift hält sie zusammen. Ohne ihn zerfällt die Herrlichkeit.

Auch die Türklinke an der Obertertia ist nach diesem bewährten
5 Grundsatz konstruiert.

Als der Lehrer für Englisch um zwölf in die Klasse kam und mit der ihm gewohnten konzentrierten Energie die Tür hinter sich schloß, behielt er den negativen Teil der Klinke in der Hand. Der positive Teil flog draußen klirrend auf den Gang.

10 Mit dem negativen Teil kann man keine Tür öffnen. Die Tür hat nur ein viereckiges Loch. Der negative Teil desgleichen.

Die Klasse hat den Atem angehalten und bricht jetzt in unbändige Freude aus. Sie weiß, was kommt. Nämlich römisch eins: Eine ausführliche Untersuchung, welcher schuldbeladene Schüler den Stift
15 herausgezogen hat. Und römisch zwei: Technische Versuche, wie man ohne die Klinke die Tür öffnen kann. Damit wird die Stunde herumgehen.

Aber es kam nichts. Weder römisch eins noch römisch zwei. Professor Heimbach war ein viel zu erfahrener Pädagoge, um sich ausgerechnet
20 mit seiner Obertertia auf kriminalistische Untersuchungen und technische Probleme einzulassen. Er wußte, was man erwartete, und tat das Gegenteil.

„Wir werden schon mal wieder herauskommen", meinte er gleichgültig. „Mathiesen, fang mal an. Kapitel siebzehn, zweiter Absatz."
25 Mathiesen fing an, bekam eine drei minus. Dann ging es weiter; die Stunde lief wie jede andere. Die Sache mit dem Stift war verpufft.

Aber die Jungens waren doch noch schlauer. Wenigstens einer von ihnen. Auf einmal steht der Klostermann auf und sagt, er muß raus.

WORTSCHATZ ZUM LESEN

die Türklinke	door handle
der Stift	pin
zerfallen	to fall apart
die Obertertia	fifth year of German secondary school; approx. equivalent to 9th grade
der Gang	hallway
schuldbeladen	burdened with guilt
sich einlassen auf	to get involved in
verpufft	fizzled
der Pflaumenkuchen	plum cake
widerlegen	to dispute
feixen	to smirk
die Anstalt	institution
die Insassen	occupants; inmates
Klassenhiebe	punishment by the class

KULTURSPIEGEL

Heinrich Spoerl wurde 1887 in Düsseldorf geboren, wo er 1919–1937 als Rechtsanwalt arbeitete. Seine Romane waren sehr populär und wurden alle verfilmt.

„Wir gehen nachher alle."

30 Er muß aber trotzdem.

„Setzt dich hin!"

Der lange Klostermann steht immer noch; er behauptet, er habe Pflaumenkuchen gegessen und so weiter.

Professor Heimbach steht vor einem Problem. Pflaumenkuchen kann

35 man nicht widerlegen. Wer will die Folgen auf sich nehmen?

Der Professor gibt nach? Er stochert mit seinen Hausschlüsseln in dem viereckigen Loch an der Tür herum. Aber keiner läßt sich hineinklemmen.

„Gebt mal eure Schlüssel her." Merkwürdig, niemand hat einen

40 Schlüssel. Sie krabbeln geschäftig in ihren Hosentaschen und feixen.

Unvorsichtigerweise feixt auch der Pflaumenkuchenmann. Professor Heimbach ist Menschenkenner. Wer Plaumenkuchen gegessen hat und so weiter, der feixt nicht.

„Klostermann, ich kann dir nicht helfen. Setz dich ruhig hin. Die

45 Rechnung kannst du dem schicken, der den Stift auf dem Gewissen hat. – Kebben, laß das Grinsen und fahr fort."

Also wieder nichts.

Langsam, viel zu langsam, wird es ein Uhr. Es schellt. Die Anstalt schüttet ihre Insassen auf die Straße. Die Obertertia wird nicht erlöst. Sie

50 liegt im dritten Stock am toten Ende eines langen Ganges.

Professor Heimbach schließt den Unterricht und bleibt auf dem Katheder. Die Jungens packen ihre Bücher. „Wann können wir gehen?" – „Ich weiß nicht. Wir müssen eben warten."

Warten ist nichts für Jungens. Außerdem haben sie Hunger. Der dicke

55 Schrader hat noch ein Butterbrot und kaut mit vollen Backen; die andern kauen betreten an ihren Bleistiften.

„Können wir nicht vielleicht unsere Hausarbeiten machen?"

„Nein! Erstens werden Hausarbeiten, wie der Name sagt, zu Hause gemacht. Und zweitens habt ihr fünf Stunden hinter euch und müßt eure

60 zarte Gesundheit schonen. Ruht euch aus; meinethalben könnt ihr schlafen."

Schlafen in den Bänken hat man genügend geübt. Es ist wundervoll. Aber es geht nur, wenn es verboten ist. Jetzt, wo es empfohlen wird, macht es keinen Spaß und funktioniert nicht.

65 Eine öde Langeweile kriecht durch das Zimmer. Die Jungen dösen. Der Professor hat es besser: er korrigiert Hefte.

Kurz nach zwei kamen die Putzfrauen, die Obertertia konnte nach Hause, und der lange Klostermann, der das mit dem Stift gemacht hatte und sehr stolz darauf war, bekam Klassenhiebe.

Heinrich Spoerl (1887–1955)

Zum Text

A Was haben Sie gelesen? Ergänzen Sie die Sätze.

1. Die Türklinke ging kaputt, weil
    a. sie verrostet war.
    b. ein Junge sie auseinander genommen hatte.
2. Der Professor hat
    a. eine Gliederung^a mit der Funktion einer Türklinke an die Tafel geschrieben.
    b. die Jungen zum Vorlesen aufgefordert.
3. Der Schüler Klostermann
    a. hatte Pflaumenkuchen gegessen.
    b. hatte keinen Pflaumenkuchen gegessen.
4. Als der Schultag zu Ende ging,
    a. konnten die Jungen sofort das Klassenzimmer verlassen.
    b. mussten die Jungen eine Weile sitzen bleiben.

For more information, visit the
Auf Deutsch! Web Site at
www.mcdougallittell.com.

^a*outline*

B Ein Rollenspiel. Führen Sie mit Ihren Mitschülern/Mitschülerinnen die Geschichte von Professor Heimbach und seinen Schülern auf. Machen Sie dabei aber die Türklinke Ihres Klassenzimmers nicht kaputt!

INTERAKTION

Eine Diskussion. Was halten Sie von Streichen? Wie unterscheiden Sie „gute Streiche" von „bösen Streichen"? Geben Sie Beispiele jeder Art an.

SCHREIBEN SIE!

Ein Antrag

Stellen Sie sich vor, dass an Ihrer Schule über eine Schulreform diskutiert wird. Sie sind eingeladen, als Vertreter/Vertreterin ihrer Jahrgangstufe der Sonderkommission zur Schulreform beizutreten. Die Kommission sammelt Ideen und Vorschläge für die ideale Schule der Zukunft. Schreiben Sie einen Antrag, in dem Sie Ihre

KULTURSPIEGEL

In Deutschland wird immer wieder über eine Schulreform diskutiert. Schüler klagen zum Beispiel über altmodischen Unterricht, der nicht auf moderne Jobs vorbereitet. Lehrer wollen mehr Freiheiten, wie sie ihren Unterricht gestalten können. Gesucht werden kreative Modelle, die auf der Tradition des deutschen Schulsystems aufbauen und gleichzeitig auf das technische Zeitalter der Zukunft vorbereiten.

Vorstellungen für eine ideale Schule formulieren. Schreiben Sie Vorschläge zu mindestens vier der folgenden Themen.

Schüler	Kreativität	Technik
Lehrer	Pflichtfächer	Bewertung
Verwaltung	Wahlfächer	Abschluss
Schularten	Berufliche	Unterrichtsfreie
Schuljahr	Ausbildung	Zeit
Schultag	Praktikum	Klassenfahrten
Schulpflicht	Alternative	Wettbewerb
Behindertenbildung	Bildungswege	Gemeinschaftsdienst
kooperatives Lernen	Projekte	Klassenzimmer

Purpose: To present a model for schools of the future
Audience: Educators, students, parents, administrators
Subject: School reform: the ideal school of the future
Structure: Proposal

Schreibmodell

TIPP ZUM SCHREIBEN

You may want to talk with friends or acquaintances who attend other schools about their schools. Their schools may offer courses and facilities that you think would be advantageous to your school.

The report has many adjectives. Make note of their endings. ●●●●●●●●●●●●

In the opening paragraph, the writer analyzes why change is needed.

To create a more gender-neutral tone, the writer has chosen to use a fairly new spelling convention for titles, adding a capitalized feminine plural ending to the masculine forms: **SchülerInnen, LehrerInnen.**

> Ideen für eine moderne Schule
> von Inge Schmitt
>
> In der Zeitung lesen wir über die rapiden Fortschritte in der Technik, über eine multikulturelle Gesellschaft und die wachsende Notwendigkeit, unser Wissen und unsere Informationen mit allen Ländern der Welt zu teilen. Die ideale Schule der Zukunft muss mit der modernen Welt Schritt halten können. Im Namen meiner MitschülerInnen möchte ich folgende Verbesserungen vorschlagen.
>
> Computer und neue Medien:
> Die ideale Schule hat einen modernen Computerraum und E-mail Adressen für alle SchülerInnen. Nicht alle unserer MitschülerInnen haben zu Hause einen Computer mit Internetanschluss, an dem sie den Umgang mit den neuen Medien lernen können. Das Internet soll auch im Unterricht eingesetzt werden.

To help orient the reader to what's coming, the writer uses a short topical header for each suggestion.

Fremdsprachen und SchülerInnenaustausch: Die ideale Schule der Zukunft bietet mehr Fremdsprachen an als nur Englisch, Französisch oder Latein. Heutzutage sprechen die meisten Menschen auf der Welt Chinesisch und Spanisch. Das Fremdsprachenangebot der idealen Schule muss deshalb erweitert werden. Außerdem soll jede Klasse an einem SchülerInnenaustausch mit einem fremden Land teilnehmen. Klassenfahrten sollen auch ins Ausland gehen.

Schreibstrategien

Vor dem Schreiben

- Draw a line to divide a sheet of paper into two vertical columns. In the left column write down all the things you really like about your school. In the right column write down all the aspects that you don't like and feel need to be changed. Try to think of as many items as you can (minimum of four for each column). If necessary, refer to the list of **Themen** on p. 66 to help you.

- Now look at the list of things needing change in the right-hand column. Circle the four that you feel are the most important to change in order to improve your school. Rank these four in their order of importance, with 1 being the most important and 4 the least important. On the back of the same sheet, write these items in their order of importance, leaving plenty of room between each for notes.

- Think about each of these problems individually, and jot down how you would improve on each of them. Make sure you have concrete suggestions for improvement, not just a list of complaints.

Beim Schreiben

- Write your draft double-spaced, leaving room for changes and corrections. Remember who your audience is and what the purpose of this proposal is. This will help you set the right tone.

- Keep your list of likes and dislikes about your school in front of you. If more ideas come to you as you write, jot them down for future reference.

- State the purpose of your paper in a brief opening paragraph. You may want to mention problems that need to be fixed, your charge as student representative, or some other approach, but you need to establish your reason for writing for the reader.

*Die ideale Schule:
viel Kreativität und wenig
Autorität
von Christopher Thomas*

*Die ideale Schule der Zukunft
soll einen guten Platz für alle
Schülerinnen und Schüler sein.
Aber in unserer Schule wird
nicht das unterrichtet, was viele
Schülerinnen und Schüler
interessiert. Sportunterricht ist
leider immer wichtiger als der
Unterricht in die kreative[n]
Fächer[n]. Ich mache folgende[n]
Vorschläge:*

*Wie alle[s] andere[n] Fähigkeiten
Kreativität kommt nicht von
allein: Sie muss geübt und
aufgebaut werden. Aber es gibt
an unserer Schule zu wenig[e]
Unterricht in Musik, Kunst,
Tanz und Theater. Die neuen
Medien sind sehr wichtig.
Schüler und Schülerinnen sollen
lernen, mit der Videokamera
und dem World Wide Web zu
arbeiten. Es gibt viele neue
Berufe mit den neue[n] Medien.
Kreative Fächer sollen deshalb
[den] Pflichtfächer sein. Aber
braucht unsere Schule auch* (Neuer Absatz?)
*talentierte Lehrerinnen und
Lehrer, die sich für ihre
Schülerinnen und Schüler
interessieren und keine
autoritären „Supermächte".*

- Next, write out your suggestions for improving the schools of the future in individual paragraphs. You don't need to write more than three or four sentences for each suggestion, and in many cases, one well-crafted sentence may be enough. Make a heading for each paragraph. Proceed in the descending order of importance you established earlier.

- You may choose to compare and contrast existing conditions with your suggestions for improvement, or you may simply explain your suggestions in greater detail.

- After you have created a full set of suggestions, finish your proposal with a concluding statement that ties all the topics together.

Nach dem Schreiben

- Read your proposal critically, marking problems in grammar, word choice, and tone. Trade papers with a peer editor. Try to make comments that are both practical (spelling corrections) and philosophical (an additional idea about one of the items).

- Finally, read your introductory paragraph and summary paragraph one last time and make sure you've done what you say you've done.

Stimmt alles?

- Create a second draft that reflects the suggestions for improvement of your peer editor and yourself.

- Read the improved version once, then think about it for a minute; then read it again. Are you satisfied with its tone, structure, and content?

- Give the proposal a title that matches its tone and content.

WORTSCHATZ

Substantive	Nouns
die **Freude, -n**	pleasure, joy
die **Gegenwart**	present time
die **Grundlage, -n**	foundation, basis
die **Überlastung, -en**	burden, overload
die **Unsicherheit, -en**	insecurity, uncertainty
die **Unterrichtsmethode, -n**	teaching method
die **Vergangenheit**	past
die **Wirkung, -en**	result; effect
die **Wissenschaft, -en**	science
der **Alltag**	everyday life
der **Alptraum, ⸚e**	nightmare
der **Handel**	trade
der **Ratschlag, ⸚e**	advice
der **Stil, -e**	style
der **Wettbewerb, -e**	competition
das **Jahrhundert, -e**	century
das **Pflichtfach, ⸚er**	required course
das **Wahlfach, ⸚er**	elective, optional course

Verben	Verbs
sich begegnen	to meet
besetzen	to occupy
erobern	to conquer
gründen	to found
Wert legen auf (+ *acc.*)	to value something
mit•bestimmen	to have a say
rechnen	to calculate
sich unterscheiden von, unterschied, unterschieden	to differ from
sich verändern	to change
vertreten (vertritt), vertrat, vertreten	to appear; to represent
(sich) vor•bereiten	to prepare
weihen (+ *dat.*)	to dedicate
zerstören	to destroy

Adjektive und Adverbien	Adjectives and adverbs
auswendig (lernen)	(to learn) by heart; to memorize
bewegt	eventful; turbulent
eher	rather; sooner
fast	almost, nearly
gegen	approximately
häufig	often, frequent(ly)
prima	great, excellent
weitgehend	extensive(ly)

Sie wissen schon	You already know
die **Gesamtschule, -n**	comprehensive school
die **Nähe**	vicinity
die **Realschule, -n**	vocational school
das **Dorf, ⸚er**	small town
das **Fach, ⸚er**	school subject
das **Gymnasium,** *pl.* **Gymnasien**	college preparatory high school
sich beschäftigen mit	to be occupied with
bestehen, bestand, bestanden	to pass (a test)
lehren	to teach
statt•finden, fand statt, stattgefunden	to take place
unterrichten	to teach
verbieten, verbot, verboten	to forbid, prohibit
verlassen, verließ, verlassen	to leave
beschädigt	damaged
langweilig	boring
lustig	fun(ny), cheerful(ly)
streng	strict(ly)

WIEDERHOLUNG 9

VIDEOTHEK

A Eine Familiengeschichte. Hier sehen Sie Meta und Sybilla Heyn, Großmutter und Enkelin. Beide wohnen jetzt allein, aber sie haben bisher ganz anders gelebt. Vergleichen Sie das Familienleben und den Alltag der beiden Frauen. Was ist anders, und was ist ähnlich? Warum haben beide so unterschiedlich gelebt?

B Die Familie damals. Als Meta Heyn jung war, lebte die deutsche Familie in einer festen Ordnung. Beschreiben Sie die typische Familie aus dieser Zeit. Welche Rolle hat der Vater gespielt? Welche Rolle hat die Mutter gespielt? Wie lebten damals die Söhne und die Töchter?

C Jugend. Was wünschen sich Ulla, Kristian und Ramona vom Leben? Wollen alle ein traditionelles Familienleben? Oder wollen sie alle arbeiten und Karriere machen? Welche Berufswünsche haben sie? Was machen sie heute, damit sich ihre Träume verwirklichen?

Meta und Sybilla Heyn.

Eine Familie in der Zeit vor dem Zweiten Weltkrieg.

	ULLA	KRISTIAN	RAMONA
BERUFSWÜNSCHE			
FAMILIENWÜNSCHE			
WAS SIE HEUTE MACHEN			

Ulla.

Kristian.

Ramona.

D Schulalltag. Beschreiben Sie Karolins Schulalltag und den Schulalltag von früher. Diskutieren Sie darüber, wie sich der Schulalltag in Deutschland seit dem Zweiten Weltrieg verändert hat.

Karolins Klassenzimmer.

Ein Klassenzimmer von damals.

VOKABELN

A Familie. Ergänzen Sie die Sätze mit den Wörtern aus dem Kasten.

1. Das Familienleben von heute ist ziemlich anders als das von _____.
2. Meine Eltern blieben ihr ganzes Leben zusammen. Sie hatten eine sehr glückliche _____.
3. Die Entscheidungen der Eltern _____ natürlich auch die Kinder.
4. Meine Mutter ist in Deutschland _____, aber sie lebt jetzt in den USA.
5. Früher wollte ich _____, aber jetzt finde ich es schön, allein zu wohnen.
6. Nach einer _____ wohnen die Kinder oft bei der Mutter.
7. Meine Großeltern haben sich schon als Kinder ineinander _____.

> heiraten
> aufgewachsen
> Scheidung
> verliebt
> damals betreffen
> unabhängig Ehe

B Jugendliche. Ergänzen Sie die Sätze 1–8 mit der richtigen Deklination der Wörter im Kasten.

> die Art anpassen das Zeichen
> der Wandel friedlich
> teilnehmen
> die Suche unterschiedlich

1. Jetzt können junge Leute zwischen _____ Lebensstilen wählen.
2. Es gibt viele _____ von Jugendlichen: Manche engagieren sich für Politik, andere für Sport.
3. Im Klassenzimmer sollte man immer an den Gesprächen _____.
4. Die sechziger Jahre waren das Jahrzehnt des großen _____ in Europa und Amerika.
5. Der Rock 'n' Roll ist ein _____ der fünfziger Jahre.

6. Das Recht, sich _____ gegen den Staat versammeln zu können, ist sehr wichtig.

7. _____ nach Identität ist auch für ältere Menschen sehr wichtig.

8. Nicht alle Menschen sind radikal, viele wollen sich einfach nur _____.

C Synonyme. Was passt zusammen?

1. zehn Jahrzehnte	**a.** zerstören
2. heute	**b.** prima
3. eine gute Idee	**c.** verändern
4. toll	**d.** langweilig
5. ruinieren, kaputt machen	**e.** auf etwas Wert legen
6. eine kleine Stadt	**f.** das Jahrhundert
7. uninteressant	**g.** die Gegenwart
8. wichtig finden	**h.** die Überlastung
9. zu viel Arbeit	**i.** ein Ratschlag
10. neu oder anders machen	**j.** ein Dorf

D Mann und Frau. Vergleichen Sie die Rolle des Mannes und die Rolle der Frau während des Zweiten Weltkriegs. Was hat sich für Männer und Frauen geändert? Wie stellen Sie sich das Familienleben von damals vor?

E Lebensstile. Wie hat sich die Situation der Familie in der heutigen Gesellschaft verändert? Beschreiben Sie die Rolle der Frau und die Rolle des Mannes. Wie sind diese Rollen anders als früher? Warum ist alles so anders geworden?

STRUKTUREN

A Nicht jetzt, sondern damals. Schreiben Sie die Sätze im Imperfekt.

MODELL: Meine Eltern kommen aus Europa. →
Meine Eltern kamen aus Europa.

1. Mein Großvater wächst in Deutschland auf.
2. Seine Mutter steht ihm immer sehr nah.
3. Er denkt oft an die alten Zeiten.
4. Sie nehmen nie an Demos teil.
5. Sie wählen einen neuen Präsidenten.
6. Die Bomben zerstören die Stadt.
7. Er muss sein Dorf verlassen.

B Alles erledigt? Sie hatten heute keine Zeit, alles zu erledigen. Beantworten Sie die Sätze als Negation.

MODELL: Hast du das Auto gewaschen? →
Nein, ich habe das Auto nicht gewaschen.

1. Bist du früh aufgestanden?
2. Bist du in die Stadt gefahren?

3. Hast du das Video gesehen?
4. Bist du auf die Post gegangen?
5. Hast du Briefmarken gekauft?
6. Hast du Hausaufgaben gemacht?
7. Hast du den Roman gelesen?
8. Hast du einen Tagebucheintrag geschrieben?

C Kenntnisse und Fähigkeiten. Beantworten Sie die Fragen mit Pronomen.

MODELL: Kennen Sie Sigrid Unslet? →
Ja, ich kenne sie.
oder: Nein, ich kenne sie nicht.

1. Kennen Sie Gerhard Schroeder?
2. Haben Sie die Zeitung von heute gelesen?
3. Kennen Sie den Roman „Der Zauberberg"?
4. Haben Sie das Deutschbuch schon durchgelesen?
5. Haben Sie Ihre Hausaufgaben für heute gemacht?
6. Haben Sie Ihrer Mutter die Blumen gegeben?
7. Haben Sie ihren Mitstudenten geholfen?
8. Schmeckt Ihnen scharfe Currywurst?

D Karins Geschichte. Ergänzen Sie die Lücken mit den richtigen Formen der Wörter in Klammern. Achten Sie auf die Präpositionen.

Karin wohnt bei _____¹ (ihre Mutter) in _____² (ein Dorf) nicht weit von _____³ (die Stadt) Hannover. Jeden Morgen geht sie auf _____⁴ (die Bank). Sie arbeitet auf _____⁵ (die Bank) als Kundenberaterin. Sie findet diesen Beruf toll, weil sie viel Kontakt mit _____⁶ (andere Menschen) hat. Öfters, wenn Karin durch _____⁷ (die Innenstadt) von Hannover geht, trifft sie ihre Kunden und Kundinnen. Die Bank steht neben _____⁸ (ein Hotel), das im neunzehnten Jahrhundert erbaut wurde. Das Hotel hat ein kleines Café. Karin geht in _____⁹ (das Café), wenn sie eine Tasse Tee trinken will. Sie denkt oft an _____¹⁰ (die Zukunft) und träumt von _____¹¹ (ein Leben), das sehr positiv sein wird.

E Bremen – eine Stadt stellt sich vor. Lesen Sie diese Beschreibung des Schnoorviertels in Bremen, und ergänzen Sie die fehlenden Adjektivendungen.

Das Schnoorviertel, auf gut___¹ Hochdeutsch „Schnurviertel", ist der ältest___² Teil der Stadt Bremen und wurde im Zweit___³ Weltkrieg kaum zerstört. Dieser historisch___⁴ Bezirkª besteht aus vielen klein___⁵ Häusern, die fast wie eine Schnurᵇ sehr dicht nebeneinander stehen. Die erst___⁶ Siedlerᶜ des Schnoorviertels waren Fischer und andere arm___⁷ Leute. Aber dann kamen die reich___⁸ Kaufleute, die den Bezirk schön fanden. Heute stehen viele schön___⁹ Cafés und einige historisch___¹⁰ Gaststätten da, wo früher die Fischer ihre Häuser gebaut hatten.

Das Schnoorviertel in Bremen.

ªdistrict ᵇstring ᶜsettlers

PERSPEKTIVEN

Eine deutsche Hochzeit findet statt.

Sie hören jetzt eine Werbung für den Hochzeits-Service eines großen Kaufhauses in Deutschland.

A Welche Geschenke werden in der Werbung erwähnt? Ja oder nein?

1. Bettwäsche?
2. Eierkocher?
3. Gläser?
4. Kaffeemaschinen?
5. Porzellan?[a]
6. Tischdecke?
7. Toaster?
8. Vasen?

[a]*porcelain, china*

B Was wissen Sie von diesem Service? Hören Sie noch einmal zu. Was stimmt? Was stimmt nicht?

1. Ohne den Service könnte man dreizehn Kaffeemaschinen bekommen.
2. Mit dem Service können Sie Gläser und Porzellan koordinieren.
3. Wunschgeschenke werden in eine Hochzeitsliste eingetragen.
4. Das Brautpaar nimmt die Hochzeitsliste mit nach Hause.
5. Den Hochzeits-Service findet man auf der dritten Etage.[a]

[a]*floor*

C Beschreiben Sie eine Hochzeit, die Sie einmal besucht haben, oder wie Sie sich eine vorstellen. Wo fand die Hochzeit statt? Wer war da? Wie war die Zeremonie? Wie waren die Hochzeitsgäste angezogen? Die Wörter im Kasten stehen Ihnen zur Hilfe.

---

das Brautpaar   die Gäste   die Unterhaltung

Kleidung   die Dekorationen   der Ort

das Fest   das Essen und Trinken   die Zeremonie   traditionell

---

D Partnerarbeit. Arbeiten Sie in einer Kleingruppe, und planen Sie eine Hochzeit oder ein anderes Fest. Was müssen Sie organisieren? Wann und wo findet das Fest statt? Wie viele Gäste laden Sie ein? Wen laden Sie ein? Was wird es zum Essen geben? Wie sollen die Gäste sich anziehen—Jeans, lange Kleider und Anzüge? Oder vielleicht planen Sie ein Kostümfest? Soll es Musik geben? Was noch?

KAPITEL 28 UNIVERSITÄT

In diesem Kapitel

- erfahren Sie einiges über die Geschichte der Universität Heidelberg.
- lernen Sie einen Studenten aus Kamerun kennen.
- sprechen Sie darüber, wie sich das Studium über die Jahre hindurch verändert hat.

Sie werden auch

- höfliche Bitten und Wünsche mit dem Konjunktiv ausdrücken.
- die Gegenwartsformen und die Vergangenheitsformen des Konjunktivs lernen.
- eine Geschichte über einen interessanten Briefwechsel lesen.
- nachforschen, wie man im Ausland studieren kann.
- eine E-Mail schreiben.

Die heutige Stadt Heidelberg.

Heidelberg – eine der bekanntesten Universitätsstädte Deutschlands.

Heidelberg im Mittelalter.

VIDEOTHEK

Die Uni Heidelberg hat eine lange Geschichte.

In diesem Kapitel sehen Sie, wie Bildung und Studium in den deutschsprachigen Ländern damals waren und wie sie heute sind.

I: Geschichte einer Universität

A Studienfächer

Wann konnte man diese Fächer an der Universität in Heidelberg studieren?

> *seit dem vierzehnten Jahrhundert*
>
> *seit den sechziger Jahren*
>
> *seit dem neunzehnten Jahrhundert*

1. Physik
2. Geisteswissenschaften
3. Rechtswissenschaft
4. Dolmetschen
5. Philosophie
6. Chemie
7. Übersetzen
8. Medizin
9. Theologie

B Persönliche Geschichten. Verbinden Sie jede Person mit dem richtigen Satzteil.

> *Klaus   Sabine*
>
> *Daniela   Susanne   Anja*

1. _____ hat Germanistik und Musikwissenschaft in Greifswald studiert.
2. _____ hat Mathematik in Münster studiert. Das war ein sehr positives Erlebnis.
3. _____ studiert in Köln und lernt viele Ausländer an der Uni kennen.
4. _____ hat in Österreich studiert.
5. _____ hat das Abitur noch nicht gemacht. Diese Person will vielleicht Politologie in Köln studieren.

WORTSCHATZ ZUM VIDEO

der Bunsenbrenner	Bunsen burner
das Krebsfor-schungszentrum	cancer research center
verfestigen	to strengthen
die Landesleute	compatriots; countrymen
die Sport-wissenschaft	sports science
bewaldet	forested

II: Ein Student aus Kamerun

In dieser Folge erfahren Sie, was ein ausländischer Student von Deutschland und den Deutschen hält.

A Auslandsstudium

SCHRITT 1: Guy in Aachen. Was stimmt? Was stimmt nicht?

1. Guy findet die Lebenshaltungskosten in Deutschland billig.
2. Guy wohnt in einem Studentenwohnheim.
3. Guy und Robert studieren Maschinenbau.
4. Guy trifft sich mit Landsleuten im Restaurant.
5. Das Essen in der Mensa ist preiswert.
6. Guy ist in Aachen unzufrieden.
7. Guy hat viele gute Freunde in Aachen.

SCHRITT 2: Und Sie? Was meinen Sie zu den folgenden Fragen?

1. Stellen Sie sich vor, Sie studieren in Heidelberg. Würden Sie auch mit Ihren Landsleuten sprechen wollen? Oder wollten Sie nur Deutsche kennenlernen? Warum?
2. Gibt es ausländische Schüler und Schülerinnen an Ihrer Schule? Woher kommen sie?

B Sabines Studium. Susannes Schwester, Sabine, studiert an der Uni in Köln.

1. Welches Fach hat Sabine zuerst in Köln studiert?
2. Warum hat sie ihr Studienfach nach zwei Jahren gewechselt?
3. Welches Fach beziehungsweise welche Fächer studiert sie jetzt?
4. Möchten Sie nach der High School weiterstudieren? Warum oder warum nicht?
5. Wenn Sie weiterstudieren wollen, wissen Sie schon, was Sie als Hauptfach studieren wollen?

C Alltagsleben an der Universität. Sabine erzählt von ihrem Alltag an der Uni.

1. Was macht sie?
2. Vergleichen Sie Ihren mit Sabines Alltag. Was ist ähnlich? Was ist anders?
3. Möchten Sie an einer deutschen oder österreichischen Uni studieren? Warum oder warum nicht?

Guy schreibt einen Brief an seinen Bruder Eric.

FOKUS INTERNET

For more information on international students in Germany, visit the **Auf Deutsch!** Web Site at www.mcdougallittell.com.

Sabine Dyrchs.

VOKABELN

die Diplomarbeit	*thesis work*
die Erfahrung	*experience*
die Germanistik	*German studies*
die Jura	*law*
die Medizin	*medicine*
die Rechtswissenschaft	*jurisprudence*
der Begriff	*concept, idea*
der Kommilitone / die Kommilitonin	*classmate*
der Ruf	*reputation*
die Geisteswissenschaften (*pl.*)	*humanities*
auf•nehmen	*to start, take up*
sich befinden	*to be located*
entstehen	*to arise; to develop, evolve*
schaffen	*to make; accomplish*
um•wechseln	*to change*
sich unterhalten über (+ *acc.*)	*to converse; to entertain*
sich wundern über (+ *acc.*)	*to be surprised at*
zu•nehmen	*to increase*
allmählich	*gradual(ly)*
beliebt	*popular; famous*

Studieren, lesen, sich mit Freunden unterhalten – das Leben an der Uni.

gemeinsam	*together; common*
heutig	*today's*
riesengroß	*enormous*

Sie wissen schon
die Bemerkung, die Bildung, die Chemie, die Geschichte, die Physik, der Maschinenbau, bekommen, sich fürchten vor (+ *dat.*), sich gewöhnen an (+ *acc.*), merkwürdig

Aktivitäten

A Definitionen. Welche Wörter aus der Vokabelliste passen zu den folgenden Definitionen?

1. schriftliche Arbeit, mit der ein Diplom erworben wird
2. Angst vor etwas haben
3. an einem bestimmten Ort sein
4. das Erlebnis
5. eigenartig, seltsam
6. machen, arbeiten
7. miteinander, zusammen
8. überrascht sein
9. sehr groß

B Studium und Fächer. Ergänzen Sie die Sätze.

> Ruf
> Jura   beliebt   gewöhnt
>   Geisteswissenschaften
> Fürchten   nimmt . . . zu   heutigen

1. Philosophie, Literatur und Sprachwissenschaft gehören zu den _____.
2. Die Universität Heidelberg hat überall in der Welt einen sehr guten _____.
3. Wenn man Richter oder Richterin werden möchte, muss man _____ studieren.
4. Die Zahl der Studenten an deutschen Universitäten _____ jedes Jahr _____.
5. Die Professoren, die bei den Studenten besonders _____ sind, haben großen Erfolg.
6. Die _____ Universitäten sind sehr anders als die von damals.
7. Viele Studenten _____ sich vor Prüfungen.
8. Andere haben sich schon daran _____, ständig geprüft zu werden.

C Studium in Österreich und in Ihrem Land. Lesen Sie Danielas Beschreibung vom Studienablauf in Österreich, und beantworten Sie dann die Fragen.

„Der Studienablauf in Österreich teilt sich in zwei Abschnitte. Der erste Studienabschnitt dauert zwei Jahre, dann hat man die erste Diplomprüfung. Dann kommen wieder zwei Jahre, man hat die zweite Diplomprüfung, plus man muss eine Diplomarbeit schreiben und dann ist das Studium beendet.“

1. Wie finden Sie den österreichischen Studienablauf?
2. Ist der österreichische Studienablauf so wie der in Ihrem Land?
3. Wie ist das Studium in Ihrem Land? Beschreiben Sie es.

D Ihre Freunde/Freundinnen oder Familienmitglieder. Sie haben erfahren, welche Studienfächer verschiedene Personen in verschiedenen Städten studieren oder schon studiert haben. Erklären Sie jetzt, was drei von Ihren Freunden/Freundinnen oder Familienmitgliedern studieren oder studiert haben. An welchen Universitäten und/oder in welchen Städten?

STRUKTUREN

REVIEW OF SUBJUNCTIVE
EXPRESSING UNREAL SITUATIONS AND POLITE REQUESTS

The indicative mood describes facts: actual events, situations, conditions, or states of existence.

Sie **ist** glücklich.	*She's happy.*
Er **kann** kochen.	*He knows how to cook.*
Wir **wussten** das.	*We knew that.*

The subjunctive mood does not describe actual facts, but possibilities or unreal situations that often depend on some unrealized condition.

Sie **wäre** glücklich, wenn . . .	*She would be happy, if . . .*
Wenn er kochen **könnte,** . . .	*If he knew how to cook, . . .*
Wenn wir nur **wüssten,** dass . . .	*If we only knew that . . .*

Subjunctive forms, especially those of **haben, sein,** and the modal verbs (**dürfen, können, mögen, müssen, sollen,** and **wollen**), also express polite requests or invitations.

Hättest du Zeit, mir zu helfen?	*Would you have time to help me?*
Könnten Sie mir helfen?	*Could you help me?*

There are two ways to express the subjunctive in German: 1) with the subjunctive form of the verb, particularly of verbs such as **haben, sein,** the modal verbs, and **wissen**; or 2) with the subjunctive form of **würde** plus the infinitive of the main verb, which resembles the construction of modal verb plus infinitive. The **würde**-construction works well with virtually all infinitives other than those of the previously mentioned verbs.

Könnten Sie das bitte **wiederholen**?	*Could you please repeat that?*
Würden Sie das bitte **wiederholen**?	*Would you please repeat that?*

The subjunctive stem of a verb derives from the past-tense form plus **-e.** The stem also adds an umlaut to **a, o,** or **u.** The exceptions are **sollen** and **wollen,** which do not add the umlaut and so have identical past-tense and subjunctive forms. The forms for **haben, sein, können,** and **wissen** are as follows.

INFINITIVE: SUBJUNCTIVE STEM:	**haben** **hätte**	**sein** **wäre**	**können** **könnte**	**wissen** **wüsste**
SINGULAR				
ich	hätte	wäre	könnte	wüsste
du	hättest	wärest	könntest	wüsstest
Sie	hätten	wären	könnten	wüssten
sie/er/es	hätte	wäre	könnte	wüsste
PLURAL				
wir	hätten	wären	könnten	wüssten
ihr	hättet	wäret	könntet	wüsstet
Sie	hätten	wären	könnten	wüssten
sie	hätten	wären	könnten	wüssten

The subjunctive forms of **werden (würde)** are as follows. Use these forms much in the same way you use the word *would* in English.

INFINITIVE: **werden** SUBJUNCTIVE STEM: **würde**	
SINGULAR	PLURAL
ich würde	wir würden
du würdest	ihr würdet
Sie würden	Sie würden
sie/er/es würde	sie würden

Das **würde** ich nicht **machen**.   *I wouldn't do that.*

Übungen

A Guter Rat ist teuer. Ihre Freunde haben Probleme. Geben Sie ihnen einen Rat mit Hilfe des Ausdrucks **an deiner Stelle** und des Konjunktivs.

MODELL: Ich fahre zu schnell. →
          An deiner Stelle würde ich nicht zu schnell fahren.

1. Ich trinke zu viel Cola.
2. Ich esse jeden Tag Pizza.
3. Ich stehe um Mittag auf.
4. Ich verlange weniger Hausaufgaben.
5. Ich fürchte mich vor Prüfungen.
6. Ich sehe viel fern.

B Wenn das so wäre. Sagen Sie, was diese Leute machen würden, wenn ihr Leben anders wäre.

MODELL: Klaus möchte ein großes Haus kaufen, aber er ist nicht reich. →
Wenn Klaus reich wäre, würde er ein großes Haus kaufen.

1. Jutta möchte Urlaub machen, aber sie hat kein Geld.
2. Kai und Anja möchten mehr Freunde haben, aber sie sind nicht nett.
3. Die Schäfers möchten ein großes Abendessen planen, aber sie haben keine Zeit.
4. Jens möchte Erfolg im Leben haben, aber er ist nicht fleißig.
5. Heiner will Geld verdienen, aber er hat keine Arbeit.

C So ein höflicher Mensch! Schreiben Sie die folgenden Sätze höflicher mit Hilfe des Konjunktivs.

MODELL: Kannst du mir ein Abendessen kochen? →
Könntest du mir ein Abendessen kochen?

1. Kannst du mir helfen?
2. Darf ich das Fenster aufmachen?
3. Könnt ihr mehr Platz machen?
4. Kannst du mich anrufen?
5. Hast du gern, dass ich hier bleibe?
6. Dürfen wir heute Abend ins Kino?
7. Wirst du mit uns in die Stadt fahren wollen?
8. Müssen wir das jetzt machen?

REVIEW OF PRESENT SUBJUNCTIVE OF WEAK AND STRONG VERBS
MORE ON EXPRESSING UNREAL EVENTS

The present subjunctive forms of weak verbs—those that follow regular conjugation patterns—are identical to the simple past forms.

INFINITIVE	SIMPLE PAST	SUBJUNCTIVE
wünschen	wünschte	wünschte
arbeiten	arbeitete	arbeitete

The subjunctive stem of strong verbs—those verbs that have stem changes in the past tense—consists of the simple past stem plus **-e** and an umlaut if the stem vowel is **a, o,** or **u.**

INFINITIVE	SIMPLE PAST	SUBJUNCTIVE
fahren	fuhr	führe
bleiben	blieb	bliebe
gehen	ging	ginge
kommen	kam	käme

To use strong verbs in the present subjunctive, simply add the appropriate endings to the subjunctive stem, as in the following example.

INFINITIVE: **kommen**	
SUBJUNCTIVE STEM: **käme**	
SINGULAR	PLURAL
ich käme	wir käme**n**
du käme**st**	ihr käme**t**
Sie käme**n**	Sie käme**n**
sie/er/es käme	sie käme**n**

Es wäre schön, wenn sie zu uns zu Besuch **kämen.**

It would be nice if they would come visit us.

KURZ NOTIERT

Expressions with the subjunctive **wollte** or **wünschte** introduce clauses that also require the subjunctive forms of verbs or use of the **würde**-construction.

Ich wollte, du **kämest** mit.
I want you to come along.

Wir wünschten, er **würde** fleißiger **arbeiten.**
We wish he would work harder.

Übungen

A Wünsche. Was einer hat, möchte der andere auch haben! Bilden Sie Sätze mit Hilfe des Ausdrucks . . . **wünschte.**

MODELL: Alex arbeitet in einem Buchladen. (Tanja) →
Tanja wünschte, sie arbeitete auch in einem Buchladen.

1. Helga arbeitet nur drei Tage in der Woche. (meine Freunde)
2. Frau Schmidt spielt sehr gut Tennis. (Sabine)
3. Karsten verdient sehr viel Geld. (wir)
4. Lars lernt schnell. (ich)
5. Erika studiert an der Uni Heidelberg. (Patrick)

B Ein Fest. Sie haben ein großes Fest geplant, aber alles geht schief.ᵃ Was sagen Sie? Verwenden Sie dabei den Ausdruck **(doch) nur.**

MODELL: Du hast keine Zeit mehr. →
Wenn ich (doch) nur mehr Zeit hätte.

1. Das Essen ist nicht fertig.
2. Deine Freunde kommen nicht pünktlich.
3. Jens darf nicht kommen.
4. Du kannst die Einladungen nicht finden.
5. Deine kleine Schwester bleibt nicht in ihrem Zimmer.
6. Es regnet.
7. Es gibt keine gute Musik.

ᵃwrong

C Partnerarbeit. Arbeiten Sie mit einem Partner / einer Partnerin und fragen Sie einander, was Sie in den folgenden Situationen tun würden oder wie sie sich fühlen würden.

MODELL: Du lädst deine Freunde zu einer Party ein, aber kein Mensch kommt. Was würdest du tun? →
Ich würde weinen. Ich würde sehr böse sein, . . .

1. Eine alte Dame bittet um deine Hilfe, ihre Katze von einem hohen Baum zu holen. Die Katze sieht sehr böse aus!
2. Du hast eine Brieftasche gefunden. In der Brieftasche findest du einen Ausweis mit Namen und Telefonnummer und auch viel Geld.
3. Du spielst Trompete. Dein bester Freund / Deine beste Freundin spielt auch Trompete. Ihr möchtet beide ins Schulorchester und spielt der Dirigentin vor. Das Orchester braucht aber nur einen Trompeter / eine Trompeterin. Du wirst genommen.

Würden Sie bitte meine Katze retten?

REVIEW OF PAST SUBJUNCTIVE
TALKING ABOUT UNREAL EVENTS IN THE PAST

The past subjunctive describes unreal or hypothetical events or situations that might have occurred or existed in the past but did not. Often such statements take the form of wishful thinking, looking back on what might have been.

Wenn er nur seine Hausaufgaben **gemacht hätte.** — *If only he had done his homework.*

Wenn du nur zu Hause **geblieben wärest.** — *If only you had stayed at home.*

The subjunctive has only one way of expressing the past: the subjunctive form of the auxiliary verb **haben** or **sein** with the past participle of the main verb. Note that this construction is very similar to the past perfect tense, which uses the past-tense forms of the auxiliary verbs with past participles. Remember, verbs that can take direct objects use the auxiliary **haben;** verbs that do not take objects use **sein.** This rule applies to the past subjunctive as well as to the perfect tenses of the indicative.

INFINITIVE	PAST PERFECT	PAST SUBJUNCTIVE
kaufen	hatte gekauft	hätte gekauft
nehmen	hatte genommen	hätte genommen
sein	war gewesen	wäre gewesen
gehen	war gegangen	wäre gegangen

KURZ NOTIERT

To express an as if situation, use the words **als ob** plus a subjunctive verb at the end of the clause.

> Sie tut so, **als ob** sie nichts davon **wüsste.**
> *She acts as if she knew nothing about it.*

You can also omit the word **ob** and place the conjugated verb immediately after **als.**

> Sie tun so, **als hätten** sie das selbst gemacht.
> *They act as if they had done it themselves.*

Übungen

A Wenn nur! Das Schülerleben ist manchmal schwer. Bilden Sie Sätze im Konjunktiv der Vergangenheit.

MODELL: Ich habe das Referat nicht geschrieben. →
Wenn ich das Referat nur geschrieben hätte.

1. Ich habe keine gute Note in Mathe bekommen.
2. Du hast zu viele Kurse belegt.
3. Wir haben die Bücher nicht gelesen.
4. Ich habe den Text nicht übersetzt.
5. Er hat den Bunsenbrenner nicht ausgemacht.
6. Ihr habt euch nicht mit den anderen Schülern unterhalten.

B Unter anderen Umständen. Verbinden Sie die Sätze mit Hilfe des Konjunktivs der Vergangenheit.

MODELL: Ich habe keine Einladung bekommen. Ich bin nicht zu deiner Party gegangen. →
Wenn ich eine Einladung bekommen hätte, wäre ich zu deiner Party gegangen.

1. Ich habe keine Zeit gehabt. Ich bin nicht in die Bibliothek gegangen.
2. Wir haben keine Urlaubstage gehabt. Wir sind nicht in die Schweiz gereist.
3. Du hast meine Katze nicht gerettet. Ich bin sehr traurig gewesen.
4. Ihr habt uns den Witz[a] nicht erzählt. Wir sind sehr enttäuscht[b] gewesen.
5. Sie hat uns zugehört. Sie ist nicht in den Bus eingestiegen.

[a]*joke*   [b]*disappointed*

Guy unterhält sich mit Freunden in der Mensa.

PERSPEKTIVEN

HÖREN SIE ZU!
ENTDECKEN SIE KAMERUN!

WORTSCHATZ ZUM HÖRTEXT

sorgen für	to provide for
die Abwechslung	variety
überragen	to tower over
der Vergnügungspark	theme park
dünn	thinly
besiedelt	populated
beeindruckend	impressive
freilebend	free-roaming
einheimisch	local
herrscht kein	there's no
Mangel	shortage
die Garnele	shrimp
der	entertainment
Unterhaltungskünstler	artist
der Zugang	access

Die Hofmusikanten des Sultans.

A Was haben Sie über Kamerun gelernt? Hören Sie gut zu, und beantworten Sie die Fragen.

1. Auf wie vielen Hügeln ist die Stadt Yaoundé erbaut?
2. Was macht das Klima in Yaoundé so angenehm?
3. Was kann man in Ostkamerun sehen?
4. Was für Küchen stehen auf der Speisekarte?
5. Was isst man gern in Südkamerun?
6. Wann kann man die Unterhaltungskünstler sehen?
7. Welche Sportarten kann man in Kamerun betreiben?

B Hörerkreis. Hören Sie den Text noch einmal an, und stellen Sie sich vor, Sie hören ihn im Radio. Wie werden die Informationen organisiert? Warum? Beschreiben Sie kurz die Hörer/Hörerinnen, für die dieser Hörtext wohl geschrieben wurde. Was für Berufe würden solche Personen ausüben? Wofür würden sie sich interessieren? Was würden sie gern im Urlaub machen und warum? Spekulieren Sie.

C Briefwechsel. Guy schreibt gern Briefe an seine Familie zu Hause in Kamerun. Hier ist der Brief, den er seinem Bruder Eric geschrieben hat. Stellen Sie sich vor, Sie wären Eric. Schreiben Sie einen kurzen Brief an Guy. Wie ist alles zu Hause in Kamerun? Was haben Sie in den letzten Wochen gemacht? Nehmen Sie einige Informationen aus dem Hörtext für den Brief.

Cher Eric,

du wunderst dich darüber, wie viel Geld ich als Student in Deutschland habe. Aber hier ist alles teuer. Zum Beispiel zahle ich jeden Monat 250 Mark für mein kleines Zimmer, das ich im Studentenwohnheim bekommen habe. Hier sind die Zimmer billiger und ich habe jetzt mehr Kontakt zu deutschen Kommilitonen.

   Aachen ist eine viel ruhigere Stadt als die Städte in Kamerun. Eigentlich gefällt es mir in Aachen sehr gut. Nach den Vorlesungen gehe ich manchmal abends noch aus und treffe mich mit anderen Studenten. Auch wegen der guten Freunde, die ich hier gefunden habe, fühle ich mich wohl, aber manchmal sehne ich mich doch nach den warmen Abenden in Kamerun.

Alles Gute,
dein Guy

LESEN SIE!

Zum Thema

A Zum Titel. Bevor Sie die folgende Kurzgeschichte von Günther Anders lesen, schauen Sie sich den Titel an. Was bedeutet „Die Freiheitspost"? Wovon handelt wohl die Geschichte?

B Briefe. Aus welchen Gründen schreiben sich Menschen Briefe? Warum schreiben Sie Briefe oder E-Mails an Freunde oder Verwandte? Machen Sie eine Liste von typischen Gründen.

Ein alter Hafen in Deutschland.

C Was passiert? Lesen Sie jetzt die Geschichte bis zum Satz „Und er sah, dass es mit ihm zu Ende ging." Wie geht die Geschichte wohl weiter? Was meinen Sie?

- Er versucht, zurück in seine Heimatstadt zu gehen.
- Die Mutter kommt zu ihm in den fernen Hafen.
- Er überwindet seine Krankheit und lebt weiter.
- Er stirbt und die Geschichte ist zu Ende.
- Jetzt sind Sie dran. Was meinen Sie?

Die Freiheitspost

Als Dil, der Matrose, seinen Heimathafen verließ, um für ein Jahrzehnt alle Meere der Welt zu durchkreuzen, versprach er seiner alten Mutter, ihr von jedem noch so entfernten Ort aus ein Lebenszeichen zu geben. Zwei Jahre hindurch erhielt sie jeden Monat eine Karte; und je nach der Jahreszeit mahnte sie ihr Sohn, die Boote zu teeren, das Gartengitter zu 5 streichen oder den Birnbaum zu stützen. Zwei Jahre lang erhielt sie regelmäßig seine Nachrichten, und es war ihr, als sei er in ihrer Nähe. Nach zwei Jahren erkrankte Dil in einem fernen Hafen. Und er sah, dass es mit ihm zu Ende ging.

„Wozu muss meine Mutter wissen", sprach er zu seinem Kapitän, „dass 10 es mit mir zu Ende geht?" Und er ließ sich einen Packen Postkarten bringen und begann in den Stunden, die ihm noch blieben, die Karten zu schreiben, die seine Mutter in den nächsten acht Jahren empfangen

WORTSCHATZ ZUM LESEN

der Matrose	sailor
entfernt	removed; distant
das Lebenszeichen	sign of life
mahnen	to remind
teeren	to tar
das Gartengitter	garden fence
streichen	to paint
der Birnbaum	pear tree
stützen	to support; to prop up
empfangen	to receive
die Abwesenheit	absence
abnehmen	to decrease
gleichfalls	likewise
nachkommen	to comply with
die Pflicht	duty

sollte. Jede zeigte ein anderes Datum, jede einen anderen Hafennamen,
15 und auf jeder schrieb er, wie gut es ihm ging und dass er ihre Karten
erhalten habe und dass sie die Boote teeren solle oder den Birnbaum
stützen, je nach Jahreszeit. Als er seine Korrespondenz für die nächsten
acht Jahre erledigt hatte, übergab er den Packen seinem Kapitän, bat
ihn, acht Jahre hindurch jeden Monat eine der Karten abzusenden, und
20 starb.

Drei Jahre lang erhielt seine Mutter regelmäßig die Nachrichten ihres
Sohnes. Und sie war glücklich, dass die Zeit seiner Abwesenheit abnahm,
und sie war stolz auf ihn und lebte von Postempfang zu Postempfang.
Nach fünf Jahren seiner Abwesenheit legte sie sich hin und starb
25 gleichfalls.

Der Kapitän aber, der nicht ahnte, dass die Mutter seines toten
Matrosen gestorben war, kam seiner Pflicht mit vollkommener
Regelmäßigkeit nach. Und sandte jeden Monat die Post des längst
Gestorbenen an die Tote. So liefen die Nachrichten weiter von
30 niemandem an niemanden. Die Boote hatten weiter geteert, der
Birnbaum weiter gestützt zu werden. Aber niemand teerte. Und niemand
stützte.

Günther Anders

Zum Text

A Wer machte was? Dil, Dils Mutter oder der Kapitän?

Wer
1. wollte alle Meere der Welt durchkreuzen?
2. sollte den Birnbaum stützen?
3. schrieb regelmäßig Briefe?
4. erkrankte in einem fernen Hafen?
5. lebte von Postempfang zu Postempfang?
6. hatte die Pflicht, Postkarten acht Jahre hindurch zu senden?

B Pflicht und Liebe. Was meinen Sie? Was macht Dil aus Liebe? Was
macht er aus Pflicht? Suchen Sie Beispiele im Text, und machen Sie
zwei Listen.

Zur Interpretation

● Dil. Beantworten Sie die Fragen.

1. Was für ein Mensch ist Dil? Warum, glauben Sie, wollte er so
lange von zu Hause weg sein?

2. Warum mahnte der Sohn seine Mutter, die Boote zu teeren und den Birnbaum zu stützen? Was halten Sie von diesen Mahnungen?
3. Warum hat der Kapitän die Postkarten regelmäßig geschickt? Hätten Sie das auch gemacht?
4. Stimmen Sie überein, dass es gute und schlechte Lügen gibt? Was wäre eine „gute" Lüge?
5. Ist diese Geschichte heute noch möglich? Können Sie sich vorstellen, dass der Kapitän E-Mails an die Mutter schickt? Warum (nicht)?

INTERAKTION

● Rollenspiel. Arbeiten Sie mit einem Partner / einer Partnerin. Spielen Sie folgende Szenen zur Geschichte „Die Freiheitspost" nach.

1. Dil und seine Mutter verabschieden sich.
2. Dils Mutter zeigt einer Freundin die Postkarten, die sie von ihrem Sohn bekommt.
3. Dil bittet seinen Kapitän, die Postkarten an seine Mutter regelmäßig zu schicken.
4. Der Kapitän erzählt einem Matrosen, was er für Dil macht.

SCHREIBEN SIE!

Ratschläge per E-Mail

● Sie haben eine E-Mail von einem Freund / einer Freundin erhalten, der/die eben begonnen hat, in einer fremden Stadt zu studieren. In der E-Mail wird deutlich, dass es Ihrem Freund / Ihrer Freundin nicht gut geht. Der Freund / Die Freundin bittet Sie um Ihren Rat. Schreiben Sie eine E-Mail zurück, in der Sie sagen, was Sie an seiner/ihrer Stelle tun würden oder getan hätten.

Purpose:	Acknowledging receipt of a message and giving advice
Audience:	An unhappy friend
Subject:	What you would do or would have done
Structure:	E-mail reply

TIPP ZUM SCHREIBEN

You have a great deal of creative freedom in this assignment. You must make up what your friend's problems are that he/she has written to you about and you must also come up with solutions to those problems. To solve a problem, explain what you would do in your friend's position.

Schreibmodell

The writer confirms getting an e-mail from his friend.

The writer uses a combination of **du**-form imperatives and statements in the subjunctive to give advice and make suggestions.

The subjunctive is used to make polite requests.

> An: tom.andrews@uni-weimar.de
> Betreff: Antwort: Heimweh in Weimar
>
> Grüß dich, Tom! Habe mich richtig gefreut, von dir zu hören. Tut mir Leid, dass du so unglücklich in Weimar bist. Ich wünschte ich könnte dir helfen.
>
> Wenn du doch nur nicht so viel lernen würdest! An deiner Stelle würde ich öfter ins Kino gehen und mir einen lustigen Film ansehen. Oder treib doch zur Abwechslung Sport. An der Uni gibt es bestimmt eine Fußballmannschaft. Wenn du einmal etwas anderes tätest als nur in die Bibliothek zu gehen, wärest du nicht so alleine. Durchhalten, Junge, du lernst bald neue Freunde kennen und alles wird besser.
>
> Ich hätte eine Bitte, könntest du mir ein T-Shirt der Universität schicken? Du weißt ja, für meine Sammlung.
> Grüße, dein Max

Schreibstrategien

Vor dem Schreiben

- Before you start to write your e-mail, you need to create a fictional problem for your friend. Then you can give advice and make suggestions for improving his/her situation. Write out your answers to the following questions and be prepared to turn them in with your e-mail message.

  Zur Person: Wie heißt der Freund / die Freundin, der/die Ihnen die E-Mail geschickt hat? Woher kennen Sie einander? Wie ist Ihr Freund / Ihre Freundin: freundlich, schüchtern, lustig, seriös, fleißig, faul? Worüber sprechen Sie normalerweise miteinander? Was für Probleme diskutieren Sie?

  Zur Situation: An welcher Universität studiert Ihr Freund / Ihre Freundin? Kennt er/sie sich in der neuen Stadt aus oder nicht? Was für eine Hochschule oder Universität ist es? Warum hat Ihr Freund / Ihre Freundin diese Uni gewählt? Über welche Probleme schreibt Ihr Freund / Ihre Freundin? Was hat er/sie schon getan, um die Probleme zu lösen?

An: mausi529@baystate.edu
Betreff: Antwort: Ich will weg von hier!

Liebe Marianne! Ich habe ~~mir~~ mich so gefreut, deine E-Mail zu bekommen, aber dann habe ich ~~es~~ sie gelesen! O jeh! Es ist gar nicht nett, dass du so unglücklich bist.

Aufgeben und heimkommen? Das ist nicht die Marianne, ~~dass~~ die ich kenne! Du bist erst ein paar Wochen da. An deiner Stelle würde ich eine Weile warten! Tut mir Leid, dass die Studenten unfreundlich sind. Aber dann mußt du selbst freundlicher sein! An deiner Stelle würde ich machen eine Fete! Lade alle Leute im Heim ein. Alle kennen di~~r~~ch dann nachher. Jetzt aufhören und heimkommen wäre das Schlimmste, was du machen ~~kannst~~ konntest! Lass dir Zeit, und es wird bestimmt besser.

Mit vielen lieben Grüßen,
Deine Jennifer

• Now that you have established the facts and you know what the problems are, start planning your response. Make notes about what advice you will give your friend about each of his/her problems and complaints. These questions will help guide you in your planning.

Womit hat Ihr Freund / Ihre Freundin die meisten Probleme und worüber beschwert er/sie sich? Wie ist der Tonfall Ihrer Antwort: mitleidig,[a] gleichgültig,[b] ärgerlich, neutral oder . . . ? Was für einen Rat wollen Sie ihm/ihr geben, welche Vorschläge wollen Sie machen?

[a]*sympathetic* [b]*indifferent*

Beim Schreiben

• Start your reply with a standard greeting: **Lieber . . . / Liebe . . . ,** or **Grüß dich, . . .**

• Address the problems one by one. Make suggestions, give advice, and explain what you'd do or would have done.

• Write a concluding sentence or two, then end with a standard closing and signature.

Nach dem Schreiben

• Read through your e-mail, correcting any mistakes as you read.

• Trade papers with a peer editor. Read your partner's paper once, checking for problems in spelling, grammar, and word choice; make improvements. Read it a second time: Are the solutions clear and logical? If not, suggest changes.

• Write a second draft, making corrections and incorporating suggestions you feel will improve your e-mail. Proofread your second draft.

Stimmt alles?

• Make sure your message includes an e-mail address for your friend and subject after the word **Betreff.**[a]

• Write or type the final draft of your e-mail. Attach the background information on your friend to the message, and hand both in.

[a]*re*

WORTSCHATZ

Substantive	Nouns
die **Berufung, -en**	vocation
die **Diplomarbeit, -en**	thesis work
die **Erfahrung, -en**	experience
die **Germanistik**	German studies
die **Jura**	law
die **Medizin**	medicine
die **Rechtswissenschaft**	jurisprudence
der **Abschnitt, -e**	cut; segment
der **Begriff, -e**	concept, idea
der **Kommilitone, (-n** *masc.***) / die Kommilitonin, -nen**	classmate
der **Kreis, -e**	circle
der **Ruf, -e**	reputation
der **Stoff, -e**	material
das **Mittelalter**	Middle Ages
die **Geisteswissenschaften** (*pl.*)	humanities

Verben	Verbs
auf•nehmen (nimmt auf) nahm auf, aufgenommen	to start, take up
sich befinden, befand, befunden	to be located
dolmetschen	to interpret (*languages*)
entstehen, entstand, ist entstanden	to arise; to evolve
prüfen	to test
quatschen	to talk, gossip
schaffen, schuf, geschaffen	to make
sich sehnen nach	to long for
übersetzen	to translate
um•wechseln	to change
sich unterhalten über (+ *acc.*) **(unterhält) unterhielt, unterhalten**	to converse; entertain

sich wundern über (+ *acc.*)	to be surprised at
zu•nehmen (nimmt zu) nahm zu, zugenommen	to increase

Adjektive und Adverbien	Adjectives and adverbs
allmählich	gradual(ly)
beliebt	popular; famous
beziehungweise	respective(ly)
eigenartig	unique(ly)
gemeinsam	common; together
heutig	today's
riesengroß	enormous

Sie wissen schon	You already know
die **Bemerkung, -en**	observation, remark, comment
die **Bildung**	education
die **Chemie**	chemistry
die **Geschichte, -n**	history; story
die **Physik**	physics
der **Maschinenbau**	mechanical engineering
bekommen, bekam, bekommen	to receive
beleidigen	to insult
sich fürchten vor (+ *dat.*)	to be afraid of
sich gewöhnen an (+ *acc.*)	to get used to
verlangen	to demand
merkwürdig	remarkable; peculiar, odd
ruhig	peaceful(ly)

ARBEIT UND WIRTSCHAFT

In diesem Kapitel

- erfahren Sie, wie sich die deutsche Wirtschaft nach dem Zweiten Weltkrieg entwickelt hat.
- lernen Sie Monika Schneider, eine Arbeitsvermittlerin in Köln, kennen.
- lernen Sie, wie junge Deutsche und Schweizer das Arbeitsleben von heute sehen.

Sie werden auch

- wiederholen, wie man den Komparativ gebraucht.
- die Formen des Superlativs wiederholen.
- lernen, wie Verben als Adjektive gebraucht werden können.
- eine Geschichte über eine seltsame Karriere lesen.
- einen Fragebogen für eine Umfrage schreiben.

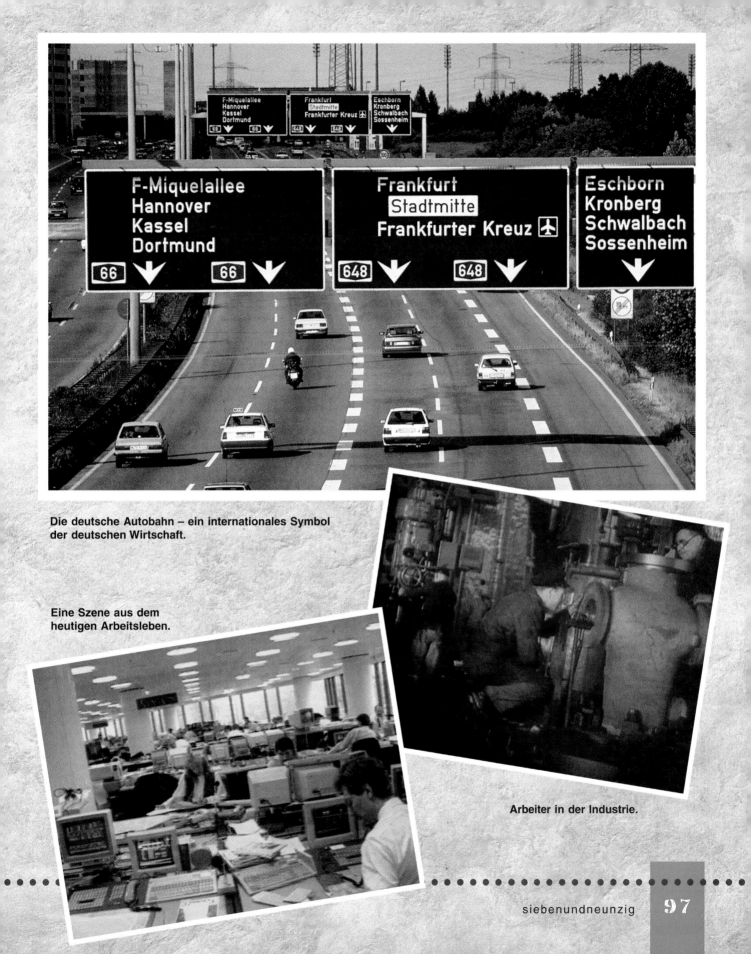

Die deutsche Autobahn – ein internationales Symbol der deutschen Wirtschaft.

Eine Szene aus dem heutigen Arbeitsleben.

Arbeiter in der Industrie.

VIDEOTHEK

Heute ist die Bundesrepublik Deutschland eine grosse Wirtschaftsmacht. Aber wie ist das passiert? Und wie sieht das heutige Arbeitsleben aus?

I: Wirtschaft im Wandel

In dieser Folge sehen Sie, in welcher Lage sich die deutsche Wirtschaft nach dem Zweiten Weltkrieg befand, und wie sie heute aussieht.

A Was bedeutet für Sie das Wort Wirtschaft? Machen Sie eine kleine Liste mit Wörtern und Begriffen, die Sie mit Wirtschaft assoziieren. Was hat Wirtschaft mit Ihrem Leben zu tun?

B Wirtschaft und Menschen durch die Jahre. Welcher Satz passt zu welchem Bild?

1. Die Familien müssen umziehen, um eine Arbeitsstelle zu finden.
2. Viele Roboter werden in den Fabriken eingesetzt.
3. Viele Familien kaufen sich zum ersten Mal Konsumgüter wie Kühlschränke, Fernseher oder Autos.
4. Die Berufe wandeln sich immer schneller. Neue Kommunikationstechniken und Computer verändern die Arbeit und auch das Leben vieler Deutscher.
5. Die meisten Deutschen arbeiten zu dieser Zeit in der Industrie.

1955 wurde der millionste Volkswagen hergestellt.

WORTSCHATZ ZUM VIDEO

schuften	to toil
sich abrackern	to slave away
das Atelier	(artist's) studio; small office
das Wirtschaftswunder	German economic miracle
verharren	to persevere
die EDV-Erfahrung	data processing experience
anrechnen	to count; to take into account
die Früchte	fruits

a.

b.

c.

d.

e.

C Persönliche Geschichten. Was machen diese Menschen beruflich?

    Gürkan   Erika   Anja   Bob

1. Diese Person malt und geht oft in Museen.
2. Diese Person arbeitet selbstständig und führt gemeinsam mit zwei anderen ein Reisebüro.
3. Diese Person arbeitet an einem Deutschkurs mit Hilfe einer Assistentin.
4. Diese Person lehrt Deutsch am Goethe-Institut.

Gürkan.

II: Eine Arbeitsvermittlerin

In dieser Folge lernen Sie Monika Schneider kennen. Sie ist Arbeitsvermittlerin und sucht Stellen für Arbeitslose und Arbeitssuchende.

A Arbeitgeber und Arbeitnehmer. Monika unterstützt Arbeitnehmer, eine Arbeit zu finden. Dabei hilft sie auch den Arbeitgebern, die Arbeiter brauchen. Lesen Sie die folgenden Sätze, und sagen Sie, welche Person der Satz beschreibt, Frau Schneider, Herrn Weinart, Herrn Kloss oder Herrn Lebendig.

1. _____ ist Elektromeister von Beruf.
2. _____ ist Apotheker, und sucht eine Mitarbeiterin.
3. _____ arbeitet beim Arbeitsamt.
4. _____ möchte nicht in eine andere Stadt ziehen.
5. _____ sucht einen Groß- und Außenhandelskaufmann.

Monika Schneider spricht mit Herrn Weinart.

B Ostdeutsche Perspektiven. Anja erzählt von den Problemen der Arbeitslosigkeit in der ehemaligen DDR. Stimmen die folgenden Sätze?

1. Arbeitslosigkeit ist heute das größte Problem in Deutschland.
2. Viele Leute wollen alle fünf Jahre in einer neuen Firma arbeiten.
3. Die Arbeitslosigkeit unter Leuten, die in der ehemaligen DDR gearbeitet haben, ist nicht wesentlich schlimmer als unter denen, die in der BRD gearbeitet haben.
4. Die Jahre, die ihre Eltern in der DDR gearbeitet haben, werden nicht angerechnet. Deswegen bekommen sie nicht viel Geld.

KULTURSPIEGEL

In den neuen Bundesländern sind die wirtschaftlichen Problemen viel größer als in den alten. Nach der Wende schaffte man viele Arbeitsplätze ab. Viele ältere Leute gingen in den Vorruhestand, aber junge Leute, die vor der Wende einen garantierten Arbeitsplatz zu erwarten hatten, haben viel Angst vor Arbeitslosigkeit.

VOKABELN

die Arbeitslosenzahl	*number of unemployed*
die Berufserfahrung	*work experience*
die Entwicklung	*development*
die Rente	*pension*
die Steuer	*tax*
die Wirtschaft	*economy*
der Arbeitsvermittler / die Arbeitsvermittlerin	*employment agent*
der Betrieb	*business operation*
der Rentner / die Rentnerin	*pensioner*
der Termin	*appointment*
das Unternehmen	*business enterprise*
auf•bauen	*to build; to set up*
ein•setzen	*to put in place*
erfordern	*to require*
erhalten	*to receive*
erlernen	*to learn*
her•stellen	*to manufacture; to produce*
steigern	*to raise*
zwingen	*to force*
gering	*small, negligible*
künftig	*future*

Was kann die Gesellschaft tun, um die wirtschaftliche Lage zu verbessern?

unentbehrlich	*essential(ly), indispensable*

Sie wissen schon
die Kenntnis, die Stelle, der Arbeitsplatz, der Beruf, der Bewerber / die Bewerberin, einen Beruf aus•üben, (mit etwas) einverstanden sein, selbstständig, zufrieden/unzufrieden, ungefähr

Aktivitäten

A Definitionen. Welche Wörter aus dem Kasten auf Seite 101 passen zu den folgenden Definitionen?

1. Zahl der arbeitslosen Menschen
2. eine Person, die Stellen für Arbeitslose sucht
3. organisieren, gestalten, strukturieren
4. jemand, der sich um eine Arbeitsstelle bewirbt
5. jemandem einer Sache zustimmen, akzeptieren
6. bekommen
7. das Kennen einer Sache, das Wissen von etwas
8. Einkommen vom Staat, wenn man alt ist

---

die Kenntnis

einverstanden sein

die Arbeitsvermittlerin   erhalten   die Rente

der Bewerber   aufbauen   die Arbeitslosenzahl

B Arbeitswelt. Ergänzen Sie die Sätze.

1. Auszubildende arbeiten bei einer Firma und lernen, wie man einen Beruf _____.
2. Die neuen Umstände in der Arbeitswelt _____, dass man sehr flexibel sein muss.
3. Wer eine neue Karriere haben will, muss natürlich auch einen neuen Beruf _____.
4. In Deutschland werden viele Autos _____.
5. Immer mehr Maschinen werden in der Industrie _____.
6. Viele Menschen sind _____, Jobs zu nehmen, die ihnen nicht besonders gut gefallen.

C Anders gesagt. Setzen Sie für die kursiv gedruckten Wörter Synonyme aus der Wortliste auf Seite 100 ein.

1. Wir sind *darüber einig*, dass Arbeiter mehr Urlaub haben sollen.
2. Die Stadt Heidelberg hat *etwa* 150 000 Einwohner.
3. Die Zahl der Arbeiter, die in der Schwerindustrie arbeiten, wird immer *kleiner*.
4. Gute Ratschläge sind oft *nötig*.
5. Renate ist in ihrer neuen Stelle sehr *unglücklich*.
6. Klaus arbeitet lieber *ohne Hilfe*.

D Wie stellen Sie sich Ihre künftige Karriere vor? Was möchten Sie werden? Warum? Was müssen Sie tun, um diesen Beruf ausüben zu können?

MODELL: Ich möchte Mechanikerin werden, weil ich gern mit Werkzeugen und Autos arbeite. Ich möchte in einer Autowerkstatt arbeiten, wo ich diesen Beruf erlernen kann.

---

erfordern
    hergestellt
erlernen
        eingesetzt
gezwungen
        ausübt

KULTURSPIEGEL

Viele junge Deutsche fangen ihre Karriere als Lehrlinge an. Sie erlernen ihren neuen Beruf sowohl in der Klasse als auch am Arbeitsplatz. Drei Jahre lang belegen Lehrlinge Kurse in einer Berufschule und machen zusätzlich ihre Lehre in einer Fabrik oder in einem Büro. Abiturienten können diese Lehrperiode um bis zu sechs Monate verkürzen.

STRUKTUREN

REVIEW OF COMPARATIVES
COMPARING PEOPLE AND THINGS

To say someone or something is (not) the same as someone or something else, use the expression **(nicht) so . . . wie.**

<table>
<tr><td>Ein Beruf ist so gut wie der andere.</td><td>One occupation is as good as the other.</td></tr>
<tr><td>Ein Krankenpfleger verdient nicht so viel wie ein Arzt.</td><td>A nurse doesn't earn as much as a doctor.</td></tr>
</table>

Note that the phrase **(nicht) so . . . wie** uses the positive form of adjectives and adverbs—the form that normally appears in vocabulary lists and dictionaries.

The comparative form of adjectives and adverbs includes the ending **-er.** Most one-syllable words with the vowel **a, o,** or **u** also add an umlaut in the comparative.

POSITIVE	COMPARATIVE	POSITIVE	COMPARATIVE
schnell	schneller	groß	größer
alt	älter	klug	klüger

A small number of one-syllable words with these vowels do not add the umlaut: **klar → klarer** and **rot → roter** (although some speakers do say **röter**).

A number of adjectives and adverbs in German have irregular forms in the comparative.

POSITIVE	COMPARATIVE	POSITIVE	COMPARATIVE
gern	lieber	hoch	höher
gut	besser	viel	mehr

<table>
<tr><td>Ich arbeite gern im Büro, aber ich arbeite lieber zu Hause.</td><td>I like working in the office, but I prefer working at home.</td></tr>
</table>

German also uses the comparative form of adjectives and adverbs with the word **als** to make comparisons of inequality. Note that in German the nouns or pronouns in comparison—those that both precede and follow **als**—share the same case. This rule is also true in English, although speakers frequently use object forms (*me, him, her, us*) after the word *than.*

Er arbeitet **fleißiger als** ich.   *He works harder than I (do).*
Ich kann **schneller** laufen **als** er.   *I can run faster than he (can).*
Sie hat ihm **mehr** Hilfe gegeben   *She gave him more help than*
  als mir.   *(she gave) me.*

Note that the phrase beginning with **wie** or **als** stands outside the clause it refers to.

Ich habe **nicht so viel** gelernt   *I didn't study as much as you*
  wie du.   *(did).*

Remember that comparatives take the same endings as other attributive adjectives when they stand before a noun.

Ausgebildete Menschen haben   *Educated people have better*
  bessere Chancen im   *opportunities in professional*
  Berufsleben.   *life.*

German uses the word **immer** plus the comparative form of an adjective or adverb to show progression, whereas English uses the comparative form twice, or the words *more and more* plus the positive form of an adjective or adverb.

Es wird **immer kälter.**   *It's getting colder and colder.*
Sie singen **immer schöner.**   *They sing more and more*
          beautifully.

The German expression **je (mehr) . . . je/desto/umso (mehr)** is equivalent to the English *the (more) . . . the (more) . . .* Notice that one of three different words can begin the second part of the German expression. Both German and English use comparative forms of adjectives or adverbs in these expressions.

Je mehr man arbeitet, **desto**   *The more one works, the more*
  mehr man verdient.   *one earns.*

Übungen

A Zurück nach Aachen. Guy, der Student aus Kamerun, kommt nach einigen Jahren wieder nach Aachen. Die Stadt hat sich inzwischen sehr verändert. Was sagt er? Ergänzen Sie die Adjektive oder Adverbien im Komparativ.

1. Die Stadt ist jetzt _____. (groß)
2. Die Preise sind _____. (hoch)
3. Die Wohnungen sind _____. (teuer)
4. Die neuen Kurse sind _____. (interessant)
5. Das neue Universitätsgebäude ist _____ als die alten. (schön)
6. Ich finde es sehr schön in Deutschland, aber ich wohne _____ in Kamerun. (gern)

Guy trifft alte Freunde in Aachen. Einige sind schon länger in Deutschland als er.

Frau Schneider hilft Herrn Weinart, einen neuen Job zu finden.

B Die heutige Arbeitslage. Drücken Sie die Sätze mit den Komparativformen der Adjektive aus.

MODELL: **Alte** Leute haben Angst, dass sie ihre Stellen verlieren werden. →
Ältere Leute haben Angst, dass sie ihre Stellen verlieren werden.

1. In den **großen** Städten hat man mehr Berufsmöglichkeiten.
2. Es kann schwer sein, einen **guten** Job zu finden.
3. Ökonomen versuchen, die **hohen** Arbeitslosenzahlen in den vergangenen Jahren zu erklären.
4. Im **weiten** Sinn ist die Arbeitslosigkeit ein Problem für alle Menschen in unserer Gesellschaft.
5. **Kurze** Arbeitszeiten wären wohl eine attraktive Lösung.

C Ja, das Leben wird immer schwerer. Sie sind mit den folgenden Bemerkungen einverstanden. Drücken Sie Ihre Zustimmung im Komparativ aus.

MODELL: Heute ist das Wetter sehr heiß. →
Ja, das Wetter wird immer heißer.

1. Im Moment ist Benzin ziemlich teuer.
2. In der Schweiz sind die Steuern sehr hoch.
3. Die Sozialleistungen sind gering.
4. Berufserfahrung ist sehr wichtig.
5. Bei unserer Firma sind die Arbeitszeiten ziemlich lang.
6. Ein neues Auto kostet viel Geld.

REVIEW OF SUPERLATIVES
EXPRESSING THE HIGHEST DEGREE

German forms the superlative of adjectives and adverbs by adding **-st-** to the positive form; **-est-** is added if that form ends in **-d, -t,** or **-z.** If the comparative form has an umlaut, so does the superlative form. Note that unlike German, in which all adjectives and adverbs form the comparative and superlative in the same way, English sometimes adds the words *more* and *most* instead of the endings **-er** and **-(e)st.**

POSITIVE	COMPARATIVE	SUPERLATIVE	ENGLISH
alt	älter	ältest-	*old, older, oldest*
schön	schöner	schönst-	*beautiful, more beautiful, most beautiful*

You can use the superlative in two different ways in German: as an attributive adjective (**die älteste Stadt**) or in a prepositional phrase with **am (am ältesten).** Note that either way, an ending must be added to the superlative form.

When the superlative form stands before a noun, it takes the same endings as other attributive adjectives.

Sie ist die **klügste** Frau, die ich kenne.	*She's the smartest woman I know.*

In German as in English, the noun following a superlative adjective may be understood rather than actually stated, depending on the context of the sentence.

Welches Zimmer möchten Sie? —Ich nehme **das billigste.**	*Which room would you like? —I'll take the cheapest (one).*

In a prepositional phrase with **am,** the superlative takes the dative case ending **-en.** This construction stands alone and describes a person, place, thing, or idea in terms of the highest degree of some characteristic.

Welcher Fluss ist **am längsten**?	*Which river is the longest?*

Adverbs take this form as well.

Dieses Auto fährt **am schnellsten.**	*This car goes the fastest.*
Am liebsten spiele ich Karten.	*I like to play cards the best.*

Words that have irregular comparative forms usually also have irregular superlative forms.

POSITIVE	COMPARATIVE	SUPERLATIVE
gern	lieber	liebst-, am liebsten
gut	besser	best-, am besten
hoch	höher	höchst-, am höchsten
viel	mehr	meist-, am meisten

„Spieglein, Spieglein, an der Wand, wer ist die Schönste im ganzen Land?"

Übungen

A Heidelberg. Stellen Sie sich vor, Sie studieren in Heidelberg. Ein Freund kommt zu Besuch. Erklären Sie ihm, wo alles am besten ist. Benutzen Sie die Superlativformen der Adjektive.

MODELL: Die **schönen** Restaurants sind in der Altstadt. →
Die schönsten Restaurants sind in der Altstadt.

1. Das **alte** Gebäude ist das Schloss.
2. Die **interessanten** Museen sind an der Hauptstraße.
3. Die **große** Buchhandlung steht neben der Universitätsbibliothek.
4. Die **guten** Buchhandlungen sind nicht weit von der Uni.
5. In den **teuren** Läden kann man natürlich sehr schöne Sachen kaufen.
6. Die **hohen** Preise findest du im Supermarkt, die **niedrigen** auf dem Markt.

Eine Cafészene in der Heidelberger Altstadt.

B Starke Erlebnisse. Arbeiten Sie mit einem Partner / einer Partnerin, und stellen Sie einander die folgenden Fragen.

1. Was ist deine beste Erinnerung an die Grundschule?
2. Was war deine größte Verlegenheit?
3. Was war dein dümmster Fehler?
4. Was war deine klügste Entscheidung?
5. Was war die längste Reise, die du je gemacht hast? (Meine Reise nach . . . / in . . . war . . .)
6. Was hast du da am besten gefunden? am schlimmsten?

C Heimat. Was ist bei Ihnen am (schönsten)? Beschreiben Sie Ihre Stadt oder Ihre Heimat im Superlativ.

MODELL: Bei uns sind die Wälder am schönsten, die Leute am interessantesten, das Essen am besten, . . .

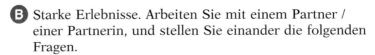

VERBS AS ADJECTIVES; PARTICIPIAL CONSTRUCTIONS; EXTENDED MODIFIERS
MORE ON DESCRIBING PEOPLE AND THINGS

Two verb forms can function as adjectives: the present and past participles of virtually any verb.

To form the present participle, simply add **-d** to the infinitive; this form corresponds with the *-ing* form of the verb in English. When participles stand before nouns, they add the same endings as other attributive adjectives.

—Ich höre einen **lachenden** Mann.

—*I hear a laughing man.*

—Wo ist der **lachende** Mann?

—*Where is the laughing man?*

You already know how to form the past participles of verbs. To use them as attributive adjectives, simply add the appropriate endings.

Diese **hergestellten** Waren kommen aus China.

These manufactured goods come from China.

Niemand kann seine **übertriebene** Beschreibung glauben.

No one can believe his exaggerated description.

Extended modifiers are more common, and often lengthier, in German than in English. These descriptive expressions generally include a participial phrase that comes between the article and the noun. Because these constructions usually occur in written language, you should learn to recognize them, even though you need not use them in your own writing.

Die ständig steigende Arbeitslosenzahl ist ein großes Problem in Deutschland.

The ever-increasing number of unemployed is a big problem in Germany.

Die nach dem Zweiten Weltkrieg wieder aufgebaute deutsche Wirtschaft wurde als Wunder bezeichnet.

The German economy, which was rebuilt after World War II, was described as a miracle.

Notice that the English equivalent of the second example includes a relative clause. To aid your comprehension, you can also rephrase the German sentence with a relative clause. Just move the noun from the end of the expression up to follow the article, then create a relative clause with the information that separated the two elements.

Die Wirtschaft, die nach dem Zweiten Weltkrieg wieder aufgebaut wurde, wurde als Wunder bezeichnet.

Übungen

A Wirtschaft und Arbeit. Ergänzen Sie die Sätze mit den Adjektivenformen der Partizipien Präsens und Perfekt.

1. Die _____ (folgen) Sätze handeln von Wirtschaft und Arbeit.
2. Die _____ (zunehmen) Arbeitslosenzahl wird zu _____ (dringen) Problemen in der Gesellschaft führen.
3. Gibt es eine _____ (passen) Lösung zur _____ (steigen) Arbeitslosigkeit?
4. In den _____ (vergehen) Jahrzehnten hat sich das Arbeitsleben stark verändert.
5. Die neu _____ (einsetzen) Maschinen kosten viel Geld.
6. Niemand will einen _____ (gebrauchen) Computer kaufen.
7. Das _____ (fordern) Ziel ist im Moment nicht zu erreichen.

B Interview. Ab und zu muss man auch Freizeit haben. Arbeiten Sie mit einem Partner / einer Partnerin und stellen Sie einander die folgenden Fragen.

1. Was ist deine liebste Freizeitbeschäftigung?
2. Welche Aktivitäten findest du anstrengend? Warum?
3. Was sind die Vorteile einer kürzeren Arbeitszeit? Was sind die Nachteile?
4. Findest du, dass die Meinungen über das heutige Arbeitsleben übertrieben sind?

PERSPEKTIVEN

WORTSCHATZ ZUM HÖRTEXT

der Blechblas-instrumentenbauer	*maker of brass (musical) instruments*
die Gesellenprüfung	*examination to become a journeyman*
die Meisterprüfung	*examination to become master craftsman*
absolvieren	*to pass; to complete*

KULTURSPIEGEL

Mackenbach liegt im südwestlichen Teil von Rheinland-Pfalz. Diese Gegend ist als Musikantenland bekannt. Im neunzehnten Jahrhundert zwangen schlechte wirtschaftliche Bedingungen die Menschen in dieser Gegend, alternative Berufe zu finden. Viele wurden Musikanten, zogen in Gruppen durch ganz Europa und gaben Konzerte. Manche dieser Musikanten kamen auch nach Amerika.

HÖREN SIE ZU!
EINE AHNUNG VON TUTEN UND BLASEN

A Horst Molter. Sie hören einen Text über einen Mann mit einem seltenen Beruf. Was für Informationen hören Sie im Text? Beantworten Sie die Fragen mit „ja" oder „nein".

Hören Sie
1. ein Zitat des Komponisten Paul Hindemith?
2. Information über Mackenbach?
3. die Namen der Städte, in denen Horst Molter gelebt hat?
4. Information über seine Ausbildung?
5. etwas über amerikanische Komponisten?
6. etwas über Kunden von Horst Molter?

B Was wissen Sie jetzt über Horst Molter? Hören Sie den Text noch einmal, und beantworten Sie dann die Fragen.

1. Wer hat gesagt, „Musik machen ist besser als Musik hören"?
2. Wo hängt eine Miniaturtrompete?
3. Was hat Horst Molter in Kaiserslautern gemacht?
4. Wann ist er nach Amerika ausgewandert?
5. Wo hat er in Amerika gearbeitet?
6. Wann kam er zurück nach Deutschland?
7. Was hat er in Frankfurt gemacht?
8. Seit wann hat er ein Geschäft in Mackenbach?

LESEN SIE!

Zum Thema

A Was macht man in jedem Beruf? Verbinden Sie die Berufe mit den Beschreibungen auf Seite 109.

MODELL: mit Steinen und Mörtel arbeiten →
Ein Maurer arbeitet mit Steinen und Mörtel.

Friseurin	Clown	Tischlerin	Bäcker
Schriftstellerin	Metzger	Stierkämpferin	Lehrer
Schauspieler	Melker	Straßenbahnschaffner	Lacher

1. Kühe melken
2. Häuser oder Möbel bauen
3. in Spanien: Stier kämpfen
4. in einer Schule lehren
5. Bücher schreiben
6. Brot und Brötchen backen
7. Theater spielen
8. im Zirkus arbeiten
9. Haare schneiden
10. auf Bitte lachen
11. Fahrausweise kontrollieren
12. Fleisch verkaufen

B Berufe. Arbeiten Sie in Dreiergruppen. Wählen Sie sechs Berufe aus der Liste. Beschreiben Sie jeden der sechs Berufe aus der Liste und beantworten Sie dabei folgende Fragen:

1. Wo arbeitet jemand, der diesen Beruf ausübt?
2. Wie würden Sie die Arbeitswoche dieser Person beschreiben?
3. Ist die Arbeit körperlich oder eher geistig?
4. Verdient man gewöhnlich viel oder wenig in diesem Beruf?
5. Stellen Sie sich vor: Was will diese Person in der Freizeit machen? Was will sie nicht machen?

Der Lacher

Wenn ich nach meinem Beruf gefragt werde, befällt mich Verlegenheit: ich werde rot, stammele, ich, der ich sonst als ein sicherer Mensch bekannt bin. Ich beneide die Leute, die sagen können: ich bin Maurer. Friseuren, Buchhaltern und Schriftstellern neide ich die Einfachheit ihrer Bekenntnisse,
5 denn alle diese Berufe erklären sich aus sich selbst und erfordern keine längeren Erklärungen. Ich aber bin gezwungen, auf solche Fragen zu antworten: Ich bin Lacher. Ein solches Bekenntnis erfordert weitere, da ich auch die zweite Frage „Leben Sie davon?" wahrheitsgemäß mit „Ja" beantworten muß. Ich lebe tatsächlich von meinem Lachen, und ich lebe
10 gut, denn mein Lachen ist – kommerziell ausgedrückt – gefragt. Ich bin ein guter, bin ein gelernter Lacher, kein anderer lacht so wie ich, keiner beherrscht so die Nuancen meiner Kunst. Lange Zeit habe ich mich – um lästigen Erklärungen zu entgehen – als Schauspieler bezeichnet, doch sind meine mimischen und sprecherischen Fähigkeiten so gering, daß mir
15 diese Bezeichnung als nicht der Wahrheit gemäß erschien: ich liebe die Wahrheit, und die Wahrheit ist: ich bin Lacher. Ich bin weder Clown noch Komiker, ich erheitere die Menschen nicht, sondern stelle Heiterkeit dar: ich lache wie ein römischer Imperator oder wie ein sensibler Abiturient, das Lachen des 17. Jahrhunderts ist mir so geläufig wie das des 19., und wenn
20 es sein muß, lache ich alle Jahrhunderte, alle Gesellschaftsklassen, alle Altersklassen durch: ich hab's einfach gelernt, so wie man lernt, Schuhe zu besohlen. Das Lachen Amerikas ruht in meiner Brust, das Lachen Afrikas, weißes, rotes, gelbes Lachen – und gegen ein entsprechendes Honorar lasse ich es klingen, so wie die Regie es vorschreibt.
25 Ich bin unentbehrlich geworden, ich lache auf Schallplatten, lache auf Band, und die Hörspielregisseure behandeln mich rücksichtsvoll. Ich lache schwermütig, gemäßigt, hysterisch – lache wie ein Straßenbahnschaffner oder wie ein Lehrling der Lebensmittelbranche; das Lachen am Morgen, das Lachen am Abend, nächtliches Lachen

SIND SIE WORTSCHLAU?

The endings **-heit** and **-keit** change adjectives to feminine nouns.

heiter → die Heiterkeit, -en
verlegen → die Verlegenheit, -en

KULTURSPIEGEL

Heinrich Böll war einer der größten deutschen Schriftsteller der Nachkriegszeit. 1971 erhielt er den Nobelpreis. Er war ein prominenter Vertreter der „Gruppe 47", eine Gruppe von deutschen Autoren, die sich nicht nur für die Literatur, sondern auch sehr viel für die Politik engagierte.

FOKUS INTERNET

For more information visit the *Auf Deutsch!* Web Site at
www.mcdougallittell.com

und das Lachen der Dämmerstunde, kurzum: wo immer und wie immer 30
gelacht werden muß: ich mache es schon.

Man wird mir glauben, daß ein solcher Beruf anstrengend ist,
zumal ich – das ist meine Spezialität – auch das ansteckende Lachen
beherrsche; so bin ich unentbehrlich geworden auch für Komiker dritten
und vierten Ranges, die mit Recht um ihre Pointen zittern, und ich sitze 35
fast jeden Abend in den Varietés herum als eine subtilere Art Claqueur,
um an schwachen Stellen des Programms ansteckend zu lachen. Es muß
Maßarbeit sein: mein herzhaftes, wildes Lachen darf nicht zu früh, darf
auch nicht zu spät, es muß im richtigen Augenblick kommen – dann
platze ich programmgemäß aus, die ganze Zuhörerschaft brüllt mit, und 40
die Pointe ist gerettet.

Ich aber schleiche dann erschöpft zur Garderobe, ziehe meinen
Mantel über, glücklich darüber, daß ich endlich Feierabend habe. Zu
Hause liegen meist Telegramme für mich „Brauchen dringend Ihr
Lachen. Aufnahme Dienstag", und ich hocke wenige Stunden später in 45
einem überheizten D-Zug und beklage mein Geschick.

Jeder wird begreifen, daß ich nach Feierabend oder im Urlaub wenig
Neigung zum Lachen verspüre: der Melker ist froh, wenn er die Kuh, der
Maurer glücklich, wenn er den Mörtel vergessen darf, und die Tischler
haben zu Hause meistens Türen, die nicht funktionieren, oder 50
Schubkästen, die sich nur mit Mühe öffnen lassen. Zuckerbäcker lieben
saure Gurken, Metzger Marzipan, und der Bäcker zieht die Wurst dem
Brot vor; Stierkämpfer lieben den Umgang mit Tauben, Boxer werden
blaß, wenn ihre Kinder Nasenbluten haben: ich verstehe das alles, denn
ich lache nach Feierabend nie. Ich bin ein todernster Mensch, und die 55
Leute halten mich – vielleicht mit Recht – für einen Pessimisten.

In den ersten Jahren unserer Ehe sagte meine Frau oft zu mir: „Lach
doch mal!", aber inzwischen ist ihr klargeworden, daß ich diesen Wunsch
nicht erfüllen kann. Ich bin glücklich, wenn ich meine angestrengten
Gesichtsmuskeln, wenn ich mein strapaziertes Gemüt durch tiefen Ernst 60
entspannen darf. Ja, auch das Lachen anderer macht mich nervös, weil
es mich zu sehr an meinen Beruf erinnert. So führen wir eine stille, eine
friedliche Ehe, weil auch meine Frau das Lachen verlernt hat: hin und
wieder ertappe ich sie bei einem Lächeln, und dann lächele auch ich.
Wir sprechen leise miteinander, denn ich hasse den Lärm der Varietés, 65
hasse den Lärm, der in den Aufnahmeräumen herrschen kann.
Menschen, die mich nicht kennen, halten mich für verschlossen. Vielleicht
bin ich es, weil ich zu oft meinen Mund zum Lachen öffnen muß.

Mit unbewegter Miene gehe ich durch mein eigenes Leben, erlaube
mir nur hin und wieder ein sanftes Lächeln, und ich denke oft darüber 70
nach, ob ich wohl je gelacht habe. Ich glaube: nein. Meine Geschwister
wissen zu berichten, daß ich immer ein ernster Junge gewesen sei.

So lache ich auf vielfältige Weise, aber mein eigenes Lachen kenne
ich nicht.

Heinrich Böll (1917–1985)

Zum Text

A „Der Lacher". Wenn Sie den Titel der Geschichte lesen, erwarten Sie eine lustige Geschichte? Warum (nicht)? Finden Sie diesen Titel ironisch?

B Was meint der Lacher? Beantworten Sie die Fragen.

1. Warum beneidet der Lacher Leute in anderen Berufen?
2. Warum ist es schwer, seinen eigenen Beruf zu erklären?
3. Wie beschreibt der Lacher seinen Beruf? Wie lacht er? Wo? Wann?
4. Was sagt er über den Feierabend in anderen Berufen?
5. Was sagt er über seinen eigenen Feierabend?

Zur Interpretation

Menschen und ihre Arbeit. Warum kennt der Lacher sein eigenes Lachen nicht? Was, glauben Sie, sagt der Autor dieser Geschichte über die Beziehung von Menschen zu ihren Berufen?

INTERAKTION

Welcher Beruf?

SCHRITT 1: Arbeiten Sie mit einem Partner / einer Partnerin. Fragen Sie ihn/sie, was er/sie für einen Beruf ausüben will. Bitten Sie ihn/sie, den Beruf zu beschreiben. Wenn nötig, machen Sie sich Notizen.

SCHRITT 2: Beschreiben Sie der Klasse den Beruf, den Ihr Partner / Ihre Partnerin ausüben will. Sagen Sie aber nicht, wie der Beruf heißt. Die Klasse soll den Beruf erraten.

SCHREIBEN SIE!

Eine Umfrage unter Jugendlichen

Bilden Sie Zweier- oder Dreiergruppen. Entwerfen Sie in der Gruppe eine Umfrage mit etwa zehn Fragen zum Thema „Beruf und Karriere". Mögliche Themen finden Sie in dem Tipp zum Schreiben.

TIPP ZUM SCHREIBEN

Mögliche Themen: Braucht man wirklich einen Hochschulabschluss? • Die Rolle von Fremdsprachen im Berufsleben • Was ist wichtiger an der Arbeit: Geld oder Spaß? • Traditionelle Männerberufe: Bleiben sie so? • Die Technik in der Berufswelt der Zukunft • Einen Beruf fürs Leben, oder viele? • Wollt ihr eine Karriere oder nur einen Job? • Arbeitnehmer oder Arbeitgeber: Was willst du werden? • Handwerker: Ein Beruf mit Zukunft?

Jedes Mitglied Ihres Teams soll dann drei bis fünf Personen aus Ihrem Deutschkurs interviewen. Zum Schluss soll das Team die Ergebnisse in einem Bericht zusammenfassen und analysieren.

Purpose:	To create a questionnaire, survey students, and report the results
Audience:	Your classmates
Subject:	Attitudes and opinions about work and professions
Structure:	Public opinion questionnaire and report

Schreibmodell

Karriere oder Job?

Eine Umfrage von Paul Smith, Anna Thomas und Cathy Johnson

Fragebogen

1. Mädchen _____ Junge _____

2. Alter: _____ Jahre

3. In welcher Klasse bist du? _____

4. Wenn du mit der Schule fertig bist, möchtest du lieber studieren oder sofort arbeiten gehen? _____

5. Wenn du sofort arbeiten gehen willst, was für eine Arbeit möchtest du dir suchen? _____

6. Wenn du studieren willst, was möchtest du eventuell werden? _____

7. Willst du Karriere machen? _____

8. Was sind für dich die drei wichtigsten Gründe, eine Arbeitsstelle anzunehmen? _____ _____

Since the survey is aimed at classmates, the writer uses the **du**-form.

To ask for the *most important* reasons, the writer uses the superlative form of **wichtig: wichtigste-**.

Can you guess the meaning of **Befragten**?

An erster/zweiter/dritter Stelle (*in first/second/third place*) is a typical expression used in reporting the results of a survey.

Meist- is the superlative form of **viel**. **Mehr** is the comparative.

Bericht zur Umfrage – Karriere oder Job?

Wir haben 9 Personen interviewt – 5 Mädchen, 4 Jungen. Zwei der Befragten sind sechzehn Jahre alt und sind in der elften Klasse. Sieben sind siebzehn Jahre alt und in der zwölften Klasse. Sechs Schüler wollen nach der Schule auf ein College gehen. Fünf davon hoffen nach dem Studium Karriere zu machen. Ein Schüler will eine Ausbildung als Koch machen und später eine Karriere als Chefkoch in einen teuren Restaurant in einer Großstadt haben. Die zwei anderen wollen sich einen Job suchen und gleich Geld verdienen. Zur Zeit denken sie nicht daran, Karriere zu machen.

Für die meisten Befragten, ist die Bezahlung einer Arbeit am wichtigsten. Am zweithäufigsten wurde insgesamt gesagt, dass die Arbeit interessant sein soll, außer für drei Befragte, die Karriere in Politik und Betriebswirtschaft machen wollen: Für sie steht Prestige an zweiter Stelle.

Es gibt bei den Antworten keine Unterschiede zwischen Mädchen und Jungen. Wir schließen Folgendes aus den Antworten: Die meisten wissen schon, ob sie Karriere machen wollen. Für die meisten ist eine gesicherte finanzielle Zukunft wichtig.

Schreibstrategien

Vor dem Schreiben

- With your group, select one of the topics in the **Tipp zum Schreiben** on page 111 and brainstorm a list of vocabulary and phrases that you might use in forming your questions. For example, **deiner Meinung nach** (*in your opinion*), **möchtest du . . .** (*would you like to . . .*), **glaubst du . . .** (*do you think . . .*).

Beim Schreiben

- Next, each member of the group should compose a set of ten or more questions. As you write your questions, remind yourself of the central topic and try to phrase questions that will provide the most useful information.

- Meet with your group to read through everyone's questions and select ten or so questions that will produce the most useful answers. Include at least one question from each member of the group. Prepare the draft questionnaire.

Nach dem Schreiben

- As a group, exchange draft questionnaires with another group for peer editing. Are the questions clear, thought-provoking, and answerable in German? It may be necessary to rephrase questions. Revise the questionnaire according to the feedback you receive.

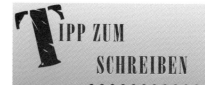

TIPP ZUM **SCHREIBEN**

The type of questions used in a questionnaire often determine its outcome, so be sure your questions will produce the information you are looking for. Yes/no questions ("Do you . . .") only allow for yes/no answers. Information questions ("When/Where/How/How often/Why do you . . .") focus on specific types of information and are more open-ended. Craft your questions carefully to get the information you want.

Umfrage: Braucht man Fremdsprachen im Beruf?

Fragebogen

1. Welche Fremdsprache hast du in ~~die~~ *der* Schule
    gelernt? _____

2. Willst du studieren? Welche*s* Fach? _____

3. Glaubst du, dass man ohne Kenntnisse von einer
    Fremdsprache gute Arbeit finden kann? Warum?

    _____

4. Was meinst du, für welche Berufe |man| braucht
    wahrscheinlich *eine* Fremdsprache? _____

5. Willst du im Ausland arbeiten? _____

Bericht

Wir haben 10 Jungen und Mädchen gefragt. Die
meiste*n* ~~wissen~~ *können* mindestens eine Fremdsprache und
wollen nach der Schule studieren. Die meiste*n*
Schülerinnen und Schüler (nämlich sechs) glauben,
dass sie ohne eine Fremdsprache eine gute Stelle
finden werden. Die anderen vier meinen, dass man
(kann) ohne gute Fremdsprachenkenntnisse nicht
beruflich weiter kommen. Die wenigsten, nur drei,
wollen ins Ausland gehen und dort arbeiten.

- Interview three to five of your German classmates.
  Be sure to tell the interviewee the topic of your
  survey. Allowing the interviewee to read your
  questions and think a little about the topic of your
  survey will result in a better interview.

- Ask the questions personally and record the answers
  as you go. You may wish to fill out a questionnaire
  for each person you interview.

- As a group, organize the data you have collected in
  useful categories (gender, age, grade level, future
  plans, etc.) and see if any trends are clear.

- Write a report summarizing your data and giving
  your analysis of it.

- Exchange reports with another group and provide
  each other with feedback.

Stimmt alles?

- As a group, prepare the final report, taking your
  peer editing group's comments and suggestions into
  consideration.

- Add a blank copy of your questionnaire to the
  report. You may also wish to include the
  questionnaires you filled out during the interview
  process as part of the final report.

- Create a title page and a table of contents (**Inhalt**)
  and hand in your report.

WORTSCHATZ

Substantive	Nouns
die **Arbeitslosenzahl, -en**	number of unemployed
die **Bedingung, -en**	condition
die **Berufserfahrung, -en**	work experience
die **Entwicklung, -en**	development
die **Erklärung, -en**	explanation
die **Fähigkeit, -en**	capability
die **Miene, -n**	demeanor; facial expression
die **Möglichkeit, -en**	possibility
die **Mühe, -n**	trouble
die **Rente, -n**	pension
die **Sozialleistung, -en**	social support
die **Steuer, -n**	tax
die **Verlegenheit, -en**	embarrassment
die **Wirtschaft**	economy
der **Arbeitsvermittler, -** / die **Arbeitsvermittlerin, -nen**	employment agent
der **Aufschwung, ⸚e**	upswing
der **Betrieb, -e**	business operation
der **Elektromeister, -** / die **Elektromeisterin, -nen**	electrician
der **Feierabend**	time off (work)
der **Rentner, -** / die **Rentnerin, -nen**	pensioner
der **Sinn, -e**	sense
der **Termin, -e**	appointment
der **Wiederaufbau**	reconstruction
das **Berufsfeld, -er**	career field
das **Unternehmen, -**	business enterprise

Verben	Verbs
auf•bauen	to build; to set up
beginnen, begann, begonnen	to begin
begreifen, begriff, begriffen	to understand, grasp
bestimmen	to determine
ein•setzen	to put in place

erfordern	to require
erhalten (erhält), erhielt, erhalten	to receive
erlernen	to learn
her•stellen	to produce
steigern	to increase; to raise
(sich) überlegen	to consider
übertreiben, übertrieb, übertrieben	to exaggerate
verbinden, verband, verbunden	to unite
zwingen, zwang, gezwungen	to force

Adjektive und Adverbien	Adjectives and adverbs
gering	small, negligible
kritisch	critical(ly)
künftig	future
rücksichtsvoll	considerate
sicherlich	surely
unentbehrlich	essential
(un)zufrieden	(un)satisfied

Sie wissen schon	You already know
die **Kenntnis, -se**	knowledge
die **Stelle, -n**	place; position
der **Arbeitsplatz, ⸚e**	workplace
der **Beruf, -e**	job; occupation, profession
der **Bewerber, -** / die **Bewerberin, -nen**	job applicant
einen **Beruf aus•üben**	to practice a profession
(mit etwas) einverstanden sein	to be in agreement
selbstständig	independent(ly)
ungefähr	approximate(ly)

KAPITEL 30

FRAUEN UND MÄNNER

In diesem Kapitel

- lernen Sie Julia, eine Buchhändlerin in einem Frauenbuchladen, kennen.

- diskutieren Sie über das Thema Gleichberechtigung.

- lernen Sie Christa Piper, eine Frauenbeauftragte in Saarbrücken, kennen.

Sie werden auch

- lernen, wie man die indirekte Rede gebraucht.

- lernen, wie man indirekte Fragen stellt.

- die Formen des Imperativs wiederholen.

- eine Geschichte über Emanzipation lesen.

- die Gedanken und Gefühle von drei Frauen beschreiben.

Vor 1900 durften nur Männer höhere Schulen besuchen.

Heute steht jegliche Berufsmöglichkeit offen.

Wie geht es den Frauen von heute? Leben sie immer noch in einer Männerwelt?

VIDEOTHEK

Julia, eine Buchhändlerin.

Frauen mussten für ihre Gleichberechtigung in der Gesellschaft und im Beruf hart kämpfen.

I: Die Frauenbewegung

A In dieser Folge lernen wir Julia kennen. Sie spricht über ihr eigenes Leben, aber auch über ihre Urgroßmutter, ihre Großmutter und ihre Mutter. Welche der vier Frauen wird mit den folgenden Sätzen beschrieben?

Sophie.

Bertha.

Anna.

1. Sie war gesetzlich[a] nicht gleichberechtigt.
2. Sie konnte nicht wählen.
3. Sie hat sich sehr stark in der Frauenbewegung engagiert.
4. Sie ist Buchhändlerin geworden.
5. Sie ist Köchin geworden.
6. Sie war die erste, die wählen durfte.
7. Sie konnte Frauenbewegung und Beruf kombinieren.

[a]*legally*

B Persönliche Geschichten. Susanne, Sabine und Daniela beschreiben, was Frauen heute in der Arbeitswelt erleben.

SCHRITT 1: Wer behandelt die folgenden Themen: Susanne, Sabine oder Daniela?

1. Die Diskriminierung ist subtiler geworden.
2. Frauen müssen härter kämpfen als ein Mann in der gleichen Position.
3. Eine Frau kommt heute vielleicht etwas einfacher an eine Stelle, aber es gibt nachher Probleme.

SCHRITT 2: Was meinen Sie dazu? Mit welchen der obigen Meinungen stimmen Sie überein? Warum?

C Frauen in der DDR. Anja und Claudia besprechen die Situation der Frau in der ehemaligen DDR und wie es damals war.

WORTSCHATZ ZUM VIDEO

die Frauenrechtlerin	worker for women's rights
wesentlich	essential(ly)
die Quotierungsfrage	question of quotas
die PR-Abteilung	PR department
die Öffentlich-keitsarbeit	public relations work
ärztliche Behandlung	medical treatment
unter einen Hut bringen	to reconcile
die Frauenbeauftragte	commissioner for women's issues
die Brotverdienerin	breadwinner

SCHRITT 1: Wer sagt das? Anja oder Claudia?

1. „Es ist so ein bisschen eine Männerwelt."
2. „Einerseits war die Rolle der Frau und das Leben einer Frau in der DDR leichter und respektvoller als jetzt."
3. „Jetzt ist es etwas schwieriger."
4. „Die Kinder waren im Kindergarten und in der Krippe."
5. „Für mich als Frau, ich war früher sehr selbstständig erzogen, sehr emanzipiert."

SCHRITT 2: Heute und damals. Sie haben die Meinungen von zwei Frauen aus den neuen Bundesländern gehört. Was ist seit der Wiedervereinigung besser geworden? Was ist schlimmer?

II: Im Auftrag der Frauen

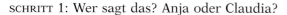

In dieser Folge lernen Sie Christa Piper kennen. Christa arbeitet als Frauenbeauftragte in Saarbrücken.

A Ein Gespräch mit der Frauenbeauftragten. Frau Meisel kommt zu Frau Piper und bittet um Hilfe, weil sie Probleme mit der Arbeit hat.

SCHRITT 1: Stimmt das oder stimmt das nicht?

1. Sie ist verheiratet und hat zwei Kinder.
2. Sie ist allein stehende Mutter mit zwei Kindern.
3. Sie arbeitet nicht und sucht eine Arbeitsstelle.
4. Sie arbeitet ganztags.
5. Die Kinder sind nachmittags oft allein zu Hause.

SCHRITT 2: Welche Lösung schlägt Frau Piper vor? Glauben Sie, dass eine solche Lösung immer möglich ist? Welchen Rat würden Sie Frau Meisel geben?

B Diskussion. Grace und Gürkan diskutieren über das Thema Gleichberechtigung.

SCHRITT 1: Wer äußert folgende Meinungen – Grace oder Gürkan? Wie finden Sie diese Sätze?

1. Frauen sind einfach süß.
2. Frauen und Männer können beide Mittelpunkte sein.
3. Frauen müssen überall in der Politik vertreten sein.
4. Es ist schwieriger für eine Frau, Karriere und Kinder zu haben.
5. Vielleicht könnte der Mann zu Hause bleiben und ein bisschen mehr in der Küche tun.
6. Ich würde gern zu Hause mit den Kindern bleiben.

SCHRITT 2: Partnerarbeit. Arbeiten Sie mit einem Partner / einer Partnerin und führen Sie das Gespräch zwischen Grace und Gürkan weiter.

KULTURSPIEGEL

Nach der Wende gab es für Frauen in der ehemaligen DDR neue Sorgen um die Zukunft. Heute stellen Frauen etwa zwei Drittel der Arbeitslosen in den neuen Bundesländern. Die staatlich organisierten Kinderkrippen, die nach der Wende abgeschafft wurden, hatten es einfacher gemacht, Familie und Beruf unter einen Hut zu bringen.

Christa Piper spricht mit Frau Meisel.

VOKABELN

die Emanzipation	*emancipation*
die Frauenbewegung	*women's movement*
die Gedankenfreiheit	*freedom of thought*
die Kinderkrippe	*daycare center*
die Minderheit	*minority*
die Redefreiheit	*freedom of speech*
die Schwierigkeit	*difficulty*
der/die Abgeordnete (decl. adj.)	*delegate; member of parliament*
das Menschenrecht	*human right*
das Wahlrecht	*right to vote, suffrage*
behandeln	*to treat*
benachteiligen	*to place at a disadvantage*
beschimpfen	*to insult*
beschuldigen	*to accuse*
besitzen	*to possess, own*
betrachten	*to consider, regard*
betreuen	*to look after*
emanzipieren	*to emancipate*
gestatten	*to allow*
kämpfen	*to struggle; to fight*
sich kümmern um	*to concern oneself with*
leiten	*to lead*
sich organisieren	*to organize oneself*
unterdrücken	*to suppress*
wollen: auf etwas hinaus wollen	*to imply something; to have a certain goal*

Frauen in der Politik engagieren sich für die völlige Gleichberechtigung.

allein erziehend	*single parenting*
gleichberechtigt sein	*to have equal rights*
gleichgestellt sein	*to be at an equal level*
jedenfalls	*in any case*

Sie wissen schon
die Gleichberechtigung

Aktivitäten

A Definitionen. Welche Worter aus dem Wortkasten auf Seite 121 passen zu den Definitionen unten?

1. die gleichen Rechte haben
2. wo die Kinder berufstätiger Eltern oder allein erziehender Mütter betreut werden
3. das Problem
4. organisierte Form des Kampfes um die Gleichberechtigung der Frau
5. eine Person im Parlament, vom Volk gewählt
6. jemanden beherrschen, jemandem keine Freiheit lassen

7. sorgen für
8. das Recht, eine Meinung zu haben und sie zu äußern
9. rechtlich auf dem gleichen Niveau sein
10. diskriminieren

die Kinderkrippe   der Abgeordnete

die Frauenbewegung   gleichberechtigt sein

betreuen   gleichgestellt sein   benachteiligen

die Redefreiheit   die Schwierigkeit
      unterdrücken

B Die Frauenbewegung. Ergänzen Sie die Sätze mit den Wörtern aus dem Kasten.

1. Erst 1919 hatten Frauen in den USA das _____, zuvor durften nur Männer wählen.
2. Obwohl Frauen in der Gesellschaft oft eine Mehrheit bilden, sind sie in den leitenden Positionen immer noch eine _____.
3. Frauen haben oft _____, Familie und Arbeit unter einen Hut zu bekommen.
4. Männer können auch zu Hause bleiben und sich um die Kinder _____.
5. Schon im neunzehnten Jahrhundert haben sich Frauen _____, um zusammen für ihre Rechte zu kämpfen.
6. Jede Bürgerin soll das Recht _____, den gleichen Lohn zu erhalten wie Männer.
7. Grace meint, Frauen werden immer noch unfair _____.

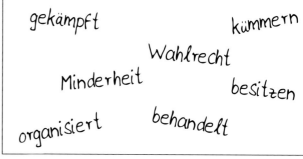

gekämpft   kümmern

      Wahlrecht

   Minderheit   besitzen

organisiert   behandelt

Die Frauenbewegung in den USA.

C Was wissen Sie von der Frauenbewegung in Ihrem Land? Wer waren die ersten Frauenrechtlerinnen? Was haben sie gemacht? Wie ist die Situation heute?

STRUKTUREN

INDIRECT DISCOURSE
REPORTING WHAT OTHERS SAY

You have already learned to use the subjunctive to express wishes and to make polite requests. The forms you learned—**würde, wäre, käme, arbeitete**—are those known as Subjunctive II, because their stems derive from the simple past tense or the *second* principle part of the verb (**sein, war, ist gewesen**).

Another set of subjunctive forms, Subjunctive I, derives from the infinitive or the *first* principle part of the verb. To create Subjunctive I, simply add subjunctive endings to the stem, the infinitive without the final **-n.** Compare the Subjunctive I and Subjunctive II forms of **kommen.**

| INFINITIVE: **kommen** | | INFINITIVE: **kommen** | |
| SUBJUNCTIVE I STEM: **komme** | | SUBJUNCTIVE II STEM: **käme** | |
SINGULAR	PLURAL	SINGULAR	PLURAL
ich komme	wir komme**n**	ich käme	wir käme**n**
du komme**st**	ihr komme**t**	du käme**st**	ihr käme**t**
Sie komme**n**	Sie komme**n**	Sie käme**n**	Sie käme**n**
sie/er/es komme	sie komme**n**	sie/er/es käme	sie käme**n**

Notice that most Subjunctive I forms are identical with those of the indicative mood. However, Subjunctive I primarily occurs in the third-person singular, and this form clearly distinguishes itself: **er/sie/es komme** as opposed to the indicative **er/sie/es kommt.**

Because **sein** is such an irregular verb, all Subjunctive I forms differ from those of the indicative.

| INFINITIVE: **sein** | |
| SUBJUNCTIVE I STEM: **sei** | |
SINGULAR	PLURAL
ich sei	wir sei**en**
du sei**est**	Ihr sei**et**
Sie sei**en**	Sie sei**en**
sie/er/es sei	sie sei**en**

The most common use of Subjunctive I is indirect discourse or reporting what other people say.

DIRECT DISCOURSE

Julia sagt, „Ich **bin** Buchhändlerin.“

Christa sagt, „Ich **kann** nicht alle Probleme lösen.“

INDIRECT DISCOURSE

Julia sagt, sie **sei** Buchhändlerin.

Christa sagt, sie **könne** nicht alle Probleme lösen.

Like Subjunctive II, Subjunctive I has one way of expressing the past. As you might have guessed, you use the Subjunctive I form of the appropriate auxiliary verb, **haben** or **sein,** with the past participle of the main verb.

Julia sagt, „Meine Mutter hat so was wie Gleichberechtigung erlebt.“

Julia sagt, ihre Mutter **habe** so was wie Gleichberechtigung erlebt.

Whenever the Subjunctive I form is identical to that of the present or present-perfect tense of the indicative mood, substitute the Subjunctive II form.

Christa Piper sagt: „Zu mir **kommen** Frauen mit ihren Problemen.“

SUBJUNCTIVE I: Christa Piper sagt, zu ihr **kommen** Frauen mit ihren Problemen.

SUBJUNCTIVE II: Christa Piper sagt, zu ihr **kämen** Frauen mit ihren Problemen.

Susanne meint: „Die Frauen **haben** für ihre Rechte gekämpft.“

SUBJUNCTIVE I: Susanne meint, die Frauen **haben** für ihre Rechte gekämpft.

SUBJUNCTIVE II: Susanne meint, die Frauen **hätten** für ihre Rechte gekämpft.

KURZ NOTIERT

Particularly in speech, many speakers substitute Subjunctive II forms for Subjunctive I.

Claudia sagt, sie **könnte** nicht alle Probleme lösen.

Julia sagt, ihre Mutter **hätte** erst so was wie Gleichberechtigung erlebt.

The Subjunctive I forms are more typical of written language, particularly newspaper reporting. Use of the subjunctive often indicates that the writer makes no claims regarding the accuracy of the statement, but is merely reporting it.

Übungen

A Grace und Gürkan. Was sagen die beiden? Setzen Sie das Gespräch in die indirekte Rede.

MODELL: Grace sagt: „Ich bin politisch engagiert.“ →
Grace sagt, sie sei politisch engagiert.

1. Gürkan meint: „Frauen sind süß.“
2. Grace sagt: „Ich bin total für Gleichberechtigung.“
3. Grace sagt: „Die Welt hat zwei Mittelpunkte.“
4. Gürkan sagt: „Ich verstehe die Frage nicht.“
5. Gürkan meint: „Ich sehe keine Diskriminierung.“
6. Grace meint: „Eine Frau soll nicht als süß betrachtet werden.“
7. Grace sagt: „Ich habe Gürkan gar nicht beschuldigt.“

Grace und Gürkan diskutieren über Gleichberechtigung.

Julias Mutter Anna.

Susannes Mutter.

B Ein Zentrum für Frauen. Die Stadt Saarbrücken braucht ein neues Frauenbildungszentrum. Ergänzen Sie die Sätze aus einem Zeitungsartikel mit dem Konjunktiv I.ᵃ

1. Gestern Abend wurde im Rathaus viel über das neue Zentrum diskutiert. Viele glauben, das alte Zentrum _____ viel zu klein. (sein)
2. Andere meinten, man _____ es einfach renovieren. (sollen)
3. Daraufhin wurde gesagt, dass man das schon seit fünf Jahren _____. (versuchen)
4. Die Stadt _____ nicht länger warten. (können)
5. Das Problem _____ immer schlimmer. (werden)

ᵃ*subjunctive I*

C Mütter und Töchter. Die Personen im Video beschreiben die Frauenbewegung aus der Perspektive ihrer eigenen Familien. Schreiben Sie die Sätze in der indirekten Rede. Benutzen Sie den Konjunktiv I der Vergangenheit.

JULIA: Anna ist 1944 geboren. Sie hat sich sehr stark für die Frauenbewegung engagiert. Die Frauenbewegung hat Gleichberechtigung in allen Bereichen verlangt, aber in der Praxis ist die völlige Gleichberechtigung noch nicht verwirklicht.

SUSANNE: Für Frauen damals ist es schwieriger gewesen. Meine Mutter hat auch Schwierigkeiten im Beruf gehabt. Sie ist Richterin geworden und anfangs hat man sie nicht ernst genommen. Sie hat schon härter kämpfen müssen als ein Mann in der Position.

INDIRECT QUESTIONS
REPORTING WHAT OTHER PEOPLE ASK

To report what someone asks when that person poses a yes/no question, use the word **ob** (*whether*) and place the verb in either Subjunctive I or II at the end of the clause.

DIRECT QUESTION

Julia fragt Karsten: „**Hast** du den neuen Film gesehen?"
Gürkan fragt sich, „**Ist** eine Lösung möglich?"

INDIRECT QUESTION

Julia fragt Karsten, **ob** er den neuen Film gesehen **habe/hätte.**
Gürkan fragt sich, **ob** eine Lösung möglich **sei/wäre.**

To report what someone asks when the question begins with **wer, was, warum, wann, wo,** or some other question word, simply begin with that word and place the conjugated verb at the end of the clause.

Grace fragt Gürkan, „**Was kann** man gegen Diskriminierung **tun**?"
Grace fragt Gürkan, **was** man gegen Diskriminierung **tun
könne/könnte.**

Übungen

A Meinungen zur Gleichberechtigung. Die Leute im Video stellen sich
viele Fragen. Schreiben Sie die Fragen in der indirekten Rede.

MODELL: Der Professor fragt Daniela: „Hast du offene
Diskriminierung persönlich erlebt?" →
Der Professor fragt Daniela, ob sie offene Diskriminierung
persönlich erlebt habe.

1. Der Professor fragt Susanne: „Wie ist die Situation für Frauen
heute?"
2. Grace fragt Gürkan: „Warum gibt es keine Bundeskanzlerin?"
3. Grace fragt Anja: „Was hast du nach der Wende gemacht?"
4. Anja fragt Claudia: „Wie ist deine Tochter aufgewachsen?"
5. Christa fragt Frau Meisel: „Wie kann ich Ihnen helfen?"
6. Christa fragt Herrn Bauer: „Könnte Frau Meisel eine Stunde später
anfangen?"

B Sie sind Polizist/Polizistin geworden. Sie haben gerade Ihre erste
Befragung mit einem Angeklagten gehabt, und Ihr Chef will wissen,
was Sie ihn alles gefragt haben.

MODELL: Sind Sie gestern Abend zu Hause gewesen? →
Ich habe ihn gefragt, ob er gestern Abend zu Hause
gewesen sei.

1. Was haben Sie gestern Abend gemacht?
2. Haben Sie mit jemandem telefoniert?
3. Sind Sie früh ins Bett gegangen?
4. Wohnen Sie bei dieser Adresse?
5. Gehen Sie abends ins Theater?
6. Sind Sie gestern in diesem Theater gewesen?
7. Haben Sie diesen Mann gesehen?

REVIEW OF IMPERATIVES
MAKING DIRECT REQUESTS

You have now learned to use all three moods in German: the *indicative*
for talking or writing about facts; the *subjunctive* for expressing polite
requests, unreal situations, wishful thinking, or indirect speech; and the
imperative for making direct requests.

As you recall, the imperative occurs only in all the second-person forms and the first-person plural. To form the **du**-imperative, simply begin the sentence with the conjugated verb without the **-st** ending and without the pronoun.

Du kommst nicht mit.	**Komm** mit!
Du arbeitest zu viel.	**Arbeite** nicht so viel!

Verbs that have the stem-vowel change from **e** to **i** or **ie** also have this change in the **du**-imperative. All other stem-changing verbs retain the vowel of the infinitive in the **du**-imperative.

Du gibst mir die Antwort nicht.	**Gib** mir die Antwort!
Du liest die Zeitung nicht.	**Lies** die Zeitung!
but: Du schläfst zu lang.	**Schlaf** nicht so lang!

To form the **ihr**-imperative, simply use the conjugated verb form at the beginning of the sentence without the pronoun.

Ihr schlaft zu lang.	**Schlaft** nicht so lang!
Ihr versprecht mir das nicht.	**Versprecht** mir das!

The **ihr**-imperative commonly occurs in commands and exhortations directed at people or society in general.

Rettet den Regenwald!	*Save the rainforest!*
Stoppt die Gewalt!	*Stop the violence!*

The **Sie**-imperative *does* include the pronoun. Just switch the present-tense form of the verb and pronoun to issue imperative sentences.

Sie sagen mir nicht die Wahrheit.	Sagen Sie mir die Wahrheit!
Sie machen das Fenster nicht zu.	Machen Sie das Fenster zu!

To offer suggestions to one or more persons and include yourself, use the **wir**-imperative (*let's . . .*). As with the **Sie**-form, include the pronoun but switch its position with the verb to make an imperative rather than an indicative sentence.

Notice that the **Sie-** and **wir**-imperatives match the construction of yes/no questions. Only the punctuation differs and the intonation in speech.

Wir gehen jetzt ins Kino.	Gehen wir ins Kino.
Wir machen das zusammen.	Machen wir das zusammen!
Kommen Sie mit?	Bitte, kommen Sie mit!
Bleiben wir hier?	Ja, bleiben wir hier!

As you recall, the particles **doch, mal,** or **doch mal** soften imperative sentences.

Gehen wir doch jetzt.	*Why don't we go now?*
Schreibt mal.	*Write sometime.*

To request that somebody allow someone else to do something, use the imperative form of the verb **lassen.**

Lass sie das machen.	*Let her do that.*
Lassen Sie ihn fragen.	*Let him ask.*

The verb **sein** has special forms in the imperative.

Sei lieb zu mir!	*Be nice to me.*
Seid pünktlich!	*Be on time.*
Seien Sie bitte etwas höflicher!	*Please be more polite.*
Seien wir nett zueinander!	*Let's be nice to each other.*

Übungen

A Sehenswürdigkeiten

SCHRITT 1: Stellen Sie sich vor, Sie wohnen in Saarbrücken. Raten Sie Ihrem Freund, der Sie besucht, was er alles in der Stadt machen könnte.

MODELL: ins Stadtzentrum gehen →
Geh (doch) mal ins Stadtzentrum.

1. einen Einkaufsbummel am Schlossplatz machen
2. Postkarten kaufen
3. einen Reisebrief schreiben
4. einen Stadtführer lesen
5. ein Theaterstück im Landestheater ansehen
6. nach Frankreich fahren
7. das Saarland-Museum besuchen

Saarbrücken, Hauptstadt des Saarlandes.

SCHRITT 2: Ihr Freund hat seine Freundin mitgebracht. Jetzt raten Sie den beiden, was sie in Saarbrücken machen könnten.

MODELL: ins Stadtzentrum gehen →
Geht (doch) mal ins Stadtzentrum.

B Ein Gespräch mit der Frauenbeauftragten. Sie haben Probleme und brauchen Hilfe von Frau Piper. Weil alles für Sie im Moment so stressig ist, sind Sie nicht besonders höflich. Bilden Sie Sätze im Imperativ.

MODELL: Frau Piper, könnten Sie mir bitte helfen? →
Helfen Sie mir bitte.

1. Könnten Sie mir bitte zuhören?
2. Könnten Sie mir bitte einen Rat geben?
3. Könnten Sie meinen Chef anrufen?
4. Könnten Sie ihm erklären, dass ich zwei kleine Kinder habe?
5. Könnten Sie mir bitte eine Lösung vorschlagen?

PERSPEKTIVEN

HÖREN SIE ZU!
EIN FLUGBLATT AUS EINEM FRAUENBUCHLADEN

A Was meinen Sie? Diskutieren Sie mit Ihren Mitschülern/ Mitschülerinnen über das Thema „Frauenbuchladen", bevor Sie den Text hören. Beantworten Sie die folgenden Fragen.

1. Was erwarten Sie von einem Frauenbuchladen?
2. Wofür interessieren sich wohl die Mitarbeiterinnen eines Frauenbuchladen?
3. Welchen Ton oder Stil erwarten Sie in einem Flugblatt über dieses Thema?

B Ergänzen Sie die Sätze 1–5. Passen Sie auf, manchmal gibt es mehr als eine richtige Ergänzung.

1. Der Buchladen will darüber informieren,
   a. wie Frauen Männer im Berufsleben unterdrücken können.
   b. wie Frauen ihre private und berufliche Unterdrückung verändern können.
2. Der Buchladen stellt die Frage,
   a. warum Frauen in östlichen Ländern sich nicht selbstverwirklichen wollen.
   b. warum Frauen in westlichen Ländern, trotz unbegrenzter Möglichkeiten, sich nicht verwirklichen wollen.
3. Der Buchladen gibt zu,
   a. dass sich die Mitarbeiterinnen seit Jahren über die Behandlung von Frauen beklagt haben.
   b. dass die Mitarbeiterinnen kritisiert haben, was „frau" sich so alles gefallen lassen muss.
   c. dass die Mitarbeiterinnen jetzt davon überzeugt sind, dass Frauen an diesem ungerechten Verhalten ihnen gegenüber oft selbst schuld sind.
4. Der Buchladen ermutigt, nicht zu vergessen,
   a. dass Frauen einen großen Teil des Gesamtvermögens in Deutschland besitzen.
   b. dass sogar Mädchen im Durchschnitt acht Mark weniger Taschengeld bekommen als Jungen.
   c. dass auch Lehrerinnen und Erzieherinnen ihre Mädchen und Jungen nicht gleich erziehen oder erzogen haben.

WORTSCHATZ ZUM HÖRTEXT

verändern	to alter, change
überzeugen	to convince
das Verhalten	behavior
die Gleichgültigkeit	indifference
schuld sein	to be at fault
die Schweigsamkeit	silence
unterstützen	to support
der Bruchteil	fraction
das Gesamtvermögen	total wealth
die Leistung	(job) performance
die Mehrfachbelastung	multiple burden
ausliefern	to hand over
die Gewalt mit sprachlichen Mitteln	verbal abuse

5. Der Buchladen kritisiert,
   a. dass Frauen noch viel zu oft in schlecht bezahlten Berufen arbeiten und weniger verdienen als Männer.
   b. dass die meisten Frauen nicht erkennen, dass sie durch Sprache „machtlos" gemacht werden.
   c. dass Frauen mitmachen müssen, weil sie nonverbal dazu gezwungen werden.

C Vorschläge Das Flugblatt ist etwas kritisch Frauen gegenüber. Hören Sie den Text noch einmal, und machen Sie sich Notizen. Was können Frauen tun, um ihr Berufs- und Privatleben zu verbessern? Arbeiten Sie in einer Kleingruppe, und schreiben Sie eine Liste von positiven Vorschlägen.

   MODELL: Frauen müssen ihre Unterdrückung im Berufs- und Privatleben erkennen!

Lesen Sie!

Zum Thema

● Assoziationen. Beschreiben Sie die Menschen, die Sie in einem positiven oder negativen Sinn mit jedem Begriff in dem Kasten rechts assoziieren.

   MODELL: Emanzipation →

- Frauen, die für ihre Gleichberechtigung in der Gesellschaft und auch für ihre Gleichstellung im Beruf kämpfen
- Männer, die diese Frauen unterstützen wollen
- Männer und Frauen, die den Kampf um weibliche Gleichberechtigung kritisieren und lächerlich machen wollen

> Emanzipation
> Gleichberechtigung
> Redefreiheit
> Demokratie
> Unterdrückung
> Gleichstellung
> Organisation
> Solidarität

Emanzipation

Vater schlägt einen Nagel in die Wand.

SOHN: Papa! Charly hat gesagt, seine Mutter hat gesagt . . .
VATER: Ach, sieh mal an, hat die auch mal was zu sagen?   *15*
SOHN: Wieso?
VATER: Na, bisher habe ich dich noch nie von der Mutter deines Freundes reden hören.
SOHN: Na ja, ich sehe sie ja auch nicht oft. Sie ist ja immer in der Küche beschäftigt. Wie Mama.   *10*
VATER: Das ist auch der beste Platz für eine Frau.

SOHN: Aber Charly hat gesagt, seine Mutter hat gesagt, daß sie genug davon hat.
Und daß es Zeit wird, daß die Frauen den Männern einmal zeigen, daß sie auch ihren Mann stehen können!
Papa, was meint sie damit?
VATER: Womit?
SOHN: Na, daß Frauen ihren Mann stehen sollen – wenn sie doch Frauen sind?   *20*
VATER: Wahrscheinlich hat sie was von Emanzipation gehört.

SOHN: Und was heißt das?

VATER: Mein Gott, wie soll ich dir das erklären? Also, paß auf: Die Frauen wollen plötzlich gleichberechtigt sein – das heißt, sie wollen den Männern gleichgestellt sein.

SOHN: Und warum?

VATER: Sie fühlen sich unterdrückt.

SOHN: Ja, das hat Charly auch gesagt, daß seine Mutter gesagt hat, sie lasse sich nicht weiter unterdrücken von den Männern.

VATER: Na siehst du!

SOHN: Papa, aber warum unterdrücken die Männer Frauen?

VATER: Aber das tun sie doch gar nicht.

SOHN: Und warum sagt es dann Charlys Mutter?

VATER: Das versuche ich dir doch gerade zu erklären. Irgendeine Frau hat damit angefangen, sich unterdrückt zu fühlen, und nun glauben es die anderen auch und organisieren sich.

SOHN: Und was heißt organisieren? Klauen?

VATER: Mein Gott, nein, hör mir doch zu: sich organisieren heißt, sich zusammentun, eine Gruppe bilden, um sich stark zu fühlen.

SOHN: Und warum muß sich Charlys Mutter stark fühlen?

VATER: Das weiß ich doch nicht. Vielleicht will sie etwas erreichen bei Charlys Vater.

SOHN: Und das kann sie nur organisiert?

VATER: Sicher glaubt sie das. Sonst würde sie es ja nicht tun. Das darf man nicht so ernst nehmen.

SOHN: Warum nicht? Wenn es doch die Frauen ernst nehmen?

VATER: Aber das sind doch nur wenige. Gott sei Dank. Eine vernünftige Frau kommt überhaupt nicht auf eine solche Idee.

SOHN: Ist Mama vernünftig?

VATER: Aber sicher. Deine Mutter ist viel zu klug, um diesen Unsinn mitzumachen. Frag sie doch mal.

SOHN: Hab ich schon.

VATER: Na, und was hat sie gesagt?

SOHN: Daß sie das alles gar nicht so dumm findet.

VATER: So, hat sie das gesagt? Aber das ist doch etwas anderes.

SOHN: Weil Mama vernünftig ist?

VATER: Nein, herrgottnochmal, mußt du dich in deinem Alter mit solchen Fragen beschäftigen? Mama macht sich nur Gedanken darüber – allein, und ohne nun auf die Barrikaden zu gehen.

SOHN: Papa, was heißt: Barrikaden?

Der Vater ist erleichtert, weil er hofft, abgelenkt zu haben.

VATER: Auf die Barrikaden gehen heißt – naja, das ist so eine Redewendung, verstehst du, wenn man lauthals seine Meinung vertritt, ohne eine andere gelten zu lassen.

SOHN: Aber Charly hat gesagt, seine Mutter hat gesagt, daß hier die Frauen überhaupt keine Meinung haben dürfen.

VATER: Aber das ist doch Unsinn. Wir leben doch in einer Demokratie. Da kann jeder seine Meinung haben.

SOHN: Auch sagen?

VATER: Natürlich. In einer Demokratie hat man auch Redefreiheit.

SOHN: Und wir leben in einer Demokratie?

VATER: Das sag ich doch.

SOHN: Also können auch Frauen hier ihre Meinung sagen?

VATER: Ja. Worauf willst du jetzt wieder hinaus?

SOHN: Naja, wenn das so ist, daß auch Frauen ihre Meinung sagen können, und Charlys Mutter tut das, warum darf sie dann nicht arbeiten gehen?

VATER: Wie bitte? Was hat denn das damit zu tun?

SOHN: Charly hat gesagt, seine Mutter hat gesagt, daß sie gerne wieder arbeiten gehen möchte – und Charlys Vater hat es ihr verboten.

VATER: Das war auch richtig. Frauen gehören ins Haus, wenn sie verheiratet sind und Kinder haben.

SOHN: Also dürfen Frauen eine Meinung haben und sie auch sagen – aber sie dürfen es dann nicht tun?

VATER: Natürlich nicht. Wo kämen wir da hin, wenn jeder das täte, was er wollte?

SOHN: Also darf Mama auch nicht einfach tun, 115 wozu sie Lust hat?

VATER: Nein. Ich kann auch nicht immer tun, wozu ich Lust habe! Schließlich muß ich das Geld verdienen, um dich und Mama zu ernähren.

SOHN: Kann Mama sich nicht selbst ernähren?

120 VATER: Nicht so gut wie ich, weil Mama weniger verdienen würde, weil sie nicht einen Beruf gelernt hat wie ich. Deshalb verdiene ich das Geld, und Mama macht die Arbeit im Hause.

SOHN: Kriegt sie denn Geld dafür von dir?

125 VATER: Nein, natürlich nicht so direkt, indirekt aber doch.

SOHN: Und wenn sie was braucht, muß sie dich fragen.

VATER: Ja.

130 SOHN: Weil – wenn sie was kaufen will, braucht sie Geld.

VATER: Ja.

SOHN: Und wenn sie damit in ein Geschäft geht, kann sie auch etwas dafür verlangen.

135 VATER: Jaaa.

SOHN: Papa – hast du Mama auch gekauft?

Ingeburg Kanstein

Zum Text

A Vater und Sohn haben in ihrem Gespräch viele Themen erwähnt. Welche Themen der folgenden Liste wurden angesprochen und welche nicht?

Emanzipation, Gleichberechtigung, Gleichstellung, Menschenrechte, Gedankenfreiheit, Unterdrückung, Benachteiligung, Organisationen, Barrikaden, Gewalt, Demokratie, Redefreiheit, Bevormundung,[a] Rassismus, Solidarität, Antisemitismus, Gleichbehandlung, Engagement,[b] Eigeninitiative

[a]*patronage*   [b]*commitment*

B Das Gespräch. Was hat Charlys Mutter wirklich gesagt? Schreiben Sie in der direkten Rede.

MODELL: Charlys Mutter sagt, „Ich habe genug davon!"

C Die Rolle der Frau. Was ist die Meinung des Vaters im Text über die Rolle der Frau in der Familie und der Gesellschaft? Machen Sie eine Liste mit Zitaten, die seine Meinung am besten ausdrücken.

D Ein Dialog. Schreiben Sie einen Dialog zwischen Charlys Mutter und dem Vater. Lassen Sie die beiden Partner über Emanzipation, Gleichberechtigung in der Ehe, Gleichstellung und Meinungsfreiheit diskutieren.

Zur Interpretation

Was sagen der Vater und der Sohn und was meinen sie? Wie interpretieren Sie den Unterschied? Diskutieren Sie die folgenden Zeilen mit Ihren Mitschülern/Mitschülerinnen, und suchen Sie weitere Textbeispiele.

WORTSCHATZ ZUM LESEN

bisher	*up to now*
plötzlich	*suddenly*
klauen	*to steal*
vernünftig	*rational; reasonable*
der Unsinn	*craziness*
erleichtert	*relieved*
die Redewendung	*figure of speech*
lauthals	*at the top of one's voice*

FOKUS INTERNET

For more information on international students in Germany, visit the **Auf Deutsch!** Web Site at
www.mcdougallittell.com.

MODELL: SOHN: Charly hat gesagt, seine Mutter hat gesagt . . .
VATER: . . . hat die auch mal was zu sagen?

Interpretation: Der Sohn zitiert die Mutter seines Freundes. Der Vater impliziert, dass die Mutter sonst nicht viel sagt, oder dass sie nicht sehr intelligent ist.

SOHN: Ja, das hat Charly auch gesagt, dass seine Mutter gesagt hat, sie lasse sich nicht weiter unterdrücken von den Männern.
VATER: Na siehst du!
SOHN: Papa, aber warum unterdrücken die Männer Frauen?

INTERAKTION

● Eine Debatte. Arbeiten Sie in Gruppen. Stimmt die These unten, oder stimmt sie nicht? Die Hälfte der Gruppe sucht nach Argumenten, die die These stützen, die andere Hälfte sucht nach Argumenten dagegen. Diskutieren Sie anschließend alle gemeinsam die These mit Hilfe der gefundenen Pro- und Contra-Argumente.

Frauen sind gleichberechtigt. Das Thema Frauengleichberechtigung ist nicht mehr aktuell.

SCHREIBEN SIE!

Was denken sie wohl?

● Sehen Sie sich diese drei historischen Fotos an, die die Rollen und Aufgaben von Frauen in der Vergangenheit darstellen. Versetzen Sie sich in die Rolle von diesen Frauen. Lesen Sie ihre Gedanken: Was haben sie in diesen Situationen wohl gefühlt, gedacht und gesagt? Berichten Sie die Gedanken und Aussagen jeder dieser Frauen mit mindestens drei Sätzen in der indirekten Rede.

Purpose:	To report what someone else felt, said, or thought
Audience:	Students of history and gender studies
Subject:	Women of the past
Structure:	Photo captions

TIPP ZUM SCHREIBEN

Indirect discourse uses the subjunctive voice to report what others say or have said. Instead of making exact quotations, indirect discourse reports information in the third person, restating what the person or persons are saying or have already said. You may find it useful to review pages 122–125.

Schreibmodell

1

2

3

Subjective I is used to report what the woman is thinking.

The writer lets the reader know which woman he/she is referring to.

Here the writer reports what the woman asks herself. Subjunctive is used for such indirect questions.

Bild 1. Die Frau, die hinter der Tischlampe steht, denkt wohl, sie müsse jetzt einer anderen Frau helfen.

Bild 2. Sie überlegt wohl, sie habe so viele Kinder und zu wenig Hilfe im Haushalt.

Bild 3. Die vierte Frau von vorne links, die eine Brille trägt, fragt sich wohl, ob sie etwas vergessen habe.

Schreibstrategien

Vor dem Schreiben

- Think about the photos on page 133, considering the historical conditions and circumstances under which the women lived.

- Make a rough sketch of each photo on a blank sheet of paper. Number each sketch with the number of the photo.

- Working with a partner, label every object in the photos to the best of your ability. If it is helpful, invent names for the people.

- After labelling all objects and people, write below or next to each sketch verbs that describe the actions and activities depicted.

- Review the nouns and verbs you've used and think of additional descriptive words (adjectives or adverbs) that would provide more information. Write them down next to the appropriate noun or verb.

- Continuing to work with your partner, pretend each of you is the central person in each photo and that the time in the photo is the present. Together, generate as many present-tense first person "I" statements as you can for each photo. Write the sentences down.

Beim Schreiben

- Now working on your own, write at least three sentences in indirect discourse for each photo. You can report random, disconnected thoughts one by one, or you may write a short connected paragraph of continuing thoughts. Remember that you are reporting what you believe these women might have felt, thought, or said. Label the statements or paragraph for each photo with the number that appears next to the photo in the book.

- Check over what you have written. Be sure you have not written actual quotations, but rather indirect statements of what the women said in present or past subjunctive.

- Finally, write a suitable title for each photograph on your sketch.

Nach dem Schreiben

- Check over what you've written for accuracy and appropriateness. Trade statements or paragraphs with a classmate. Give your partner feedback on his/her statements.

Stimmt alles?

- Prepare a final draft of your titles and indirect statements, writing or typing them on a separate piece of paper. Be sure it is clear which statements go with which picture. Put the paper(s) with the statements together with your photo sketches and sentences.

- Be sure your name is on your work and hand it in.

Bild 1. Das Mädchen, daß vor dem Tisch auf dem Boden sitzt, denkt wohl, sie spielt lieber Klavier.

Bild 2. Sie sagt den Kinder, sie brauchte ihre Hilfe.

Bild 3. Die Frau, die rechts neben dem Mann sitzt, denkt wohl, sie macht diese Arbeit nicht gern.

WORTSCHATZ

Substantive	Nouns
die **Emanzipation**	emancipation
die **Frauenbewegung, -en**	women's movement
die **Gedankenfreiheit**	freedom of thought
die **Kinderkrippe, -n**	daycare center
die **Minderheit, -en**	minority
die **Redefreiheit**	freedom of speech
die **Reihe, -n**	row; series
der **Richter, -** / die **Richterin, -nen**	judge
die **Schwierigkeit, -en**	difficulty
der/die **Abgeordnete** (*decl. adj.*)	delegate; member of parliament
der/die **Angeklagte** (*decl. adj.*)	defendant
der **Beitrag, ⸚e**	contribution
der **Hintergrund, ⸚e**	background
das **Menschenrecht, -e**	human right
das **Wahlrecht**	right to vote, suffrage

Verben	Verbs
behandeln	to treat
behüten	to protect
benachteiligen	to place at a disadvantage
beschimpfen	to insult
beschuldigen	to accuse
besitzen, besaß, besessen	to possess, own
betrachten	to consider; regard
betreuen	to look after

emanzipieren	to emancipate
erreichen	to reach
gelten lassen (lässt gelten), ließ gelten, gelten lassen	to approve of something; to agree
gestatten	to allow
kämpfen	to struggle; to fight
sich kümmern um	to concern oneself with
leiten	to lead
lösen	to loosen
sich organisieren	to organize oneself
unterdrücken	to suppress
wollen: auf etwas hinaus wollen	to imply something; to have a certain goal

Adjektive und Adverbien	Adjectives and adverbs
allein erziehend	single parenting
anfangs	at first
gleichberechtigt sein	to have equal rights
gleichgestellt sein	to be at an equal level
jedenfalls	in any case
obwohl	although

Sie wissen schon	You already know
die **Gleichberechtigung**	equality

VIDEOTHEK

A Studium, Arbeit, Gleichberechtigung. Können Sie sich erinnern, wer was sagt?

a. Stefan

b. Erika

c. Gürkan

d. Julia

e. Guy

f. Anja

1. „Obwohl die Frauenbewegung viel erreicht hat, ist diese Forderung noch nicht Wirklichkeit geworden."
2. „Merkwürdig ist, dass man hier beim Essen nur mit Menschen redet, die man kennt."
3. „Jeden Morgen fahre ich mit dem Auto in mein Atelier und male den ganzen Tag lang."
4. „Viele meiner Verwandten sind arbeitslos und sie haben ihre Arbeit verloren, nachdem die Mauer gefallen ist."
5. „Also Frauen, die sind einfach süß für mich. Das ist der Mittelpunkt von eigentlich allen Männern."
6. „Besonders in der Schweiz sind die Leute alarmiert. Die Schweizer haben die Tendenz, alles zu übertreiben."

B Geschichte einer Universität. Was wissen Sie über Heidelberg?

1. In welchem Jahrhundert wurde die Universität Heidelberg gegründet?
2. An welchem Fluss ist die Stadt Heidelberg zu finden?
3. Können Sie einige berühmte Leute nennen, die in Heidelberg gelehrt haben?
4. Was hat Robert Bunsen erfunden?
5. In den sechziger Jahren gab es viele Proteste in Heidelberg. Stichworte waren „demokratisieren", „Modernisierung" und „Reform". Denken Sie an diese Stichworte und erklären Sie, warum sie sehr wichtig für die Universitäten und die Gesellschaft in Deutschland waren.

Die Universitätsstadt Heidelberg.

C Ein Student aus Kamerun. Erinnern Sie sich an die Geschichte von Guy und sein Studium in Aachen. Ergänzen Sie die Fragen.

1. Guy isst in der Mensa, weil . . .
2. Guy studiert . . .
3. Aachen ist anders als die Städte in Kamerun, weil . . .
4. Guy ist glücklich in Deutschland, weil . . .
5. Guy vermisst das Leben in Kamerun, weil . . .

Guy mit Robert in der Mensa.

D Hilfe für Arbeitslose

SCHRITT 1: Wer ist Monika Schneider? Sie haben Monika schon kennen gelernt. Was wissen Sie noch über sie?

1. Was macht Monika beruflich?
2. Was macht sie an einem typischen Tag?
3. Warum sitzt sie nicht den ganzen Tag in ihrem Büro?

SCHRITT 2: Anzeigen. Wer braucht Hilfe?

1. Herr Kloos sucht eine Apothekenhelferin. Schreiben Sie eine Anzeige für eine Apothekenhelferin.
2. Herr Lebendig sucht einen Groß- und Außenhandelskaufmann. Schreiben Sie eine Anzeige für einen Groß- und Außenhandelskaufmann.

Monika fährt mit der Straßenbahn zur Arbeit.

VOKABELN

A Definitionen. Welche Definition passt zu welchem Ausdruck?

1. die Erfahrung
2. der Kreis
3. der Begriff
4. umwechseln
5. sich befinden
6. sich gewöhnen an
7. allmählich
8. merkwürdig
9. gemeinsam

a. ungewöhnlich
b. eine Idee oder ein Ausdruck
c. ändern
d. ein Erlebnis, eine Kenntnis
e. eine Gruppe von Personen, die ähnliche Ziele haben
f. an einer Stelle oder einem Ort sein
g. zusammen
h. etwas nicht mehr als fremd oder unheimlich betrachten
i. schrittweise

B Was passt? Ergänzen Sie die Sätze mit den richtigen Formen der Wörter im Kasten.

die Entwicklung überlegen zwingen gering der Termin unentbehrlich selbstständig bestimmen die Fähigkeit

1. Studenten, die im Studentenwohnheim wohnen, fühlen sich öfter _____ als die Studenten, die immer noch bei den Eltern leben.
2. Nachdem Monika Schneider eine Arbeitsstelle gefunden hat, ruft sie den Arbeitssuchenden an, um einen _____ zu machen.
3. Susanne _____, ob sie in den USA oder England studieren soll.
4. Die sozialen _____ haben es möglich gemacht, dass junge Leute jetzt zwischen verschiedenen Lebensstilen wählen können.
5. Eine gute Ausbildung ist für den heutigen Arbeitsmarkt _____.
6. Arbeitssuchende müssen heute verschiedene Talente und _____ haben.
7. Frauen im neunzehnten Jahrhundert wurden _____, zu Hause zu bleiben und sich um die Kinder zu kümmern.
8. Die Zahl der Frauen in leitenden Positionen bleibt immer noch _____.
9. Vor 1900 hatten Arbeiter fast keine Möglichkeit, ihre Arbeitsbedingungen zu _____.

C Partnerarbeit. Führen Sie die folgenden Meinungen zum Thema „Gleichberechtigung" weiter. Die Wörter im Kasten stehen Ihnen zur Verfügung.

JULIA: „Für mich ist heute vieles selbstverständlich, was früher nicht selbstverständlich war, also zum Beispiel überhaupt nicht für meine Urgroßmutter, für meine Oma nicht und für meine Mutter auch noch nicht."

SUSANNE: „Ja, ich glaube, für meine Mutter war es damals schwieriger. Noch schwieriger als für die Frauen heute, denn das sollte nicht heißen, dass es jetzt für die Frauen wahnsinnig toll ist und gleichberechtigt heutzutage, ist es immer noch nicht so."

CHRISTA PIPER: „Natürlich kann ich nicht alle Probleme lösen. Es geht darum, bessere Rahmenbedingungen für Frauen herzustellen. Dazu brauchen wir die Gemeinsamkeit und Solidarität von Frauen und Männern."

---

die Emanzipation   der Beitrag   benachteiligen

betreuen   kämpfen

das Menschenrecht   die Frauenbewegung

die Schwierigkeit   alleinerziehend

behandeln   unterdrücken

gleichgestellt

STRUKTUREN

A Mark hat viele Wünsche. Ergänzen Sie seine Wunschsätze mit den Verben in Klammern. Benutzen Sie den Konjunktiv.

1. Wenn ich nur reich _____! (sein)
2. Wenn ich nur in Heidelberg studieren _____! (können)
3. Wenn ich nur mehr Zeit _____! (haben)
4. Wenn meine Eltern mir nur mehr Freizeit _____! (lassen)
5. Wenn wir nur nicht jeden Sommer nach Österreich _____! (fahren)
6. Wenn mein Vater mir nur mehr Taschengeld _____! (geben)

B Susanne spricht mit ihren Freunden und träumt von einer Reise nach Spanien. Gebrauchen Sie **wenn** und die **würde**-Konstruktion, um neue Sätze zu bilden.

MODELL: Wir haben eine Woche frei. Wir machen die Reise. →
Wenn wir eine Woche frei hätten, würden wir die Reise machen.

1. Du hast genug Geld. Du kaufst dir eine Flugkarte.
2. Ich habe genug Geld. Ich übernachte in einem teuren Hotel.
3. Das Wetter ist schön. Wir fahren an die Küste.
4. Ihr habt genug Energie. Ihr macht lange Wanderungen mit mir.
5. Meine Freunde können Spanisch. Sie werden viele neue Freunde finden.

Ein Gespräch mit Herrn Weinart.

C Beim Vorstellungsgespräch. Frau Schneider hat zwei neue Stellen für Herrn Weinart gefunden. Er möchte die beiden Stellen vergleichen. Bilden Sie Fragen mit dem Komparativ.

MODELL: FRAU SCHNEIDER: Beide Firmen sind ziemlich groß. →
HERR WEINART: Welche Firma ist größer?

1. Der Lohn ist hoch.
2. Die Stelle ist gut.
3. Der Arbeitsplatz ist sicher.
4. Die Arbeitszeit ist kurz.
5. Die Arbeit ist anstrengend.
6. In dieser Firma gibt es gute Aufstiegsmöglichkeiten.

D Reisebericht. Sie sind gerade von einer Reise nach Deutschland zurückgekommen. Sagen Sie, wo alles am schönsten oder am besten war.

MODELL: Die Läden in München waren teuer. →
In München waren die Läden am teuersten.

1. Das Wetter in Konstanz war schön.
2. Die Hotels in Halle waren billig.
3. Die Menschen in Berlin waren freundlich.
4. Die Nächte in Hamburg waren kalt.
5. Die Berge in Bayern waren hoch.
6. Das Bier in Düsseldorf war gut.
7. Die Menschen in Köln redeten schnell.
8. Ich wohne gern hier.

E In der Frauenbuchhandlung. Claudia und Michael verbringen den Nachmittag in der Buchhandlung. Michael muss jetzt nach Hause gehen. Setzen Sie das Gespräch zwischen Michael und Claudia in die indirekte Rede.

MODELL: Claudia sagte, „Ich habe viel Zeit zu lesen." →
Claudia sagte, sie habe viel Zeit zu lesen.

1. Michael sagte, „Ich gehe nach Hause."
   Michael sagte, _____.
2. Er fragte Claudia, „Kommst du mit?"
   Er fragte Claudia, ob _____.
3. Claudia antwortete, „Ich will mein Buch
   zu Ende lesen."
   Claudia antwortete, _____.

4. Michael fragte sie, „Was für ein Buch
   liest du?"
   Michael fragte sie, _____.
5. Claudia sagte, „Das Buch heißt „Das andere
   Geschlecht" und ist sehr interessant."
   Claudia sagte, _____.

PERSPEKTIVEN

A Sie lesen jetzt eine Kurzgeschichte von Franz Josef Bogner. Wovon
handelt wohl die Geschichte? Welche Jahreszeit ist es? Sehen Sie sich
dann das Bild an, und schreiben Sie eine kleine Geschichte über diese
Szene.

WORTSCHATZ ZUM LESEN

das Vertrauen	trust
das Sparkonto	savings account
die Weisheit	wisdom
der Vorrat	reserve; provision
aufzehren	to eat up
umkommen	to perish
verdauen	to digest
der Umkreis	surroundings
knabbern	to nibble

Es war einmal eine Maus, die hatte volles Vertrauen zu der
Wirtschaftspolitik ihres Landes und ein Sparkonto bei der Mäusebau- und
Bodenbank. Außerdem hatte ihre Großmutter – eine Frau, die mit vier
Beinen im Leben gestanden – ihr die alte Weisheit mit auf den Weg
5 gegeben – „Spare in der Zeit, so hast du nach dem Tod!"
   Einmal folgte einem verregneten Sommer ein langer, strenger Winter,
die ältesten Mäuse erinnerten sich nicht, jemals einen solch strengen
Winter erlebt zu haben (die ältesten Mäuse sind so furchtbar
alt nun auch wieder nicht, dafür aber sehr vergesslich). Die
10 Vorräte waren bald aufgezehrt, über die Mäusetiere brach
eine schreckliche Hungersnot herein und viele kamen um.
   Doch: in der Not frisst halt die Maus Papier auch ohne
Butterbrot! Und als sie eben den allerletzten Schnippel des
Sparbuchs verdaut hatte – da hielt der Lenz seinen Einzug mit
15 warmen Sonnenstrahlen und grünen Grasspitzen, und
Mäusenahrung lag auf allen Straßen. Die kluge Maus aber
war in weitem Umkreis die einzige, die diesen Winter überlebt
hatte.
   Wer spart, hat in der Not auch was zu knabbern.

Franz Josef Bogner

Die kluge Maus.

B Eine tüchtige Maus. Sind Sie auch so? Sparen Sie, oder
geben Sie Ihr ganzes Geld aus? Haben Sie ein Sparkonto? Warum
spart man Geld? Machen Sie eine Liste von den Gründen. Hier sind
einige Vorschläge.

1. für das Studium
2. um sich ein Auto zu kaufen
3. damit man den Ruhestand genießen kann

FREIZEIT

Szene aus einem Kleingarten von früher.

In diesem Kapitel

- erfahren Sie, wie Deutsche früher ihre Freizeit verbrachten.
- erfahren Sie, was junge Deutsche von heute in ihrer Freizeit machen.
- diskutieren Sie die Vor- und Nachteile organisierter Freizeitaktivitäten.

Sie werden auch

- den Gebrauch der Modalverben wiederholen.
- lernen, wie man Verbindungen mit **da-** und **wo-** benutzt.
- eine Geschichte über einen schlauen Kater lesen.
- einen Werbespot für das Radio schreiben.

Winterspaß.
Jugendliche bei einem
Spaziergang im
Schnee.

Viele Berliner verbringen gern ihre
Freizeit in einer Laubenkolonie.

VIDEOTHEK

In diesem Kapitel sehen Sie, wie sich die Idee von „Freizeit" entwickelt hat. Was heißt für Sie Freizeit? Machen Sie eine Liste von Wörtern, die Sie mit dem Begriff „Freizeit" assoziieren.

I: Ein grünes Hobby

In dieser Folge sehen Sie eine kurze Geschichte über die Stadt Berlin und ihre Einwohner, die ein kleines Stück Natur in der wachsenden Metropole suchten.

A Freizeit damals und jetzt. Was passt? Welcher Satz beschreibt welches Bild?

In den Kleingärten gab es Platz für Kinderspiele.

a.

b.

c.

d.

e.

f.

WORTSCHATZ ZUM VIDEO

eingereicht	*submitted*
der Verleger	*publisher*
die Laubenkolonie	*garden colony*
der Malkurs	*painting class*
erschwinglich	*affordable*
der Grad	*grade; degree*
stur	*stubborn*

1. „Ob im Westen oder im Osten, die Berliner pflegten weiterhin ihre kleinen Gärten."
2. „Die Kinder mussten zwischen den Gebäuden in den Höfen spielen."
3. „Schon damals war es vor allem für Kinder ungesund und gefährlich, in der Stadt zu wohnen."
4. „Berlin in den zwanziger Jahren – eine Weltstadt mit vielen Menschen und viel Verkehr."
5. „Was braucht der Berliner, . . . ? Einen kleinen Garten mit einer Laube mitten in der Stadt."
6. „Der Kleingarten gab den Arbeiterfamilien damals ein kleines Stück Natur und Erholung mitten in der Stadt."

B Persönliche Meinungen. Wer sagt das, Klaus, Daniela, Bob, Dirk, Susanne oder Grace?

1. „Je mehr Feiertage, desto besser."
2. „Ich sitze gern am Computer und surfe im Internet."
3. „In meiner Freizeit versuche ich vor allem rauszukommen aus dem Haus."
4. „Mein Hauptinteresse ist die Musik."
5. „Ich interessiere mich sehr für Theater und Museen."
6. „Besonders im Sommer gehen wir gern am See grillen."

II: Weiterbilden in der Freizeit

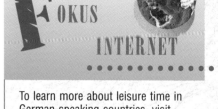

To learn more about leisure time in German-speaking countries, visit the **Auf Deutsch!** Web Site at www.mcdougallittell.com.

In dieser Folge erfahren Sie, dass Freizeit nicht immer faulenzen sein muss. Viele benutzen ihre Freizeit, um etwas Neues zu lernen. Was könnte man in der Freizeit lernen? Wo kann man das machen?

A Volkshochschule in Potsdam. Beantworten Sie die Fragen.

1. Was für Kurse gab es an der Volkshochschule zu DDR-Zeiten? Welche gibt es heute? Warum? Was meinen Sie?
2. Unter den Teilnehmern sind meistens mehr Frauen als Männer. Das gilt vor allem für kreative Kurse wie den Malkurs. Warum belegen mehr Frauen als Männer diese Kurse? Was meinen Sie? Welche Kurse möchten Männer Ihrer Meinung nach belegen?

B Beliebte Kurse. Die folgenden Kurse sind einige der beliebtesten, die an der Volkshochschule angeboten werden. Warum ist das so? Was sagen die Teilnehmer über die Kurse? Welcher Kurs interessiert Sie besonders? Warum?

Frau Vogtländer, Leiterin der Potsdamer Volkshochschule.

1. Malen   2. Fremdsprachen lernen   3. Informatik

C Freizeitaktivitäten

SCHRITT 1: Was sagen Daniela und Stefan zum Thema „organisierte Freizeitaktivitäten"? Mit welcher Meinung stimmen Sie überein? Warum?

DANIELA: Ich bin für organisierte Freizeitaktivitäten zu einem bestimmten Grad. Wenn es nicht zu organisiert ist.

STEFAN: Ich bin völlig gegen organisierte Freizeitaktivitäten. Ich finde, das ist sehr unoriginell, und die Leute sind ein bisschen blöd und stur.

SCHRITT 2: Welche Sportarten sind „organisiert"? Diskutieren Sie die Vor- und Nachteile organisierter Freizeitaktivitäten. Warum treibt man solche Sportarten?

Teilnehmer an einem Malkurs in Potsdam.

VOKABELN

die Anregung	*stimulation*
die Erholung	*rest; recuperation*
die Gartenarbeit	*gardening*
der Hof	*yard; courtyard*
der Kleingarten	*small garden*
der Nachweis	*proof*
das Gefühl	*feeling*
das Hobby	*hobby*
an•fassen	*to touch; to grasp*
an•regen	*to stimulate*
bedenken	*to consider*
bummeln	*to stroll; to idle*
sich entspannen	*to relax*
sich langweilen	*to be bored*
pflegen	*to look after*
teilen	*to divide; to share*
weiter•bilden	*to continue one's education*
draußen	*outside*
hauptsächlich	*primarily*
im Freien	*in the open air; outdoors*

Viele Jugendliche engagieren sich sehr für Sport.

preisgünstig	*fairly priced*
unersetzlich	*irreplaceable*

Sie wissen schon

die Freizeit, der Feiertag, anfangen, belegen, gefallen, sich interessieren für, unternehmen, verbringen

---

bummeln

Erholung

Gefühl

belegen

entspannen

Hobby

Feiertagen

interessieren

Aktivitäten

A Wie stellt man sich die Freizeit vor? Ergänzen Sie die Sätze mit den Wörtern im Kasten.

1. An großen _____[1] hat man oft Familie zu Besuch, oder man geht in die Kirche. Viele finden diese Zeiten des Jahres besonders anstrengend. Für solche Leute bedeutet Ostern oder Chanukka keine _____,[2] sondern Stress und Mühe. Sie bekommen immer das _____,[3] dass sie an diesen Tagen einfach zu viel zu tun haben. Nur wenn die Gäste nach Hause gegangen sind, kann sich der Gastgeber / die Gastgeberin endlich _____.[4]

2. In der Freizeit kann man mehr machen, als einfach zu Hause sitzen oder in der Stadt _____.[5] Die Volkshochschule hat ein weites Angebot von Kursen, die man in der Freizeit _____[6] kann. Man kann zum Beispiel Spanisch lernen oder lernen, wie man mit einem Computer umgeht. Töpfern ist ein _____,[7] das immer

beliebter wird. Wenn Sie sich für solche Beschäftigungen _____,[8] und Ihre Mitmenschen kennen lernen möchten, sollten Sie sich unbedingt bei der Volkshochschule anmelden.

B Definitionen. Lesen Sie die Sätze links, und suchen Sie dann aus der rechten Spalte die passenden Definitionen für die kursiv gedruckten Wörter.

1. In meiner Freizeit *beschäftige* ich *mich* im Wesentlichen mit Musik.
2. Meine Freizeit ist sehr *unterschiedlich*.
3. Die Kinder mussten zwischen den Gebäuden und in den *Höfen* spielen.
4. Der *Kleingarten* hat gerade in Berlin eine lange Tradition.
5. Der Kleingarten gab den Arbeiterfamilien ein kleines Stück Natur und *Erholung* mitten in der Stadt.
6. Nach dem Zweiten Weltkrieg war Berlin eine *geteilte* Stadt.
7. Die haben Spaß daran und können *sich* richtig *entspannen*.
8. Die Volkshochschule kann ihre Kurse recht *preisgünstig* anbieten
9. Ich denke, dass es ganz gut ist, eine Prüfung hier abzulegen und dann den *Nachweis* zu haben, dass man mit so einem Gerät umgehen kann.

a. eine Chance, wieder gesund zu werden
b. nicht teuer, billig
c. sich auf etwas konzentrieren
d. kleiner Garten in der Stadt
e. etwas zu zeigen, wie eine Note oder ein Zertifikat
f. Platz, der von Mauern, Zäunen oder Gebäuden umgeben ist
g. in zwei Teilen zerlegt
h. nicht gleich, verschieden
i. relaxen

C Freizeit und Arbeit

SCHRITT 1: Kann man eigentlich Freizeit und Arbeit verbinden? Lesen Sie die folgenden Meinungen.

SUSANNE: Ja, also erstmal zum Thema Gartenarbeit. Die mag ich überhaupt nicht, obwohl wir eigentlich einen schönen großen Garten haben, mit vielen Bäumen und all so was, und vielen Blumen, und meine Eltern machen das eher.

DIRK: In meiner Freizeit versuche ich vor allem rauszukommen aus dem Haus weg oder von der Schularbeit, dass ich dann einfach mal rauskomme, dass ich dann in die Stadt gehe, ein bisschen rumbummeln und in die Geschäfte gehen, ein bisschen einkaufen, so was.

ERIKA: Die Freizeit ist etwas schwierig, wenn man ein Künstler ist. Man hat immer das Gefühl, heute habe ich nicht genug gearbeitet. Man hat nie das Gefühl, jetzt ist es fünf Uhr, die Arbeitszeit ist vorbei, jetzt fängt der Abend an. Ich mache gerne, was ich mache, und darum ist die Freizeit nicht so ein Problem.

Dirk.

SCHRITT 2: Was meinen Sie? Arbeiten Sie mit einem Partner / einer Partnerin, und diskutieren Sie über die folgenden Fragen.

1. Wer versucht, sich in der Freizeit eher zu entspannen, und nicht zu arbeiten?
2. Wer findet, dass Arbeit auch Spass machen kann?
3. Was ist für Sie der Unterschied zwischen Arbeit und Freizeit?
4. Wie kann man Arbeit und Freizeit verbinden?

STRUKTUREN

REVIEW OF MODAL VERBS I
EXPRESSING ABILITIES, LIKES, INTENTIONS, AND DESIRES

As you know, modal verbs describe different attitudes with regard to activities, states, or conditions; and they commonly occur in both the present and simple past tenses.

Können expresses knowledge or ability.

Sabine **kann** sehr gut Englisch.	*Sabine knows English very well.*
Alle Kinder **konnten** Fußball **spielen.**	*All children could (were able to) play soccer.*

Mögen expresses liking. The indicative forms of this verb usually occur without a main verb and refer to people or things rather than to activities. You are already familiar with the subjunctive form **möchte,** which commonly expresses likes and dislikes with regard to activities.

Stefan **mag** das Gemälde nicht.	*Stefan doesn't like the painting.*
Ich **möchte** gern den ganzen Tag **malen.**	*I would really like to paint the entire day.*

Sollen expresses intention or obligation.

Die Maschine **soll** in einigen Minuten **ankommen.**	*The plane is supposed to arrive in a few minutes.*
Wir **sollten** eine längere Reise **machen.**	*We should (were supposed to) take a longer trip.*

Note the two different meanings of the second sentence. Because the past-tense and Subjunctive II forms of **sollen** are the same, the broader context in which this sentence appears would determine its meaning.

Wollen expresses intention, wish, or desire.

Viele **wollen** Deutsch **lernen.**	*Many people want to learn German.*
Ich **wollte** nicht im Garten **arbeiten.**	*I wouldn't (didn't) want to work in the garden.*

Just as with **sollen, wollen** has identical forms in the simple past and Subjuntive II.

The present-tense forms of these four modal verbs are as follows.

INFINITIVE:	können	mögen	sollen	wollen
SINGULAR				
ich	kann	mag	soll	will
du	kannst	magst	sollst	willst
Sie	können	mögen	sollen	wollen
sie/er/es	kann	mag	soll	will
PLURAL				
wir	können	mögen	sollen	wollen
ihr	könnt	mögt	sollt	wollt
Sie	können	mögen	sollen	wollen
sie	können	mögen	sollen	wollen

The simple past-tense forms for these four verbs are as follows. Note that **können** and **mögen** drop the umlaut, and **mögen** also has a stem change.

INFINITIVE:	können	mögen	sollen	wollen
SINGULAR				
ich	konnte	mochte	sollte	wollte
du	konntest	mochtest	solltest	wolltest
Sie	konnten	mochten	sollten	wollten
sie/er/es	konnte	mochte	sollte	wollte
PLURAL				
wir	konnten	mochten	sollten	wollten
ihr	konntet	mochtet	solltet	wolltet
Sie	konnten	mochten	sollten	wollten
sie	konnten	mochten	sollten	wollten

KURZ NOTIERT

As the examples point out, the Subjunctive II forms of **sollen** and **wollen** are identical to the simple past-tense forms. However, remember to distinguish between the Subjunctive II forms of **können** that retain the umlaut (**könnte**) and the simple-past forms that drop the umlaut (**konnte**).

Du **könntest** ihm wenigstens helfen.
You could at least help him.
Du **konntest** ihm nicht helfen.
You weren't able to help him.

Übungen

A Weiterbilden. Ergänzen Sie die Sätze mit den richtigen Formen der Modalverben im Präsens oder im Imperfekt.[a]

1. An der Volkshochschule _____ man unterschiedliche Kurse belegen. (können)
2. Für Erwachsene, die ein neues Hobby lernen _____, sind solche Kurse geeignet. (wollen)
3. Der Malkurs _____ besonders interessant sein. (sollen)
4. Früher _____ man an der Volkshochschule nur Maschinenschreiben oder Fremdsprachen lernen. (können)
5. Damals _____ die Teilnehmer nur traditionelle Fächer lernen. (mögen)
6. Die Teilnehmer _____ selber entscheiden, welche Kurse wichtig sind. (sollen)

[a]*simple past tense*

B Gartenarbeit bei Familie Dyrchs. Susannes Mutter braucht Hilfe im Garten. Ergänzen Sie die Sätze.

FRAU DYRCHS: Ich _____[1] nicht alles im Garten allein machen.

SUSANNE: Aber, Mutti, du weißt doch, ich _____[2] nicht im Garten arbeiten.

FRAU DYRCHS: Eine Tochter _____[3] ihren Eltern helfen, wenn sie sonst nichts zu tun hat. Mach dir keine Sorgen – die Arbeit geht schnell.

SUSANNE: Früher _____[4] wir Kinder euch im Garten helfen, aber wir haben es zu stressig gefunden.

FRAU DYRCHS: _____[5] ihr also jetzt nur faulenzen am Wochenende? Oder gibt es eine andere Beschäftigung, die du lieber _____[6]?

SUSANNE: Ich habe total vergessen! Ich _____[7] heute mit Sabine ins Kino gehen! Tschüss!

Susanne.

C Talente und Pläne

SCHRITT 1: Was können Sie schon sehr gut machen? Was wollen Sie noch lernen? Was sollen Sie noch lernen, um bessere Berufschancen zu haben? Machen Sie drei Listen.

WAS ICH GUT KANN	WAS ICH LERNEN WILL	WAS ICH LERNEN SOLL
malen	töpfern	Informatik
Deutsch sprechen	musizieren	Mathe

SCHRITT 2: Finden Sie jetzt einen Partner / eine Partnerin, und fragen Sie einander, welche Talente und Pläne Sie haben.

REVIEW OF MODAL VERBS II
EXPRESSING PERMISSION OR OBLIGATION

You have just reviewed four modal verbs: **können, mögen, sollen,** and **wollen;** the two others are **dürfen** and **müssen. Dürfen** expresses permission to do something.

Das Kind **darf** im Hof **spielen.**	*The child is allowed to play in the courtyard.*

In the present tense, the negated form of **dürfen** is often equivalent to English *must not* in the sense of *not allowed/permitted.*

Das Kind **darf nicht** im Hof **spielen.**	*The child must not play in the courtyard.*

Müssen expresses obligation. In positive sentences, **müssen** is equivalent to English *must* or *to have to.*

Wir **mussten** früh nach Hause **kommen.**	*We had to come home early.*

However, **müssen nicht** only means *not to have to.*

Er **muss** morgen **nicht arbeiten.**	*He doesn't have to work tomorrow.*

The present- and simple past-tense forms of **dürfen** and **müssen** are as follows.

	PRESENT TENSE			SIMPLE PAST TENSE	
	SINGULAR				
ich	darf	muss		durfte	musste
du	darfst	musst		durftest	musstest
Sie	dürfen	müssen		durften	mussten
sie/er/es	darf	muss		durfte	musste
	PLURAL				
wir	dürfen	müssen		durften	mussten
ihr	dürft	müsst		durftet	musstet
Sie	dürfen	müssen		durften	mussten
sie	dürfen	müssen		durften	mussten

Notice that both **müssen** and **dürfen** drop the umlaut in all forms of the past tense.

SPRACHSPIEGEL

In German, the distinction between the modal verbs **können** and **dürfen** is greater than that between the English verbs *can* and *may*. Whereas many English speakers ask *can I?* when seeking permission, as opposed to the more correct *may I?*, German speakers usually ask **darf ich?** or the more polite subjunctive form **dürfte ich?**.

KURZ NOTIERT

Modal verbs often occur without a main verb, when motion or a sense of direction is clear.

Ich **muss** ins Fitness-Center.
I have to go to the gym.
Wir **müssen** los!
We have to go!

Berlin im neunzehnten Jahrhundert.

SPRACHSPIEGEL

English once used the words *there* and *where* in a similar manner. This is still true in legal language, in phrases such as *in witness thereof* and in words such as *thereto*, *therefore*, and *whereof*. In the Shakespearean exclamation, *wherefore art thou, Romeo?*, Juliet is not asking for her lover's location, but rather *why* (*for what reason*) he is who he is.

Übungen

A Schüler in Europa und Nordamerika. Ergänzen Sie die Sätze mit den richtigen Formen der Modalverben im Präsens.

1. Dirk _____ seine Hausaufgaben machen. (müssen)
2. Er _____ nicht in die Stadt gehen und bummeln. (dürfen)
3. _____ Schüler in Nordamerika zu Hause zu Mittag essen? (dürfen)
4. In Deutschland _____ Schüler auch am Samstag in die Schule gehen. (müssen)
5. _____ ihr auch so viel Schularbeit machen? (müssen)
6. Im Gymnasium _____ man zwischen verschiedenen Fächern wählen. (dürfen)

B Arbeiter in Berlin. Ergänzen Sie die Sätze mit den richtigen Formen der Modalverben **müssen** und **dürfen** im Imperfekt.

Vor hundert Jahren war Berlin eine große Arbeiterstadt. Viele Menschen, die früher auf dem Land lebten, _____[1] jetzt in Fabriken arbeiten. Die Familien wohnten in kleinen, dunklen Arbeiterwohnungen. Kinder _____[2] zwischen den Gebäuden in den Höfen spielen. Natürlich _____[3] sie nicht in den Straßen spielen. Während der Industrialisierung _____[4] Arbeiter viele Stunden in den Fabriken verbringen. Sie _____[5] keinen richtigen Urlaub machen. Deshalb gab der Kleingarten den Arbeiterfamilien ein Stück Natur und Erholung mitten in der Stadt. Erst um die Jahrhundertwende _____[6] man nicht immer auf der Arbeit sein, wie früher.

DA- AND WO-COMPOUNDS
REFERRING TO THINGS AND IDEAS

In German, nouns generally follow prepositions. A personal pronoun also follows a preposition if that pronoun refers to a person or other being.

Ich denke oft an unsere Freunde.	*I often think about our friends.*
Denkst du auch **an sie**?	*Do you think about them, too?*

Personal pronouns do not follow prepositions when the pronoun refers to a thing or an idea. Instead, a **da**-compound replaces the combination of preposition and pronoun.

Ich interessiere mich sehr für Museen.	*I'm very interested in museums.*
Interessiert ihr euch auch **dafür**?	*Are you also interested in them?*

When the preposition begins with a vowel, **da-** becomes **dar-**.

Ich denke oft an die Zukunft.	*I often think about the future.*
Meine Freunde denken auch **daran.**	*My friends think about it, too.*

In questions, **wo-**compounds replace the combination of preposition plus **was**. When the preposition begins with a vowel, **wo-** becomes **wor-**.

Sie denkt an ihren Urlaub.	*She's thinking about her vacation.*
Woran denkt sie?	*What is she thinking about?*

Wo-compounds occur in indirect questions in the same way.

Wovon spricht er?	*What is he speaking of?*
Ich weiß nicht, **wovon** er spricht.	*I don't know what he's speaking of.*

Übungen

A Lieblingsinteressen. Die Leute im Video erzählen, was sie gerne in der Freizeit machen. Ergänzen Sie die Sätze mit **da**-Verbindungen.

darauf
davon
damit
dafür
daran

KLAUS:	Mein Hauptinteresse ist die Musik. In meiner Freizeit beschäftige ich mich oft _____.[1]
DER PROFESSOR:	Theater und Museen machen sehr viel Spaß. Ich interessiere mich sehr _____.[2]
FRAU VOGTLÄNDER:	Obwohl unser Malkurs sehr beliebt ist, habe ich persönlich noch nicht _____[3] teilgenommen.
SUSANNE:	Für mich ist es wichtig, andere Sprachen und Kulturen kennen zu lernen. Ich lege viel Wert _____.[4]
KURSTEILNEHMERIN:	Vor meinem Kurs wusste ich nicht viel von Computern und solchen Geräten, aber jetzt weiß ich ziemlich viel _____.[5]

B Freizeit und Urlaub. Stellen Sie Fragen mit Personalpronomen oder mit **wo**-Verbindungen.

MODELL: Dirk denkt an seine Freunde in Spanien. →
An wen denkt er?

1. Claudia denkt an ihre Freundin Bärbel.
2. Bärbel denkt an ihre Sommerferien.
3. Stefan interessiert sich für Musik.
4. Susanne geht gern mit ihrer Schwester Sabine aus.
5. Daniela beschäftigt sich mit Computern.
6. Stefan trifft sich gern mit seinen Freunden.
7. Grace freut sich auf die Schulferien.
8. Grace wartet auf ihre Freunde.

Klaus.

PERSPEKTIVEN

HÖREN SIE ZU!
FRAGEN SIE PROFESSOR CATO!

Die live gesendete Radiosendung „Fragen Sie Professor Cato!" erfreut sich immer größerer Beliebtheit. Hier hören Sie Auszüge interessanter Fragen und Antworten.

Bei einer deutschen Radiosendung.

WORTSCHATZ ZUM HÖRTEXT

vierbeinig	four-legged
die Katze	cat
abgewöhnen	to cure someone of something
die Ursache	cause
die Aufmerksamkeit	attention
stubenrein	housebroken
das muss ich mir verbitten	I won't put up with that
bezüglich	in reference to
die Raststätte	rest area
die Leine	leash
Felidae	cat (scientific term)

TIPP ZUM HÖREN

In der Radiosendung hören Sie das folgende Sprichwort: „Was Hänschen nicht lernt, lernt Hans nimmermehr." Was ist der Unterschied zwischen Hänschen und Hans? Was bedeutet das Sprichwort? Was sagt es Ihrer Meinung nach über die Kultur? Was meinen Ihre Mitschüler und Mitschülerinnen? Gibt es ein Sprichwort auf Englisch, das eine ähnliche Bedeutung hat?

A Professor Cato. Hören Sie die Radiosendung, und beantworten Sie danach die folgenden Fragen.

1. Wer ist Professor Cato?
2. Was haben die zwei Anrufer gemeinsam?
3. Welches Problem hat der erste Anrufer?
4. Welche Fragen stellt der Professor an den Anrufer?
5. Welche Frage hat die Anruferin?
6. Wie antwortet der Professor darauf?
7. Was wissen Sie über Julia und Nelly?
8. Wie reagieren die Anrufer auf Professor Catos Antworten?
9. An welchem Wochentag wird diese Radiosendung gesendet?

B Was möchten Sie den Professor fragen? Hören Sie der Radiosendung noch einmal gut zu. Formulieren Sie dann Fragen über Katzen oder andere Vierbeiner, die Sie selbst an Herrn Professor Cato stellen möchten. Welche Antworten erwarten Sie auf Ihre Fragen?

Lesen Sie!

Zum Thema

Tiere. Tiere symbolisieren gewisse Eigenschaften oder erinnern uns oft an bestimmte Feiertage. Welche Assoziationen haben Sie mit diesen Tieren? Denken Sie an Märchen oder andere Texte, die Sie kennen, aber auch an Ihre Familientraditionen. Vielleicht sind in Ihrer Kultur ganz andere Tiere wichtig? Ergänzen Sie dann die Liste.

> die Katze   der Hase   der Frosch   der Esel[a]
>
> die Schnecke[c]   der Fuchs   der Hund[b]
>
> der Löwe   die Ameise[d]   die Maus   das Schaf

MODELLE:
- Der Fuchs wird in Fabeln oft als „der schlaue Fuchs" gesehen, er kann also Schlauheit symbolisieren.
- Am Ostersonntag bringt er als Osterhase in deutschsprachigen Ländern Schokoladeneier für die Kinder.

[a]donkey [b]dog [c]snail [d]ant

Wortschatz zum Lesen

der Kater	tomcat
die Pfote	paw
sich strecken	to stretch
wetzen	to sharpen
ohne Anlauf	without a running start
der Pelz	fur
der Schlamm	mud
das Schnurren	purring
der Stapel	pile
niedlich	cute
kläglich	pitiful
das Schnäuzchen	little nose
streicheln	to pet
maunzen	to meow
verschütten	to spill
der Jammerlaut	loud wail
knistern	to rustle
wickeln	to wrap
brocken	to crumble

Die erste Begegnung

Er war noch nie in einem Wohnzimmer gewesen und besah sich alles ganz genau. Zuerst klärte er mögliche Gefahren ab: gab es Hühner mit scharfen Schnäbeln? Einen Hund? Jemanden, der einen
5 Pantoffel nach ihm werfen würde? Das Zimmer war leer und still bis auf das leise knisternde Kaminfeuer. Im Nebenzimmer gab es Geräusche, dort schien sich jemand an Schränken zu schaffen zu machen, aber hier im großen Wohnraum
10 herrschte eine schöne Ruhe. Nero schritt zum erstenmal in seinem Katerleben über einen Teppich, einen weichen, rosa Teppich mit kleinen grünen Ranken. Vorsichtig setzte er die Pfoten, sank ein wenig ein, streckte sich, machte sich gaaaaanz
15 lang und wetzte ratsch, ratsch, ratsch seine Krallen in der Wolle. Dabei zog er ein paar Teppichfäden heraus—das gefiel ihm, und er kratzte sich den ganzen Teppichrand entlang ritscheratsche bis zum Sofa. Es war ein grünes Sofa mit dicken rosa Kissen.
20 Nero stellte sich auf die Hinterbeine und testete mit den Vorderpfoten: gut, sehr gut, das war sehr schön weich, fast so weich wie das Heu drüben auf dem Hof und nicht so pieksig. Mit einem Satz war er oben, drehte sich ein paarmal und rollte sich in die
25 Polster.

Dazu muß man bedenken, wie hoch so ein Sofa und wie klein so eine Katze ist. Es ist etwa so, als würde ein Mensch aus dem Stand und ohne Anlauf mal eben so auf das Dach seines Hauses springen
30 oder doch wenigstens auf den Balkon im ersten

Stock. Eine Katze ist ein Wunder – nicht nur wegen
solcher Sprünge. Eine Katze kann auch im Schlaf
alles hören, das leiseste Mäusefiepen. Sie kann im
Stockdunkeln sehen und wird nie eine Brille
35 brauchen. Sie geht völlig lautlos und trägt einen
dicken, weichen Pelz, mit dem sie auch in der
Sonne nicht schwitzt. Ihre Pfoten sind zart und
weich, und doch läuft sie damit über spitze Steine,
heißes Pflaster und gefrorene Felder, ohne sich
40 weh zu tun, und wenn es sein muß, sausen wie
Klappmesser vorn die schärftsten Krallen heraus,
die man sich vorstellen kann. Eine Katze kann in
den Schlamm fallen und schon nach zehn Minuten
wieder so adrett und sauber aussehen, als sei sie in
45 der Städtischen Badeanstalt gewesen. Eine Katze
kann senkrecht an einem Baum hochgehen, und
dann landet sie mit zwei, drei Sprüngen wieder
unten, als wäre nichts gewesen, und wenn sie sich
wohlfühlt, kann sie ein unbeschreibliches Geräusch
50 in ihrer Kehle rollen lassen – etwas zwischen
einem fernen, leisen Gewittergrummeln, einem
kleinen Güterzug, der weit weg in der Nacht über
eine Holzbrücke fährt und einem Wasserkessel, der
gerade zu summen anfängt, kurz ehe das Wasser
55 kocht. Es ist eines der schönsten Geräusche auf
der Welt, und man nennt es Schnurren.

Nero schnurrte.

Er lag in den grünen Polstern, hingelehnt an die
rosa Kissen und schnurrte. Und er hörte sehr wohl,
60 daß sich aus dem Nebenzimmer jemand näherte,
aber er hatte keine Lust, diesen paradiesischen
Platz wieder aufzugeben, aufzuspringen und
wegzusausen. Er vertraute auf seine schon
andernorts bewiesene Überzeugungskraft. Er war
65 sicher, daß er ein Recht hatte, hier zu liegen, und
wenn nicht – dann hatte er ja immer noch seine
gefährlichen, blitzschnellen Krallen.

Aus kleinen Augenschlitzen beobachtete Nero
eine blonde Frau, die einen Stapel Wäsche in eine
70 Kommodenschublade packte. Sie strich sich eine
Haarsträhne aus dem Gesicht und faßte sich mit
der Hand auf den schmerzenden Rücken, als sie
sich wieder aufrichtete und –

„JETZT!" dachte Nero, „jetzt sieht sie sich um, nur
75 jetzt nicht rühren. Wachsam sein! AUFGEPASST!"

Die Frau sah ihn an, aber, fand Nero sofort
heraus, nicht unfreundlich. Sie war nur halb so dick
wie die Bäuerin vom Hof, sie hatte blaue Augen
und schaute sehr verwundert und, wie Nero
80 registrierte, auch bewundernd auf den schwarzen
kleinen Besuch da in ihren Kissen. Nero setzte sich
ruckartig auf, bereit das „Wer-bist-du-denn"-Spiel
mitzuspielen. Er machte seine grünen Augen
erschrocken rund, starrte in die blauen Augen der
85 Frau und öffnete sein niedliches rosa Schnäuzchen,
um ein klägliches, an langweiligen Nachmittagen
sorgfältig eingeübtes, zu Herzen gehendes
MIAUOUOUOUAUO! ertönen zu lassen. Es verfehlte
seine Wirkung nicht. „Wer bist du denn?" fragte die
90 blonde Frau gerührt und kam vorsichtig näher. „Du
liebe Güte", dachte Nero, „wer bin ich denn, wer
bin ich denn, das sieht man doch, ich bin ein
schwarzer Kater." Und er streckte ihr zutraulich sein
Köpfchen entgegen. Die Frau kniete sich vors Sofa
95 und streichelte ihn.

„Du bist ja ein süßes Kerlchen", sagte sie, „wo
kommst du denn auf einmal her?"

„Wahrscheinlich bin ich durchs Fenster
hereingeflogen", sagte Nero, schmiegte seinen
100 kleinen schwarzen Kopf an ihren Arm, in ihre Hand
und maunzte laut.

„Hast du Hunger?" fragte die Frau und stand auf.

„Jajaja!" krähte Nero, denn Hunger, oder sagen
wir: Appetit hatte er eigentlich immer, und er wußte
105 sofort: diese blonde Puppe kann ich um die Pfote
wickeln.

Die Frau ging in die Küche. Gleich sprang Nero
vom Sofa, trippelte hinter ihr her, rieb sich an ihrem
Bein und maunzte noch einmal, so rührend er nur
110 konnte. Die Frau öffnete den Kühlschrank, holte
eine kleine Dose heraus und schüttete ein wenig
Milch auf einen Teller. Sie ließ ein bißchen warmes
Leitungswasser dazu, verrührte alles mit dem
Zeigefinger und sagte: „So ist es nicht zu kalt für
115 dein Bäuchlein."

„Bäuchlein, pah!" dachte Nero, „was weißt denn
du von meinem Bäuchlein, nun mal endlich runter
mit dem blöden Teller!" Und er stellte sich auf die
Hinterbeine, machte sich ganz lang und angelte mit
120 den Vorderpfoten so kräftig nach dem Teller, mit

dem die blonde Frau sich ihm entgegenbückte, daß ein paar Tropfen Milch verschüttet wurden. Noch ehe der Teller ganz auf den Küchenfliesen stand, hatte Nero schon seine rosa Zunge
125 eingetaucht und schlappte und trank.

„Du bist aber stürmisch!" lachte die Frau, und Nero dachte: „Was meinst du denn, wen du hier vor dir hast, den heiligen Antonius?" und leckte den Teller blitzeblank.

130 Die blonde Frau ging zur Wohnzimmertür und rief: „Robert, komm mal gucken, was für einen niedlichen Besuch wir haben!"

„Robert?" dachte Nero, „aufgepaßt, wer ist denn nun wieder Robert?" und er mußte rasch an den
135 Bauern denken, der wütend seine Gummischuhe nach ihm warf.

Robert war ein baumlanger Mensch mit einer dicken Brille und einer Zigarre im Mund. Er näherte sich der Küche, und Nero sicherte sich aus den
140 Augenwinkeln rasch einen Fluchtweg.

„Wo kommt der denn her?" brummte der Mann. „Er lag auf dem Sofa", sagte sie, „und der arme kleine Kerl hatte Hunger, ich hab ihm ein bißchen Milch gegeben."

145 „Wenn er Hunger hat, mußt du ihm was Richtiges zu essen geben", sagte Robert, „ist denn von den Wurstbroten nichts mehr da?"

„Robert, du bist in Ordnung", dachte Nero vergnügt, und die Frau sagte: „Wurstbrote! Eine
150 Katze frißt doch keine Wurstbrote!"

„Die Brote könnt ihr euch schenken", dachte Nero, „aber nur immer her mit der Wurst!" Und er stieß einen langen, äußerst kläglichen Jammerlaut aus.

155 „Siehst du, er hat Hunger", sagte Robert. „Versuch's mal mit einem Wurstbrot."

„Wieso er?" fragte sie, und wühlte in einer Reisetasche, die noch unausgepackt auf dem Küchentisch stand.

160 „Das ist ein Kater", sagte Robert, „das seh ich." Er bückte sich, blies Nero ekelhaften Zigarrenrauch ins Gesicht und sah ihm unter den Schwanz. „Kater", nickte er, und Nero quäkte empört.

Die Frau hatte inzwischen ein Butterbrot aus
165 einem knisternden Papier gewickelt und fing an, es in den Milchteller zu brocken. Nero schnupperte gute deutsche Fleischwurst. Mit der rechten Vorderpfote, der weißen, räumte er die Brotbröckchen beiseite, leckte höchstens etwas
170 Butter da ab, wo es Butter abzulecken gab, und machte sich über die kleinen, runden rosa Fleischwurstscheibchen her. Schwapp, die erste, happ, die zweite, schwupp, die dritte, schmatz, die vierte – „Meine Güte, kann der futtern!" freute sich
175 die blonde Frau, kniete nieder und streichelte ihn, und Robert brummte düster: „Den wirst du nicht mehr los."

Elke Heidenreich

Zum Text

● Neros Abenteuer. Beantworten Sie die Fragen.

1. „Er war noch nie in einem Wohnzimmer gewesen . . ." erfahren wir im ersten Satz. Wo hat Nero vor seinem Besuch im Wohnzimmer gewohnt? Was ist alles neu für ihn?

2. Welche Menschen kommen in diesem Text vor? Was erfahren wir über sie? Wie werden sie beschrieben?

3. Warum ist eine Katze „ein Wunder"? Welche Fähigkeiten von Katzen beschreibt der Erzähler? Was von Neros Verhalten ist typisch für eine Katze?

4. Nero erzählt seiner Freundin Rosa von seinem ersten Besuch bei Isolde und Robert. Beschreiben Sie seine Erlebnisse aus seiner Perspektive.

KULTURSPIEGEL

Elke Heidenreich ist eine bekannte deutsche Kolumnistin. Ihre Kolumnen erscheinen regelmäßig in der Frauenzeitschrift „Brigitte". Sie ist auch engagierte Tierschützerin und Autorin des Bestsellers „Nero Corleone".

TIPP ZUM LESEN

Animal body parts often have different names than those of humans. For example, a cat has paws, not hands and feet. Look for other words and expressions in the text that are specific for animals, particularly for cats.

Zur Interpretation

● Verstehen Sie Neros Ironie? Erklären Sie, was er in den kursiv gedruckten Sätzen meint.

1. „Wer bist du denn?" fragte die blonde Frau gerührt und kam vorsichtig näher. „Du liebe Güte", dachte Nero, *„wer bin ich denn, wer bin ich denn, das sieht man doch, ich bin ein schwarzer Kater"*.

2. „Du bist ja ein süßes Kerlchen", sagte sie, „wo kommst du denn auf einmal her?" *„Wahrscheinlich bin ich durchs Fenster hereingeflogen"*, sagte Nero, schmiegte seinen kleinen schwarzen Kopf an ihren Arm, in ihre Hand und maunzte laut.

3. „Hast du Hunger?" fragte die Frau und stand auf. „Jajaja!" krähte Nero, denn Hunger, oder sagen wir: Appetit hatte er eigentlich immer, und er wußte sofort: *diese blonde Puppe kann ich um die Pfote wickeln.*

INTERAKTION

● Was ist das ideale Haustier? Diskutieren Sie mit Ihren Mitschülern/ Mitschülerinnen, welche Tiere sich als Haustiere am besten eignen. Was denken Sie? Was sind die Vor- und Nachteile?

TIPP ZUM SCHREIBEN

In advertising, grabbing the audience's attention is just as important as relaying factual information. Comedy, action, drama, music, special effects, or other devices help get the listener's attention. Clever, entertaining messages are remembered better than long, factual ones. Short, simple slogans also stick in the mind. Pay attention to the devices used in ads and announcements before trying to write your own.

SCHREIBEN SIE!

Ein Werbespot für das Radio

● Ihr Klub hat vor, eine große Abendveranstaltung zu organisieren und gibt Ihnen den Auftrag, die Werbung dafür zu gestalten. Ihre Aufgabe ist, den Text für einen 60-Sekunden-langen Radiowerbe-Spot zu schreiben und danach eine Aufnahme davon zu machen.

Purpose:	To write and produce a radio ad
Audience:	Radio listeners
Subject:	A public event
Structure:	A radio commercial

Schreibmodell

The authors specify the music and mood they want, telling the producer how to use it.

The commercial grabs the listener's attention by switching to rock music and a younger, informal tone.

Date, time, place, and price of the event are mentioned without elaborate detail.

By using **du**, modals and imperatives, the writer personalizes the message.

The **da**-compound refers to information elsewhere in the commercial.

Werbespot für den Musikverein Rostock

(*Mozarts „Eine kleine Nachmusik" einblenden*)

Lieben Sie klassische Musik? Verlieren Sie sich gern in der anmutigen Ruhe der Klassiker?

(*Mozart mit Platten-Kratzergeräusch unterbrechen; Rockmusik laut einblenden*)

Damit haben **w i r** gar nichts zu tun! Der Musikverein Rockstock – uh, Verzeihung, Rostock – lädt ein: zu einem langen lauten Abend der neusten Popmusik auf dieser Seite der Republik.

Sänger, Bands, Rocker, Rapper und Klangkünstler aller Art bringen ihr Bestes auf die Bühne. Diesen Freitag um 19 Uhr 30 in der Großen Aula des Hanseaten-Gymnasiums. Eintritt: für Schüler und Studenten E[a] 5,50 / DM 10,75; für Erwachsene E 15,50 / DM 30,32 – denn sie können's sich leisten.

Aber **d u** kannst es dir nicht leisten, dieses Konzert zu verpassen! Also denk daran: Freitag um 19 Uhr 30, die neuste Popmusik auf dieser Seite der Republik! Rostock rockt wie noch nie! Für weitere Infos, wähle 894 17.

Eine Veranstaltung des Musikvereins Rostock e.V.

[a]*Euro*

Schreibstrategien

Vor dem Schreiben

- First, decide for what organization you are writing the advertisement and think about the types of events such a group would sponsor. Pick one event to advertise and write down the facts: title of the event, date, time, place, price, etc.

- Specify your audience: by age, gender, interests, and any other important criteria. Now brainstorm: What are people's interests? Their senses of humor? What entertains them?

- Start generating ideas that are funny and appealing, or will otherwise grab your audience's attention. Include music, sound effects, imagery, and other special effects as you brainstorm. If a good slogan comes to mind, jot it down.

KULTURSPIEGEL

€ is the symbol of the Euro—the new currency of the eleven member nations of the European Union. The Euro was introduced as an accounting currency in January 1999. As of January 2002, it will be the legal currency of the participating member nations and will replace their national currencies.

- Now read through your ideas and select the ones that will be the most effective. Think about the tone you want to create and the devices that will help you achieve it.

Beim Schreiben

- Keep all factual information close at hand—date, time, place, price, etc.—along with your notes for the text. Decide how long the spoken text should be. Remember you are writing the script for a 60-second commercial.

- Think about whether complete sentences are necessary for your ad. What would your audience expect? What would it find entertaining?

- Decide which information is most important, and be sure to repeat it in the body of the text.

- Would sound effects, music, or using more than one narrator make your commercial more effective?

- Don't be afraid to write several different versions. If you don't like your text, chances are your audience won't either.

- Read your ad aloud, timing yourself as you do so. Have you written too much or do you need more text? If you are including music or sound effects, allow time for it.

Nach dem Schreiben

- Compare your draft text with the list of factual information and make sure you've included all of it in your message.

- Trade papers with a peer editor and edit each other's work. Correct misspellings, grammar errors, etc. If you have suggestions for improvement, note them on the draft. Return the paper to its author.

- Read through your first draft again and review your peer editor's comments. Write your second draft.

Stimmt alles?

- Read the final product one more time and correct any undetected problems.

- Gather all the additional material you may need for your finished product: music, musicians, sound effects, additional narrators, etc. Be sure you have a blank cassette, a microphone, and a cassette recorder. Record your commercial with all special effects.

- Play the recording for your class. You may also want to distribute copies of your script and let classmates read along as they listen.

Werbespot für
das Oktoberfest der
Newburyport High-School

Sagen Sie
~~Sag mal~~: wann haben Sie zum letzten Mal ein deutsches Lied gehört? Oder eine richtige Bratwurst gegessen? All das und *noch* mehr finden Sie auf ~~das~~ *dem* Deutsche*n* Oktoberfest der Newburyport High-School!
(*Lachende Leute und Geräusche mit Tellern und Gläsern einblenden*)

Der Deutsche Klub lädt *Sie* ~~Ihnen~~ zu unserem Deutschen Fest am kommenden Samstag, den einundzwanzigsten Oktober. *ein.* Was bieten wir? Deutsche Küche und deutsche Unterhaltung. Für deutsche Musik sorg*en* die Sänger vom Concert Choir. Wir haben auch tolle Spiele und ~~viel~~ *noch* viel mehr.
Seien
~~Sind~~ Sie dabei und kommen Sie zu uns, diesen Samstag, von 9 bis 15 Uhr in Newburyport High School, in der High Straße. Wir freuen uns auf Ihren Besuch!

WORTSCHATZ

Substantive	Nouns
die **Anregung**	stimulation
die **Erholung**	rest; recuperation
die **Gartenarbeit**	gardening
die **Gestaltung, -en**	organization; shape; design
die **Industrialisierung**	industrialization
die **Volkshochschule, -n**	extension school, adult education center
der **Hof, ⸚e**	yard; courtyard
der **Kleingarten,** *pl.* **Kleingärten**	small garden
der **Leiter, -** / die **Leiterin, -nen**	leader; director; supervisor; head
der **Nachweis, -e**	proof
das **Gefühl, -e**	feeling
das **Gerät, -e**	device; appliance
das **Hobby, -s**	hobby
das **Lagerfeuer, -**	campfire
das **Mal, -e**	point in time
das **Verhalten**	attitude

Verben	Verbs
an•fassen	to touch; to grasp
an•regen	to stimulate
bedenken, bedachte, bedacht	to consider
bieten, bot, geboten	to offer
bummeln, ist gebummelt	to stroll; to idle
sich entspannen	to relax
erwachsen (erwächst), erwuchs, ist erwachsen	to arise
erwähnen	to mention
grillen	to grill
sich langweilen	to be bored
musizieren	to play music
pflegen	to look after

rühren	to move; to stir
teilen	to divide; to share
töpfern	to make pottery
sich weiter•bilden	to continue one's education

Adjektive und Adverbien	Adjectives and adverbs
draußen	outside
hauptsächlich	mainly, primarily
im Freien	in the open air; outdoors
preisgünstig	fairly priced
sorgfältig	careful
unbeschreiblich	indescribable
unersetzlich	irreplaceable
vorsichtig	cautious(ly)
im Wesentlichen	essentially; fundamentally

Sie wissen schon	You already know
die **Freizeit**	free time
der **Feiertag**	holiday
an•fangen (fängt an), fing an, angefangen	to start
belegen	to take (a class)
gefallen (gefällt), gefiel, gefallen (+ *dat.*)	to be pleasing to, to like
sich interessieren für	to be interested in
unternehmen (unternimmt), unternahm, unternommen	to undertake; to do
verbringen, verbrachte, verbracht	to spend (time)
zelten	to camp
ziehen, zog, gezogen	to pull

KAPITEL 32

FERIEN UND URLAUB

In diesem Kapitel

- lernen Sie, wie die heutige Reiseindustrie in Deutschland begonnen hat.
- erfahren Sie, was die beliebtesten Reiseziele von heute sind.
- lernen Sie Menschen kennen, die mehr Abenteuer im Urlaub suchen.

Sie werden auch

- wiederholen, wie man über die Vergangenheit spricht.
- lernen, wie man Modalverben im Perfekt gebraucht.
- eine Geschichte über einen hellgrauen Mantel lesen.
- einen Prospekt für Ihre Stadt schreiben.

So sah Reisen damals
aus – eine Wanderung
in Bayern.

Drachenflieger vor dem
Sprung in die Luft.

Jetzt will man
mehr als nur
Erholung.

VIDEOTHEK

Freizeit hat man nach der Arbeit, am Wochenende und auch an Feiertagen – aber man braucht auch Urlaub. Woran denken Sie, wenn Sie das Wort „Urlaub" hören? Reisen Sie gern ins Ausland, oder machen Sie lieber Urlaub zu Hause? Was sind ihre Lieblingsbeschäftigungen, wenn Sie Urlaub haben?

I: Urlaub gestern und heute

Bevor es eine Reiseindustrie gab, hatte man natürlich ab und zu Urlaub gemacht. Aber wie machte man damals Urlaub? Wer konnte einen richtigen Urlaub machen?

A Persönliche Meinungen. Susanne erzählt von Ferien und Urlaub. Beantworten Sie die Fragen.

1. Welche Ferien haben Schüler und Schülerinnen in Deutschland?
2. Welche Ferien haben Sie?
3. Wie viele Tage Urlaub haben Susannes Eltern?
4. Wissen Sie, wie viele Tage Urlaub die meisten Berufstätigen in Ihrem Land haben?

B Mein schönster Urlaub

SCHRITT 1: Wer fährt wohin? Die Personen im Video erzählen, wo sie ihren Urlaub gern verbringen. Wer sagt das, Gürkan, Anett, Susanne, Erika oder Stefan?

1. „Ich war im Dezember dort und, als es in Europa geschneit hat, . . . war ich im schönen Sommerwetter."
2. „Dann waren wir irgendwo angekommen bei einem Strandabschnitt, da haben wir unser Zelt aufgeschlagen und da sind wir auch geblieben."
3. „Wir sind in Norwegen gewesen, Schweden und Finnland, und wir sind ans Nordkap gefahren."
4. „In den Winterferien verbringen wir unseren Urlaub immer in Deutschland, im Schwarzwald, wo sehr viel Schnee liegt."
5. „In den Urlaub fahre ich gerne nach Jamaika."

SCHRITT 2: Welche dieser Reisen finden Sie am schönsten? Erklären Sie Ihre Wahl.

C Urlaub gestern. In den letzten hundert Jahren haben sich die Reisegewohnheiten in Deutschland geändert. Wann sind die folgenden Ereignisse passiert?

Damals konnten sich nur die reichen Leute eine Schiffsreise leisten.

WORTSCHATZ ZUM VIDEO

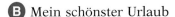

die Hütte	hut
der Ostblock	Eastern bloc countries
das Schwarze Meer	the Black Sea
die Schlucht	ravine, gulch
begehbar	passable
der Bergführer	mountain guide

1. Arbeitslosigkeit war ein großes Problem. In diesem Jahrzehnt kamen dann die Nationalsozialisten zur Macht.
2. Reisen wurde zum Hobby der Westdeutschen.
3. Der Staat organisierte Schiffsreisen für Erwachsene und Ferienlager für die Kinder.
4. Die DDR-Bürger durften nur in andere Ostblockländer reisen.
5. Eine große und wichtige Tourismusindustrie ist entstanden.
6. Die deutschen Arbeiter und Arbeiterinnen bekamen erst jetzt eine Woche Urlaub im Jahr.
7. Man fand Spaß und Erholung an Badeseen in der Nähe, denn nur wenige Menschen konnten sich eine richtige Urlaubsreise leisten.

II: Abenteuerurlaub

Erholung ist vielen Urlaubern nicht mehr genug. Man interessiert sich jetzt mehr für „Extremsportarten" – aber was heißt das? Welche Sportarten würden Sie als „extrem" bezeichnen?

A Birgits idealer Urlaub. Birgit will im Urlaub etwas Besonderes erleben. Was sucht sie?

Abwechslung	Erholung	Gefahr
Natur	Nervenkitzel	Ruhe
Sonne	Strand	Wärme

B Ein tolles Erlebnis? Was Birgit sagt, klingt beim ersten Hören eher negativ. Aber Canyoning hat Birgit eigentlich sehr gut gefallen. Was sind die Vor- und Nachteile von Extremsportarten? Machen Sie eine Liste, und diskutieren Sie mit Ihren Mitschülern/Mitschülerinnen darüber.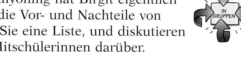

VORTEILE	NACHTEILE
spannend	gefährlich
man erlebt, was nicht jeder erlebt	die Ausrüstung kostet manchmal viel Geld

C Traumurlaub. Manche suchen Abenteuer im Urlaub, manche nur Ruhe. Arbeiten Sie mit einem Partner / einer Partnerin, und stellen Sie einander die folgenden Fragen.

1. Was machst du normalerweise im Urlaub?
2. Wo verbringst du deine Ferien?
3. Was machst du dort?
4. Was suchst du im Urlaub – Abenteuer, Erholung oder beides?
5. Würdest du jemals eine Extremsportart wählen?

---

in den siebziger Jahren

in den fünfziger Jahren

zu Beginn der dreißiger Jahre   in der Nazizeit

vor hundert Jahren

nach dem Zweiten Weltkrieg   ab 1920

Birgit.

KULTURSPIEGEL

In Deutschland hatte man natürlich immer Freizeit, aber den staatlich anerkannten jährlichen Urlaub (den sogenannten dreißig-Tage-Urlaub von heute) gibt es erst seit dem zwanzigsten Jahrhundert. Heute bekommen Berufstätige bis zu sechs Wochen bezahlten Urlaub im Jahr. Deutsche geben im Durchschnitt fünfzehn Prozent ihres Einkommens für Urlaub aus.

VOKABELN

die Abwechslung	*change; variety*
die Ausrüstung	*outfitting; equipment*
die Entspannung	*relaxation*
die Extremsportart	*adventure sport*
die Gefahr	*danger*
die Reiselust	*desire to travel*
die Schiffsreise	*voyage, cruise*
die Vorbereitung	*preparation*
der Luxus	*luxury*
der Nervenkitzel	*excitement*
das Ferienlager	*vacation camp*
die Ferien (*pl.*)	*vacation*
baden	*to bathe*
sich bräunen	*to tan*
sich leisten	*to afford*
nutzen	*to use*
springen	*to jump*
überwachen	*to supervise*
aktiv	*active(ly)*
gespannt	*excited*
herrlich	*wonderful(ly)*
irre	*crazy; wild*
wenig	*little; few*

Extremsportarten werden in Europa immer beliebter.

Sie wissen schon
die Mannschaft, die Sportart, der Urlaub, das Abenteuer, besteigen, sich fit halten, gewinnen, klettern, reiten, rudern, Sport treiben, wandern, spannend

---

Abwechslung
wenig
Vorbereitungen
bräunen
nutzen
Ausrüstung
baden Luxus
sich fit halten
verreisen

Aktivitäten

A Urlaub durch das Jahr. Ergänzen Sie die Sätze 1–10 mit den Wörtern im Kasten.

1. Deutsche _____ ihren Urlaub, um in die ganze Welt zu reisen.
2. Manche Deutsche _____ mehrmals im Jahr.
3. Diejenigen, die keine eigene _____ zum Skilaufen haben, können solche Sachen leihen.
4. Aber wenn man einfach wandern will, braucht man keine großen _____ zu treffen.
5. Für manche Sportarten muss man nur _____ Geld ausgeben.
6. Im Sommer will man lieber am Strand liegen und sich _____.

7. Wenn das Wasser nicht zu kalt ist, kann man natürlich auch im Meer _____.

8. Wer _____ will, muss das ganze Jahr Sport treiben, nicht nur wenn das Wetter schön ist.

9. Zur _____ suchen manche Menschen mehr Spannung in ihrer Freizeit.

10. Weil Extremsportarten oft sehr teuer sind, bleiben sie für viele ein _____.

B Definitionen. Lesen Sie die Sätze links und suchen Sie aus der rechten Spalte die passenden Definitionen für die kursiv gedruckten Wörter.

To learn more about sports activities in the German-speaking countries, visit the *Auf Deutsch!* Web Site at www.mcdougallittell.com.

1. Im Urlaub suche ich beides, *Abenteuer* aber auch Ruhe.
2. Und das war mein schönster Urlaub, weil es einfach *herrlich* da war.
3. Wir werden sehen, wann und wie die *Reiselust* der Deutschen begonnen hat.
4. Eine richtige Urlaubsreise konnten *sich* vor hundert Jahren nur wenige Menschen *leisten*.
5. Für Jungen und Mädchen gab es *Ferienlager*.
6. Im Urlaub versuche ich erstmal *Entspannung* zu finden.
7. Canyoning ist eine Mischung zwischen *Klettern*, Schwimmen, Springen und Wandern.
8. Ich bin ganz schön *gespannt*, wie es wird.
9. Insgesamt war es eine tolle *Erfahrung*.

a. Relaxen
b. ein Erlebnis
c. Campingplätze mit organisierten Aktivitäten
d. voller Erwartung
e. fantastisch, super
f. Bergsteigen
g. starker Wunsch zum Reisen
h. genug Geld dafür haben
i. gefahrvolle Situation, erregendes Erlebnis

C Assoziationen. Welche Begriffe aus der rechten Spalte assoziiert man mit den Wörten links?

MODELL: Man assoziiert Familienfeste und Dekorationen mit Feiertagen.

1. Extremsportarten
2. Schiffsreise
3. Vorbereitungen
4. Urlaub
5. Ferienlager

a. Reiselust und ein Wunsch nach Abwechslung
b. Ausrüstung und feste Pläne
c. Jugendliche und organisierte Aktivitäten
d. Luxus und Entspannung
e. Gefahr und Nervenkitzel

D Was möchten Sie gern im Urlaub machen? Für welche der folgenden Freizeitaktivitäten interessieren Sie sich am meisten? Warum? Was erwarten Sie von solchen Sportarten oder Aktivitäten? Für welche interessieren Sie sich gar nicht? Warum? Was assoziieren Sie mit diesen Beschäftigungen?

1. Schluchtwandern
2. in den Alpen wandern
3. Mountainbiken
4. Klettertouren
5. River-Rafting
6. eine Schiffsreise
7. Snowboarden
8. _____?_____

Schluchtwanderer.

STRUKTUREN

REVIEW OF THE PRESENT PERFECT TENSE I
TALKING ABOUT THE PAST

Use the present perfect tense to talk about past events in German. As you recall, this tense consists of the present-tense form of **haben** or **sein** as the auxiliary verb plus the past participle of the main verb at the end of the clause or sentence.

Das Mädchen **hat** in Bremen eine Fahrkarte **gekauft.**	*The girl bought a ticket in Bremen.*
Sie **ist** nach Italien **gereist**.	*She traveled to Italy.*

Most past participles combine the verb stem with the prefix **ge-** and the ending **-(e)t,** as in the following examples. Such verbs are called weak verbs.

INFINITIVE	STEM	AUXILIARY + PAST PARTICIPLE
arbeiten	arbeit-	hat **ge**arbeit**t**
fragen	frag-	hat **ge**frag**t**
haben	hab-	hat **ge**hab**t**
lernen	lern-	hat **ge**lern**t**
machen	mach-	hat **ge**mach**t**
wohnen	wohn-	hat **ge**wohn**t**
wandern	wander-	ist **ge**wander**t**

Some weak verbs show irregular stem changes in the past participle. These verbs are called irregular weak verbs.

INFINITIVE	STEM	AUXILIARY + PAST PARTICIPLE
bringen	br**ach**-	hat gebr**ach**t
denken	d**ach**-	hat ged**ach**t
verbringen	verbr**ach**-	hat verbr**ach**t
kennen	k**ann**-	hat gek**ann**t
wissen	w**uss**-	hat gew**uss**t
rennen	r**ann**-	ist ger**ann**t

Verbs that begin with **be-** or end with **-ieren** do not add the prefix **ge-**.

INFINITIVE	STEM	AUXILIARY + PAST PARTICIPLE
besuchen	besuch-	hat besucht
studieren	studier-	hat studiert

Übungen

A Susannes Kindheit. Susanne erzählt, wie sie als Kind ihre Ferien verbracht hat. Schreiben Sie ihre Sätze im Perfekt um.

MODELL: Wir reisen jedes Jahr nach Mallorca. →
Wir sind jedes Jahr nach Mallorca gereist.

1. Auf Mallorca lerne ich ein bisschen Spanisch.
2. Wir machen Ausflüge auf die anderen Inseln.
3. Ich bade im Meer.
4. Meine Eltern bummeln durch kleine Städte.
5. Wir wohnen in unserem eigenen Ferienhaus.
6. Wir verbringen die Winterferien in Deutschland.
7. Meine Schwester baut Schneemänner.
8. Wir denken immer an die Ferien.

Winterferien mit der Familie Dyrchs.

B Sie wollen auf eine Party gehen. Sie dürfen aber nur gehen, wenn Sie zuerst einiges erledigt haben. Sagen Sie, dass Sie das alles schon gemacht haben.

MODELL: die Hausaufgaben machen →
Ich habe die Hausaufgaben schon gemacht.

1. den Rasen mähen
2. die Großeltern besuchen
3. die Katze füttern
4. für die Matheprüfung lernen
5. das Zimmer in Ordnung bringen

C Mein Urlaub. Arbeiten Sie mit einem Partner / einer Partnerin, und stellen Sie einander die folgenden Fragen.

1. Wann hast du zum letzten Mal Urlaub gemacht?
2. Wohin bist du gereist?
3. Wo hast du da gewohnt?
4. Was hast du da alles gemacht?
5. Wie viele Tage hast du da verbracht?

Urlaub am Strand.

REVIEW OF THE PRESENT PERFECT TENSE II
MORE ON TALKING ABOUT THE PAST

SIND SIE WORTSCHLAU?

In German, verbs that share the same stem form their past participles in the same way.

kommen	ge**komm**en
an•**komm**en	ange**komm**en
be**komm**en	be**komm**en
mit•**komm**en	mitge**komm**en
vorbei•**komm**en	vorbeige**komm**en
zurück•**komm**en	zurückge**komm**en

KURZ NOTIERT

Verbs that take **sein** in the present perfect tense are typically verbs of motion or change: **gehen, (mit•, vorbei•, zurück•)kommen, reisen, wandern, werden.** In addition, the verbs **ankommen, bleiben,** and **sein** also take **sein** in the present perfect tense.

Most German verbs form the past participle by combining the verb stem with the prefix **ge-** and the suffix **-(e)t.** These are the so-called weak verbs; irregular weak verbs (mixed verbs) have changes within the verb stem. Some verbs form the past participle with the prefix **ge-** and the ending **-en;** these are the so-called strong verbs.

INFINITIVE	STEM	AUXILIARY + PAST PARTICIPLE
fahren	fahr-	ist **ge**fahr**en**
geben	geb-	hat **ge**geb**en**
kommen	komm-	ist **ge**komm**en**
laufen	lauf-	ist **ge**lauf**en**
lesen	les-	hat **ge**les**en**
schlafen	schlaf-	hat **ge**schlaf**en**
sehen	seh-	hat **ge**seh**en**

In addition, some verbs show a stem change in the past participle.

INFINITIVE	STEM	AUXILIARY + PAST PARTICIPLE
bleiben	b**lieb**-	ist geb**lieb**en
finden	f**und**-	hat gef**und**en
fliegen	f**log**-	ist gef**log**en
nehmen	n**omm**-	hat gen**omm**en
schreiben	schr**ieb**-	hat geschr**ieb**en
sitzen	s**ess**-	hat ges**ess**en
sprechen	spr**och**-	hat gespr**och**en
werden	w**ord**-	ist gew**ord**en
wissen	w**uss**-	hat gew**uss**t

The past participle of **sein** is **(ist) gewesen.** The past participle of two-part verbs, is a single word with **-ge-** between the prefix and the stem plus the **-(e)t** or **-en** ending.

INFINITIVE	STEM	AUXILIARY + PAST PARTICIPLE
an•rufen	ruf-	hat angerufen
auf•hören	hör-	hat aufgehört
auf•passen	pass-	hat aufgepasst
auf•schlagen	schlag-	hat aufgeschlagen
auf•stehen	st**and**-	ist aufgest**and**en
ein•laden	lad-	hat eingeladen
ein•steigen	st**ieg**-	ist eingest**ieg**en

Verbs that begin with the unstressed prefixes **be-, emp-, ent-, er-, ge-, ver-,** and **zer-** do not add the prefix **ge-: gefallen > hat gefallen; genießen > hat genossen; vergessen > hat vergessen.**

Übungen

A Gürkans schönster Urlaub. Gürkan erzählt von seiner Reise in die Türkei. Bilden Sie Sätze im Perfekt.

1. Wir fahren in die Türkei.
2. Wir nehmen einen Rucksack mit.
3. Wir steigen in den Bus ein.
4. Ich schlage das Zelt auf.
5. Meine Freundin sitzt am Strand.
6. Wir bleiben da einige Tage.
7. Ich schreibe Postkarten an meine Familie.
8. Die Reise gefällt mir sehr.
9. Ich vergesse diese schönen Tage nie.

Gürkan.

B Alles über Canyoning. Birgit ist gerade von ihrer Canyoning-Reise zurückgekommen, und Sie haben viele Fragen für sie. Ergänzen Sie die Verben im Perfekt.

> ausgeben   kommen
>   mitnehmen   genießen
> schlafen   aufstehen
>   sein   finden
> lesen   werden

1. Wie _hast_ du die Reise _gefunden_?
2. _____ du vor der Reise Zeitschriftenartikel über Canyoning _____?
3. Wie _____ du zum Startort _____?
4. _____ du in einem Schlafsack _____?
5. Wie früh _____ ihr morgens _____?
6. _____ du nicht ziemlich müde _____?
7. _____ du die anderen Teilnehmer nett _____?
8. _____ du viel Gepäck _____?
9. _____ du viel Geld für deine Reise _____?
10. _____ alle Teilnehmer das Erlebnis _____?

C Reiseerlebnisse. Sagen Sie, ob Sie das alles gemacht haben.

MODELL: nach Mallorca fahren →
  Ja, ich bin schon nach Mallorca gefahren.
  oder: Nein, ich bin noch nie nach Mallorca gefahren.

1. in die Türkei reisen
2. in einem Luxushotel übernachten
3. in einem Flugzeug fliegen
4. auf einen hohen Berg klettern
5. in den Alpen wandern
6. Schlittschuh laufen
7. Snowboard fahren
8. einen Schneemann bauen

MODAL VERBS IN THE PERFECT TENSE
EXPRESSING DESIRES, TALENTS, AND OBLIGATIONS IN THE PAST

Whereas German speakers use the present perfect tense in conversation or to write about unrelated events in the past, they still use the simple past tense—even in speaking—for **haben, sein, wissen,** and the modal verbs.

Wir **konnten** uns die Reise nicht **leisten.**	*We weren't able to afford the trip.*
Hunde **durften** nicht in manche Hotels **gehen.**	*Dogs weren't allowed to go inside some hotels.*
Wir **wollten** einen schönen Urlaub.	*We wanted a nice vacation.*

However, these verbs all have past participles and do occasionally occur in the present perfect tense. You have already seen these constructions: **ist gewesen, hat gehabt, hat gewusst.** Modal verbs also take the auxiliary **haben** and form the past participle with the **ge-**prefix, no umlaut in the stem, and the ending **-(e)t: hat gedurft.** The past participle appears only when the infinitive of the main verb is not present. The construction with past participle only is a characteristic of conversational rather than written German.

Wir **haben** es nicht **gekonnt.**	*We weren't able (to do it).*
Hunde **haben** nicht in manche Hotels **gedurft.**	*Dogs weren't allowed in some hotels.*

However, when the infinitive of the main verb is present, modal verbs may still appear in the present perfect tense but in a double infinitive construction. The present-tense form of the auxiliary **haben** appears in second position, and the infinitive of the modal verb follows that of the main verb.

Wir **haben** uns die Reise nicht **leisten können.**	*We weren't able to afford the trip.*
Hunde **haben** nicht in manche Hotels **gehen dürfen.**	*Dogs weren't allowed to go inside some hotels.*

When such constructions stand in dependent clauses, the conjugated verb *precedes* the double infinitive construction.

Sie weiß, dass wir uns die Reise nicht **haben leisten können.**	*She knows that we weren't able to afford the trip.*
Es war früher so, dass Hunde nicht in manche Hotels **haben gehen dürfen.**	*It used to be that dogs weren't allowed to go inside some hotels.*

Übungen

A So war es früher. Schreiben Sie die Sätze im Imperfekt.[a]

MODELL: Die meisten Deutschen können nicht verreisen. →
Die meisten Deutschen konnten nicht verreisen.

1. Man darf nur ein Paar Tage im Jahr Urlaub machen.
2. DDR-Bürger dürfen nur in Länder des Ostblocks reisen.
3. Der Staat muss Ferienheime für die Arbeiter bauen.
4. Erwachsene wollen Ruhe und Erholung haben.
5. Man muss nicht viel Geld für Ausrüstung ausgeben.
6. Die Reiseindustrie soll den Touristen größere Reisemöglichkeiten anbieten.

[a]*simple past*

B Frühanfänger

Ein staatliches Ferienheim aus DDR-Zeiten.

SCHRITT 1: Viele beginnen schon als kleine Kinder mit manchen Sportarten. Und Sie? Arbeiten Sie mit einem Partner / einer Partnerin, und stellen Sie einander die folgenden Fragen.

MODELL: Konntest du schon als Kind Ski laufen? →
Ja, das habe ich gekonnt.
oder: Nein, das habe ich nicht gekonnt.

1. Konntest du schon als Kind Fahrrad fahren?
2. Durftest du als Kind Fußball spielen?
3. Wolltest du als Kind Sportler/Sportlerin werden?
4. Durftest du als Kind allein wandern?
5. Musstest du als Kind Sport treiben?
6. Wolltest du als Kind die Fußball-Weltmeisterschaft gewinnen?

SCHRITT 2: Anders gesagt. Schreiben Sie Ihre Antworten jetzt im Perfekt mit zwei Infinitivformen.

MODELL: Konntest du schon als Kind Ski laufen? →
Als Kind habe ich schon Ski laufen können.
oder: Als Kind habe ich nicht Ski laufen können.

PERSPEKTIVEN

HÖREN SIE ZU!
CLUB NATURA

WORTSCHATZ ZUM HÖRTEXT

fade	stale; dull
sich betätigen	to engage oneself
die Anlage	facility
vermeiden	to avoid
begleitend	accompanying
das Ausflugsprogramm	excursion list
der Vordergrund	foreground
die Annehmlichkeit	comfort
die Verpflegung	board; provisions
die Vollpension	full room and board

Informieren Sie sich in den aktuellen Katalogen!

Sie hören jetzt einen Informationstext des Reiseunternehmens Dr. Koch.

A Was haben Sie über Club Natura gelernt?

1. Club Natura
   a. ist ein reiner Badeurlaub.
   b. ist eine Verbindung von Studienreise und Badeurlaub.
2. Im Club Natura
   a. können Sie sich aktiv betätigen.
   b. zieht man ständig von Hotel zu Hotel um.
3. Im Club Natura
   a. können Sie alle fünfzehn Tage anreisen.
   b. können Sie an jedem Wochenende anreisen.
4. Ein weiterer Vorteil von Club Natura ist,
   a. dass alle Teilnehmer im gleichen Alter sind.
   b. dass sich die Teilnehmer schnell kennen lernen.
5. Die Anlagen von Club Natura
   a. liegen am Strand.
   b. liegen in kleinen Städten.
6. Die Größe der Reisegruppen
   a. liegt bei siebzig bis achtzig.
   b. liegt bei sieben bis achtzehn.

Wandern weckt die Liebe zur Natur.

7. Die Verpflegung im Club Natura
   a. ist wie die klassische Art von Vollpension.
   b. ist eine neuartige Art der Vollverpflegung.

B Dr. Kochs Fachexkursionen sind in verschiedene Themen gruppiert. Welche der Reiseangebote passen am besten zu den folgenden Themen?

Geschichte und Kultur   Naturkundliches Wandern

Ornithologisch-landschaftliche Exkursionen

Bergwandern

Botanische Studienreisen

1. durch die Syrische Wüste zum Euphrat
2. Siziliens Flora
3. Sardinien – ein Naturerlebnis erwartet Sie!
4. Pflanzensammeln in Südspanien
5. Persepolis und Geschichte des Perserreiches
6. im Apennin – Bergwandern im romantischen Zentralitalien
7. faszinierendes Istanbul
8. durch unbekannte Teile der Rocky Mountains
9. Italiens interessante Vogelwelt
10. Naturparadies Donaudelta

LESEN SIE!

Zum Thema

● Die Reiselust. Haben Sie öfters Lust, plötzlich zu verreisen? Möchten Sie ab und zu irgendwohin gehen, wo alles anders ist – halt die Tapeten wechseln?[a] Warum (nicht)?

[a]literally: *to change the wallpaper;* figuratively: *to have a change of scenery or surroundings*

KULTURSPIEGEL

Wolfgang Hildesheimer wurde 1916 in Hamburg geboren. 1933, als er sechzehn Jahre alt war, flüchtete er mit seinen Eltern nach England und dann nach Palästina. Er lernte Tischler und nahm Unterricht im Zeichnen, in Möbeltechnik und Innenarchitektur. 1946–1948 arbeitete er als Dolmetscher bei den Nürnberger Kriegsverbrecher-Prozessen. Seit den fünfziger Jahren arbeitete er als Schriftsteller. „Der hellgraue Frühjahrsmantel" erschien 1952 in *Lieblose Legenden,* eine Sammlung von Kurzgeschichten. Er starb 1991 in der Schweiz.

Der hellgraue Frühjahrsmantel

Vor zwei Monaten – wir saßen gerade beim Frühstück – kam ein Brief von meinem Vetter Eduard. Mein Vetter Eduard hatte an einem Frühlingsabend vor zwölf Jahren das Haus
5 verlassen, um, wie er behauptete, einen Brief in den Kasten zu stecken, und war nicht zurückgekehrt. Seitdem hatte niemand etwas von ihm gehört. Der Brief kam aus Sydney in Australien. Ich öffnete ihn und las:

10   Lieber Paul!
Könntest Du mir meinen hellgrauen Frühjahrsmantel nachschicken? Ich kann ihn nämlich brauchen, da es hier oft empfindlich kalt ist, vor allem nachts. In der linken
15 Tasche ist ein *Taschenbuch für Pilzsammler*. Das kannst Du herausnehmen und behalten. Eßbare Pilze gibt es hier nämlich nicht. Im voraus vielen Dank.

              Herzlichst Dein Eduard

20   Ich sagte zu meiner Frau: „Ich habe einen Brief von meinem Vetter Eduard aus Australien bekommen." Sie war gerade dabei, den Tauchsieder in die Blumenvase zu stecken, um Eier darin zu kochen, und fragte: „So? Was schreibt er?"
25   „Daß er seinen hellgrauen Mantel braucht und daß es in Australien keine eßbaren Pilze gibt." –
„Dann soll er doch etwas anderes essen", sagte sie. – „Da hast Du recht", sagte ich.
    Später kam der Klavierstimmer. Er war ein
30 etwas schüchterner und zerstreuter Mann, ein wenig weltfremd sogar, aber er war sehr nett, und natürlich sehr musikalisch. Er stimmte nicht nur Klaviere, sondern reparierte auch Saiteninstrumente und erteilte Blockflötenunterricht. Er hieß Kolhaas.
35 Als ich vom Tisch aufstand, hörte ich ihn schon im Nebenzimmer Akkorde anschlagen.
    In der Garderobe sah ich den hellgrauen Mantel hängen. Meine Frau hatte ihn also schon vom Speicher geholt. Das wunderte mich, denn
40 gewöhnlich tut meine Frau die Dinge erst dann,

wenn es gleichgültig geworden ist, ob sie getan sind oder nicht. Ich packte den Mantel sorgfältig ein, trug das Paket zur Post und schickte es ab. Erst dann fiel mir ein, daß ich vergessen hatte, das
45 Pilzbuch herauszunehmen. Aber ich bin kein Pilzsammler.
    Ich ging noch ein wenig spazieren, und als ich nach Hause kam, irrten der Klavierstimmer und meine Frau in der Wohnung umher und schauten in
50 die Schränke und unter die Tische.
    „Kann ich helfen?" fragte ich.
    „Wir suchen Herrn Kolhaas' Mantel", sagte meine Frau.
    „Ach so", sagte ich, meines Irrtums bewußt, „den
55 habe ich soeben nach Australien geschickt," –
„Warum nach Australien?" fragte meine Frau. „Aus Versehen", sagte ich. „Dann will ich nicht weiter stören", sagte Herr Kolhaas, etwas betreten, wenn auch nicht besonders erstaunt, und wollte sich
60 entschuldigen, aber ich sagte: „Warten Sie, Sie können dafür den Mantel von meinem Vetter bekommen."
    Ich ging auf den Speicher und fand dort in einem verstaubten Koffer den hellgrauen Mantel
65 meines Vetters. Er war etwas zerknittert – schließlich hatte er zwölf Jahre im Koffer gelegen – aber sonst in gutem Zustand.
    Meine Frau bügelte ihn noch ein wenig auf, während Herr Kolhaas mir von einigen Klavieren
70 erzählte, die er gestimmt hatte. Dann zog er ihn an, verabschiedete sich und ging.
    Wenige Tage später erhielten wir ein Paket. Darin waren Steinpilze, etwa ein Kilo. Auf den Pilzen lagen zwei Briefe. Ich öffnete den ersten und las:

75   Lieber Herr Holle, (so heiße ich)
da Sie so liebenswürdig waren, mir ein Taschenbuch für Pilzsammler in die Tasche zu stecken, möchte ich Ihnen als Dank das Resultat meiner ersten Pilzsuche zuschicken
80 und hoffe, daß es Ihnen schmecken wird.

Schreibmodell

Erleben auch Sie Laconia/ New Hampshire! Lesen Sie die Meinungen von verschiedenen Besuchern aus Mitteleuropa über die Gastfreundschaft und die Freizeitsmöglichkeiten rund um den Winnipesaukee-See:

„Wir waren erstaunt, dass es hier so viele schöne Unterkunftsmöglichkeiten gibt. Alte Gasthäuser mit Antiquitäten, Luxushotels mit erstklassigem Komfort und Spitzenrestaurants, Motels mit Schwimmbad und Fitnessstudios – und alles nicht zu teuer!"

— *Anke und Moritz Schnitzler, 45-jähriges Lehrer-Ehepaar aus Wien*

„Die Kinder freuen sich über den Kabelanschluss im Zimmer, das Schwimmbad und die vielen Amusement-Parks in der Nähe. Und dann haben wir einen tollen Ausblick auf den Winnipesaukee-See."

— *Frau Solothurnmann aus Bern*

„Wir haben ja wenig Geld und sind mit Zelt und Schlafsack losgezogen, aber sofort haben wir einen tollen Campingplatz finden können, ganz nah am Wasser, mit Warmwasserduschen und einem Platz für ein Lagerfeuer. Es gefällt uns total gut!"

— *Tobias, Günther und Mischa, drei 20-jährige Studenten aus Bochum*

„Mir gefällt das Minigolf am Besten. Mein Papa und ich gehen jeden Abend spielen. Ich kann jetzt auch schwimmen! Das Wasser ist ganz warm."

— *Nathan Solothurnmann, 5 Jahre*

> A short introduction establishes the topic and frames the comments. Since this is a formal brochure aimed at unknown potential customers, the **Sie**-form is used.

> The verb **los•ziehen** is a verb of motion so it takes **sein** in the present perfect tense.

> Can you find the double infinitive in this quotation?

Vor dem Schreiben

- Select the four topics about your hometown that you feel most qualified and interested in writing about.

- Decide on four fictional characters who will produce your "quotations." Make it a diverse group—not all the same age. Create personae for these characters: give them names, ages, professions, home addresses, then determine their interests. Determine why they would come to your hometown, and what they would do once there.

TIPP ZUM SCHREIBEN

mögliche Sprecher: Rentner-Ehepaar, 68 J. • 30-jähriger Angesteller • Studentin, 22 J. • 45-jähriges Lehrer-Ehepaar • 7-jähriger Junge • 53-jähriger Manager auf Geschäftsreise • 14-jährige Schülerin • 17-jähriger Schüler • Student, 20 J., in den Semesterferien
mögliche Themen: Transport • Unterkunft/Hotel • Sehenswürdigkeiten • Verpflegung/Essen • Sport • Kultur • Einkaufsmöglichkeiten • Unterhaltung • Natur • Feste • Geschichte

---

Entdecke**n Sie** die Kunst, Kultur und Geschichte von Santa Fe/New Mexiko! Das sagen ~~die~~ **unsere** Besucher.

„Verrückt! Hier in ~~die~~ **der** Wüste gibt es eine Oper mit erstklassige**n** Aufführungen von Klassikern und von modernen Komponisten. Wahnsinn!" – Martina Nowak, Opernfan, Wien

„Wir sind zu den Pueblos gefahren und haben richtige Indianertänze auf den Straßen sehen ~~gekonnt~~ **können.** Das war toll." – Oliver Beck, 10 Jahre, Frankfurt

---

- Contact your local Chamber of Commerce, tourist-information center, or state tourism office to obtain tourist information on your hometown, area, or state, and see what attractions are featured.

- As you prepare to write, you may choose to write all the characters' comments about one topic or to write all of one character's comments about all four topics. You may also simply jot down main ideas and flesh them out later. Decide how you want to proceed.

Beim Schreiben

- Remember that these "quotations" need to sound as conversational and informal as possible. Vary them in length and tone.

- People being interviewed are likely to refer to things they are doing as well as things they have done. A mix of present and past tenses is natural and realistic.

Nach dem Schreiben

- Read through your "quotations," looking for misspellings and mistakes in word order and grammar. Also check to see that they sound conversational—would someone really say this?

- Exchange papers with a peer editor. Check this person's paper for mistakes, then read it again for content and tone. Do the "quotations" sound conversational or stilted? Would a person of this age say something like this? Make comments on the paper, then return it to the author and get your own paper back.

Stimmt alles?

- Read through the corrections and comments of your peer editor. Prepare a revised draft.

- Consider using pictures from your hometown and surrounding area to make your work more visually effective.

- Decide whether you'd rather make an actual-size brochure or a larger poster. Position the title, the introduction, the "quotations," and illustrations on the paper in the most appealing and effective manner.

- Check your layout against the final draft to make sure you've included everything.

- Hand in your finished product with a copy of the final draft of your text.

WORTSCHATZ

Substantive	Nouns
die **Abwechslung, -en**	change; variety
die **Ausrüstung**	outfitting; equipment
die **Entspannung**	relaxation
die **Extremsportart, -en**	adventure sport
die **Gefahr, -en**	danger
die **Reiselust**	desire to travel
die **Schiffsreise, -n**	voyage, cruise
die **Vorbereitung, -en**	preparation
der **Luxus**	luxury
der **Nervenkitzel**	excitement
das **Ferienheim, -e**	vacation home
das **Ferienlager, -**	vacation camp
die **Ferien** (*pl.*)	vacation

Verben	Verbs
an•gucken (*coll.*)	to have a look at
baden	to bathe
sich bräunen	to tan
geschehen (geschieht), geschah, ist geschehen	to happen
auf etwas an•kommen, kam an, ist angekommen	to depend upon
sich leisten	to afford
marschieren, ist marschiert	to march
nutzen	to use
springen, sprang, ist gesprungen	to jump
überwachen	to supervise
verreisen	to go on a trip

Adjektive und Adverbien	Adjectives and adverbs
aktiv	active(ly)
gespannt	excited

herrlich	wonderful(ly)
irre (*coll.*)	crazy; wild
jeweils	respectively; for each
normalerweise	normally; usually
persönlich	personal(ly)
ratlos	helpless(ly)
sogar	as well; indeed; even
sowieso	in any case; anyway
wenig	little; few

Sie wissen schon	You already know
die **Mannschaft, -en**	team
die **Sportart, -en**	type of sport
die **Verspätung, -en**	delay
der **Rucksack, ¨e**	backpack
der **Urlaub, -e**	vacation
das **Abenteuer, -**	adventure
besteigen, bestieg, bestiegen	to climb
sich fit halten (hält), hielt, gehalten	to keep fit
gewinnen, gewann, gewonnen	to win
klettern	to climb
reiten, ritt, ist geritten	to ride (*an animal*)
rudern	to row (*a boat*)
Sport treiben, trieb, getrieben	to play a sport
wandern	to hike
spannend	exciting; tense

GESUNDHEIT UND KRANKHEIT

Rechts: In einem deutschen Kurort kann man sich gut erholen und gesund werden. *Links unten:* Heute gilt Bad Ems als einer der bekanntesten Kurorte Deutschlands. *Rechts unten:* Auch damals war die Stadt sehr beliebt.

In diesem Kapitel

- lernen Sie einiges über die Stadt Bad Ems, einen berühmten Kurort in Rheinland-Pfalz.
- begleiten Sie Sven Schüder beim Arztbesuch.
- diskutieren Sie, wie man sich fit und gesund hält.

Sie werden auch

- wiederholen, wie man Reflexivpronomen gebraucht.
- wiederholen, wie man zwischen Ziel und Ort unterscheidet.
- etwas über die Stadt Oberstaufen lernen.
- einen Artikel über Joggen lesen.
- Ihr persönliches Gesundheits- und Fitnessprogramm beschreiben.

VIDEOTHEK

In diesem Kapitel erfahren Sie, wie man sich in Europa traditionell gesund hält. Sie erfahren auch, wie das Gesundheitswesen in Deutschland funktioniert. Was machen Sie, um fit und gesund zu bleiben? Was wissen Sie über das Gesundheitswesen in Ihrem Land?

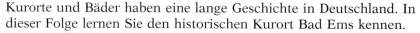

I: Ein Kurort

Kurorte und Bäder haben eine lange Geschichte in Deutschland. In dieser Folge lernen Sie den historischen Kurort Bad Ems kennen.

In Bad Ems wurde auch Politik gemacht.

A Bad Ems. Was haben Sie im Video über Bad Ems gelernt?

1. Welche Leute reisten im neunzehnten Jahrhundert nach Bad Ems? Wissen Sie etwas über einige dieser Leute?
2. Warum ist der 13. Juli 1870 um zehn Minuten nach neun Uhr besonders wichtig in Bad Ems? Wer hat sich dort getroffen? Welche Konsequenzen hatte diese Begegnung?
3. Wer wurde gleich nach dem Ersten Weltkrieg in den Hotels in Bad Ems untergebracht?
4. Wer macht heutzutage Kur in Bad Ems?

B Die Kur. „Ich gehe zur Kur", sagt man, wenn man in einen Kurort fährt. Sie hören die Meinungen von Susanne und Erika zum Thema Kur. Was stimmt? Was stimmt nicht?

1. Susanne kennt nur ältere Leute, die zur Kur gehen.
2. Susanne geht persönlich gern zur Kur.
3. Erikas Tante findet es schön, zur Kur zu gehen.
4. In Kuren darf man machen, was man will.
5. Kuren sind für Erika etwas langweilig.

C Gesund leben. Welche Person im Video macht das?

Diese Person . . . / Diese Leute . . .

1. ist etwas faul und macht nicht jeden Tag Sport.
2. schwimmen gern.
3. gehen in einen Fitnessclub.
4. treiben regelmäßig Sport.
5. fahren Rad.
6. geht jeden Tag mit dem Hund spazieren.
7. spielt Handball mit dem Bruder.
8. versucht, joggen zu gehen.
9. ging früher in einen Fitnessclub.
10. macht Aerobic.

WORTSCHATZ ZUM VIDEO

die Spielbank	casino
der/die Adlige	aristocrat
das Parteimitglied	party member
jedermann	everyone
die Nebenhöhlen	sinuses
der Weiher	fishpond
kneten	to knead
die Versichertenkarte	insurance card
die Behandlung	treatment
die Faust	fist
der Imbiss	snack

II: Ein Arztbesuch

In dieser Folge geht Sven Schüder zur Vorsorgeuntersuchung. Wie oft gehen Sie zum Arzt? Waren Sie sogar schon mal im Krankenhaus? Warum?

A Bei der Vorsorgeuntersuchung. Was stimmt? Was stimmt nicht? Wenn ein Satz nicht stimmt, schreiben Sie ihn neu mit der richtigen Information.

1. Svens Arzt ist der einzige Arzt, der in diesem Haus arbeitet.
2. Sven muss die Vorsorgeuntersuchung selber bezahlen.
3. Sven wird sofort vom Arzt untersucht.
4. Sven hat hohen Blutdruck.
5. Sven bekommt das Medikament beim Arzt.

Warum geht Sven zum Arzt?

B Gesundes Essen. Das Essen spielt eine wichtige Rolle, wenn man sich fit halten will. Was essen Sie, um gesund zu bleiben? Wie sollen Sie essen, um gesünder zu werden?

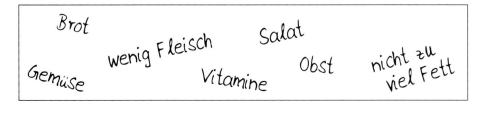

Brot
Gemüse
wenig Fleisch
Salat
Vitamine
Obst
nicht zu viel Fett

C Meinungen zur Gesundheitspflege. Lesen Sie zuerst die folgenden Erfahrungen von Gürkan, Daniela und Stefan. Beantworten Sie dann diese Fragen: Welche persönlichen Erfahrungen haben Sie mit dem Gesundheitswesen in Ihrem Land gehabt? Waren diese Erfahrungen positiv oder negativ? Warum?

GÜRKAN: Arztbesuch? Vielleicht mal alle zwei, drei Jahre, aber . . . ja, jedes Jahr gehe ich einmal zum Arzt, Zahnarzt. Das muss man bei uns tun.

DANIELA: Ich war einmal im Krankenhaus, weil ich mich sehr schlecht gefühlt habe. Ich hatte sehr hohes Fieber, und ich war alleine, und ich wusste nicht, wie ich das Fieber bekämpfen kann, und deswegen bin ich ins Spital gegangen.

STEFAN: Die Krankenkasse in der Schweiz ist sehr, sehr teuer. Es gibt leider zu wenig Leute, die dafür zahlen können. Aber die Krankenhäuser sind alle sehr, sehr gut und dementsprechend hoch sind auch die Kosten für die Gesundheitspflege.

K **ULTURSPIEGEL**

Neunzig Prozent der Einwohner Deutschlands sind Mitglieder einer staatlichen Krankenversicherung. Die Krankenkasse bezahlt für die ärztliche Behandlung. Die Kosten der Krankenkasse werden auf den Arbeitgeber und den Arbeitnehmer verteilt: Jeder bezahlt die Hälfte des monatlichen Beitrags. Zur Zeit liegen diese Versicherungsbeiträge bei ungefähr vierzehn Prozent des Einkommens.

VOKABELN

die Gesundheitspflege	*health care*
die Körperpflege	*personal hygiene*
die Krankenkasse	*wellness fund*
die Kur	*health spa; course of treatment*
die Übung	*exercise*
die Untersuchung	*examination*
die Versicherung	*insurance*
die Vorsorge	*preventive medicine*
der Arztbesuch	*visit to the doctor*
der Blutdruck	*blood pressure*
der Umstand	*circumstance*
das Ergebnis	*result, outcome*
das Fett	*fat*
das Heilmittel	*remedy*
das Wartezimmer	*waiting room*
atmen	*to breathe*
erhöhen	*to raise, increase*
geraten	*to come upon*
mahnen	*to urge*
messen	*to measure*
sich verrechnen	*to miscalculate*
verschreiben	*to prescribe*
regelmäßig	*regular(ly)*

Ärztliche Behandlungen können ziemlich teuer sein – wie bezahlt man das?

sinnvoll	*sensible; meaningful*
vegetarisch	*vegetarian*

Sie wissen schon
das Fieber, das Krankenhaus, das Labor, das Medikament, das Rezept, gesund

Aktivitäten

A Wie heißt das? Beantworten Sie die Fragen 1–10. Benutzen Sie die Vokabeln aus der Liste.

1. Was soll man täglich machen, um sich fit zu halten?
2. Was tut man, wenn man jemanden an etwas erinnert?
3. Was macht man, wenn man nicht richtig addiert?
4. Welches Verb bedeutet „höher machen"?
5. Wie ist man, wenn man nicht krank ist?
6. Wie kann man feststellen, wie hoch oder wie lang etwas ist?
7. Wie beschreibt man etwas, was Sinn (Bedeutung) hat?
8. Wie beschreibt man eine Form oder eine Aktivität, die eine bestimmte Ordnung hat?

9. Wie isst man, wenn man kein Fleisch isst?

10. Wo bekommen kranke Menschen Gesundheitspflege, Therapie oder Chirurgie (Operationen)?

B Definitionen: Lesen Sie die Sätze links und suchen Sie die passende Definition für die kursiv gedruckten Wörter aus der rechten Spalte.

1. Ich weiß ja von meiner Tante, die immer zur *Kur* geht.
2. Jetzt *atmen* Sie ganz tief für zwei Stunden.
3. Die Vorsorgeuntersuchung wird von der *Krankenkasse* bezahlt.
4. Nehmen Sie bitte im *Wartezimmer* Platz.
5. Sven wartet auf die *Untersuchung* durch den Arzt.
6. Ich *verschreibe* Ihnen ein Blutdruckmittel.
7. Das *Rezept* können Sie vorne an der Anmeldung abholen.
8. Die Krankenkasse bezahlt das *Medikament*.
9. Ich hatte sehr hohes *Fieber* und war allein.

a. schriftliche Anweisung eines Arztes an den Apotheker für Medikamente
b. Institution, bei der man sich gegen die Kosten der Krankheit versichert
c. Aufenthalt unter ärztlicher Aufsicht, damit man wieder gesund wird
d. ein Rezept geben
e. hohe Körpertemperatur
f. Feststellung der Gesundheit einer Person durch einen Arzt
g. Mittel für die Heilung von Krankheiten
h. Zimmer, wo man wartet
i. Luft in die Lungen einziehen und ausstoßen

C Verwandte Wörter. Kennen Sie Wörter, die mit den folgenden Wörtern verwandt sind? Machen Sie eine Liste.

MODELL: der Arzt →
die Ärztin, ärztlich, Arztbesuch, Tierarzt, Zahnarzt

1. üben
2. sorgen
3. krank
4. pflegen
5. suchen
6. drücken
7. sicher

D Fitnessclubs

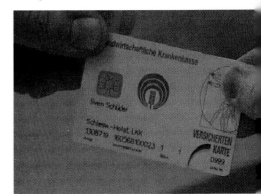

Beim Arztbesuch muss man die Versichertenkarte zeigen.

SCHRITT 1: Was halten Claudia, Gürkan und Erika von Fitnessclubs? Lesen Sie ihre Meinungen dazu.

CLAUDIA: Um fit zu bleiben, gehe ich jetzt regelmäßig seit einem Jahr in einen Fitnessclub, „Swiss Training". Ich mach dort manchmal Aerobic, manchmal Geräte, im Wechsel.

GÜRKAN: Ich habe mich jetzt im letzten Jahr in einem Fitnessclub eingeschrieben. Den habe ich pro Woche einmal, zweimal besucht.

ERIKA: Um fit zu bleiben, mache ich jetzt etwas mit meinem kleinen Hund, den ich mir gerade angeschafft habe. Früher bin ich zu einem Fitnessclub gegangen, aber jetzt ist es viel schöner, in der Natur mit dem kleinen Hund um den See zu rennen.

SCHRITT 2: Was halten Sie davon? Was kann man machen, um fit zu bleiben? Diskutieren Sie darüber mit einem Partner / einer Partnerin. Denken Sie auch an die folgenden Fragen.

1. Gehen Sie regelmäßig in einen Fitnessclub?
2. Welche Übungen machen Sie?
3. Welchen Sport treiben Sie?

STRUKTUREN

REVIEW OF REFLEXIVE VERBS AND PRONOUNS

DOING SOMETHING FOR ONESELF

As you recall, some verbs have reflexive pronouns that refer back to the subject. Note the objects in the following sentences.

Ich ziehe **mich** an.	*I'm getting dressed.*
Ich ziehe **mir** eine Jacke an.	*I'm putting on a jacket.*

Reflexive pronouns occur in the accusative or dative case. The only distinctly different case forms are **mich/mir** and **dich/dir.** All other reflexive pronouns are identical in the accusative and dative cases.

KURZ NOTIERT

Some German verbs are always reflexive, although their English counterparts may not be.

sich erinnern an (+ *acc.*)	to remember
sich interessieren für	to be interested in
sich unterhalten	to have a conversation
sich überlegen	to decide
sich aufregen	to get excited
sich entspannen	to relax
sich freuen auf (+ *acc.*)	to look forward to
sich freuen über (+ *acc.*)	to be glad about
sich vorstellen	to imagine; to introduce
sich schminken	to put on makeup

SINGULAR			PLURAL		
ACCUSATIVE		DATIVE	ACCUSATIVE		DATIVE
mich	*myself*	mir	uns	*ourselves*	uns
dich	*yourself*	dir	euch	*yourselves*	euch
sich	*yourself*	sich	sich	*yourselves*	sich
sich	*herself*	sich	sich	*themselves*	sich
	himself				
	itself				

Note that the verbs **legen** and **setzen** require accusative reflexive pronouns to describe the process of lying or sitting down.

Ich **lege mich** ins Bett.	*I'm going to lie down in bed. (I'm going to put myself to bed.)*
Du **hast dich** an den Tisch **gesetzt.**	*You sat down at the table. (You seated yourself at the table.)*

If a sentence with a reflexive verb contains a direct object, the reflexive pronoun will be in the dative case.

Du ziehst **dich** an.   *You're getting dressed.*
Du ziehst **dir** die Jacke an.   *You're putting on your jacket.*

German has a number of reflexive verbs that refer to daily routines and
that take articles of clothing or parts of the body as direct objects. In
these instances, the reflexive pronoun appears in the dative case.

Übungen

A Alte Freunde. Susanne trifft sich mit Sabine im Fitnessclub.
Sabine hat gerade eine alte Freundin gesehen, die vor
einiger Zeit ein Zimmer bei Familie Dyrchs mieten wollte.

SABINE: Erinnerst du _____¹ an Melanie Schmidt? Wir
haben _____² heute in der Stadt getroffen.

SUSANNE: Ja, sie war doch mal hier, weil sie _____³ für ein
Zimmer bei uns interessiert hat.

SABINE: Ich hatte _____⁴ schon gefreut, dass sie bei uns
einziehen würde.

SUSANNE: Ja, aber sie hat es _____⁵ dann doch anders
überlegt.

SABINE: Schade, ich könnte es _____⁶ wirklich gut
vorstellen, sie bei uns als Mitbewohnerin zu
haben.

SUSANNE: Ja, ich erinnere _____⁷ noch, dass du _____⁸
vorher lange mit ihr unterhalten hast.

**Susanne und ihre Schwester Sabine im
Fitnessclub.**

B Morgentoilette. Was machen Sie morgens und in welcher Reihenfolge?
Erklären Sie Ihre Routine.

MODELL: Erst stehe ich auf, dann mache ich Tee, dann . . .

sich die Haare waschen   sich die Zähne putzen

sich duschen   sich anziehen

sich rasieren

sich die Haare kämmen   sich schminken

In Bad Ems kann man sich gut erholen.

C Gesundheit und Stress. Arbeiten Sie mit einem Partner / einer Partnerin, und stellen Sie einander die folgenden Fragen.

1. Wie hältst du dich fit?
2. Interessierst du dich für Fitness-Training?
3. Was solltest du essen, um gesund zu bleiben?
4. Was machst du, wenn du dich krank fühlst?
5. Wie viele Stunden in der Woche arbeitest du?
6. Regst du dich auf, wenn die Schule zu stressig ist?
7. Ärgerst du dich, wenn du zu viel zu tun hast?
8. Wie kannst du dich in der Freizeit am besten entspannen?

REVIEW OF TWO-WAY PREPOSITIONS
TALKING ABOUT DIRECTION AND LOCATION

German has groups of prepositions that always require objects in just one case: the accusative, dative, or genitive. However, German has also another group—called two-way prepositions—that takes either an accusative or a dative object, depending on whether the preposition refers to location or destination. This set includes the following prepositions.

an	*at, near*	über	*above, over*
auf	*on, on top of, at*	unter	*below, under, among*
hinter	*behind, in back of*	vor	*in front of*
in	*in, into*	zwischen	*between*
neben	*next to*		

In sentences that answer the question **wo** (*where*), these prepositions require the dative case to indicate location.

WO?	LOCATION
Wo ist Sabine?	Sie ist **auf dem** Flughafen.
Wo ist Susanne?	Sie ist **im** Fitnessclub.

In sentences that answer the question **wohin** (*where to*), they require the accusative case to indicate destination.

WOHIN?	DESTINATION
Wohin geht Susanne?	Sie geht **in den** Fitnessclub.
Wohin steckt Sabine ihren Reisepass?	Sie steckt ihren Reisepass **in die** Tasche.

Contractions commonly occur with the following combinations.

an dem → am	in dem → im
an das → ans	in das → ins

Übungen

A Urlaub auf Mallorca. Sie erinnern sich an eine schöne Reise. Ergänzen Sie die Lücken mit Hilfe des Wortkastens.

Letzten Sommer sind wir nach Mallorca gefahren. Wir haben da in einem Hotel gewohnt. Als wir am ersten Tag _____[1] Hotel gingen, haben wir einen Freund getroffen. Wir sind zusammen _____[2] Strand gegangen. Es war so schön da! Wir haben ganz schön _____[3] Meer gebadet und in der Sonne gelegen. Am zweiten Tag haben wir ein Auto gemietet, und wir sind _____[4] andere Seite der Insel gefahren. Wir haben das Auto _____[5] sehr alten Ferienheim geparkt. Dann sind wir _____[6] kleinen Hügel geklettert, um die ganze Insel zu sehen. Ich habe mich richtig _____[7] tolle Reise gefreut.

über diese

auf die

ins

auf einen

im

vor einem

an den

B Wo? Wohin? Die Eltern fahren bald zur Kur ab. Sie regen sich auf, weil sie so viel in so kurzer Zeit zu tun haben. Die Tochter hilft ihnen. Wie antwortet sie auf ihre Fragen?

MODELL: Wo ist meine Sonnenbrille? (in / die Schublade)[a]
In der Schublade.

1. Wo ist Vatis Brieftasche?[b] (in / seine Tasche)
2. Wo sind meine Sandalen? (vor / die Tür)
3. Wo ist unser Reiseführer? (auf / der Bücherschrank)
4. Wo ist meine liebe Katze? (unter / das Bett)
5. Wohin geht der Hund jetzt? (unter / das Bett)
6. Wohin sollen wir unser Gepäck stellen? (in / der Kofferraum)
7. Wohin wirst du unsere Post legen? (neben / der Computer)
8. Wohin fährst du uns jetzt? (auf / der Bahnhof)
9. Woran denkst du? (an / eure Abfahrt)

[a]drawer   [b]wallet

Vor einer Reise hat man viel zu erledigen!

C Mein Lieblingsurlaub. Arbeiten Sie mit einem Partner / einer Partnerin, und stellen Sie einander die folgenden Fragen.

1. Was möchtest du lieber im Urlaub machen, an den Strand gehen oder ins Museum?
2. Möchtest du auf einer tropischen Insel Urlaub machen?
3. Möchtest du in einen deutschen Kurort reisen? Warum (nicht)?
4. Gehst du gern in die Disko, wenn du im Urlaub bist?
5. Reist du lieber mit Freunden oder mit der Familie?
6. Unterhältst du dich gern mit neuen Leuten, wenn du im Urlaub bist?
7. Übernachtest du lieber in einem Hotel oder auf einem Campingplatz?
8. Möchtest du lieber in den Bergen wandern oder am Meer segeln?

REVIEW OF VERBS OF DIRECTION AND LOCATION

MORE ON CONTRASTING DIRECTION AND LOCATION

KURZ NOTIERT

You will recall also these verbs that indicate direction and location.

Direction

setzen, setzte, gesetzt
to set, put in position

stecken, steckte, gesteckt
to stick; to hide, put in a concealed place

Location

sitzen, saß, gesessen
to sit, be in a sitting position

stecken, steckte, gesteckt
to stick; to be in a concealed place

In addition to two-way prepositions, verbs also indicate direction or location. For example, you know that **gehen** and **fahren** indicate direction *toward* a place; whereas **sein, liegen,** and **treffen** designate location *at* a place. The following verbs combine with the two-way prepositions to describe an exact direction or location.

DIRECTION	LOCATION
stellen, stellte, hat gestellt *to stand, place in an upright position*	stehen, stand, hat gestanden *to stand, be in an upright position*
hängen, hängte, hat gehängt *to hang onto a vertical surface*	hängen, hing, hat gehangen *to hang on a vertical surface*
legen, legte, hat gelegt *to lay, place in a horizontal position*	liegen, lag, hat gelegen *to lie in a horizontal position*
sich legen, legte, hat gelegt *to lie (oneself) down*	

Note that the past forms of the verbs that indicate direction are regular, while the verbs that indicate location form their past tense with a stem change and their participles with **-en.**

Er hat seine Bücher auf den Tisch **gelegt.**
He put his books on the table.

Seine Bücher haben auf dem Tisch **gelegen.**
His books were lying on the table.

Always use reflexive pronouns to say that someone is seating himself or herself down or is lying down:

Ich **lege mich** ins Bett.
I'm going to bed.

Wir haben **uns** an den Tisch **gesetzt.**
We seated ourselves at the table.

Übungen

A Ein freier Tag. Sie haben einen schönen Tag in Bad Ems verbracht. Wählen Sie die richtige Verbform.

1. Wir _____ uns auf eine Bank. (saßen, setzten)
2. Wir _____ gemütlich da und redeten miteinander. (saßen, setzten)
3. Meine Schwester _____ sich auf den Rasen und las ein Buch. (lag, legte)
4. Dann haben wir uns alle auf den Rasen _____. (gelegen, gelegt)
5. Als wir auf dem Rasen _____, kamen unsere Freunde vorbei. (lagen, legten)
6. Sie haben da einige Minuten _____, weil sie auf den Tennisplatz gehen wollten. (gestanden, gestellt)
7. Endlich _____ sie sich aber auch neben uns. (lagen, legten)
8. Wir haben alle da den ganzen Nachmittag in der Sonne _____. (gelegen, gelegt)

B Beim Arztbesuch. Die Arzthelferin erklärt Sven, was er während der Untersuchung machen muss. Ergänzen Sie die Sätze mit Hilfe der Wörter in Klammern.

1. Herr Schüder, bitte gehen Sie (in / das Labor).
2. Sie dürfen Ihre Jacke hier (auf / dieser Haken) hängen.
3. Stellen Sie Ihre Sachen (unter / der Tisch).
4. Legen Sie Ihren Arm (auf / der Tisch), und machen Sie eine Faust.
5. Gehen Sie jetzt (in / das Sprechzimmer), und warten Sie bitte auf den Arzt.
6. Ich schreibe die Ergebnisse (auf / der Zettel).

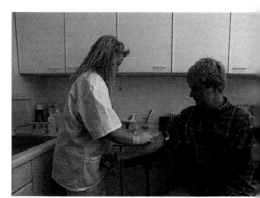

Sven mit der Arzthelferin.

C Diebstahl im Museum. Jemand hat ein berühmtes Bild aus dem Museum gestohlen – aber wie ist es passiert? Schreiben Sie die Sätze im Imperfekt.

1. Das wertvolle Bild hängt im Museum.
2. Die Diebe liegen hinter den Bäumen, bis es dunkel ist.
3. Sie stellen eine Leiter vor das Fenster.
4. Sie klettern auf die Leiter und kommen ins Museum.
5. Der Wachmann sitzt in einem Sessel und schläft.
6. Sie hängen ein falsches Bild an die Stelle des echten.
7. Sie stecken das echte Bild in den Sack.
8. Sie fahren mit dem Bild weg.

PERSPEKTIVEN

Oberstaufen, ein attraktiver Erholungsort im bayerischen Allgäu.

W ORTSCHATZ ZUM HÖRTEXT

anerkannt	*recognized*
das Heilbad	*medicinal bath*
umfangreich	*extensive*
der Bereich	*area; field*
die Luftreinheit	*purity of the air*
gesperrt	*closed*
vorbildlich	*exemplary*

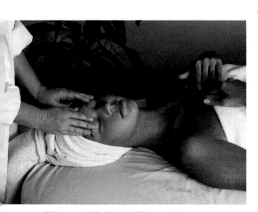

Eine natürliche Therapie.

HÖREN SIE ZU!
LIEBER GAST

Sie hören jetzt eine Begrüßung des Kurdirektors. Er beschreibt das umfangreiche Angebot der Stadt Oberstaufen.

A Was wissen Sie jetzt über Oberstaufen? Beantworten Sie die Fragen.

1. Warum sagt der Kurdirektor, „von Umweltschutz reden wir schon lange nicht mehr"?
2. Wie ist die Luftqualität in Oberstaufen? Warum ist das so?
3. Was kann man mit einer Kurkarte machen?
4. Wo liegt Oberstaufen?

B Wie ist es bei Ihnen? Gibt es solche Kur- oder Erholungsorte in Ihrem Land? Was sind die Hauptattraktionen solcher Kurorte? Arbeiten Sie mit einem Partner / einer Partnerin, und besprechen Sie, was Sie jetzt alles über „Kur" und Kurorte in Deutschland wissen.

LESEN SIE!

Zum Thema

● **Wie halten Sie sich fit?** Halten Sie sich gern fit? Oder machen Ihnen Sport und Bewegung keinen Spaß? Lesen Sie die folgenden Fragen, und diskutieren Sie sie dann mit einem Partner / einer Partnerin.

1. Merken Sie es, wenn Sie sich lange nicht bewegt haben? Wie denn?
2. Wie lockern Sie Ihre Glieder[a] am liebsten? Freuen Sie sich auf die Bewegung?
3. Treiben Sie gern Sport? Warum, oder warum nicht? Wie oft?
4. Haben Sie immer dieselbe Einstellung zum Sport gehabt, oder hat sich das geändert? Warum?
5. Brauchen Sie viel Abwechslung beim Sport, oder konzentrieren Sie sich lieber auf eine Sportart? Oder schauen Sie einfach lieber zu?

[a]*joints, limbs*

6. Was könnte und sollte man machen, um Erfolg zu garantieren, wenn man sich nach langem Nichtstun wieder fit machen will?
7. Wie gefällt Ihnen das Joggen? Was sind Ihrer Meinung nach die Vor- und Nachteile davon?

Das neue Lauf-Einmaleins
10 erste Schritte für Einsteiger

SCHRITT **1**: Sie haben zehn Sekunden Zeit: Was fällt Ihnen spontan zum Stichwort „Joggen" ein? – Die Uhr läuft.

Stopp! Nun antworten Sie ehrlich: War auch nur ein Gedanke aus dem Umfeld „eigentlich müßte ich", „schlechtes Gewissen", „jaja, ich weiß",
5 „Verpflichtung", „wann denn bloß" dabei? Dann heißt der erste Schritt für Sie: Vergessen Sie alles, was Sie bislang über Joggen zu wissen glaubten!

SCHRITT **2**: Jetzt folgt der wichtigste dieser zehn Schritte: Betrachten Sie Joggen nicht als eine Verpflichtung, nicht als einen lästigen, zusätzlich abzuhakenden Punkt in Ihrem Tagesablauf, sondern als etwas Lustvolles
10 und Kostbares. Versuchen Sie, das neue „Joggen" in dem Gehirnbereich abzuspeichern, wo Sie bereits „wolkenloser Himmel" und „sternenklare Nacht", „Frühstück im Freien" und „Sauna" angesiedelt haben. Glauben Sie uns einfach: Joggen, jedenfalls das neue Joggen, zu dem wir Sie hier führen wollen, macht Spaß.

15 SCHRITT **3**: Lassen Sie Ihre übliche Arbeitswoche in Gedanken Revue passieren: An welchen drei Tagen würden Sie sich am dringlichsten eine Auflockerung der Routine wünschen oder sich selbst etwas Gutes gönnen?

Okay, Ihr Wunsch wird erfüllt: Reservieren Sie sich an diesen drei Tagen eine halbe Stunde Spaß. (Wenn Sie jetzt „keine Zeit" denken,
20 haben Sie Schritt 2 übersprungen.)

SCHRITT **4**: Wissen Sie, warum so viele Jogger einfach nicht danach aussehen, als hätten sie gerade Spaß? Weil sie sich unrealistische Ziele gesetzt haben. („10 Kilogramm weniger in drei Wochen"), deshalb zu schnell laufen, deshalb außer Atem kommen, deshalb nur denken: „Wann
25 bin ich endlich wieder am Auto?", deshalb noch schneller laufen . . .

Setzen Sie sich statt dessen ein realistisches Ziel. Das ist das Gegenteil von einem abstrakten Ziel – also alle Vorgaben, die irgendetwas mit Zahlen zu tun haben, mit verlorenen Kilos, mit Minuten-pro-Kilometer, mit Kilometer-pro-Woche. Deshalb jetzt ein Geheimtip. Das beste
30 realistische Ziel, das wir kennen, lautet: Ich will mich nach dem Joggen besser fühlen als vorher. Daraus lassen sich die Antworten auf alle anderen Fragen ableiten, die Sie vielleicht noch haben.

SCHRITT **5**: Wählen Sie eine Strecke, auf der Sie sich wohl fühlen. Wenn Ihnen der Gedanke nicht behagt, daß andere Ihnen zuschauen, dann

die Verpflichtung	obligation
abspeichern	to store data
die Auflockerung	loosening up
sich etwas gönnen	to treat oneself to
nicht behagen (+ dat.)	to feel uncomfortable
das Gehen	walking
die Puste	breath
verringern	to reduce
die Geschwindigkeit	speed
sich vertraut machen mit	to get acquainted with
frönen (+ dat.)	to indulge in
die Belastung	strain
die Blase	blister
begutachten	to give expert advice about
die Dehnung	stretching
die Wade	calf
der Schollenmuskel	soleus muscle
das Gesäß	posterior
der Oberschenkel	thigh
das Schienbein	shin

KULTURSPIEGEL

Wer in den deutschsprachigen Ländern seine sportlichen Talente entwickeln und gegen Mannschaften aus anderen Städten spielen will, wird Mitglied bei einem Sportverein. Diese Sportvereine bieten Spielmöglichkeiten auf verschiedenen Ebenen: sie trainieren Kinder und Jugendliche, bieten Erwachsenen Spiel- und Trainingsprogramme, und in den Großstädten unterstützen sie professionelle Mannschaften.

35 laufen Sie eben nicht den unbefestigten Weg um den nahegelegenen See, auf dem sich morgens und abends Ihre joggenden Freunde und Nachbarn treffen.

SCHRITT **6**: Beinahe jeder Einsteiger glaubt, daß
40 Laufen automatisch schneller sein müsse als Gehen. Vergessen Sie es. Wenn Sie eine Person Ihres Vertrauens finden, die während Ihres ersten Jogging-Versuchs neben Ihnen her geht, können Sie den Gegenbeweis im Wortsinn antreten:
45 Konzentrieren Sie sich darauf, maximal so schnell zu laufen, wie Ihr Begleiter geht. Das wird Ihnen anfangs komisch vorkommen, funktioniert aber und ist obendrein eine ausgezeichnete Übung für die Muskulatur, die sich ja erst einmal an den neuen
50 Bewegungsablauf gewöhnen muß.

SCHRITT **7**: Ein Hinweis, damit Ihnen vor Begeisterung nicht die Luft wegbleibt: Die Puste wird knapp, wenn der Körper nicht genug einatmen kann. Und er kann nicht genug einatmen, wenn wir nicht
55 intensiv genug ausatmen. Hört sich simpel an, ist aber der eigentliche Schlüssel zur richtigen Atmung: Das Einatmen besorgt der Körper selbst, wenn wir ihm nur durch bewußtes, kräftiges Ausatmen die Lungen freimachen. Für den Anfang kann man sich
60 gut damit behelfen, in vier Schüben zeitgleich mit vier Laufschritten die Luft aus Mund und Nase auszustoßen. Wenn Sie nur noch zwei Schritte schaffen, verringern Sie das Tempo oder gehen ein Stück. So haben Sie auch eine gute Kontrolle über
65 Ihre Geschwindigkeit.

SCHRITT **8**: Jetzt sollten Sie sich mit einer schlechten Nachricht vertraut machen: Um den optimalen Nutzen zu erreichen, dürfen Sie Ihrem neuen Hobby nicht uneingeschränkt frönen. Dreimal pro Woche
70 30 Minuten lautet die einfache Regel, die das weltgrößte Fitneß-Forschungsinstitut von Kenneth H. Cooper in Dallas aus einer Flut von Daten als Optimalpensum herausgefiltert hat. Mehr ist weniger (zumindest für die Gesundheit), weniger ist zu
75 wenig. Das heißt keinesfalls, daß Sie 30 Minuten am Stück laufen sollen. Wichtig ist die gleichmäßige Belastung, die Sie am Anfang auch durch einen ständigen Wechsel von Laufen und Gehen erreichen.

80 SCHRITT **9**: Fehlt noch die Ausrüstung. Die Turnschuhe, mit denen Sie im letzten Jahr den Rasen gemäht haben, sollten Sie jetzt nicht zweckentfremden. 30 Minuten sind zwar kein Marathon, aber für eine Blase reicht's. Suchen Sie
85 lieber im Sportgeschäft einen Verkäufer, der sich die Zeit nimmt, Ihren Fuß zu begutachten und Ihnen einige für Sie passende Modelle zu empfehlen. Wenn Sie sich für eines entschieden haben, fragen Sie nach Restposten des Vorläufers aus der
90 vergangenen Saison. Die haben nur grüne statt blaue Dekorstreifen, kosten aber 75 Mark weniger.

SCHRITT **10**: Den letzten Schritt – tja, den können wir Ihnen nicht abnehmen. Den müssen, Entschuldigung, dürfen Sie jetzt selber tun.

Frank Hofmann

5 empfehlenswerte Dehnungsübungen

Dehnung für den Wadenmuskel:
Schrittstellung, Hände stützen in
Schulterhöhe ab, hinteres Knie
wird gestreckt

Dehnung für den Schollenmuskel:
hinterer Fuß zieht nach vorne,
Gesäß wird zurückverlagert,
hinteres Knie gebeugt

Dehnung Oberschenkel-Rückseite: leicht gebeugtes Standbein, gestrecktes Spielbein setzt mit Ferse auf

Dehnung Oberschenkel-Vorderseite: Kniegelenk des liegenden Beins wird so weit gedehnt, bis die Ferse das Gesäß berührt

Dehnung Schienbein: im Kniestand das Gesäß langsam auf Fersen absenken, Spann liegt flach auf dem Boden auf

Zum Text

A Welche Themen werden im Text angesprochen, und welche nicht?

Brainstorming
optimale
   Trainingseinheiten
richtiges Ein- und
   Ausatmen
Ausrüstung
Joggingpartner

Jogging-Vereine
Denktraining
Zeiteinteilung
realistische Ziele
Joggingstrecken
Sportgetränke
Fußblasen

Diät
Jogging-Mode
Gehen vs. Joggen
Tempo
Dehnungsübungen
Marathon

B „10 erste Schritte für Einsteiger." Suchen Sie die Antworten zu diesen Fragen im Text.

1. Was sind normale Reaktionen auf das Wort „Joggen"?
2. Was sollte man über das Joggen denken? Mit was sollte man Joggen assoziieren?
3. Wie oft in der Woche sollte man sich etwas Gutes gönnen bzw. die Routine auflockern? Für wie lange?
4. Was für Ziele soll sich der Jogging-Anfänger setzen? Was wären falsche Ziele?
5. Wo soll der Einsteiger nicht joggen?
6. Was ist das richtige Jogging-Tempo für den Einsteiger?
7. Was sollte man machen, um nicht außer Atem zu kommen?
8. Wie oft und wie lange soll der Einsteiger trainieren?
9. Wie wichtig ist es, dass man das Joggen nicht unterbricht?
10. Was ist das Wichtigste an der Ausrüstung? Wie kann man Geld sparen?

Zur Interpretation

● Einstellungen ändern. Der Autor dieses Artikels geht von einer bestimmten weitverbreiteten Einstellung zum Joggen aus und will Sie umstimmen. Von welcher? Mit welchen Mitteln versucht der Autor Sie umzustimmen? Welche Probleme für Jogger spricht er an? Mit einem Satz: was ist die wichtigste Aussage dieses Textes?

INTERAKTION

● Die Fortsetzung. Der Autor der „10 Schritte für Einsteiger" zeigt Ihnen den Text und fragt, wie er den Artikel wohl fortsetzen soll. Welche Themen würden Sie ihm empfehlen? Für welche Informationen würden Sie sich am meisten interessieren? Diskutieren Sie mit einem Partner / einer Partnerin.

SCHREIBEN SIE!

Ein Gesundheits- und Fitnessprogramm

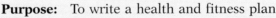

● Sie haben sich endlich dazu entschieden, fit zu werden. Oder Sie sind bereits fit und möchten weiterhin in Form und gesund bleiben. Schreiben Sie für sich selbst ein Gesundheitsprogramm, in dem Sie geeignete Sportarten, Übungen und andere Maßnahmen beschreiben, die Sie an Ihr persönliches Fitnessziel führen sollen.

Purpose:	To write a health and fitness plan
Audience:	Yourself
Subject:	Becoming or remaining physically fit and in good health
Structure:	A resolution

TIPP ZUM SCHREIBEN

Newspapers and magazines are full of information about how to lead a healthy lifestyle. Before you write, spend some time reading about foods to avoid and the reasons for avoiding them. Then think about the kinds of things you like to eat. Compare your diet to the information you gathered in your reading. Do the same for physical activities.

Schreibmodell

The writer clearly states his/her reason for wanting to get fit.

The writer also states his/her goal and, briefly, the activities he/she will do to reach it.

Here the writer outlines his/her plan in detail.

Setzen indicates direction so the two-way preposition **auf** is followed by the accusative case. Watch for other two-way prepositions throughout the model.

Legen requires the accusative reflexive pronoun when it describes the process of lying down.

Ausdauer-Trainingsprogramm fürs Bergwandern

Grund: Ich möchte im Sommer mit Freunden in den Rocky Mountains wandern gehen. Leider habe ich aber überhaupt keine Ausdauer[a] und schon beim Treppensteigen geht mir die Puste aus.

Ziel: Ich möchte so fit werden, dass ich ohne Mühe mit dem Rucksack auf alle Gipfel komme.

Maßnahmen: Ausdauer-Training bestehend aus Schwimmen, Rad fahren, Seilspringen[b] und Dehnungsübungen. Mehr Obst und Gemüse und weniger fette Snacks essen und viel Wasser trinken.

Mein Trainingsprogramm: Als tägliche Übung springe ich mindestens zehn Minuten mit dem Seil. Jeden Tag will ich versuchen, etwas schneller zu springen. Wenn ich aus der Schule nach Hause komme, ziehe ich mir meine Turnschuhe an und übe hinter dem Haus seilspringen. Jeden Dienstag und Donnerstag setze ich mich auf mein Rad und fahre zum Aussichtspunkt auf dem Chestnut Hill. Bis zum Sommer will ich den ganzen Weg in einem Stück schaffen, ohne abzusteigen. Jeden Samstag und Sonntag Vormittag gehe ich außerdem in das Schwimmbad und schwimme 30 Bahnen.[c] Jeden Abend lege ich mich vor dem Bett auf den Boden und mache Dehnungsübungen. Wenn ich dann im Bett liege, werde ich noch ein bisschen von den Bergen träumen.

---

[a]*stamina*   [b]*jumping rope*   [c]*laps*

Schreibstrategien

Vor dem Schreiben

- Do you feel you need to improve your stamina and strengthen your muscles? Begin the writing process by deciding why you are going to undertake a fitness plan or why you are going to change or add to your current fitness activities. Figure out your reason for writing this plan and write it down. You don't have to write in complete sentences at this point. Just make notes that you can refer to later.

- Brainstorm a list in German of things you can do to maintain or improve your level of fitness. If there are specific benefits from doing a particular activity, make a note of those, too.

- What about your eating habits? Are there ways you can improve them—eat more fruits and less junk food, drink more water? Make notes about how you can change your diet and the benefits you hope to gain by doing so.

Beim Schreiben

- With your notes, begin writing your plan. What do you hope to achieve? State your goal or reasons for making the plan.

- Write a sentence or two about the activities you choose. What will you do? How often? When? Where? Mention the benefits of doing these activities.

- Finally, write a sentence or two about the foods you will eat. You might want to mention the ones you are going to try to stop eating.

Nach dem Schreiben

- Review your first draft critically yourself, correcting errors in spelling, punctuation, and grammar. Then exchange your draft with a classmate with whom you feel comfortable. If you don't want to share your plan with a classmate, ask your teacher to read it.

Stimmt alles?

- Revise your plan based on your classmate's or teacher's suggestions and corrections.

- Now comes the difficult part—try following your plan! Keep it handy for reference. But be careful, don't overdo it!

Mein Anti-Stress-Programm

Nach der Schule bin ich immer sehr kaputt: Ich habe schlechte Laune und ich fühle Stress wegen ~~die~~ der vielen Hausaufgaben. Das soll anders werden! Mein neues Anti-Stress-Programm sieht so aus: Am Morgen stehe ich auf und stelle ~~mir~~ mich vor das Bett für eine Yoga-Übung von 10 Minuten. Jeden Tag nach der Schule treffe ich ~~mich~~ mir mit meiner Freundin Claudia. Wir ziehen uns unsere Turnschuhe an und gehen 20 Minuten Joggen. Nach den Hausaufgaben und dem Lernen, stelle ich ~~mich~~ mir die Musik an und ich tanze zu meinen neuen CDs. Außerdem will ich keine Cola mehr mit Koffein trinken und weniger Schokolade essen. Ich will mehr Obst und Nüsse essen. Diese Lebensmittel sind gut für ~~die~~ das Gehirn, hat ~~mich~~ mir meine Tante gesagt.

WORTSCHATZ

Substantive	Nouns
die **Begegnung, -en**	meeting; encounter
die **Gesundheitspflege**	health care
die **Körperpflege**	personal hygiene
die **Krankenkasse**	health insurance; wellness fund
die **Kur, -en**	health spa; course of treatment
die **Übung, -en**	exercise
die **Untersuchung, -en**	examination
die **Versicherung, -en**	insurance
die **Vorsorge**	preventive medicine
der **Arztbesuch, -e**	visit to the doctor
der **Blutdruck**	blood pressure
der **Umstand, ¨e**	circumstance
der **Zettel**	note; piece of paper
das **Bad, ¨er**	bath; spa
das **Ergebnis, -se**	result, outcome
das **Fett, -e**	fat
das **Gesundheitswesen, -**	health care system
das **Heilmittel, -**	remedy
das **Wartezimmer, -**	waiting room

Verben	Verbs
achten	to respect; to take notice
atmen	to breathe
begeben, begab, begeben	to negotiate
ein•treten (tritt ein), trat ein, ist eingetreten	to occur; to enter
erhöhen	to raise, increase
geraten (gerät), geriet, ist geraten	to come upon
mahnen	to urge

messen	to measure
nehmen: Zeit in Anspruch nehmen (nimmt), nahm, genommen	to take up time
riechen nach	to smell like
sich vergnügen	to amuse oneself
sich verrechnen	to miscalculate
verschreiben, verschrieb, verschrieben	to prescribe
sich vor•nehmen (nimmt vor), nahm vor, vorgenommen	to undertake; to carry out

Adjektive und Adverbien	Adjectives and adverbs
gewohnheitsmäßig	in a habitual manner
heimlich	secret(ly)
regelmäßig	regular(ly)
sinnvoll	sensible; meaningful
tief	deep(ly)
unschlüssig	undecided
vegetarisch	vegetarian
verzweifelt	desperate

Sie wissen schon	You already know
das **Fieber**	fever
das **Gemüse**	vegetable
das **Krankenhaus, ¨er**	hospital
das **Labor, -s**	laboratory
das **Medikament, -e**	medication
das **Obst**	fruit
das **Rezept, -e**	prescription
gesund	healthy

VIDEOTHEK

A Weiterbilden in der Freizeit. Claudia und Bärbel belegen einen Malkurs an der Volkshochschule in Potsdam. Was wissen Sie noch über Volkshochschulen?

1. Beschreiben Sie, was Sie in jedem Bild sehen. Was macht man in jedem Bild? Warum will man solche Kurse belegen? Wollen Sie auch diese Kurse belegen? Warum? Warum nicht?
2. Welche Vorteile gibt es an einer Volkshochschule? Denken Sie an die Preise, wann die Kurse angeboten werden und welche Kurse man belegen kann.
3. Gibt es auch eine Volkshochschule oder eine Art Volkshochschule, wo Sie wohnen? Was für Kurse kann man an dieser Volkshochschule belegen?

Der Malkurs.

Informatik.

Im Spanischkurs.

B Urlaub gestern und heute. Beschreiben Sie die Entwicklung der modernen deutschen Tourismusindustrie. Denken Sie an die folgenden Fragen.

1. Wer konnte vor hundert Jahren eine Urlaubsreise machen?
2. Wo haben die meisten Leute Spaß und Erholung gefunden?
3. Was hat sich in den zwanziger Jahren geändert?
4. Wie war der Urlaub im Nationalsozialismus organisiert?
5. Was waren die Unterschiede bezüglich Urlaub im Westen und im Osten nach dem Zweiten Weltkrieg? Wie ist es heute?

C Abenteuerurlaub. Birgit geht Canyoning. Sehen Sie sich die Bilder auf Seite 203 an, und beantworten Sie die Fragen.

a.   **b.**   **c.**

1. Beschreiben Sie jedes Bild: Was machen die Leute?
2. Was heißt eigentlich Canyoning?
3. Was sucht Birgit, wenn sie in Urlaub geht?
4. Wie findet Birgit das ganze Abenteuer?
5. Wollen Sie mal Canyoning gehen? Warum? Warum nicht?

VOKABELN

A Freizeit. Ergänzen Sie die Sätze mit den Wörtern im Kasten.

> Erholung   belegen   hauptsächlich
>
> Wirkungen   verbringen   Nachweis
>
> unternehmen   unersetzlich

Wie _____¹ Sie Ihre Freizeit? Manche interessieren sich für Sport, aber andere _____² Kurse wie Malen oder Fremdsprachen. Diese Kurse sind _____³ für Erwachsene gedacht, die etwas Neues lernen wollen. Diese Kurse können schon sehr viel Arbeit machen – wie kann man das denn als _____⁴ betrachten? Weiterbilden muss nicht stressig sein – es hat auch positive _____.⁵ Man übt ein neues Hobby aus und lernt andere Menschen kennen. Für viele ist dieser Kontakt zu anderen Menschen _____.⁶ Sie wollen lieber etwas mit Freunden _____,⁷ als abends allein zu Hause bleiben. Ein wichtiger _____⁸ dafür ist, dass kontaktfreudige Menschen oft einen niedrigeren Blutdruck haben und sich besser entspannen können, also mehr aus ihrer Freizeit machen.

Die Volkshochschule bietet verschiedene Kurse an.

B Ferien und Urlaub. Kombinieren Sie!

1. die Abwechslung
2. vegetarisch
3. die Gefahr
4. geschehen
5. sich leisten
6. sich entspannen
7. atmen
8. gespannt
9. sogar
10. sowieso

a. passieren
b. auf jeden Fall
c. Luft holen
d. relaxen
e. noch dazu
f. genug Geld oder Zeit haben
g. erwartungsvoll
h. sich von Gemüse ernähren
i. nicht immer das Gleiche, sondern etwas anderes
j. die Möglichkeit, dass etwas schlimmes passieren könnte

C Wie ich mich fit und gesund halte. Arbeiten Sie mit einem Partner / einer Partnerin, und stellen Sie einander folgende Fragen.

1. Wie oft machst du einen Arztbesuch?
2. Hast du Angst davor, zum Arzt zu gehen?
3. Nimmst du gern natürliche Heilungsmittel?
4. Hältst du dich fit? Wie?
5. Gehst du regelmäßig ins Fitness-Center?
6. Welche Übungen machst du, wenn du ins Fitness-Center gehst?
7. Isst du vegetarisch? Warum? Warum nicht?

Beim Arztbesuch muss man oft lange warten.

STRUKTUREN

A Arbeit und Freizeit. Ergänzen Sie die Sätze mit den richtigen Formen der Modalverben im Präsens oder Imperfekt.

1. Im neunzehnten Jahrhundert _____ sich nur die Reichen eine Schiffsreise leisten. (können)
2. Jetzt _____ fast jeder einen langen Urlaub machen. (können)
3. Man _____ viel Geld sparen, wenn man eine Luxusreise machen will. (müssen)
4. Die Gesellschaft _____ dafür sorgen, dass jeder Arbeiter / jede Arbeiterin mindestens ein Paar Wochen im Jahr Urlaub hat. (sollen)
5. Früher _____ Arbeiter fast die ganze Woche in den Fabriken arbeiten. (müssen)
6. Sie _____ nicht am Samstag zu Hause bleiben. (dürfen)
7. Die Arbeiter _____ mehr Rechte haben, wie kürzere Arbeitszeiten und Urlaub (wollen).
8. Jetzt _____ man die Arbeitszeit noch kürzer machen, damit man mehr Zeit für Freunde und Familie hat. (wollen)

Eine Schiffsreise um die Jahrhundertwende.

B Persönliche Meinungen. Arbeiten Sie mit einem Partner / einer Partnerin, und stellen Sie einander die folgenden Fragen.

1. Interessierst du dich für Extremsportarten?
2. Womit beschäftigst du dich in der Freizeit?
3. Woran denkst du, wenn du das Wort „Freizeit" hörst?
4. Hast du früher Aktivitäten in der Freizeit gemacht, die du jetzt nicht mehr machst? Was für Aktivitäten? Warum machst du sie nicht mehr?
5. Kannst du dir vorstellen, dass du als Erwachsene/Erwachsener einen Abendkurs belegen würdest? Warum? Warum nicht?
6. Was hältst du von organisierten Freizeitaktivitäten?

C Reisen im Schwarzwald. Ergänzen Sie die Sätze mit den richtigen Formen der Verben im Kasten.

Ich bin gerade von meiner Reise zurück _____.[1] Ich habe meinen ganzen Urlaub mit Freunden im Schwarzwald _____.[2] Wir sind überall _____.[3] Einmal sind wir so gar auf einen hohen Felsen _____.[4] Das hat Spaß _____.[5] Danach sind wir zurück ins Hotel _____[6] und haben uns gemütlich _____.[7] Die Reise hat uns sehr gut _____.[8] Nächstes Jahr fahren wir bestimmt wieder hin!

> gefallen
> gehen
> klettern
> verbringen
> wandern
> machen
> entspannen
> kommen

D Meine Kindheit. Beantworten Sie die Fragen.

MODELL: Konntest du als Kind gut zeichnen?
Ja, ich konnte immer gut zeichnen.
oder: Nein, ich konnte nie gut zeichnen.

1. Musstest du Klavierunterricht nehmen?
2. Musstest du beim Geschirrspülen helfen?
3. Durftest du spät aufbleiben?
4. Konntest du allein dein Zimmer aufräumen?
5. Durften deine Freunde bei dir übernachten?
6. Durftest du viel fernsehen?
7. Wolltest du in die Schule gehen?

E Interessen und Pläne. Ergänzen Sie die Sätze mit dem richtigen Reflexivpronomen.

1. Susanne interessiert _____ für Sprachen und will deshalb nach Spanien reisen.
2. Klaus und Stefan beschäftigen _____ gern mit Musik. In der Freizeit gehen beide gern in Konzerte oder in die Oper.
3. Wofür interessierst du _____?
4. Ich überlege _____, was ich während des Sommers machen werde.
5. Ich kann _____ keine Luxusreise leisten, aber ich will trotzdem etwas Schönes unternehmen.
6. Kannst du _____ vorstellen, wie es damals auf den großen Luxusschiffen war?
7. Das habe ich _____ nie vorstellen können.

F Die Eltern kommen!

SCHRITT 1: Sie und Ihre Geschwister müssen das Haus wieder in Ordnung bringen, bevor Ihre Eltern von der Arbeit nach Hause kommen. Es gibt ziemlich viel zu tun, und alle helfen mit. Aber wohin mit den ganzen Sachen? Schreiben Sie die Sätze im Präsens.

1. ich / stellen / die Bücher / auf / das Regal
2. Martin / stellen / die sauberen Gläser / in / der Küchenschrank
3. Felicia / legen / das Besteck / in / die Schublade
4. ich / hängen / das Bild / wieder / an / die Wand
5. Martin / legen / die Bettdecke / auf / sein Bett
6. Felicia / stellen / der Rasenmäher / in / die Garage
7. Martin / ruhen / sich / endlich / aus
8. ich / setzen / sich / auf / der Boden
9. Felicia / legen / sich / in / das Bett

SCHRITT 2: Alles erledigt! Jetzt schreiben Sie die Sätze im Perfekt.

PERSPEKTIVEN

A Was machen Sie gern in Ihrer Freizeit? Bleiben Sie lieber zu Hause, oder machen Sie lieber einen Ausflug? Sind Sie gern draußen?

B Eine Umfrage. Machen Sie eine Umfrage in der Klasse zum Thema typische Freizeitaktivitäten. Welche Aktivitäten sind beliebt, wo Sie wohnen? Was glauben Sie ist die beliebteste Freizeitaktivität in Ihrem Land?

C Wandern als Freizeitaktivität hat eine lange Tradition in den deutschsprachigen Ländern. Warum wandert man? Wo kann man wandern? Was sieht und hört man auf einer Wanderung?

KULTURSPIEGEL

„Der frohe Wandersmann" ist ein Gedicht der deutschen Romantik. Für viele Dichter dieser Periode war die Natur eine Offenbarung[a] Gottes, ein Bereich, in dem man die verloren gegangene Harmonie finden konnte. Obwohl Eichendorff kein sentimentaler Idylliker oder Vorläufer der Wanderbewegung war, bleibt „Der frohe Wandersmann" heute noch ein beliebtes Wanderlied in Deutschland.

[a]*revelation*

Beim Wandern.

Der frohe Wandersmann

Wem Gott will rechte Gunst erweisen,
Den schickt er in die weite Welt;
Dem will er seine Wunder weisen
In Berg und Wald und Strom und Feld.

5 Die Trägen, die zu Hause liegen,
Erquicket nicht das Morgenrot;
Sie wissen nur von Kinderwiegen,
Von Sorgen, Last und Not und Brot.

Die Bächlein von den Bergen springen,
10 Die Lerchen schwirren hoch vor Lust,
Was sollt' ich nicht mit ihnen singen
Aus voller Kehl und frischer Brust?

Den lieben Gott lass ich nur walten;
Der Bächlein, Lerchen, Wald und Feld
15 Und Erd' und Himmel will erhalten,
Hat auch mein Sach auf's Best' bestellt!

Joseph von Eichendorff (1788–1857)

D Zur Interpretation. Welche Beschreibung passt zu welcher Strophe?

1. Leute, die nicht wandern, kennen kein schönes Leben.
2. Gott schützt die Natur und den Wandersmann.
3. Wenn Gott jemanden mag, lässt er ihn wandern.
4. Der Wandersmann singt mit den Vögeln und Bächlein.

WORTSCHATZ ZUM LESEN

die Gunst	*favor*
erweisen	*to show*
weisen	*here: to point out, show*
der Strom	*stream, river*
die Trägen	*the lazy ones*
die Kinderwiege	*cradle*
die Last	*burden*
die Not	*need*
das Bächlein	*small brook*
die Lerche	*lark*
die Kehle	*throat*
walten	*to reign; to prevail*

SIND SIE WORTSCHLAU?

The suffixes **-lein** and **-chen** indicate something small and dear. Nouns with these suffixes are neuter.

der Bach	**das** Bäch**lein**
der Tisch	**das** Tisch**lein**
der Mann	**das** Männ**lein**
das Kind	**das** Kind**chen**
der Bruder	**das** Brüder**chen**

KAPITEL 34 MULTI-KULTI?

In diesem Kapitel

- sehen Sie, was ein junger Türke von Deutschland und den Deutschen hält.
- erfahren Sie, wie Ausländer den Alltag in Deutschland verändert haben.
- besprechen Sie, was eine multikulturelle Gesellschaft bedeutet.

Sie werden auch

- Relativpronomen und den Gebrauch von Relativsätzen wiederholen.
- lernen, wie man Relativpronomen mit Präpositionen benutzt.
- mehr über den Gebrauch von Infinitivsätzen mit **zu** lernen.
- lesen, wie ein Brasilianer nach dem „typischen" Deutschen sucht.
- einen multikulturellen Stadtführer schreiben.

Ist Deutschland wirklich
eine multikulturelle
Gesellschaft geworden?

In den Supermärkten
kauft man Produkte
aus aller Welt.

Gab es damals eine
„typisch" deutsche
Küche?

VIDEOTHEK

Ergün Çevik.

Was heißt für Sie „deutsch"? In diesem Kapitel sehen Sie, was ausländische Einwohner von Deutschland und den Deutschen halten und wie Deutsche und Österreicher auf ihre ausländischen Mitbürger reagieren.

I: Typisch deutsch?

In dieser Folge lernen Sie Ergün Çevik kennen, der schon lange in Deutschland lebt. Was heißt für ihn „deutsch"?

A Ergün erwähnt drei Eigenschaften, die ihm einfallen: Sauberkeit, Ordnung und Pünktlichkeit.

SCHRITT 1: Welche dieser drei Eigenschaften werden in den folgenden Aussagen dargestellt?

1. „Bei Rot stehen, bei Grün gehen."
2. „Wenn du eine Verabredung mit einem Deutschen hast, verspäte dich nie länger als fünf Minuten."
3. „Samstag ist in Deutschland Putztag."
4. „Damit sich alle an die Regeln halten, ist alles beschildert."
5. „Ein Terminkalender ist in Deutschland eine sehr wichtige Sache."
6. „Für mich zeigt sich in einem Schrebergarten die deutsche Seele."

SCHRITT 2: Wie finden Sie die „Regeln", die Ergün beschreibt? Gibt es solche Regeln auch bei Ihnen? Erklären Sie Ihre Antwort.

B Verkehrsschilder. Verbinden Sie jede Beschreibung auf Seite 211 mit dem richtigen Verkehrsschild.

a.

b.

c.

d.

e.

f.

1. Das Tempolimit ist dreißig Kilometer pro Stunde.
2. Hier darf man Fahrrad fahren.
3. Fußgängerweg: Fahrradfahren verboten.

4. Parkplatz: Hier kann man das Auto parken.
5. Hier geht man über die Straße.
6. Das Ampelmännchen zeigt, dass man jetzt über die Straße gehen darf.

C Regeln und Ausnahmen

SCHRITT 1: Ergün spricht über Deutschland und die Deutschen. Welche Regeln erwähnt er? Er sagt: „In Deutschland sagt man auch, die Ausnahme bestätigt die Regel." Was meint er wohl mit diesem Satz? Welches Beispiel im Video illustriert diese Aussage?

SCHRITT 2: Welche Regeln sind in Ihrem Land wichtig? Arbeiten Sie mit einem Partner / einer Partnerin, und machen Sie eine Liste. Würden Sie auch sagen: „Die Ausnahme bestätigt die Regel?" Warum (nicht)? Geben Sie ein Beispiel.

II: Vom Sauerkraut zur Pizza

In dieser Folge sehen Sie, was Ausländer zur Kultur in Deutschland und Österreich beigetragen haben. Inwiefern haben Minderheiten oder Einwanderer das Leben bei Ihnen bereichert?[a]

[a]*enriched*

A Die deutsche Küche. Welche Lebensmittel sind Ihrer Meinung nach „typisch deutsch"? Welche kommen wohl aus anderen Ländern?

1. Lammfleisch
2. Brathähnchen
3. Schnitzel
4. Zucchini
5. Bratwürste
6. Oliven
7. Schweinshaxe mit Knödeln
8. Knoblauch
9. Artischocken

B Persönliche Meinungen

SCHRITT 1: Aussagen. Drei Frauen sprechen über Ausländer und die multikulturelle Gesellschaft in Deutschland. Wer sagt was? Anja, Susanne oder Daniela?

1. „Die Ausländer nehmen Arbeiten an, die die Österreicher nicht annehmen würden."
2. „Wenn man heute in Berlin lebt und die vielen Ausländer sieht, die ausländische Restaurants eröffnen . . . denke ich, dass unser Leben nur reicher werden kann."
3. „Ich denke schon, dass Deutschland zu einer multikulturellen Gesellschaft geworden ist."
4. „Das ist ein schönes Gefühl für mich, wenn die Klassen international werden und . . . wenn man viele Sprachen hört."

SCHRITT 2: Partnerarbeit. Wählen Sie drei von den Aussagen oben und besprechen Sie sie mit einem Partner / einer Partnerin.

1. Stimmen diese Aussagen auch in Ihrem Land? Wenn ja, inwiefern?
2. Was bedeutet eine multikulturelle Gesellschaft für diese drei Frauen? In welchen Bereichen wirken die Einflüsse am stärksten?

Ausländische Arbeiter in den fünfziger Jahren.

KULTURSPIEGEL

1973 erreichte die Ausländerbeschäftigung in Deutschland einen Höhepunkt von rund 2,6 Millionen Arbeitnehmern; 1996 gab es in Deutschland, vor allem in den alten Bundesländern, rund 2,1 Millionen. Arbeiter aus der Türkei, Italien, dem ehemaligen Jugoslawien und Griechenland stellen den größten Anteil dieser ausländischen Beschäftigten dar.

VOKABELN

die Essgewohnheit	*eating habit*
die Genauigkeit	*accuracy; exactness*
die Nichtakzeptanz	*nonacceptance*
die Ordnung	*order*
die Pünktlichkeit	*promptness; punctuality*
die Regel	*rule*
die Sauberkeit	*cleanliness*
die Verabredung	*appointment; date*
die Verachtung	*contempt*
der Auswanderer / die Auswanderin	*emigrant*
der Einwanderer / die Einwanderin	*immigrant*
das Asyl	*political asylum*
das Bedürfnis	*necessity*
an•nehmen	*to accept, take on*
beachten	*to observe*
bei•tragen zu	*to contribute to*
dar•stellen	*to depict, portray; to present*
duzen	*to address someone with **du***
ein•fallen	*to come to mind*
ein•halten	*to keep (an appointment)*
siezen	*to address someone with **Sie***
vereinbaren	*to arrange*
verfolgen	*to persecute*
sich verspäten	*to be late*

Das Essen in Deutschland ist multikultureller geworden.

deutlich	*clear(ly)*
inzwischen	*in the meantime*
rechtlich	*legal(ly)*
unmittelbar	*direct(ly)*
unweigerlich	*inevitable; inevitably*

Sie wissen schon

die Ausländerfeindlichkeit, der Ausländer, der Schritt, beeinflussen, unbedingt

---

Asyl   rechtlich   Ausländer
inzwischen   Verachtung
beigetragen   beeinflusst
angenommen   verfolgt

Aktivitäten

A Ausländer in der Bundesrepublik. Ergänzen Sie die Sätze mit Wörtern aus dem Kasten.

Die fünfziger Jahre waren eine Zeit des Wohlstands in Deutschland. 1950 gab es wenige _____[1] in der Bundesrepublik, aber _____[2] ist die Zahl der ausländischen Arbeiter in Deutschland enorm gestiegen. Die deutsche Wirtschaft brauchte dringend Arbeitskräfte. Viele junge Männer, besonders Türken und Griechen, kamen nach Deutschland, um zu arbeiten. Sie haben Arbeiten

_____,³ die die Deutschen selbst nicht machen wollten. Deswegen wurden sie oft mit _____⁴ behandelt.

Obwohl man sie „Gastarbeiter" nannte, blieben viele von diesen Arbeitern ihr ganzes Leben in Deutschland. Obwohl die Kinder dieser Arbeiter in Deutschland geboren und aufgewachsen sind, werden sie _____⁵ als Bürger anderer Länder betrachtet.

In den vergangenen Jahren beantragten viele Flüchtlinge in Deutschland _____,⁶ weil sie in ihrer Heimat politisch _____⁷ wurden.

Ausländer haben zu den Kulturen der deutschsprachigen Länder viel _____.⁸ Auch haben ihre Essgewohnheiten die Küche stark _____.⁹ Jetzt können Österreicher und Deutsche Gerichte und Lebensmittel aus vielen anderen Ländern genießen.

B Definitionen. Wie kann man das anders sagen? Lesen Sie die Sätze links, und suchen Sie aus der rechten Spalte Synonyme für die kursiv gedruckten Wörter.

1. Das erste, was mir zu Deutschland einfällt, ist: Sauberkeit, Ordnung und *Pünktlichkeit.*
2. Und diese *Genauigkeit,* Verkehrsschilder an einem solchen Ort.
3. Die Schilder muss man unbedingt *beachten.*
4. Alles wird vorher *vereinbart,* zum Beispiel ein Friseurbesuch.
5. Wenn du *eine Verabredung* mit einem Deutschen hast, *verspäte dich nie.*
6. Die ausländische Küche hat auch *die Essgewohnheiten* der Deutschen verändert.
7. Zu Österreich haben Ausländer sehr viel *beigetragen.*
8. Hätten Sie etwas dagegen, mich *zu siezen?*

C Ausländer und Einwanderer

SCHRITT 1: Meinungen. Lesen Sie, was Anja zum Thema Ausländerfeindlichkeit sagt.

ANJA: Die Gründe für die Ausländerfeindlichkeit in Deutschland sehe ich vorrangig in der Nichtakzeptanz, der rechtlichen Nichtakzeptanz von Ausländern. Es kann nicht sein, dass ein Ausländer in Deutschland wohnt, sogar dort geboren ist, und gar kein Ausländer ist, doch aber den Status eines Ausländers hat. Man kann nicht dreißig Jahre in Deutschland wohnen und nicht das Recht haben, zu wählen, oder andere Rechte, die die Deutschen haben.

SCHRITT 2: Und in Ihrem Land? Arbeiten Sie mit einem Partner / einer Partnerin, und versuchen Sie, die Situation in Deutschland mit der Situation in Ihrem Land zu vergleichen. Denken Sie an die folgenden Fragen.

1. Wie bekommt man die Staatsbürgerschaft in Ihrem Land?
2. Woher kommen die meisten Ausländer bei Ihnen? Aus welchen Gründen wandern sie ein? Welche Arbeiten nehmen sie an?
3. Was bedeutet „rechtliche Nichtakzeptanz"?

KULTURSPIEGEL

Während der Nazizeit mussten viele Deutsche ihre Heimat verlassen und im Ausland Asyl suchen. Nach dem Krieg hatte man im deutschen Grundgesetz das Recht auf Asyl festgelegt. „Politisch Verfolgte genießen Asylrecht": So steht es in Artikel 16a des Grundgesetzes. In den Jahren 1989 bis 1992 kamen besonders viele Asylbewerber nach Deutschland (1992: 438 191 Menschen), die Hälfte davon aus Rumänien und dem ehemaligen Jugoslawien.

a. die genaue Einhaltung eines Termins
b. befolgen
c. arrangiert; besprochen
d. mitgeholfen; geleistet
e. komm nie spät an
f. mit „Sie" anzureden
g. das traditionelle Essen
h. einen Termin, ein Meeting
i. Exaktheit

Anja und Grace diskutieren über Ausländerfeindlichkeit.

STRUKTUREN

REVIEW OF RELATIVE CLAUSES I
DESCRIBING PEOPLE AND THINGS

Relative clauses add information about a person, place, or thing. In German, the relative pronoun is essential to the relative clause and cannot be omitted, unlike in English.

> Die Frage, **die** Sie gestellt haben, ist sehr interessant.

> *The question (that) you asked is very interesting.*

Note that the relative clause usually follows the noun it describes and that commas separate it from the rest of the sentence. Note also that the relative pronoun agrees in gender and number with the noun it describes, but takes the case of its function within the relative clause.

> Der Lehrer, **den** du gerade gesehen hast, ist bei seinen Schülern beliebt.

> *The teacher (whom) you just saw is popular with his students.*

In the preceding example, the relative pronoun is masculine and singular to agree with the noun, **der Lehrer.** However, it is in the accusative case, because it functions as the direct object of the verb within the relative clause (**du hast *den Lehrer* gerade gesehen**). As with all dependent clauses, the conjugated verb appears at the end of the relative clause (**den du gerade gesehen *hast***).

The forms of the relative pronouns are the same as those of the definite article **die, der, das,** except in the dative plural and all forms of the genitive. These forms have an extra **-en: denen, deren, dessen, dessen, deren.**

	FEMININE	MASCULINE	NEUTER	PLURAL
NOMINATIVE	die	der	das	die
ACCUSATIVE	die	den	das	die
DATIVE	der	dem	dem	**denen**
GENITIVE	**deren**	**dessen**	**dessen**	**deren**

Übungen

A Typisch deutsch? Ein Mann schreibt einen Zeitungsartikel über die Deutschen. Er will „typische Deutsche" finden. Suchen Sie in jedem Satz das Relativpronomen, und schreiben Sie das Genus (Feminin, Maskulin, Neutrum), den Numerus (Einzahl oder Mehrzahl) und den Kasus (Nominativ, Akkusativ, Dativ oder Genitiv) des Relativpronomens auf.

Zeigen diese Schrebergärten „typisch" deutsche Eigenschaften?

MODELL: Der Mann schreibt für eine Zeitung, die sehr berühmt ist.

RELATIVPRONOMEN	GENUS	NUMERUS	KASUS
die	Feminin	Einzahl	Nominativ

1. Der Mann sucht Menschen, die typisch deutsch sind.
2. Er reist mit einem Zug, der direkt von Berlin nach München fährt.
3. Er kommt in München an und übernachtet in einem Hotel, das sehr alt ist.
4. Im Hotel lernt er einige Menschen kennen, die er untypisch findet.
5. Er muss Menschen finden, deren Eigenschaften typisch deutsch sind.
6. Der Mann spricht mit seinem Freund Dieter, den er für einen typischen Deutschen hält.
7. Dieter spricht mit diesem Mann, dem er helfen will.
8. Der Mann, dessen Name in Italien gut bekannt ist, dankt seinem Freund Dieter für die Informationen.

B Transport und Reisen. Hier sind einige Definitionen. Ergänzen Sie sie mit den fehlenden Relativpronomen.

1. Ein Pkw ist ein Fahrzeug, _____ man privat besitzt.
2. Flugreisende sind Menschen, _____ mit dem Flugzeug fliegen.
3. Ein ICE ist ein sehr schneller Zug, _____ bis zu 280 Kilometer in der Stunde fahren kann.
4. Eine Radlerin ist eine Frau, _____ Rad fährt.
5. Ein Führerschein ist eine Lizenz, _____ man zum Fahren braucht.
6. Ein Reisepass ist ein Pass, _____ man auf Auslandsreisen mitnehmen muss.
7. Ein Zollbeamter ist ein Mann, _____ Touristen ihre Reisepässe zeigen müssen.
8. Ein Mofa ist ein Motorrad, _____ Motor sehr klein ist.

RELATIVE CLAUSES II
USING PREPOSITIONS WITH RELATIVE CLAUSES

A relative pronoun may also function as the object of a preposition in a relative clause. As always, the number and gender of the relative pronoun agrees with the noun; and the case of the relative pronoun is that required by the preposition within the clause.

Ich wohne **in einer Stadt.** Sie ist sehr schön.	*I live in a city. It is very beautiful.*
Die Stadt, **in der** ich wohne, ist sehr schön.	*The city I live in is very beautiful. / The city, in which I live, is very beautiful.*
Wir fahren **an den Strand.** Der Strand ist einer der schönsten hier.	*We're going to the beach. The beach is one of the nicest ones here.*
Der Strand, **an den** wir fahren, ist einer der schönsten hier.	*The beach we're going to is one of the nicest ones here. / The beach, to which we're going, is one of the nicest ones here.*

Note that in German the preposition immediately precedes the relative pronoun at the beginning of the relative clause.

A relative clause begins with a **wo-**compound when it describes an indefinite thing or place.

Das ist etwas, **worauf** ich mich seit langem gefreut habe.	*That is something (that) I have looked forward to for a long time.*
Eines Tages werde ich auf einer tropischen Insel leben, **wovon** ich immer geträumt habe.	*One day I'll live on a tropical island, which is something I've always dreamed about.*

Note that in the first example, the relative clause refers to the word **etwas;** in the second example, the relative clause refers to the entire idea expressed in the preceding clause.

KURZ NOTIERT

Recall that **da-** and **wo-**compounds include an **-r-** before prepositions that begin with a vowel.

Ich freue mich **darauf.**
Worauf freust du dich?

Übungen

A Ausländerfeindlichkeit und Politik. Ergänzen Sie die Sätze mit den Wörtern im Kasten.

1. Die Ausländerfeindlichkeit ist ein Thema, _____ _____ wir uns alle beschäftigen.
2. Wir wohnen in einer Gesellschaft, _____ _____ sich viele benachteiligt fühlen.
3. Eine Lösung, _____ _____ jeder einverstanden sein würde, gibt es wohl nicht.
4. Eine Änderung des Asylgesetzes, _____ _____ viele Bürger warten, ist im Moment politisch nicht möglich.
5. Andere meinen, dass die Probleme, _____ _____ so viel geschrieben wird, übertrieben sind.
6. In der Zukunft, _____ _____ wir träumen, braucht kein Mensch Angst vor Gewalt zu haben.

mit der   auf die
von denen
in der
mit dem
von der

B Ihre Freundin Karin erzählt von ihrer Reise nach Rügen. Sie wollen wissen, wie die Orte, in denen Karin war, genau heißen. Bilden Sie Fragen mit Relativsätzen.

MODELL: Ich habe *in einem billigen Hotel* gewohnt. →
             Wie heißt das Hotel, in dem du gewohnt hast?

1. Ich bin *an einen tollen Strand* gegangen.
2. Ich bin *auf eine kleine Insel* gefahren.
3. Ich bin *mit einem Zug* nach Sassnitz gefahren.
4. Ich habe da *in einer Jugendherberge* übernachtet.
5. Ich habe *in einem gemütlichen Restaurant* gegessen.
6. Ich habe *mit netten Menschen* geredet.
7. Ich bin *in den alten Dörfern* spazieren gegangen.

Auf der Insel Rügen.

C Eine multikulturelle Gesellschaft? Die Personen im Video sagen, was für sie eine multikulturelle Gesellschaft bedeutet. Ergänzen Sie die Sätze mit **wo**-Verbindungen.

1. SUSANNE: Sprachen sind etwas, _____ ich mich immer interessiert habe.
2. DANIELA: Die ausländischen Theater- und Musikaufführungen sind etwas, _____ ich mich sehr freue.
3. GRACE: Die negativen Einstellungen zu Ausländern sind etwas, _____ ich mich ärgere.
4. KLAUS: Die Integration von Ausländern in der Gesellschaft ist etwas, _____ ich mich schon lange beschäftigt habe.
5. ANJA: Die menschliche und rechtliche Akzeptanz von Ausländern ist etwas, _____ ich immer geträumt habe.

INFINITIVE CLAUSES WITH ZU
STATING GOALS AND INTENTIONS

You have learned to use modal verbs with infinitives.

Wir müssen eine Lösung finden.	*We have to find a solution.*
Ausländer wollen mehr soziale Rechte haben.	*Foreigners want to have more social rights.*

As you recall, verbs other than the modal auxiliaries may also take infinitives. However, these infinitives occur in phrases or clauses with the word **zu.**

Ich **hoffe,** nächstes Jahr in die Schweiz **zu reisen.**	*I hope to travel to Switzerland next year.*
Meine Freundin **hilft** mir, Informationen über die Schweiz **zu finden.**	*My girlfriend is helping me find information about Switzerland.*

The verbs **brauchen** and **scheinen** frequently appear with **zu** plus an infinitive. **Brauchen** can replace **müssen** in a sentence with a negative meaning.

Hier **braucht** man keine Angst **zu** haben.	*One doesn't have to be afraid of anything here.*
Nichts **scheint** typisch deutsch **zu** sein.	*Nothing seems to be typically German.*

The combination **zu** plus infinitive may occur in a phrase by itself or in a clause that begins with a preposition such as **(an)statt, ohne,** or **um.** A comma generally sets off clauses that include more words than just **zu** plus infinitive.

Wir finden es schön **zu reisen.**	*We find it nice to travel.*
Wir fahren nach München, **anstatt in Berlin zu bleiben.**	*We're going to Munich instead of staying in Berlin.*
Wir möchten viel erfahren, **ohne viel Geld auszugeben.**	*We want to experience a lot without spending a lot of money.*
Wir versuchen alles Mögliche, **um billige Zugfahrkarten zu finden.**	*We're trying everything possible in order to find cheap train tickets.*

As you have learned, certain verbs often appear in combination with a preposition: **sich beschweren über, denken an, sich engagieren für, sich erinnern an, sich interessieren für, reagieren auf, warten auf, sich wundern über.** An infinitive clause frequently follows the combination of a verb with an "anticipatory" **da**-compound. In such instances, the infinitive clause describes the situation that the **da**-compound anticipates.

Er wartet **darauf,** einen typischen Deutschen kennen zu lernen.	*He is waiting to get to know a typical German.*

Such anticipatory **da**-compounds have no corresponding forms in English.

Übungen

A Was sind die Gründe dafür? Sagen Sie, warum diese Leute die folgenden Sachen machen. Benutzen Sie dabei **um . . . zu . . .**

MODELL: Heinrich geht jeden Tag zum Sport. Er will sich fit halten. →
          Heinrich geht jeden Tag zum Sport, um sich fit zu halten.

1. Erika spart. Sie will ein neues Auto kaufen.
2. Richard räumt sein Zimmer auf. Er will seine Armbanduhr finden.
3. Stefan fährt mit der U-Bahn. Er will den dichten Autoverkehr vermeiden.[a]
4. Peter liest die Stellenanzeigen. Er will eine Stelle finden.
5. Claudia kauft eine Kinokarte. Sie will den neuen Film sehen.

[a]*to avoid*

B In der Freizeit. Alle müssen entscheiden, was sie in ihrer Freizeit machen wollen oder können. Bilden Sie Sätze mit dem Ausdruck **anstatt . . . zu . . .**

MODELL: Susanne hilft dem Professor. Sie geht abends nicht aus. →
          Susanne hilft dem Professor, anstatt abends auszugehen.

1. Grace geht abends ins Theater. Sie besucht keine Freunde.
2. Anja fährt nach Spanien. Sie bleibt nicht in Berlin.
3. Der Professor kocht zu Hause. Er geht nicht ins Restaurant.
4. Daniela macht Urlaub in Österreich. Sie reist nicht ins Ausland.
5. Gürkan macht abends einen Sprachkurs. Er bleibt nicht zu Hause.
6. Klaus beschäftigt sich mit seiner Arbeit. Er ruht sich nicht aus.

PERSPEKTIVEN

Die Residenz in Würzburg. Hier finden Vorlesungen der Julius-Maximilians-Universität statt.

HÖREN SIE ZU!
AUSLÄNDISCHE STUDENTEN ZU GAST IN WÜRZBURG

Sie hören ein kurzes Interview mit zwei ausländischen Studenten in Würzburg.

A Sarah und Magnus. Welche Informationen erhalten die Zuhörer? Beantworten Sie die folgenden Fragen.

1. Woher kommen Sarah und Magnus? Was studieren sie in Würzburg?
2. Arbeiten die beiden auch an der Universität?
3. Welche Fremdsprachen lernt man in den Heimatländern der beiden Studenten? Geben Sie Gründe für diese Sprachwahl an.
4. Ist den beiden Sport in ihrer Freizeit wichtig? Erklären Sie Ihre Antwort.
5. Welche schwedischen Feste feiert Magnus mit seinen Kommilitonen?
6. Warum studieren die beiden in Würzburg?

B Das Auslandsstudium. Möchten Sie im Ausland studieren oder sind Sie vielleicht schon im Ausland zur Schule gegangen? Welche Vor- oder Nachteile kann ein Auslandsstudium mit sich bringen? Was meinen Sie?

LESEN SIE!

Zum Thema

A Was ist typisch? Oft erwarten wir von Menschen aus anderen Ländern ein anderes Verhalten als unseres, ein anderes Aussehen, andere Kleidung und andere Sitten.[a] Nennen Sie Beispiele Ihrer stereotypischen Erwartungen. Entscheiden Sie zusammen mit Ihren Mitschülern/Mitschülerinnen, welche dieser Gedanken am häufigsten gehört werden.

[a]*customs*

B Was ist typisch oder stereotypisch deutsch? Welche Wörter und Ausdrücke fallen Ihnen zu den folgenden Themen ein? Machen Sie eine zusätzliche Liste mit anderen Eigenschaften und Verhaltensweisen, die für Sie typisch deutsch sind.

1. Essen
2. Frisur
3. Kleidung
4. Musik
5. Feiern
6. Reisen

In den fünfziger Jahren kamen viele ausländische Arbeiter nach Deutschland.

Die Suche nach den Deutschen

Am Anfang schien es leicht. Schließlich sind wir in Deutschland, und einen Deutschen zu treffen sollte nicht schwer sein, wir hatten sogar gedacht, wir würden schon eine ganze Reihe kennen. Jetzt nicht mehr. Jetzt wissen wir, daß das so einfach nicht ist, und ich habe gewisse
5 Befürchtungen, daß wir nach Brasilien zurückkehren, ohne einen einzigen Deutschen gesehen zu haben. Das habe ich zufällig entdeckt, als ich mit meinem Freund Dieter sprach, den ich für einen Deutschen gehalten hatte.

„Jetzt bin ich doch wahrhaftig schon ein Jahr in Deutschland, wie die
10 Zeit vergeht", sagte ich, als wir in einer Kneipe am Savignyplatz saßen.

„Ja", sagte er. „Die Zeit vergeht schnell, und du hast Deutschland nun gar nicht kennengelernt."

„Was heißt das, nicht kennengelernt? Ich bin doch die ganze Zeit über kaum fort gewesen."
15 „Na eben. Berlin ist nicht Deutschland. Das hier hat mit dem wirklichen Deutschland überhaupt nichts zu tun."

„Darauf war ich nicht gefaßt. Wenn Berlin nicht Deutschland ist, dann weiß ich nicht mehr, was ich denken soll, dann ist alles, was ich bis heute über Deutschland gelernt habe, falsch."
20 „Glaubst du etwa, daß eine Stadt wie Berlin, voller Menschen aus aller Herren Länder, wo nichts so schwierig ist, wie ein Restaurant zu finden, das nicht italienisch, jugoslawisch, chinesisch oder griechisch ist – alles, nur nicht deutsch –, und wo das Mittagessen für neunzig Prozent der Bevölkerung aus Döner Kebab besteht, wo du dein ganzes
25 Leben zubringen kannst, ohne ein einziges Wort Deutsch zu sprechen, wo alle sich wie Verrückte anziehen und mit Frisuren herumlaufen, die aussehen wie ein Modell der Berliner Philharmonie, da glaubst du, das sei Deutschland?"

„Na ja, also ich dachte immer, ist doch so, oder? Schließlich ist
30 Berlin . . ."

„Da irrst du dich aber gewaltig. Berlin ist nicht Deutschland. Deutschland, das ist zum Beispiel die Gegend, aus der ich komme."

„Vielleicht hast du recht. Schließlich bist du Deutscher und mußt wissen, wovon du redest."
35 „Ich bin kein Deutscher."

WORTSCHATZ ZUM LESEN

düster	gloomy
unbeholfen	helpless
verschlossen	reserved
ähneln	to be similar
die Erfindung	invention
die Entdeckung	discovery
anspielen	to allude to
bescheiden	modestly
enttäuscht	disappointed
bewerkstelligen	to manage
die Schande	shame
geschieden	divorced

KULTURSPIEGEL

João Ubaldo Ribeiro wurde 1941 in Brasilien geboren. 1991 verbrachte er ein Jahr in Berlin und schrieb für die „Frankfurter Rundschau" diese humorvollen Kolumnen über seine Eindrücke und Erlebnisse. Weitere dieser amüsanten Aufsätze erschienen in „Ein Brasilianer in Berlin". Seit 1991 lebt er in Rio de Janeiro.

„Wie bitte? Entweder bin ich verrückt, oder du machst mich erst verrückt. Hast du nicht gerade gesagt, du seist in einer wirklich deutschen Gegend geboren?"

„Ja, aber das will in diesem Fall nichts heißen. Die Gegend ist deutsch, aber ich fühle mich nicht als Deutscher. Ich finde, die Deutschen 40 sind ein düsteres, unbeholfenes, verschlossenes Volk . . . Nein, ich bin kein Deutscher, ich identifiziere mich viel mehr mit Völkern wie deinem, das sind fröhliche, entspannte, lachende Menschen, die offen sind . . . Nein, ich bin kein Deutscher."

„Also laß mal gut sein, Dieter, natürlich bist du Deutscher, bist in 45 Deutschland geboren, siehst aus wie ein Deutscher, deine Muttersprache ist Deutsch . . ."

„Meine Sprache ist nicht Deutsch. Ich spreche zwar deutsch, aber in Wahrheit ist meine Muttersprache der Dialekt aus meiner Heimat, der ähnelt dem Deutschen, ist aber keins. 50

Obwohl ich jahrelang hier wohne, fühle ich mich wohler, wenn ich meinen Dialekt spreche, das ist viel unmittelbarer. Und wenn ich zu Hause nicht den Dialekt unserer Heimat spreche, dann versteht meine Großmutter kein Wort."

„Halt mal, du bringst mich ja völlig durcheinander. Erst sagst du, 55 deine Heimat sei wirklich deutsch, und jetzt sagst du, dort spricht man nicht die Sprache Deutschlands. Das verstehe ich nicht."

„Ganz einfach. Was du die Sprache Deutschlands nennst, ist Hochdeutsch, und das gibt es nicht, es ist eine Erfindung, etwas Abstraktes. Niemand spricht Hochdeutsch, nur im Fernsehen und in den 60 Kursen vom Goethe-Institut, alles gelogen. Der wirkliche Deutsche spricht zu Hause kein Hochdeutsch, die ganze Familie würde denken, er sei verrückt geworden. Nicht einmal die Regierenden sprechen Hochdeutsch, ganz im Gegenteil, du brauchst dir nur ein paar Reden anzuhören. Es wird immer deutlicher, daß du die Deutschen wirklich 65 nicht kennst."

Nach dieser Entdeckung unternahmen wir verschiedene Versuche, einen Deutschen kennenzulernen, aber alle, auch wenn wir uns noch so anstrengten, schlugen unweigerlich fehl. Unter unseren Freunden in Berlin gibt es nicht einen einzigen Deutschen. In Zahlen ausgedrückt ist 70 das etwa so: 40% halten sich für Berliner und meinen, die Deutschen seien ein exotisches Volk, das weit weg wohnt; 30% fühlen sich durch die Frage beleidigt und wollen wissen, ob wir auf irgend etwas anspielen, und rufen zu einer Versammlung gegen den Nationalismus auf; 15% sind Ex-Ossis, die sich nicht daran gewöhnen können, daß sie keine Ossis 75 mehr sein sollen; und die restlichen 15% fühlen sich nicht als Deutsche, dieses düstere, unbeholfene, verschlossene Volk usw. usw.

Da uns hier nicht mehr viel Zeit bleibt, wird es langsam ernst. Wir beschlossen also, bescheiden in einige Reisen zu investieren. Zunächst wählten wir München und freuten uns schon alle über die Aussicht, 80

endlich einige Deutsche kennenzulernen, als Dieter uns besuchte und uns voller Verachtung erklärte, in München würden wir keine Deutschen finden, sondern Bayern – eine Sache sei Deutschland, eine andere Bayern, es gebe keine größeren Unterschiede auf dieser Welt. Leicht
85 enttäuscht fuhren wir dennoch hin, es gefiel uns sehr, aber wir kamen mit diesem dummen Eindruck zurück, daß wir Deutschland nicht gesehen hatten – es ist nicht leicht, das zu bewerkstelligen. Noch weiß ich nicht recht, wie ich der Schande entgehen kann, daß wir nach unserer Rückkehr aus Deutschland in Brasilien gestehen müssen, wir
90 hätten Deutschland nicht kennengelernt. Eins ist jedoch sicher: Ich werde mich beim DAAD wegen falscher Versprechungen beschweren und deutlich machen, daß sie mich beim nächsten Mal gefälligst nach Deutschland bringen sollen, sonst sind wir geschiedene Leute.

João Ubaldo Ribeiro (1941–   )

KULTURSPIEGEL

DAAD Ist eine Kurzform für den Deutschen Akademischen Austauschdienst. Das ist eine Institution, die deutsche Studenten und Akademiker im Ausland und umgekehrt, ausländische Studenten und Akademiker in Deutschland, finanziell unterstützt und akademisch betreut.

Zum Text

A Ein Brasilianer in Deutschland. Beantworten Sie die Fragen.

1. Warum denkt der Erzähler, dass sie „nach Brasilien zurückkehren werden, ohne einen einzigen Deutschen gesehen zu haben"?
2. Wie erklärt Dieter seine Aussage, dass Berlin nicht Deutschland sei? dass er kein Deutscher sei?
3. Wie werden die Deutschen in diesem Text beschrieben?

B Briefwechsel. Was hat der Brasilianer von seinem Aufenthalt in Deutschland erwartet? Waren diese Erwartungen realistisch oder unrealistisch? Warum war er am Ende des Aufenthalts enttäuscht?[a] Was will er nämlich vom DAAD?

1. Schreiben Sie den Brief des Erzählers an den DAAD, in dem er sich über die „falschen Versprechungen" beschwert.[b]
2. Ist die Beschwerde des Erzählers begründet[c] oder unbegründet? Hat er wirklich keine Deutschen kennen gelernt? Schreiben Sie den Antwortbrief der Institution.

[a]*disappointed* [b]*complains* [c]*justified*

TIPP ZUM SCHREIBEN

Remember that to report in German what someone else has said you use Subjunctive I. Use of Subjunctive I indicates that the writer makes no claim for the accuracy of the statements. To review Subjunctive I, refer to Kapitel 30.

Zur Interpretation

● Reaktionen. Diskutieren Sie den folgenden Textauszug.

„Dreißig Prozent fühlen sich durch die Frage beleidigt und wollen wissen, ob wir auf irgend etwas anspielen, und rufen zu einer Versammlung gegen den Nationalismus auf."

1. Auf welche Frage haben die Leute vielleicht so reagiert?
2. Warum rufen die Befragten zu einer „Versammlung gegen den Nationalismus auf"?

INTERAKTION

Nationalität. Warum sagt man, dass eine Person eine Nationalität (Deutscher, Amerikaner, Kanadier, Mexikaner und so weiter) hat? Was muss man haben, um zu einer gewissen Nationalität zu gehören? Was meinen Sie, stimmen folgende Aussagen oder nicht? Besprechen Sie sie mit einem Partner / einer Partnerin und versuchen Sie, Ihre Meinung zu begründen.

Man gehört zu einer gewissen Nationalität,
1. wenn man einen Pass des Landes hat.
2. wenn man sich mit dem Land, der Politik oder dem Volk identifiziert.
3. wenn man die Sprache dieses Landes ohne Akzent spricht.
4. wenn man dort geboren ist.
5. wenn man mindestens einen Dialekt des Landes spricht.
6. wenn man die Kultur versteht.
7. wenn man die Ironie des Landes versteht.

KULTURSPIEGEL

Während zum Beispiel alle in den USA geborene Menschen automatisch Amerikaner sind, bestimmt in Deutschland die Nationalität der Eltern die Staatsbürgerschaft der Kinder. Die Regelung in den USA stützt sich auf das sogenannte *Jus soli* (Latein: das Recht des Bodens). In Deutschland, ebenso wie in Österreich und der Schweiz, gilt das *Jus Sanguinis* (Latein: das Recht des Blutes). Erst seit kurzem gibt es auch die doppelte Staatsbürgerschaft für alle in Deutschland geborenen Kinder ausländischer Eltern.

SCHREIBEN SIE!

Ein multikultureller Stadtführer

Schreiben Sie (entweder einzeln oder als Team) einen multikulturellen Führer für Ihre Heimatstadt. Listen Sie die Vereine, Kirchen, Restaurants, Geschäfte bzw. Menschen Ihrer Heimat auf, die etwas mit einer besonderen ethnischen Gruppe zu tun haben und beschreiben Sie sie. Versuchen Sie, auch etwas von der Geschichte der Menschen zu erfahren. Wenn möglich, ergänzen Sie den Text mit Bildern oder Visitenkarten.[a]

[a]*business cards*

TIPP ZUM SCHREIBEN

Most towns have organizations, businesses, and individuals with immigrant roots: churches with foreign language services, ethnic restaurants, businesses started by immigrants, special ethnic social clubs, and foreign-born professionals serving the community. Through this project you can get to know your town and its inhabitants better. You may want to expand the range to cover neighboring towns, a larger geographic area, the county, or the state.

Purpose:	To research and describe the multicultural aspects of your town
Audience:	Students and adults
Subject:	The ethnic and multicultural resources in your town
Structure:	Descriptive catalogue or guide

Schreibmodell

Headings can indicate categories, nationalities, and/or countries of origin.

Information about key persons and their histories makes for more interesting reading.

To vary the sentence structure, the writer begins the sentence with an infinitive clause with **zu**.

The days of the week are not capitalized when used as adverbs.

Cafés und Restaurants

Österreich

Greta's Café & Bakery

(24 Pleasant St.) wurde 1994 von der Österreicherin Greta Reineke gegründet, die eine reiche Auswahl an vollwertigen

Brotwaren, Torten, Getränken und Gebäck anbietet. Um Gäste zum Verweilen anzuregen, bietet Frau Reineke bequeme Stühle und Tische und viele Illustrierten. Frau Reineke spricht gern Deutsch mit ihren Kunden. Montags bis samstags von 6.00 bis 18.00 Uhr geöffnet; sonntags 7.00 bis 15.00 Uhr (Tel. 465-1709)

Kleider nach Maß und Änderungen

Vietnam

Mihn Tailors

(12 Federal St.) ist eine Schneiderei, die die vietnamesische Immigrantin Gabrielle Mihn 1988 gründete. Frau Mihn lernte das Schneidern in ihrer Heimat Cantho. 1986 verließ sie Vietnam. Im November 1988 machte sie ihre Schneiderei in den USA auf. Frau Mihn macht Änderungen aller Art und kann auf Wunsch maßgeschneiderte Kleidung anfertigen. (Tel. 462-5617)

The writer uses relative pronouns and relative clauses to give more detailed information.

Schreibstrategien

Vor dem Schreiben

If you are working individually, you should aim to have a minimum of five entries in your guide; if you are working as a team, there should be five entries per team member.

- Collect the names and addresses of ethnic or immigrant-owned stores, businesses, restaurants, churches, and other organizations. To get ideas, walk through the nearest main business district and notice any

Menschen und Kulturen in unserer Gegend

Italien

Giuseppe's (257 Walden St)
ist ein Restaurant, ~~dem~~ [das]
frische hausgemachte
Nudelgerichte anbietet und
das Giuseppe Masia gehört.
Herr Masia kommt aus
Sardinien und hat von seiner
Mutter kochen gelernt. Er
und seine amerikanische
Frau ~~kommen~~ [kamen] vor fünf
Jahren ~~nach~~ [in die] USA, um hier
ihr Traum-Restaurant
auf[zu]machen. Montags bis
samstags von 11.00 bis
20.00 Uhr geöffnet. Sonntag
Ruhetag. (Tel. 837-2225)

Multikulturell

Der International Club am
Fokus College ist ein
Treffpunkt für die mehr als
40 ausländischen Studenten,
[die] ~~wer~~ auf dem Campus leben
und studieren. Mitglieder
treffen [sich] einmal in der Woche
mit Studenten, mit ~~den~~ [denen] sie
über das Leben an einer
amerikanischen Hochschule
diskutieren und die Feste des
Heitmatlands feiern können.
(Tel. 836-1763)

businesses with foreign or ethnic connections, or look through the phone book. Ask your family and neighbors for additional ideas.

- Now select the resources to include in your guide. Either make a selection that demonstrates the wide range of ethnicity in your area or focus on resources from a specific area or country.

- Phone or visit the establishments you've chosen and talk to the people in charge. Find out about their personal histories: When did they (or their families) immigrate and why? How did they develop their interests and skills? When and why did they start their work? Take detailed notes and try to collect a business card or an ad. Be sure to thank people for their help.

- Think about how you will organize the information—by type of organization, country of origin, language, or some other way.

- Decide on a format. How will you draw the reader's attention to the name and address of each entry? Will you use a simple sentence or longer paragraphs to describe each business or organization?

Beim Schreiben

- Keep notes, business cards, and other material close at hand.

- Make a model of the format you intend to use.

- Start by writing all the entries for one category. Make sure the content of each entry is similar. Then move on to the next category.

- Vary the way you tell stories about individuals. Keep it interesting! Make sure contact information is clear and includes addresses, phone numbers, and the names of contact persons.

Nach dem Schreiben

- Reread your entries for consistency. If important information is missing, add it. Think about a title for your guide and prepare a draft title page. Write an introductory paragraph.

- Exchange drafts with a peer editor and read each other's work critically. Make some positive comments, suggestions for improvement, and return the draft guides.

- Prepare a revised guide that includes all changes and additions.

Stimmt alles?

- Position business cards or other materials you've collected (such as ads) and make your final cover page.

- Hand in your guide, making sure to include the names of all authors.

WORTSCHATZ

Substantive / Nouns

die **Arbeitskraft, ⸚e**	labor force
die **Ausnahme, -n**	exception
die **Befürchtung, -en**	fear
die **Essgewohnheit, -en**	eating habit
die **Genauigkeit**	accuracy; exactness
die **Nichtakzeptanz**	nonacceptance
die **Ordnung**	order
die **Pünktlichkeit**	promptness; punctuality
die **Regel, -n**	rule
die **Sauberkeit**	cleanliness
die **Verabredung, -en**	appointment; date
die **Verachtung**	contempt
die **Versprechung, -en**	promise
der **Akzent, -e**	accent
der **Ärger**	annoyance; anger
der **Auswanderer, -** / die **Auswanderin, -nen**	emigrant
der **Eindruck, ⸚e**	impression
der **Einwanderer, -** / die **Einwanderin, -nen**	immigrant
das **Asyl**	political asylum
das **Bedürfnis, -se**	necessity
das **Gericht, -e**	meal; dish

Verben / Verbs

an•nehmen (nimmt an), nahm an, angenommen	to accept, take on
beachten	to observe
bei•tragen zu (trägt bei), trug bei, beigetragen	to contribute to
bestätigen	to prove
dar•stellen	to depict, portray; to present
duzen	to address someone with **du**
ein•fallen (fällt ein), fiel ein, ist eingefallen	to come to mind

einhalten (hält ein), hielt ein, eingehalten	to keep (*an appointment*)
sich entfernen	to remove oneself
gestehen, gestand, gestanden	to admit
sich halten an (+ *acc.*) **(hält), hielt, gehalten**	to keep to, stick to/with
siezen	to address someone with **Sie**
vereinbaren	to arrange
verfolgen	to persecute
sich verspäten	to be late
willkommen heißen, hieß, geheißen	to welcome

Adjektive und Adverbien / Adjectives and adverbs

aufgeschlossen	open-minded, receptive
beschildert	labeled
deutlich	clear(ly)
dringend	desperate(ly)
gewaltig	powerful(ly); tremendous(ly)
inzwischen	in the meantime
multikulturell	multicultural(ly)
rechtlich	legal(ly)
unmittelbar	direct(ly)
unvoreingenommen	unbiased
unweigerlich	inevitable; inevitably

Sie wissen schon / You already know

die **Ausländerfeindlichkeit**	xenophobia
der **Ausländer, -** / die **Ausländerin, -nen**	foreigner
der **Schritt, -e**	step
beeinflussen	to influence
unbedingt	absolutely, in any case, necessarily

KAPITEL 35

DER UMWELT ZULIEBE

In diesem Kapitel

- lernen Sie, wie sich das Umweltbewusstsein in Deutschland entwickelt hat.

- sehen Sie, wie eine Familie in Hamburg umweltfreundlich lebt.

- besprechen Sie, was man alles für die Umwelt tun kann.

Sie werden auch

- den Gebrauch des Passivs lernen.

- das Futur mit **werden** wiederholen.

- etwas über einen Mann mit einem ungewöhnlichen Talent lesen.

- eine Kurzgeschichte schreiben.

Industrielles Wachstum führte zu einer Verschmutzung der Umwelt.

Die Menschen in dieser Siedlung nehmen viel Rücksicht auf die Umwelt.

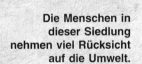

Altglas und Altpapier kann man zur Sammelstelle bringen.

Früher hat man nicht so viel Rücksicht auf die Natur genommen wie heute. Was assoziieren Sie mit dem Wort „Umwelt"? Wie wird die Umwelt bei Ihnen geschützt?

I: Auf Kosten der Umwelt

A Deutschland als Industrieland. Das industrielle Wachstum nach dem Zweiten Weltkrieg führte zu einer starken Verschmutzung der Umwelt. Welcher Satz beschreibt welches Bild?

Damals war das industrielle Wachstum wichtiger als der Umweltschutz.

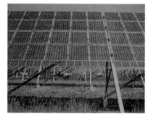

a.

b.

c.

d.

e.

f.

1. „Verkehr in den Städten wurde zum Problem."
2. „Das sogenannte Waldsterben alarmierte die Menschen."
3. „Sie demonstrierten gegen das Waldsterben."
4. „Fabriken müssen den Rauch filtern."
5. „Energie wird jetzt umweltfreundlicher produziert."
6. „Immer mehr Menschen tun etwas für den Umweltschutz."

B Persönliche Meinungen. Wer sagt das, Anja, Tobias oder Susanne?

1. „Ich finde es gut, dass wenig chemische Rohstoffe verwendet werden."
2. „Es gab nur mal eine Aktion, dass wir nicht mehr Einweggeschirr am Kiosk haben wollten."

3. „Die Ökobewegung in Deutschland ist viel zu extrem und zu schnell."
4. „Da haben wir schon ein bisschen was geleistet."
5. „Wenn es zum Essen kommt, muss ich sagen, dass ich der Ökowelle nicht angehöre."

II: Umweltschutz zu Hause

A Eine umweltfreundliche Siedlung. Verbinden Sie die Satzteile.

1. Die Häuser hat man so gebaut,
2. Mit Solaranlagen
3. Dächer aus Gras
4. Die Fußböden aus Holz
5. Die ökologische Gestaltung der Siedlung
6. Bärbel Barmbeck macht selbst Jogurt
7. Energiesparlampen
8. Der Abfall

a. wird sorgfältig getrennt.
b. bringt gute Lebensqualität für die Menschen.
c. damit keine Plastikbecher ins Haus kommen.
d. dass viel Energie gespart wird.
e. gewinnt man Energie aus Sonnenlicht.
f. brauchen weniger Strom.
g. bringen Wärme in das Haus.
h. schützen vor Hitze und Kälte.

B Umweltschutz bei Ihnen. Familie Barmbeck lebt besonders umweltfreundlich. Welche dieser Ideen würden Sie auch umsetzen? Welche nicht? Warum?

WAS ICH SCHON MACHE	WAS ICH MACHEN WILL	WAS ICH NICHT MACHEN WILL
den Müll trennen	ein Haus mit einem Grasdach kaufen	Jogurt selbst machen

C Leben diese Leute umweltfreundlich? Sie hören, was Anett, Anja, Claudia und Dirk zum Thema Umwelt sagen. Wer sagt das, Anett, Anja, Claudia oder Dirk?

1. „Für die Umwelt tue ich mein Bestes."
2. „Ich kaufe Umweltpapier, anstatt dieses normalen weißen Chemikalien-Papiers."
3. „Umwelt ist ein großes Thema für meine Tochter . . . "
4. „Ich versuche, nicht so viel Strom und Wasser zu benutzen."
5. „ . . . unsere öffentlichen Verkehrsmittel so perfekt organisiert sind."
6. „Wir in der Familie recyclen . . . also wir sortieren Müll."

Wie finden Sie dieses Haus?

Die Familie Barmbeck wohnt besonders umweltbewusst.

KULTURSPIEGEL

Das sogenannte Waldsterben – die Schädigung der Wälder durch die Luftverschmutzung von Industrieanlagen und dem Autoverkehr – betrifft die neuen Bundesländer am stärksten. Die Schädigung ist am größten im Bundesland Thüringen, am wenigsten in Rheinland-Pfalz.

VOKABELN

die Debatte	*debate*
die Einwegflasche	*nonreturnable bottle*
die Pfandflasche	*returnable bottle*
die Rücksicht	*consideration*
die Verschmutzung	*pollution*
der Rohstoff	*raw material*
der Umweltschutz	*environmental protection*
der Verbraucher / die Verbraucherin	*consumer*
der Verkehr	*traffic*
das Einweggeschirr	*disposable utensils*
das Gesetz	*law*
das Gleichgewicht	*ecological balance*
das Umweltbewusstsein	*environmental awareness*
das Verkehrsmittel	*mode of transportation*
das Verpackungsmaterial	*packaging*
das Wachstum	*growth*
das Waldsterben	*dying of the forest*
schädigen	*to damage*
sparen	*to save*
verschmutzen	*to pollute*
verzichten auf (+ *acc.*)	*to renounce*
weg•schmeißen	*to throw away*
wieder verwerten	*to recycle*

Solche Landschaften zeigen die hohen Kosten des industriellen Wachstums deutlich auf. Aber wer soll diese Kosten jetzt bezahlen?

giftfrei	*non-toxic*
öffentlich	*public(ly)*
umweltfeindlich	*hostile to the environment*
zuliebe (+ *dat.*)	*for the sake of*

Sie wissen schon

die Umwelt, der Abfall, der Lärm, der Müll, der Umweltsünder, recyceln, schützen, trennen, organisch, umweltfreundlich

---

Verschmutzung
öffentlichen
Verkehr   Müll
Gleichgewicht
verzichten
umweltfreundlicher

Aktivitäten

A Ein „sanfter Tourismus"? Heute kann man überall in der Welt Urlaub machen. Aber wie wirkt dieser Massentourismus auf die Umwelt? Ergänzen Sie die Sätze.

Früher hat man die Natur anders genossen als heute. Man wanderte in den Bergen, oder machte Spaziergänge im Wald. Die meisten fuhren in ihren Urlaub in der Natur nicht mit dem Auto, sondern mit den _____[1] Verkehrsmitteln, vor allem mit dem Zug. Jetzt gibt es in den Ferienmonaten viel _____[2] auf den Autobahnen. Die _____[3] der Luft durch Autoabgase führt zu Waldsterben und Krankheit. Auch wenn man am Urlaubsort angekommen ist, geht die

Umweltzerstörung weiter. Touristen in den berühmten Nationalparks produzieren viel _____,[4] der irgendwie entfernt werden muss. Auch die hohe Zahl der Touristen in Naturschutzgebieten stört das ökologische _____.[5] Viele Touristen wollen _____[6] reisen und deswegen _____[7] sie auf Hotels und Ressorts und gehen lieber einfach zelten oder wandern, um die Natur selbst besser kennen zu lernen.

B Definitionen. Lesen Sie die Sätze links, und suchen Sie aus der rechten Spalte passende Definitionen für die kursiv gedruckten Wörter.

1. Der organische *Müll*, zum Beispiel Essensreste oder Kartoffelschalen, kommt auf den Komposthaufen.
2. Wir *trennen den Müll*.
3. Wir benutzen keine *Einwegflaschen*.
4. Wir haben darauf geachtet, dass möglichst *giftfreie* umweltfreundliche Farben verwendet worden sind.
5. Wir in der Familie versuchen, alles wieder zu *verwerten*.
6. Ich trage dazu bei, dass die Umwelt in Berlin nicht durch Autos und Abgase *verschmutzt* wird.
7. Energie wird jetzt sehr viel *umweltfreundlicher* produziert.

a. frei von Chemikalien oder anderen Substanzen, die eine schädliche Wirkung auf Menschen, Tiere oder die Umwelt haben
b. Abfall, den man wegwirft
c. Flaschen, die man nicht zurückbringen kann
d. recyceln
e. stecken Papier, Glas, Aluminium und so weiter in verschiedene Tonnen
f. besser (nicht so schädlich) für die Umwelt
g. ganz schmutzig (nicht mehr sauber) gemacht

C Was machen Sie für die Umwelt?

SCHRITT 1: Lesen Sie, was Susanne und Iris für die Umwelt machen.

SUSANNE: Wir trennen den Müll und wir kaufen nur recyceltes Papier und bringen das Papier auch weg. Ich fahre mit dem Bus, anstatt mit dem Auto zu fahren. Und wir benutzen kein Einweggeschirr, sondern wir verzichten darauf und benutzen eher Porzellan.

IRIS: Das Thema Umwelt ist mir sehr wichtig, denn wenn das ökologische Gleichgewicht nicht mehr besteht, dann, glaube ich, können wir auch nicht weiterleben. Und ich persönlich versuche, so wenig wie möglich mit dem Auto zu fahren und so wenig Verpackungsmaterial wie möglich wegzuschmeißen und meinen Müll zu trennen.

SCHRITT 2: Was machen Susanne und Iris für die Umwelt? Was machen Sie der Umwelt zuliebe? Schreiben Sie drei Listen. Machen Sie etwas anderes als Susanne oder Iris?

SUSANNE	IRIS	ICH

Sind Extremsportarten wie Canyoning umweltfreundlich?

KULTURSPIEGEL

Wie fahren Sie in den Urlaub? Noch in den fünfziger Jahren fuhr die Hälfte der Reisenden mit der Bahn, und ein Viertel mit Bus oder Auto. Heute stellen Zugfahrer nur zehn Prozent aller Reisenden dar. Mehr als die Hälfte fährt mit dem eigenen Pkw, und zwanzig Prozent nehmen das Flugzeug.

FOKUS INTERNET

For more information about environmental protection efforts in Germany, visit the *Auf Deutsch!* Web Site at www.mcdougallittell.com.

STRUKTUREN

REVIEW OF THE PASSIVE VOICE I
FOCUSING ON THE EFFECT OF THE ACTION

The passive voice focuses on the effect of the action, rather than on the person performing the action. The direct object (accusative case) of the active sentence becomes the subject (nominative case) of the passive sentence; and the agent, the one performing the action, follows the preposition **von** (if the agent is a person) or **durch** (if it is a thing). Often the agent remains unnamed, because it is understood, unimportant, or unknown.

ACTIVE VOICE

Susanne trennt **den Müll.**	*Susanne is sorting the garbage.*

PASSIVE VOICE

Der Müll wird (von Susanne) getrennt.	*The garbage is being sorted (by Susanne).*

The passive voice uses the auxiliary **werden.** In the present or simple past tenses, the conjugated form of **werden** stands in second position and the past participle of the main verb goes at the end of the sentence. In dependent clauses, the conjugated verb follows the past participle.

PRESENT TENSE

Die Bäume **werden** (durch Luftverschmutzung) **beschädigt.**	*The trees are being damaged (by air pollution).*

SIMPLE PAST TENSE

Die Bäume **wurden** (durch Luftverschmutzung) **beschädigt.**	*The trees were damaged (by air pollution).*
Wissen Sie, wie die Bäume **beschädigt wurden**?	*Do you know how the trees were damaged?*

The forms of **werden** in the present and simple past tenses are shown on the next page.

PRESENT STEM: **werd-**		INFINITIVE: **werden**	PAST STEM: **wurd-**
SINGULAR	PLURAL	SINGULAR	PLURAL
ich werde	wir werden	ich wurde	wir wurden
du wirst	ihr werdet	du wurdest	ihr wurdet
Sie werden	Sie werden	Sie wurden	Sie wurden
sie/er/es wird	sie werden	sie/er/es wurde	sie wurden

When a sentence in the passive voice contains a modal verb, the infinitive **werden** appears after the past participle of the main verb at the end of the sentence or clause. This combination of past participle plus **werden** is called the "passive infinitive."

ACTIVE VOICE

Wir **müssen** die Wäsche **waschen.**   *We have to do the laundry.*

PASSIVE VOICE

Die Wäsche **muss gewaschen werden.**   *The laundry needs to be done.*

As you recall, several German verbs require dative objects: **danken, gefallen, gehören, helfen, passen, schmecken.** The verb **schaden** (*to damage, harm*) also belongs to this category. When one of these verbs appears in a passive sentence, the dative object remains in the dative case but functions as the subject.

ACTIVE VOICE

Die Luftverschmutzung schadet **der Umwelt.**   *Air pollution damages the environment.*

PASSIVE VOICE

Der Umwelt wird geschadet.   *The environment is being damaged.*

ACTIVE VOICE

Claudia hat **mir** sehr geholfen.   *Claudia helped me a lot.*

PASSIVE VOICE

Mir wurde sehr geholfen.   *I was helped a lot.*

Übungen

Wie wurde diese Siedlung gebaut?

A Eine umweltfreundliche Siedlung. Ergänzen Sie die fehlenden Partizipien.

Die Häuser in dieser Siedlung wurden so _____,[1] dass viel Energie _____[2] wird. Zum Beispiel wird Energie aus Sonnenlicht mit Solaranlagen _____.[3] Die Einwohner werden auch durch das Grasdach von Hitze und Kälte _____.[4] Auch innerhalb der Häuser werden Energiesparlampen _____,[5] damit weniger Strom _____[6] wird. Natürlich werden Problemstoffe wie Neonröhren und Batterien _____[7] und zur Sammelstelle _____.[8] Schon viel, sagt man, aber die Einwohner sagen, dass ihre ökologische Siedlung viel Lebensqualität bringt.

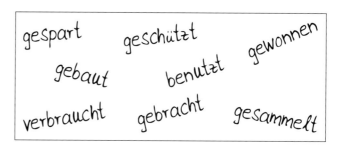

gespart   geschützt   gewonnen

gebaut   benutzt

verbraucht   gebracht   gesammelt

B Haushalt. Heute ist Putztag. Was muss alles für den Haushalt gemacht werden? Bilden Sie Sätze im Passiv.

MODELL: Man muss die Fenster putzen. →
Die Fenster müssen geputzt werden.

1. Man muss das Auto waschen.
2. Man muss das Wohnzimmer aufräumen.
3. Man muss die Bücher ins Bücherregal stellen.
4. Man kann am Sonntag die Fahrräder reparieren.
5. Man darf nicht am Sonntag den Rasen mähen.
6. Man soll den Müll sorgfältig trennen.
7. Man darf die Katzen nicht zu viel füttern.
8. Man kann die andere Hausarbeit nächste Woche machen.

C Essgewohnheiten in Deutschland. Setzen Sie die folgenden Sätze ins Passiv.

1. In Bayern isst man viel Schweinefleisch.
2. In Hamburg isst man „Labskaus".
3. In thailändischen Restaurants probiert man Pad Thai.
4. In griechischen Restaurants serviert man Moussaka.
5. Jetzt genießt man fast jeden Tag Pizza.
6. Man sieht einen Hamburger und Pommes als typisch amerikanisch an.
7. Man bestellt nur selten Sauerkraut und Bratwurst.

THE PASSIVE VOICE II
FOCUSING ON EVENTS IN THE PAST

Like the active voice, the passive voice occurs in the perfect tenses as well as in the present and simple past tenses, which you have just reviewed. The present perfect tense of the passive voice uses the present tense of the auxiliary **sein** as the conjugated verb form. A special passive participle, **worden,** follows the past participle of the main verb at the end of the sentence.

PRESENT PERFECT TENSE

ACTIVE VOICE

Susanne hat den Müll schon getrennt.

Susanne has already sorted the garbage.

PASSIVE VOICE

Der Müll **ist** schon **getrennt worden.**

The garbage has already been sorted.

ACTIVE VOICE

Wir haben die Pfandflaschen zur Sammelstelle gebracht.

We brought the disposable bottles to the recycling center.

PASSIVE VOICE

Die Pfandpflaschen **sind** zur Sammelstelle **gebracht worden.**

The disposable bottles have been brought to the recycling center.

Similarly, the past perfect tense of the passive voice has the same construction. The only difference is that the auxiliary verb **sein** is in the simple past rather than the present tense.

PAST PERFECT TENSE

ACTIVE VOICE

Wir hatten die Flaschen schon zur Sammelstelle gebracht.

We had already brought the bottles to the recycling center.

PASSIVE VOICE

Die Flaschen **waren** schon zur Sammelstelle **gebracht worden.**

The bottles had already been brought to the recycling center.

As in the active voice, the past perfect tense describes events or conditions that took place prior to other past events. In general, the passive voice appears more frequently in the simple past than in the perfect tenses.

Hamburg – eine Kulturstadt ersten Ranges.

Bei Familie Barmbeck wird der Abfall jeden Tag sortiert.

Übungen

A Hamburg damals und heute. Schreiben Sie die Sätze im Perfekt.

MODELL: Das Rathaus wurde im neunzehnten Jahrhundert gebaut → Das Rathaus ist im neunzehnten Jahrhundert gebaut worden.

1. Das erste deutsche Schauspielhaus wurde 1678 in Hamburg gebaut.
2. Ein Viertel der Stadt wurde in einem großen Feuer zerstört.
3. Nach dem Zweiten Weltkrieg wurde die Stadt wieder aufgebaut.
4. Die privaten Museen wurden fürs Publikum geöffnet.
5. Viele Bücher wurden über die Stadt Hamburg geschrieben.

B Umweltschutz zu Hause. Machen Sie aus den Aktivsätzen Passivsätze im Imperfekt und Perfekt.

MODELL: Man hat den Abfall sortiert. → Der Abfall wurde sortiert. Der Abfall ist sortiert worden.

1. Man hat den Müll getrennt.
2. Man hat sehr wenig Dosen benutzt.
3. Früher verbrauchte man zu viel Papier.
4. Man hat das Altglas zum Glascontainer gebracht.
5. Man hat alle Dosen in einen separaten Container geworfen.

REVIEW OF THE FUTURE TENSE
TALKING ABOUT WHAT WILL HAPPEN

In German, it is possible to talk about future events by using the present tense and a word or phrase to indicate time, such as **morgen, nächste Woche, nächstes Jahr,** and so forth.

> Nächstes Jahr reisen wir nach Norwegen.

> *We're going to Norway next year.*

German also has a future tense, which you can use to talk about future events in general, especially in the absence of time expressions. The future tense uses **werden** as an auxiliary verb, with the meaning *will*, and the infinitive of the main verb.

> Wir **werden** eine Lösung **finden.**

> *We will find a solution.*

The future tense frequently occurs with the adverb **wohl** to express probability.

Wir werden wohl eine Lösung finden.

We will probably find a solution.

You can also use the future tense in the passive voice: Simply place the infinitive **werden** at the end of a passive sentence in the present tense.

ACTIVE VOICE

Die Umwelt wird geschützt.

The environment is being protected.

PASSIVE VOICE

Die Umwelt wird geschützt werden.

The environment will be protected.

You should now be able to recognize the following uses and meanings of the verb **werden.**

- As a main verb, **werden** means *to get* or *to become.*
- As an auxiliary for the future tense, **werden** means *will.*
- As an auxiliary for the passive voice in all tenses, **werden** helps express the tense of the main verb.

> ### KURZ NOTIERT
>
> Remember, the conjugated form of **werden** goes at the end of a dependent clause.
>
> Ich weiß nicht, was mit der Umwelt geschehen **wird.**
> *I don't know what will happen to the environment.*

Übungen

A In der fernen Zukunft. Wie sehen Sie und Ihre Mitschüler/ Mitschülerinnen die Zukunft? Stellen Sie aneinander die folgenden Fragen, und beantworten Sie sie.

1. Wird es in der Zukunft mehr Arbeitslosigkeit geben?
2. Werden wir durch Maschinen ersetzt werden?
3. Wird es zu viele Menschen auf der Erde geben?
4. Wird es in der Zukunft nur eine Sprache geben?
5. Werden wir nur elektrische Autos fahren?
6. Werden wir bewohnbare[a] Planeten finden?
7. Werden wir Außerirdische[b] kennen lernen?

[a]*inhabitable* [b]*extraterrestrials*

B Pläne. Ein Freund fragt nach Ihren Zukunftsplänen. Beantworten Sie die Fragen im Futur mit **wohl.**

MODELL: Wann reist du nach Spanien? (nächstes Jahr) →
Ich werde wohl nächstes Jahr nach Spanien reisen.

Der Arbeitsplatz der Zukunft?

1. Wann kommst du zu Besuch? (im Sommer)
2. Wann bist du mit der Schule fertig? (in einem Jahr)
3. Wann kaufst du ein Auto? (nach den Sommerferien)
4. Wann spielst du Fußball? (am Samstag)
5. Wann gehst du einkaufen? (erst morgen früh)

PERSPEKTIVEN

HÖREN SIE ZU!
UMWELT KENNT KEINE GRENZEN

Sie hören einen Text über junge Umweltforscher aus drei europäischen Ländern.

● Interview im Nationalpark Berchtesgaden. Ergänzen Sie die fehlenden Wörter.

1. Swetlana kommt aus _____.
2. Die Nachwuchsforscher interviewten _____.
3. Die Berglandwirtschaft macht die Region für _____ attraktiv.
4. Die meisten Bergbauern können von ihrem _____ nicht leben.
5. Das _____ Leben hat den Nachwuchsforschern vor allem imponiert.
6. Wolfgang kommt aus _____.
7. Wolfgang sagt, dass er die _____ jetzt mit ganz anderen Augen sieht.

Tagesausflüger in den bayerischen Alpen.

WORTSCHATZ ZUM HÖRTEXT

der Bergbauer	alpine farmer
das Ergebnis	result
die Berglandwirtschaft	alpine farming
die Alm	pasture
die Weide	meadow
der Erhalt	preservation
der Hof	farm
erzeugen	to produce
nebenberuflich	on the side
die Untersuchung	investigation
imponieren	to impress
der Nachwuchsforscher	next-generation researcher
landschaftsprägend	landscape-affecting

LESEN SIE!

Zum Thema

Ⓐ Ihre eigenen Beobachtungen

SCHRITT 1: Ein Spaziergang. Bevor Sie die Geschichte von Herrn Munzel lesen, machen Sie einen kleinen Spaziergang in der Natur. Nehmen Sie einen Notizblock mit und schreiben Sie folgende Dinge auf: alle Geräusche, die Sie hören; alle Gerüche, die Sie riechen; und alles, was in Ihr Blickfeld kommt.

SCHRITT 2: Ein Bericht. Berichten Sie der Klasse in der nächsten Unterrichtsstunde, was Sie alles gehört, gerochen und gesehen haben.

Ⓑ Die Jahreszeiten und die Natur. Kombinieren Sie!

1. Im Sommer
2. Im Winter
3. Im Frühling
4. Im Herbst

a. schläft die Natur.
b. fallen die Blätter von den Bäumen.
c. bringen der warme Wind und der Sonnenschein alles zum Blühen.
d. blüht und gedeiht[a] die Natur.

[a]thrives

Herr Munzel hört das Gras wachsen

Herr Munzel lag wieder mal auf der Wiese. Er sah den Wolken zu und kaute an einem Gänseblümchen. Es war Frühjahr und schon warm in der Sonne, die ersten Sträucher blühten, und Herr
5 Munzel war zufrieden mit sich und der Welt.

Ringsherum war alles ganz still. Ab und zu in der Ferne das Brummen eines Lastwagens, der in die Stadt fuhr. Ganz still also war es nicht, und Herr Munzel strengte sich an, alle Geräusche, die es
10 gab, zu hören.

Und es schien ihm, als höre er etwas, was ihm noch nie aufgefallen war. Ein feines Klinglein, sehr hell und sehr hoch.

Ein angenehmes Geräusch, dachte Herr Munzel
15 und strengte sich noch mehr an, schloss die Augen und lauschte. Das Klingeln wurde lauter, war um ihn herum, unüberhörbar. Und als Herr Munzel die Augen wieder öffnete, wurde das Geräusch schwächer. Als er sich schließlich aufsetzte,
20 verschwand es völlig.

Kein Wunder, dachte Herr Munzel, dass es bei mir klingelt, ich habe schlecht geschlafen. Das wird es sein.

Das war es aber keineswegs, denn es begann
25 wieder zu klingeln, als Herr Munzel sich erneut zurücklegte und die Augen schloss. Es half nichts, dass er die Wiese verließ und sich auf eine andere Rasenfläche dicht beim Wald legte. Das Klingeln änderte nur seine Klangfarbe und blieb.

30 Das alle hätte Herrn Munzel gar nicht weiter beschäftigt, wenn nicht Tage später bei einer Kahnfahrt auf dem kleinen See nahebei der Stadt ein Brummen gewesen wäre, laut und vernehmlich. Und je näher Herr Munzel dem Schiff
35 am Ufer des Sees kam, um so lauter brummte es, so wie eine dicke Hummel im Sommer.

„Verzeihung, brummt es bei Ihnen auch?" hatte er die Leute gefragt, die auf dem Weg um den See herum spazieren gingen, aber die hatten den Kopf
40 geschüttelt und ihm verständnislos nachgesehen.

„Ein klarer Fall", sagte der Arzt von Herrn Munzel und räumte seine Bestecke wieder weg. „Sie hören das Gras wachsen." Herr Munzel hatte sich elend gefühlt, weil die Geräusche, die nur er hörte, sich
45 vermehrten, sobald er das Haus verließ. Seine Blumen hatte er schon vom Balkon genommen, weil er das ständige Klopfen nicht mehr ertrug. Blumen klopfen nämlich leise, während sie wachsen.

Die nächste Zeit wurde schwer für Herrn Munzel.
50 Der Frühling brachte mit warmem Wind und Sonnenschein ringsum alles zum Blühen. Das Klingeln, das Herr Munzel an jenem ersten Tag auf der Wiese gehört hatte, schwoll an zu einem Geläut, wie von drei Kirchen am Samstagabend.
55 Spaziergänge wurden ihm verleidet, und bald mied er auf dem Weg zur Arbeit alle Grünflächen, jede Blume, konnte keinen Baum ertragen, weil es rings um ihn bummerte und schepperte, klingelte und brummte. So blieb Herr Munzel immer öfter zu
60 Hause, verstopfte sich die Ohren mit Watte, und hielt auch bei Sonne die Läden geschlossen.

Eines Morgens schellte das Telefon. Es war Herr Hecke vom Gartenamt der Stadt, der Herrn Munzel sprechen wollte.

65 „Ich habe von Ihren Fähigkeiten gehört", begann er, „und möchte, dass Sie für uns arbeiten." Und bevor Herr Munzel entrüstet ablehnen konnte, fuhr er fort: „Es ist eine gut bezahlte Stelle als Wachstumsprüfer mit Arbeitskleidung, Mittagessen
70 und Ohrenschützern."

Herr Munzel war es leid, zu Hause zu sitzen. Obwohl er die Geräusche fürchtete, die die wachsende Natur verursachte, sagte er für ein paar Probetage zu.

75 Am nächsten Tag wurde er mit einem Auto durch die Stadt gefahren, von der Grünanlage zum nächsten Park und von dort zur Städtischen Gemüseanbauversuchsstelle, um zu hören, ob auch alle Pflanzen ordnungsgemäß wüchsen. Er hatte
80 nichts weiter zu tun, als sich auf den Boden zu legen, dem Klingeln, Pfeifen oder Brummen zu lauschen und seine Ratschläge zu geben. Wo es genügend brummte, ordnete er Bewässerung wie bisher an, und wo das Klingeln des Rasens zu

85 schwach war, empfahl er, Dünger zu streuen.
Zwischendurch konnte er immer wieder seine
Ohrenklappen tragen, die eigens für ihn angefertigt
und völlig schalldicht waren. Er war recht zufrieden.

Herr Munzel verdiente nicht schlecht in dieser
90 Zeit, gewöhnte sich auch an das Tragen der
Ohrenklappen und hatte einige gute
Nebeneinnahmen. So ließ ihn die
Fußballmannschaft der Stadt, die in der höchsten
Liga spielte, vor jedem Spiel rufen und den
95 Zustand des Rasens prüfen. Vor der ehrfürchtig
schweigenden Menge, die ungeduldig auf den
Beginn des Spiels wartete, legte sich Herr Munzel
rücklings auf den Rasen, und wenn er anschließend
mit erhobenem rechten Daumen den guten
100 Zustand der Spielfläche bestätigte, brach im Stadion
ein Jubel aus, als habe die Heimmannschaft ein Tor
geschossen.

Reiche Leute ließen ihn mit großen Autos
kommen und wöchentlich den Zustand der
105 gepflegten Gartenflächen überprüfen. Herr Munzel
befand sie jedesmal für gut, allein schon um den
ängstlich dabeistehenden Gärtnern eine Freude zu
machen.

Aber auch Leute mit finsteren Absichten
110 wollten sich Herrn Munzels Fähigkeiten bedienen.
So erschien eines abends an Herrn Munzels Tür ein
stadtbekannter Dunkelmann und bat ihn, ein Ohr
auf seine Gerichtsakte mit ein paar ihm
angelasteten Fällen zu haben, ob nicht schon
115 wenigstens etwas Gras darüber gewachsen sei.

Herr Munzel sagte dies eine Mal zu, lehnte jedoch
alle weiteren Ansinnen in dieser Richtung ab.

Wochenlang half er durch seine Fähigkeit,
Schonungen zu errichten und morsche Waldflächen
120 abzuholzen, er legte Gärten an und beriet die
Bauern der Umgebung bei der Wahl des richtigen
Zeitpunktes für die Getreideernte. Er gewöhnte sich
an seine neue Aufgabe. Und je mehr der Sommer
heranrückte, desto öfter konnte er seine
125 Ohrenklappen abnehmen. Denn die Geräusche
wurden immer weniger, weil Bäume, Sträucher und
Blumen fast aufgehört hatten, zu wachsen. Immer
seltener wurde Herr Munzel nun in die Gärten
gerufen, die dank seines Rates blühten und
130 gediehen. Fast kam er sich ein wenig überflüssig
vor.

Und als der Herbst kam und die ersten Blätter
von den Bäumen fielen und die grünen und die
grauen Felder abgeerntet dalagen, hörte Herr
135 Munzel nur noch das, was andere Menschen auch
hören. Er verbrachte im frühen Herbst zwei ruhige
Wochen an der See, wo nichts wuchs, außer
uraltem spirrigem Gras. Lange Spaziergänge am
Wasser ließen ihn fast vergessen, was er im Frühjahr
140 und Sommer gehört hatte.

Den Winter über, als draußen nichts wuchs,
arbeitete Herr Munzel in den Treibhäusern der Stadt.
Seine liebsten Pflanzen waren die Tomaten, deren
leises Summen angenehm im Ohr klang.

Achim Bröger / Bernd Küsters

Zum Text

A Geräusche

SCHRITT 1: Die Natur macht viele Geräusche, die Herr Munzel
wahrnimmt. Welche Geräusche machen die folgenden Pflanzen?

   1. die Blumen   **2.** das Gras   **3.** die Bäume

SCHRITT 2: Welche anderen Geräusche „hört" Herr Munzel? Machen Sie
eine Liste.

B Umwelt und Beruf. Herr Munzel hat eine Stelle als Wachstumsprüfer beim Gartenamt der Stadt bekommen. Welche der folgenden Aufgaben gehören zu seinem Beruf?

1. Er legte sich auf den Boden, lauschte dem Gras und gab Ratschläge.
2. Er ordnete Bewässerung des Rasens an, wo es genug brummte.
3. Er pflanzte Bäume.
4. Er empfahl, Dünger zu streuen, wo das Klingeln des Rasens schwach war.
5. Er beseitigte tote Bäume.

Zur Interpretation

● Was meinen Sie dazu?

1. Welches Talent entwickelte Herr Munzel? Genoss er dieses Talent völlig, oder wurde es ihm zur Last[a]? Erklären Sie Ihre Antwort.
2. Herr Munzel fürchtete die Geräusche. Warum?
3. Was symbolisiert Herrn Munzels Talent, das Gras wachsen hören zu können?

[a]*burden*

WORTSCHATZ ZUM LESEN

kauen	*to chew*
der Strauch	*shrub*
das Brummen	*buzzing*
sich anstrengen	*to make an effort*
das Geräusch	*sound*
das Klinglein	*ringing*
lauschen	*to listen*
die Kahnfahrt	*boat trip*
vernehmlich	*audible; distinct*
elend	*miserable*
meiden	*to avoid*
scheppern	*to rattle*
die Bewässerung	*irrigation*
die Nebeneinnahmen	*supplementary income*
die Absicht	*intention*
der Fall	*(legal) case*
abgeerntet	*harvested*

INTERAKTION

● Lesetheater. Arbeiten Sie mit einem Partner / einer Partnerin. Benutzen Sie das Diagramm, um die Geschichte von Herrn Munzel nachzuerzählen.

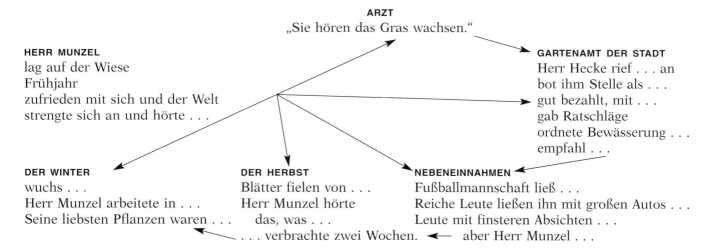

ARZT
„Sie hören das Gras wachsen."

HERR MUNZEL
lag auf der Wiese
Frühjahr
zufrieden mit sich und der Welt
strengte sich an und hörte . . .

GARTENAMT DER STADT
Herr Hecke rief . . . an
bot ihm Stelle als . . .
gut bezahlt, mit . . .
gab Ratschläge
ordnete Bewässerung . . .
empfahl . . .

DER WINTER
wuchs . . .
Herr Munzel arbeitete in . . .
Seine liebsten Pflanzen waren . . .

DER HERBST
Blätter fielen von . . .
Herr Munzel hörte
das, was . . .
. . . verbrachte zwei Wochen.

NEBENEINNAHMEN
Fußballmannschaft ließ . . .
Reiche Leute ließen ihn mit großen Autos . . .
Leute mit finsteren Absichten . . .
aber Herr Munzel . . .

SCHREIBEN SIE!

Eine originelle Kurzgeschichte

● Schreiben Sie eine originelle Kurzgeschichte über einen alltäglichen Gegenstand mit einem umweltbezogenen Thema.

Purpose: To write a creative short story with an ecological theme
Audience: Readers of short stories
Subject: An everyday object
Structure: One-page short story

Schreibmodell

Die tapfere Tragetasche

„Das macht fünfundsiebzig achtzig, bitte." Frau Plogmann schaute kurz auf. Der Einkaufskorb, den sie mitgebracht hatte, war voll, Platz für das Gemüse gab es kaum noch. Die Kassiererin wartete. „Geben Sie mir noch eine Tragetasche, bitte." Sie reichte der Kassiererin vier Zwanziger[a] *und packte weiter. Ihr wurde eine bunte billige Plastik-Tragetasche hingelegt.*

„Uho, jetzt ist es soweit! Ich bin dran! Ob ich das schaffe?" sagte die Tasche etwas unsicher. Andere Taschen riefen ihr Mut zu: „Das schaffst du schon! . . . Klar, du bist aus gutem Stoff! . . . Lass dich nicht kaputtmachen! . . . Reiß bloß nicht durch! . . . Pass auf, dass du nicht weggeworfen wirst! . . . Tschüss, mach's gut!" Aber dabei mußte die Tasche denken: „Was ist mein Schicksal? Was wird bloß aus mir werden?"

Sie war jung, stark, elastisch, aus bester Polymermischung. Sie war direkt von der Fabrik in das Geschäft gebracht worden, ohne lange im Lagerhaus herumzuliegen. Sie fühlte sich umweltbewusst und wieder verwendbar. Sie wollte lange halten und überall helfen. Sie glaubte an ein Jenseits im Recycling, aber wie konnte man da sicher sein? Jetzt aber war die Probe. Und diese Probe musste bestanden werden.

The action is described in the third-person past tense.

The writer allows the characters to talk in the first-person present tense.

Werden is used in this sentence twice: once for the future tense and once as a dependent infinitive *to become*.

The past perfect tense in the passive voice is used to tell about the shopping bag's earlier life.

[a]*twenty mark bill*

„*Und eine Tragetasche, das macht zusammen sechs siebzig.*" *Frau Plogmann nahm das Kleingeld und begann, Gemüse in die Tasche zu stopfen. „Bitte, gehen Sie nicht so grob mit mir um!" rief die Tasche. Frau Plogmann reagierte nicht. Sie hob die Tasche an. „Aua!" schrie die Tasche. Nie zuvor hatte sie soviel Gewicht auf sich gefühlt. Zu ihrem Staunen konnte sie es tragen. „Gut" dachte die Tasche „Aber wo geht es hin?"*

Gleich waren sie am Wagen. Der Kofferraum wurde aufgemacht, Korb und Tasche wurden angehoben und hineingelegt, und dann schlug die Tür zum Kofferraum zu. Dunkelheit. Stille. Dann wurde eine zweite Tür zugemacht und ein Motor gestartet. Die Tasche war unterwegs aber sie hatte ein unsicheres Gefühl: War dies das Ende oder nur der Anfang ihres Schicksals?

Passive voice draws attention to the action rather than the person performing it.

Schreibstrategien

Vor dem Schreiben

- The goal of this project is to write a story with a beginning, a middle, and an end. It may be serious or humorous.

- Pick an everyday object that you know well enough so you can describe it and its uses. Decide whether human beings will play a role in your story. If you include people, give them names and determine what they have to do with your chosen object.

- Choose a voice for your narration: tell the story either in the third person or in the first person, from the object's point of view.

- Now mull over a story line. Where did your object come from? Is it mute or can it talk? Consider where it is, what it is doing, and what the humans (if any) are doing around it. What can possibly happen between the object and humans or other objects?

- Decide how to introduce your characters. Create a point of departure. Set the scene with a time, a place, and an activity. If you wish, jot down the main points of your plot or create a rough outline. Don't worry about details now; concentrate on the main gist of your story.

May Schwittchen und die gelben Zwerge

~~Einmal auf einer Zeit es war~~ *Es war einmal* ein neues Produkt im Büro: selbstklebende gelbe Zettel. Sie ~~waren~~ *wurden* Haftnotizen[a] genannt. Wie sie ins Büro gebracht geworden waren, wusste niemand. Was sollte man mit ihnen machen? Sie waren so klein. Sie waren gelb: sie durften nicht recycelt werden. Und teuer! Für Notizen waren Papier und Klammer[b] gut genug. Also ~~ließen~~ *ließ man* sie die Haftnotizen liegen.

Es war auch einmal eine ungeschickte[c] Sekretärin namens May Schwittchen. Sie hatte heute schon ein Fax verloren und ihre Chefin war böse. Jetzt sollte sie ein Dokument mit wichtigen Notizen fertigstellen. Sie ~~bekam~~ *wurde* nervös. Die Papiere, die mit Notizen belegt und Klammern festgemacht geworden waren, lagen vor ihr, als sie heißen Tee über alles schüttete.[d] Was konnte sie tun? Sie hatte eine Kopie des Dokuments, aber Notizen und Klammer waren alle nass. Dann hörte sie die Haftnotizen rufen: „Frau Schwittchen, Sie sind die Schönste hier, aber die nasse Klammer haftet nicht so schön wie wir!" ~~Wenn~~ *Als* sie eine Haftnotiz auf das Papier ~~druckt,~~ *drückte* klebte sie wunderbar! Frau Schwittchen schrieb dann schnell die Notizen mit der Hand. Kurz vor Mittag war das Dokument fertig. Überall klebten gelbe Haftnotizen. Sie gab es ~~die~~ *der* Chefin, die sagte: „Schön!"

[a] removable, self-sticking notes [b] paper clips [c] clumsy [d] spilled

Beim Schreiben

- Keep notes, outlines, and any other materials handy. Keep a note pad at hand to jot down ideas that come to you as you write.

- Double-space your draft and leave wide margins so you have plenty of room for corrections and additions. If you are using a word processor, remember to save regularly to avoid losing all your hard work!

- If you get writer's block, get away from your story for awhile. Go for a walk, listen to music, study something else, then come back to it. You'll start again refreshed and will have given yourself time to come up with ideas you can develop.

Nach dem Schreiben

- Read your story again critically. Is the story in a consistent tense? Is the narrative voice consistent? Is the passive voice used effectively? Is your story interesting? Make any necessary changes.

- Exchange papers with a peer editor. First read the whole story, then write notes and suggestions for improvements in the margins or on a separate piece of paper. Return the paper to its author.

- Based on your peer editor's comments and your reactions to them, write a revised draft. Remember to leave room for additions.

- After a break, read the revised draft. If something doesn't sound right or needs to be altered, fix it now.

Stimmt alles?

- Read over your final draft. Make sure you've made all corrections.

- Give your story an appropriate title and hand it in.

WORTSCHATZ

Substantive	Nouns
die **Aktion, -en**	action
die **Debatte, -n**	debate
die **Einwegflasche, -n**	nonreturnable bottle
die **Landwirtschaft**	agriculture
die **Pfandflasche, -n**	returnable bottle
die **Rücksicht**	consideration
die **Siedlung, -en**	settlement; neighborhood
die **Tonne, -n**	bin
die **Verschmutzung**	pollution
der **Anstrich, -e**	paint
der **Komposthaufen, -**	compost heap
der **Plastikbecher, -**	plastic cup
der **Rauch**	smoke
der **Rohstoff, -e**	raw material
der **Strom**	electricity; current
der **Umweltschutz**	environmental protection
der **Verbraucher, -** / die **Verbraucherin, -nen**	consumer
der **Verkehr**	traffic
der **Wäschetrockner, -**	(clothes) dryer
das **Aufsehen**	sensation
das **Einweggeschirr**	disposable utensils
das **Gesetz, -e**	law
das **Gleichgewicht**	balance
das **Umweltbewusstsein**	environmental awareness
das **Verkehrsmittel, -**	mode of transportation
das **Verpackungsmaterial, -ien**	packaging material
das **Wachstum**	growth
das **Waldsterben**	dying of the forest

Verben	Verbs
begehren	to desire
bestehen aus, bestand aus, bestanden aus	to consist of
schädigen	to damage
sparen	to save

in die Praxis um•setzen	to put into practice
verschmutzen	to pollute
weg•schmeißen, schmiss weg, weggeschmissen (*coll.*)	to throw away
wieder verwerten	to recycle

Adjektive und Adverbien	Adjectives and adverbs
extrem	extreme(ly)
giftfrei	nontoxic
umweltfeindlich	hostile to the environment
zuliebe (+ *dat.*)	for the sake of

Sie wissen schon	You already know
die **Fabrik, -en**	factory
die **Umwelt**	environment
der **Abfall, ¨e**	trash; garbage, waste
der **Container, -**	container; dumpster
der **Lärm**	noise
der **Müll**	trash
der **Umweltsünder, -** / die **Umweltsünderin, -nen**	polluter, litterbug
bestehen, bestand, bestanden	to pass (an exam); to exist
recyceln	to recycle
schützen	to protect
trennen	to separate; to divide
verbrauchen	to consume; to use
vergiften	to poison
verwenden	to apply
verzichten auf (+ *acc.*)	to renounce; to do without
öffentlich	public(ly)
organisch	organic
umweltfreundlich	environmentally friendly

FOKUS AUF KULTUR

In diesem Kapitel

- sehen Sie einen Auszug aus einem Musical in einem Kindertheater in Berlin.
- erfahren Sie, wie sich die deutsche Filmindustrie entwickelt hat.
- besprechen Sie, was für Sie der Begriff „Kultur" bedeutet.

Sie werden auch

- den Gebrauch des Plusquamperfekts wiederholen.
- Alternativen zum Passiv lernen.
- die Wortstellung wiederholen.
- einen Text vor der Klasse aufführen.
- eine Bestenliste schreiben.

Bei einer
Theateraufführung
in Berlin.

Deutsche Filme haben
eine lange Geschichte.

Straßenkünstler
erfreuen sich großer
Beliebtheit.

VIDEOTHEK

Kultur – dazu gehören Theater, Musik, Film, Literatur und noch mehr. Was assoziieren Sie mit dem Wort „Kultur"? Warum geht man ins Theater oder ins Kino?

I: Theater für Jugendliche

In dieser Folge sehen Sie Auszüge aus dem Musical, „Linie Eins". Ein Mädchen, Sunny, kommt aus Westdeutschland zum ersten Mal nach Berlin.

A Wer sagt das?

| a. Volker Ludwig | b. Der Schauspieler | c. Die Schauspielerin |

Das Grips Theater in Berlin.

1. „Und auf dieser Suche fährt sie mit der „Linie Eins" – der U-Bahn Linie Eins – und begegnet auf ihrer Fahrt auf den Stationen, den Menschen der Großstadt."
2. „Der Unterschied von einem Publikum, was nur aus Kindern besteht, und einem Erwachsenenpublikum ist tatsächlich der, dass die Kinder ganz direkt auf das reagieren, was sie sehen."
3. „Wir erforschen die Sehnsüchte, Probleme und Fragen unseres Publikums und machen daraus für dieses Publikum Stücke."

B In der U-Bahn. Welchen Eindruck bekommen Sie vom folgenden Lied, das die Fahrgäste singen? Wie würden Sie die Fahrgäste beschreiben? Welche Aspekte des Großstadtlebens stellen sie hier dar?

> Du sitzt mir gegenüber und schaust an mir vorbei
> Ich seh dich jeden Morgen und manchmal auch um drei.
> Du bist mir mal sympathisch und manchmal eine Qual
> Aber meistens egal, total egal.
> Aber meistens egal, total egal.

WORTSCHATZ ZUM VIDEO

die Qual	torture
zurückbleiben	stay back (called out when a train leaves the platform)
der Schmalz	sentimentality
zwinkern	to wink
die Rechenschaft	accountability
betrübt	sad
schwermütig	melancholy
die Geige	violin

II: Hundert Jahre deutscher Film

In dieser Folge sehen Sie einen kurzen Bericht zur deutschen Filmindustrie. Was wissen Sie bereits von der Geschichte der Filmindustrie in Ihrem Land? Haben Sie einen alten Stummfilm gesehen? Kennen Sie die Namen der großen Schauspieler/ Schauspielerinnen in den ersten Jahrzehnten des zwanzigsten Jahrhunderts?

A Deutsche Filme. Welcher Film ist das? Verbinden Sie jeden Titel mit dem passenden Bild.

a.

b.

c.

d.

e.

f.

1. „Die Blechtrommel"
2. „Der blaue Engel"
3. „Die Mörder sind unter uns"
4. „Die Ehe der Maria Braun"
5. „Nosferatu – Eine Symphonie des Grauens"
6. „Das Cabinett des Dr. Caligari"

B Persönliche Meinungen

SCHRITT 1: Wer sagt das? Verbinden Sie jede Person mit dem richtigen Satzteil.

1. _____ hat nicht viel Zeit für längere Bücher neben dem Studium.
2. _____ liest gern Bücher deutscher Autoren, zum Beispiel Heinrich Mann.
3. _____ bevorzugt das Theater, weil das Kino doch manchmal oberflächlich ist.
4. _____ mag klassische Musik, besonders Violinkonzerte.
5. _____ mag alte Filme, weil sie so schön nostalgisch sind.
6. Für _____ ist Kultur etwas Privates.

SCHRITT 2: Und Sie? Wie stehen Sie zum Thema „Kultur"? Lesen Sie gern? Was lesen Sie gern? Sehen Sie lieber Filme oder Theateraufführungen? Was für Filme oder Theaterstücke sehen Sie? Warum? Was für Musik hören Sie gern? Äußern Sie Ihre eigenen Meinungen.

KULTURSPIEGEL

Wegen der politischen Verfolgungen in Deutschland und Österreich in den dreißiger und vierziger Jahren wanderten viele deutsche Schauspieler und Regisseure in die USA aus. Diese Leute haben eine große Rolle in der amerikanischen Filmindustrie gespielt. Der österreichische Regisseur Billy Wilder zum Beispiel ist immer noch wegen seiner Filme „Sunset Boulevard" und „Witness for the Prosecution" berühmt.

Susanne
Anett
Tobias   Bob
Erika   Grace

VOKABELN

die Bühne	*stage*
die Komödie	*comedy*
die Romanverfilmung	*filming of a novel*
die Unterhaltung	*entertainment*
der Actionfilm	*action film*
der Film	*film*
der Höhepunkt	*high point, climax*
der Humor	*humor*
der Komponist / die Komponistin	*composer*
der Liebesfilm	*romantic film*
der Regisseur / die Regisseurin	*director*
der Stummfilm	*silent film*
der Tonfilm	*sound film*
der Untertitel	*subtitle*
das Geheimnis	*secret*
das Publikum	*audience*
das Schauspiel	*play*
das Stück	*(theater) piece*
das Theater	*theater*
(einen Film) drehen	*to film (a movie)*
fördern	*to promote; to support*
komponieren	*to compose*
synchronisieren	*to dub (a film)*
verfilmen	*to film*

In deutschen Kinos kann man sich sehr unterschiedliche Filme ansehen.

aufmerksam	*attentive(ly)*
bekannt	*(well)known*
künstlerisch	*artistic(ally)*
spürbar	*traceable*
ursprünglich	*orginal(ly)*

Sie wissen schon
die Stimmung, der Autor, der Künstler, der Schauspieler, oberflächlich

---

> bekannt
> spürbar
> gedreht
> Höhepunkt
> komponiert
> Romanverfilmung

Aktivitäten

A Deutscher Film. Ergänzen Sie die Sätze mit den Wörtern im Kasten.

1. Die Stummfilme der zwanziger Jahre waren ein künstlerischer _____ in der Geschichte des deutschen Films.

2. Die Schrecken des Ersten Weltkrieges sind in Filmen wie „Nosferatu" deutlich _____.

3. In den vierziger Jahren hat Kurt Weill Musik für Theaterstücke sowie für Filme _____.

4. Der erste deutsche Nachkriegsfilm „Die Mörder sind unter uns" wurde 1946 in Berlin _____.

5. Erst in den siebziger Jahren wurden deutsche Filme wieder international _____.

6. Die _____ von Günter Graß' „Die Blechtrommel" hat einen Oscar als bester fremdsprachiger Film gewonnen.

To learn more about film and theater in German-speaking countries, visit the **Auf Deutsch!** Web Site at www.mcdougallittell.com.

B Definitionen. Lesen Sie die Sätze links und suchen Sie die passende Definition für die kursiv gedruckten Wörter aus der rechten Spalte.

1. Das heißt, eine Person intellektuell *fördern*, anregen, zum Denken animieren.

2. Wir erforschen die Sehnsüchte, Probleme und Fragen unseres *Publikums* und machen daraus für dieses *Publikum* Stücke.

3. Wir verbinden diese Leute mit Hollywood, aber sie kamen *ursprünglich* aus Deutschland und Österreich.

4. Die *Stummfilme* der zwanziger Jahre sind ein erster künstlerischer Höhepunkt in der Geschichte des deutschen Films.

5. In diesen Filmen sind die Schrecken des Ersten Weltkrieges noch *spürbar*.

6. Ja, aber wenn ich *Unterhaltung* will, dann setze ich mich mit meinen Freunden zusammen.

7. Wir gehen alle zwei, drei Wochen in irgendein *Schauspiel*.

8. Also, ich bevorzuge das Theater, weil das Kino manchmal sehr *oberflächlich* ist.

9. Es ist ein bisschen mehr wie ein *Geheimnis* und ich denke mit Büchern ist es dasselbe.

a. etwas mysteriös, was man andere Leute nicht wissen lassen will
b. unterstützen
c. flach, flüchtig, dilettantisch
d. Zuschauer
e. Drama, Theaterstück
f. zu fühlen
g. Filme ohne Ton
h. Amüsement
i. zuerst, am Anfang

C Lieblingsfilme. Stefan und Daniela sprechen über Filme. Lesen Sie ihren Dialog, und beantworten Sie die Fragen.

STEFAN: Welche Kinofilme schaust du dir am liebsten an?

DANIELA: Traurige. Mit einem traurigen Ende, wo ich dann richtig melancholisch bin und in einer betrübten Stimmung. Keine Aktion.

STEFAN: Wieso magst du traurige Filme?

DANIELA: Weil ich glaube, sie sind realitätsnäher als Actionfilme. Die kommen mir immer so surreal vor, nicht richtig.

STEFAN: Ja, Actionfilme sind nur für Unterhaltung. Wenn ich ins Kino gehen will, dann möchte ich zwei Stunden Unterhaltung, nicht Weinen.

Stefan und Daniela.

1. Mit welcher Meinung stimmen Sie überein?
2. Welche Filme sehen Sie sich am liebsten an?
3. Gehen Sie gern ins Kino? Warum (nicht)?

STRUKTUREN

REVIEW OF THE PAST PERFECT TENSE
TALKING ABOUT A SEQUENCE OF EVENTS IN THE PAST

KURZ NOTIERT

In German, the present perfect and the simple past tenses have the same meaning. However, German speakers prefer the present perfect tense to relate isolated past events in conversation using the simple past tense to tell a story or to relate a string of past events, particularly in writing.

The past perfect tense in German functions the same way as in English: It points to an event that took place prior to another past event. In German, it is appropriate to use the past perfect in contexts with either the present perfect or the simple past tense.

The past perfect tense describes events that precede other events in the past. To form the past perfect, use the simple past-tense form of **haben (hatte)** or **sein (war)** as the auxiliary verb and place the past participle at the end of the sentence. Note that verbs use the same auxiliary verb in the past perfect as in the present perfect tense.

PRESENT PERFECT	PAST PERFECT
Ich **habe** mir die Bilder **angeschaut.**	Ich **hatte** mir die Bilder schon **angeschaut.**
I (have) looked at the pictures.	*I had already looked at the pictures.*
Die Jungen **sind** ins Kino **gegangen.**	Die Jungen **waren** ins Kino **gegangen.**
The boys went to the movies.	*The boys had gone to the movies.*

Dependent clauses beginning with **bevor** or **nachdem** frequently appear in sentences to clarify the sequence of events: what took place before or after something else. Notice the use of the past perfect tense in the following sentences.

> Karsten **hatte** seine Arbeit schon **geschrieben,** bevor er ins Kino ging.
> *Karsten had already written his paper before he went to the movies.*

> Er hat seine Mutter angerufen, nachdem er den Film **gesehen hatte.**
> *He called his mother after he had seen the film.*

Übungen

A Ein Studentenfilm. Einige Studenten erklären, wie sie einen Film gedreht haben. Kombinieren Sie die Sätze mit der Konjunktion in Klammern.

MODELL: (nachdem) Wir hatten das Drehbuch geschrieben. Wir suchten Schauspieler aus. →
Nachdem wir das Drehbuch geschrieben hatten, suchten wir Schauspieler aus.

1. (nachdem) Wir hatten eine Regisseurin gefunden. Wir konnten mit der Verfilmung anfangen

2. (bevor) Sie hatte mit uns gearbeitet. Sie war Leiterin eines Studententheaters gewesen.

3. (nachdem) Jeder in der Klasse hatte eine Rolle geübt. Wir fingen mit den Proben an.

4. (nachdem) Unser Film war auf einem Filmfest gezeigt worden. Wir wurden ganz berühmt.

5. (nachdem) Wir hatten den Erfolg eine Weile genossen. Wir wollten einen zweiten Film drehen.

B Die Wende. Beschreiben diese Sätze das Leben in Deutschland vor oder nach der Wiedervereinigung? Schreiben Sie die Sätze im Plusquamperfekt, und benutzen Sie **vor der Wende** oder **nach der Wende.**

MODELL: Die Deutschen im Osten hatten nur begrenzte Reisefreiheit. →
Vor der Wende hatten die Deutschen im Osten nur begrenzte Reisefreiheit gehabt.

1. Tausende von DDR-Bürgern protestierten in Leipzig.

2. Viele Menschen im Osten verloren ihre Arbeit.

3. Man erwartete die schnelle Wiedervereinigung nicht.

4. Touristen aus der DDR flohen nach Ungarn.

5. Man baute die Berliner Mauer ab.

6. Die ersten gesamtdeutschen Bundestagswahlen fanden statt.

C Deutschland in den dreißiger Jahren. Ordnen Sie die passenden Satzteile aus der rechten und linken Spalte einander zu.

1. Als die Nazis 1933 an die Macht kamen,

2. Nachdem Hitler Kanzler geworden war,

3. Bevor die Kabaretts geschlossen worden waren,

4. Nachdem die Verfolgung der Juden begonnen hatte,

5. Als der Zweite Weltkrieg zu Ende war,

a. flohen viele jüdische Künstler in die USA.

b. konnte man alles Mögliche auf der Bühne sehen – Musicals, Revues und auch satirische Stücke.

c. baute man die deutsche Filmindustrie wieder auf.

d. wollte er die kulturelle Vielfalt in Deutschland stark begrenzen.

e. war Berlin als Kulturstadt weltweit berühmt.

Viele bekannte Regisseure flohen vor den Nazis ins Ausland.

REVIEW OF ALTERNATIVES TO THE PASSIVE
FOCUSING ON ACTIONS AND STATES

The passive voice often occurs when the person or force performing the action is unknown. However, there are three different ways of turning a passive sentence into an active one. The most common alternative is to use the impersonal pronoun **man** (meaning *one, you, we, they,* or *people in general*) as the subject of an active sentence. Regardless of its intended meaning, **man** always requires a verb in the third-person singular.

In der Bibliothek wird nicht gegessen.	*Eating isn't done in the library.*
In der Bibliothek isst **man** nicht.	*People don't eat in the library.*

A second alternative is the active construction **sich lassen** plus infinitive, which replaces a passive construction with **können** plus past participle and **werden.**

Mein Fahrrad kann nicht repariert werden.	*My bike can't be fixed.*
Mein Fahrrad **lässt sich** nicht **reparieren.**	*lit.: My bike doesn't let itself be fixed.*

A third alternative is to use the verb **sein** with **zu** plus infinitive.

Dieses Ziel wird im Moment nicht erreicht.	*This goal isn't being attained right now.*
Dieses Ziel **ist** im Moment nicht **zu erreichen.**	*This goal isn't attainable right now.*

Übungen

A Ein Gericht. Wie wird dieses Gericht zubereitet? Bilden Sie Aktivsätze mit **man.**

MODELL: Zuerst wird das Rezept im Kochbuch durchgelesen. →
Zuerst liest man das Rezept im Kochbuch durch.

1. Zuerst werden die Schnitzel eingekauft.
2. Dann werden die Schnitzel mit Ei und Paniermehl paniert.[a]
3. Dann werden die Schnitzel in heißem Fett gebraten.
4. Dann werden sie knusprig[b] serviert.
5. Die Schnitzel werden mit Zitronenscheiben[c] garniert.

[a]breaded [b]crunchy [c]lemon slices

B Sabine in Hamburg. Sabine beschreibt ihre Reise nach Hamburg. Schreiben Sie ihre Aussagen mit dem Verb **sich lassen** um.

MODELL: Hamburg kann nicht an einem Tag besichtigt werden. →
         Hamburg lässt sich nicht an einem Tag besichtigen.

1. Vom Hotelfenster kann das „Thalia" Theater gesehen werden.
2. Der plattdeutsche Dialekt kann nur schwer verstanden werden.
3. Der Fischmarkt kann nicht leicht gefunden werden.
4. Das Essen auf dem Fischmarkt kann nicht gegessen werden, weil es nicht so gut schmeckt.
5. In Hamburg wird gut gelebt.

C Meinungen zur modernen Kultur. Bilden Sie neue Sätze mit **sein** und **zu** plus **Infinitiv.**

MODELL: Moderne Musik wird nicht oft gehört. →
         Moderne Musik ist nicht oft zu hören.

1. Moderne Theaterstücke werden oft nur schwer verstanden.
2. Dieser Autor wird nicht leicht verstanden.
3. Im neuen Theatersaal wird fast nichts gehört.
4. Hinten im Theatersaal wird nichts gesehen.
5. Die neue Skulptur wird leicht gefunden.

Können Sie Wiener Schnitzel machen?

Das „Thalia" Theater in Hamburg.

REVIEW OF WORD ORDER WITH VERBS EXPRESSING ACTION

The verb is the only element in a German sentence that has a fixed position. The position of the verb depends on the type of sentence. In a simple declarative sentence, the conjugated verb occupies the second position. The first element is often the subject, but another expression, such as one of time or place, can also come first. When this happens, the subject takes the third position, immediately following the conjugated verb. The verb is also in second position after question words such as **wann, warum, was, wie, wo, woher, wohin,** and so forth.

KURZ NOTIERT

Remember that the negation word **nicht** comes after direct objects and most time expressions, but before prepositional phrases, such as those indicating direction or location.

Ich habe den Film „Nosferatu" **nicht** gesehen.
Wir sind gestern Abend **nicht** ins Kino gegangen.

Der Mensch **braucht** Unterhaltung.	*People need entertainment.*
In Berlin **kann** man abends viel machen.	*One can do a lot in Berlin in the evenings.*
Am Wochenende **geht** man ins Kino oder ins Theater.	*One can go to the movies or to the theater on weekends.*
Wann **reist** du nach Berlin?	*When are you going to Berlin?*

The verb appears in first position in yes/no questions.

Braucht der Mensch Unterhaltung?	*Do people need entertainment?*
Kann man abends viel in Berlin machen?	*Can one do a lot in Berlin in the evenings?*

The conjugated verb appears at the end of dependent clauses, such as relative clauses and clauses introduced by subordinating conjunctions.

Die deutschen Künstler, die nach Los Angeles **kamen,** haben zum Erfolg der amerikanischen Filmindustrie sehr viel beigetragen.	*The German artists who came to Los Angeles contributed much to the success of the American film industry.*
Weil sie von den Nazis politisch verfolgt **wurden,** mussten sie ihre Heimat verlassen.	*Because they were politically persecuted by the Nazis, they had to leave their homeland.*

Notice in the first example that the relative clause modifies the subject. Therefore, the subject and relative clause function together as the first element; and the conjugated verb of the main clause (**haben**) takes the second position in the sentence as a whole. In the second example, the dependent clause beginning with **weil** occupies the first position of the sentence, the verb of the main clause (**mussten**) occupies the second position of the sentence.

Übungen

A Kindheit. Erzählen Sie, was Sie als Kind **oft, manchmal** oder **nie** gemacht haben. Die Wörter im Kasten auf Seite 259 stehen Ihnen zur Hilfe.

MODELL: In meiner Kindheit habe ich oft Sandburgen gebaut.

die Eltern ärgern   Kuchen backen   Geld verlieren

Schneemänner bauen

Schmetterlinge suchen   Videospiele spielen

andere Kinder ärgern   mit Buntstiften schreiben

B Meine Meinungen. Was meinen Sie zu den folgenden Aussagen?
Bilden Sie Sätze mit der Konjunktion **dass** und den angegeben
Ausdrücken.

Ich meine,
Ich finde,
Ich glaube (nicht),
Ich habe immer gedacht,
Ich bin (nicht) der Meinung,
Es ist sicher,

1. Tonfilme sind interessanter als Stummfilme.
2. man sollte fremdsprachige Filme nicht synchronisieren.
3. Actionfilme sind meistens oberflächlich.
4. Kino soll nur Unterhaltung sein.
5. Theaterstücke sind wichtiger als Kinofilme.
6. der Roman ist immer besser als die Romanverfilmung.
7. traurige Filme sind für schwermütige Leute.

PERSPEKTIVEN

HÖREN SIE ZU!
BIEDERMANN UND DIE BRANDSTIFTER

● Sie hören jetzt eine kurze Beschreibung eines Theaterstücks. Hören Sie gut zu und beantworten Sie dann die Fragen.

1. Wovor hat Herr Biedermann Angst?
2. Warum gewährt er den zwei Obdachlosen in seiner Dachkammer Unterschlupf?
3. Was haben die zwei Männer in der Dachkammer gelagert?
4. Was hat Herr Biedermann den zwei Männern gegeben? Warum hat er das gemacht?
5. Was, glauben Sie, wird dann passieren? Erzählen Sie die Geschichte weiter.

WORTSCHATZ ZUM HÖRTEXT

ständig	continual
der Dachkammerbrand	fire in the attic
gewähren	to allow
der Unterschlupf	accommodation
die Feigheit	cowardice
die Zündschnur	fuse
das Streichholz	match

LESEN SIE!

Zum Thema

Straßenkünstler erfreuen sich großer Beliebtheit.

Haben Sie eine Lieblingserzählung oder ein Lieblingsgedicht? Wie heißt dieser Text? Wovon handelt der Text? Finden Sie einen Partner / eine Partnerin, und erzählen Sie ihm/ihr, worum es in dem Text geht.

Zum Text

Sie haben in Ihrem Deutschkurs schon mehrere Texte gelesen und besprochen. In diesem Kapitel werden Sie einen Text selber aufführen.

SCHRITT 1: Unten stehen einige Texte. Wählen Sie einen davon aus, den Sie vor der Klasse aufführen möchten. Bevor Sie Ihren Text aussuchen, denken Sie an folgende Fragen:

1. Wollen Sie den Text allein aufführen?
2. Möchten Sie einen ernsthaften oder einen lustigen Text aufführen?

SCHRITT 2: Wählen Sie Ihren Text. Denken Sie daran, wie der Text inszeniert werden kann. Brauchen Sie für Ihre Aufführung Kostüme, Möbel oder andere Dinge?

SCHRITT 3: Führen Sie den Text vor der Klasse auf.

Der Tiberbiber

ein Biber
saß im Tiber
und biberte
vor Fieber
und sprach
ach wär doch lieber
mein Fieber
schon vorieber

doch kaum
war es vorieber
das Fieber
von dem Biber
da ging
der Biber lieber
doch wieder
korrekt zum Umlaut über

Nach Ihnen!

Disposition: Zwei Teilnehmer – A und B – liefern sich ein Höflichkeitsduell: Jeder will dem anderen den Vortritt lassen, etwa beim Eintreten durch eine imaginäre Tür.

A Bitte . . .
B Nein, bitte . . .
A Nach Ihnen, bitte . . .
B Nein bitte, nach Ihnen . . .
A Aber ich bitte Sie . . .
B Aber nicht doch, bitte . . .
A So gehen Sie doch, bitte . . .
B Bitte, Sie zuerst . . .
A Warum diese Umstände . . .
B Eben. Das muss doch nicht sein!
A Haben wir das etwas nötig?
B Natürlich nicht!
A Na also! Dann – bitte!
B Nein, bitte . . .
A Nach Ihnen, bitte . . .

und so weiter . . .

Wer wird das Höflichkeitsduell gewinnen?

Von wo zieht es?

Von wo zieht's . . . ?

Drei Personen

Eins   Ich finde, es zieht.

Zwei   Das finde ich nicht.

Drei   Ich bin mir nicht sicher.

Eins   Und zwar zieht es von da.

Zwei   Also von da kann es gar nicht ziehen.

Drei   Das glaube ich auch. Wenn es zieht, dann zieht es eher von dort.

Eins   Nein, von dort zieht es ganz sicher nicht.

Drei   Von wo denn sonst?

Zwei   Jedenfalls nicht von oben – so viel ist sicher.

Drei   Auch nicht von unten – das steht fest.

Eins   Also zieht es von der Seite her – genau das sage ich. Und zwar von da her, also von rechts.

Zwei   Rechts? Für mich wäre das links.

Drei   Und für mich geradeaus.

Eins   Meinetwegen. Jedenfalls – ich finde, es zieht.

Zwei   Das finde ich nicht.

Drei   Ich bin mir nicht sicher.

und so weiter . . .

Der verdrehte Schmetterling

Ein Metterschling
mit flauen Blügeln
log durch die Fluft.
Er war einem Computer
entnommen, dem war was
durcheinandergekommen,
Irgendein Drähtchen
Irgendein Rädchen.
Und als man es merkte, da
war's schon zu spätchen.
da war der Metterschling
schon feit wort,
wanz geit.
Mir lut er teid.

WORTSCHATZ ZUM LESEN

vorüber	over with
kaum	barely
das Höflichkeitsduell	politeness duel
der Vortritt	precedence
Es zieht.	There's a draft.
verdreht	distorted; turned around
der Schmetterling	butterfly

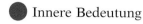
Zur Interpretation

● Innere Bedeutung

SCHRITT 1: Welche Bedeutung hat der Text, den Sie ausgewählt haben? Gibt es eine versteckte Bedeutung? In welchen Zellen wird diese Bedeutung klar gemacht?

SCHRITT 2: Schreiben Sie zwei oder drei Sätze auf, die Ihren Text beschreiben. Dann fragen Sie Ihre Mitschüler/Mitschülerinnen, was sie von Ihrer Aufführung halten.

INTERAKTION

● Eine Umfrage über Film und Literatur. Um die kulturellen Interessen Ihrer Mitschüler und Mitschülerinnen herauszufinden, machen Sie mit einem Partner / einer Partnerin eine Umfrage in der Klasse.

SCHRITT 1: Zuerst schreiben Sie mit Ihrem Partner / Ihrer Partnerin einen Fragebogen mit allen Fragen, die Sie an Ihre Mitschüler/ Mitschülerinnen stellen wollen und auf den Sie ihre Antworten notieren.

1. Fragen Sie Ihre Mitschüler/Mitschülerinnen, was für Filme sie gern sehen, welche Schauspieler/Schauspielerinnen sie besonders gern haben, welche fremdsprachigen Filme sie gesehen haben und wie sie ihnen gefielen.
2. Fragen Sie sie auch, was für Bücher sie gern lesen, welche Autoren/Autorinnen sie besonders gern haben und ob sie lieber ein Buch lesen oder die Verfilmung eines Buches sehen.

SCHRITT 2: Werten Sie gemeinsam mit Ihrem Partner / Ihrer Partnerin die Antworten zu Ihrer Umfrage aus. Gibt es Antworten, die immer wieder vorkommen? Bereiten Sie einen kurzen mündlichen[a] Bericht vor. Wenn es den Zuhörern helfen könnte, Ihrem Vortrag besser zu folgen, dann benutzen Sie Tabellen oder Bilder für Ihren Bericht.

SCHRITT 3: Berichten Sie die Klasse über die Ergebnisse Ihrer Umfrage.

[a]*oral*

SCHREIBEN SIE!

Meine Bestenliste

● Für Ihre Webseite wollen Sie eine Liste Ihrer zehn Lieblingsfilme (bzw. die zehn besten Fernsehprogramme, Bücher, CDs u.a.) zusammenstellen. Treffen Sie Ihre Auswahl, erzählen Sie in Kurzform deren Inhalt oder Thema, bestimmen Sie die Rangordnung und erteilen Sie zum Schluss Ihr Prädikat.

Purpose:	To create a personal Top Ten list of creative works
Audience:	Visitors to your web site
Subject:	Ten personal favorites
Structure:	Critical review and ordered list of ten creative works

Schreibmodell

Here you see the fifth and sixth choices of the Top Ten.

The past perfect and the simple past show which of two events happened first.

This film was given four stars, along with the comment that it has historical value.

The verb **sein** with **zu** + an infinitive is an alternative to passive voice.

Meine zehn Lieblingsfilme

5. Schindler's List. <u>Zusammenfassung:</u> Der Film erzählt die wahre Geschichte von Oskar Schindler, einem deutschen Industriellen während der Nazizeit, der zuerst von den jüdischen Zwangsarbeitern profitiert hatte, dann aber seine Verantwortung für ihr Schicksal erkannte. Er riskierte sein Leben, um die „Schindler-Juden" vor dem Tod im Konzentrationslager zu retten. <u>Bewertung:</u> Dieser moderne Schwarzweißfilm vermittelt die Atmosphäre von Angst, Hass und Gefahr, die im Dritten Reich überall zu finden war. <u>Prädikat:</u> ★★★★ wertvoll, von historischem Interesse

6. The Wizard of Oz. <u>Zusammenfassung:</u> Bei einem Wirbelsturm in Kansas werden Dorothy und ihr kleiner Hund Toto in das magische Land von Oz versetzt. Dorothy muss selber den Weg nach Hause finden und glaubt, ihr sei nur durch den Zauberer von Oz zu helfen. Auf dem Weg helfen ihr eine Vogelscheuche ohne Gehirn, ein Zinnmann ohne Herz und ein Löwe ohne Mut. Sie folgen dem gelben Backsteinweg und suchen das Schloss des Zauberers. Unterwegs werden sie vielen Gefahren ausgesetzt, aber sie halten zusammen und halten durch, bis ihre Wünsche in Erfüllung gehen. <u>Bewertung:</u> Viele halten dies für einen Kinderfilm, aber ich liebe die unglaubliche Phantasie, die in der Geschichte steckt, die kindliche Naivität der Figuren und besonders die tollen Bühnenbilder und Kostüme. <u>Prädikat:</u> ★★★ gut, sehenswert

Schreibstrategien

Vor dem Schreiben

- Putting together a personal Top Ten list can be fun. Pick a genre for your list: movies, TV programs, books, CDs, music videos, video games, or some other area of creative endeavor. Be prepared to explain each of your choices, what you like about it, and why you gave it the ranking you did.

- Develop a rating system. Think about differences between good and bad creative works within your genre. Write down your criteria and explain each one in a word or two.

- Write down any and all of your favorite works. Don't rank them yet. If you have trouble coming up with ten entries, talk to someone working on the same topic and trade notes.

- Once you have the names of all your favorites on paper, look them over and decide which are your top ten favorites. Delete the rest.

- Refresh your memory about each entry on your list. Reread notes or descriptions of the work, look up information about its creator, or take time to watch or listen to a brief selection.

- Order your entries from number 1 (your most favorite) to number 10 (your least favorite of the ten).

Beim Schreiben

- Remember: In describing each work, your writing must be *objective*. In explaining your reactions to a work, your writing will be *subjective*.

- Start by writing a description of each work on your list. Give a brief synopsis (**Zusammenfassung**) of the plot where appropriate or describe the central themes of musical or artistic works. Keep your descriptions short and to the point.

- Write a critical evaluation (**Bewertung**) of each work from your personal point of view. Explain what you think makes it one of the top ten best works of its type (as well as any weaknesses it has). This part of the assignment is purely subjective—only you know why you selected this work. First-person (**ich**) sentences are appropriate. You can consult references, but be sure to restate information in your own words. If you use quotations, identify your sources.

TIPP ZUM SCHREIBEN

A rating scale provides a quick way of evaluating a creative work. A common rating system uses stars; for example, a movie receiving four or five stars is considered terrific and a movie with only one star is considered not very good or not worth seeing. Here is an example scale in German. You may use it or make up your own.

★★★★★	ausgezeichnet, hervorragend
★★★★	sehr gut, wertvoll
★★★	gut, sehenswert (hörenswert, lesenswert)
★★	anständig, überdurchschnittlich, unterhaltsam
★	tolerabel, mittelmässig
keine Sterne	langweilig, nicht empfehlenswert

Beatles: *White Album.*

Zusammenfassung: Nachdem die Beatles zur populärsten Band der sechziger Jahre geworden ~~sind~~ waren, hörten sie auf, leichte Popmusik zu machen. Mit dem *White Album* bewegten sich die Beatles in eine neue kreative Richtung. Das Ergebnis ist ein Meisterwerk: ein Doppelalbum mit Kompositionen von allen vier Beatles über die wichtigen Themen der Zeit: Sozialkritik, Selbstverwirklichung und Liebe. Jeder Beatle singt die Leitstimme für die eigene Komposition. Bewertung: Mit diesem kontroversen Doppelalbum riskierten die Beatles ihre Popularität, und komponierten einige ihrer besten Lieder: „Ob-La-Di, Ob-La-Da" und „Blackbird". Ein einmaliges Tondokument einer turbulenten Zeit! Prädikat: ★★★★★ das Beste der Besten

Nach dem Schreiben

- Read over your work. Make sure each entry on your list includes a description, and an evaluation. Reassess your rankings. If you need to reorder the list, do it now.

- Read your paper again and correct obvious errors in grammar, syntax, and word choice.

- Exchange papers with a peer editor. Read each other's work twice, the first time reading for content, and the second time correcting errors in grammar, word choice, and word order. After writing down three positive comments and three suggestions for improvement, return your papers.

Stimmt alles?

- Evaluate your list based on your peer editor's comments and revise it as appropriate.

- Hand in the finished product. If you have your own web page, post your list.

WORTSCHATZ

Substantive	Nouns
die **Bühne, -n**	stage
die **Komödie, -n**	comedy
die **Kultur, -en**	culture
die **Pantomime, -n**	pantomime
die **Romanverfilmung, -en**	filming of a novel
die **Unterhaltung, -en**	entertainment
der **Actionfilm, -e**	action film
der **Film, -e**	film
der **Höhepunkt, -e**	high point, climax
der **Humor**	humor
der **Komponist (-en** *masc.***) /**	composer
die **Komponistin, -nen**	
der **Liebesfilm, -e**	romantic film
der **Regisseur, -e /** die	director (*of a film*
Regisseurin, -nen	*or play*)
der **Stummfilm, -e**	silent film
der **Tanz, ⁀e**	dance
der **Tonfilm, -e**	sound film
der **Untertitel, -**	subtitle
der **Zweck, -e**	purpose
das **Geheimnis, -se**	secret
das **Publikum**	audience
das **Schauspiel, -e**	play
das **Stück, -e**	(theater) piece
das **Theater, -**	theater

Verben	Verbs
beobachten	to observe
beziehen, bezog, bezogen	to take up
(einen Film) drehen	to film (*a movie*)
faszinieren	to fascinate
fördern	to promote; support

inszenieren	to stage
komponieren	to compose
locken	to attract, entice
mit•teilen	to convey; to tell
synchronisieren	to dub (*a film*)
verfilmen	to film

Adjektive und Adverbien	Adjectives and adverbs
aufmerksam	attentive(ly)
bekannt	(well-)known
fähig	capable; capably
geschickt	clever(ly)
imaginär	imaginary
intellektuell	intellectual(ly)
kulturell	cultural(ly)
künstlerisch	artistic(ally)
spürbar	traceable
ursprünglich	original(ly)

Sie wissen schon	You already know
die **Kunst, ⁀e**	art
die **Literatur, -en**	literature
die **Musik**	music
die **Stimmung, -en**	mood, atmosphere
der **Autor, -en /** die	author
Autorin, -nen	
der **Künstler, - /** die	artist
Künstlerin, -nen	
der **Schauspieler, - /** die	actor
Schauspielerin, -nen	
oberflächlich	superficial(ly)

VIDEOTHEK

A Typisch deutsch? Ergün Çevik sagt: „Für mich zeigt sich in einem Schrebergarten die deutsche Seele." Sehen Sie sich die Bilder genau an. Welche „typisch" deutsche Eigenschaften sehen Sie in diesen Bildern?

1.

2.

B Vom Sauerkraut zur Pizza. Beschreiben Sie, was Sie in diesen Bildern sehen. Wer sind diese Menschen? Was machen sie? Was haben diese Bilder mit dem Thema „multikulturelle Gesellschaft" zu tun?

1.

2.

C Umweltschutz zu Hause. Schauen Sie sich das Bild an und beantworten Sie die Fragen.

1. Wie wohnen die Leute in dieser Wohnsiedlung? Inwiefern wohnen sie umweltfreundlicher als die meisten Deutschen?
2. Warum ist Bärbel Barmbecks Waschmaschine umweltfreundlich? ihr Wäschetrockner? ihre Lampen?
3. „Viele Menschen in dieser Siedlung nehmen Rücksicht auf die Umwelt. Dadurch verbessert sich die Lebensqualität für alle." Was meinen Sie? Wie kann sich die Lebensqualität für alle in einer solchen Siedlung verbessern?

Eine umweltfreundliche Siedlung.

D Theater für Jugendliche. Wie heißt dieses Theater? Was für Stücke werden da aufgeführt? Was wissen Sie über die künstlerischen Ziele des Ensembles?

VOKABELN

A Deutsche, Ausländer und Einwanderer. Ergänzen Sie die Lücken mit den Wörtern im Kasten.

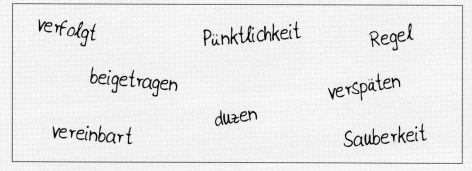

verfolgt	Pünktlichkeit	Regel
beigetragen		verspäten
	duzen	
vereinbart		Sauberkeit

Ein Theater, das „gebraucht" wird.

1. Ausländer haben kulturell sehr viel _____.
2. Die Liebe zur _____ hat natürlich Vorteile; beispielsweise werden die Fahrpläne eingehalten.
3. In Deutschland sagt man, die Ausnahme bestätigt die _____.
4. Leute, die politisch _____ werden, genießen in Deutschland das Asylrecht.
5. Wenn man eine Verabredung hat, sollte man sich nie _____.
6. Amerikaner in Deutschland wissen oft nicht, ob man jemanden _____ darf, wenn man ihn nicht kennt.
7. In Deutschland wird alles vorher _____.
8. Der wöchentliche Putztag zeigt die Liebe zur _____.

Ein Termin wird vereinbart.

B Probleme und Lösungen. Verbinden Sie jedes Umweltproblem in der linken Spalte mit der möglichen Lösung in der rechten Spalte.

1. Wir verbrauchen zu viel Strom.
2. Die Wälder werden abgeholzt.
3. Kohlekraftwerke vergiften die Umwelt.
4. Abgase verschmutzen die Luft.
5. Plastik und andere Verpackungsmaterialien lassen sich nur schwer recyceln.
6. Wir verbrauchen zu viel Wasser.

a. Man sollte so wenig wie möglich mit dem Auto fahren.
b. Man sollte das Licht ausmachen, wenn man aus dem Zimmer geht.
c. Man soll im Sommer den Rasen nicht so oft wässern.
d. Man sollte Energie umweltfreundlicher produzieren – zum Beispiel mit Windkraft- oder Solaranlagen.
e. Man soll recyceltes Papier kaufen.
f. Man sollte Produkte mit umweltfreundlicherem Verpackungsmaterial kaufen.

Eine Szene aus Volker Schlöndorffs Film „Die Blechtrommel".

C Sind Sie Filmkenner/Filmkennerin? Arbeiten Sie mit einem Partner / einer Partnerin, und stellen Sie einander die folgenden Fragen.

1. Siehst du gern ausländische Filme?
2. Welche ausländischen Filme hast du gesehen?
3. Sollen ausländische Filme deiner Meinung nach synchronisiert oder untertitelt werden? Warum?
4. Was ist für dich ein „typisch" amerikanischer Film? ein „typisch" deutscher Film?
5. Sind traurige Filme eigentlich realitätsnäher als Actionfilme? Was meinst du?

STRUKTUREN

A Anzeigen. Verbinden Sie die Sätze durch Relativpronomen.

MODELL: Für unser Reisebüro suchen wir Mitarbeiter. Sie müssen über Extremsportarten gut informiert sein. →
Für unser Reisebüro suchen wir Mitarbeiter, die über Extremsportarten gut informiert sind.

1. Für den ersten August suchen wir eine Verkäuferin. Sie soll mindestens zehn Jahre Erfahrung im Schuhverkauf haben.
2. Kinderreiche Familie sucht ein Einfamilienhaus. Es muss mindestens fünf Zimmer haben.
3. Älteres Ehepaar sucht jungen Mann. Er soll im Haushalt helfen und den Garten pflegen.
4. Für die Sommerreisesaison suchen wir Studenten. Sie sollen als Reisebegleiter arbeiten.

B Bemerkungen. Ergänzen Sie die Sätze mit **zu** plus **Infinitiv**.

MODELL: Jens isst viel Fleisch. Es ist ungesund, . . . →
Es ist ungesund, viel Fleisch zu essen.

1. Karin füttert ihren Hund. Karin vergisst oft, . . .
2. Thomas und Klara spielen jetzt Tennis. Aber wir haben keine Lust, . . .
3. Wir gehen in den Fitnessclub. Es macht uns Spaß, . . .
4. Ihr sprecht gut Russisch. Ich finde, es ist wirklich schwer, . . .
5. Kannst du auf Spanisch zählen? Es ist leicht, . . .
6. Ich verbringe gern etwas Zeit mit Freunden. Es ist immer schön, . . .

Im Reisebüro.

C Festspiele in Österreich. Ergänzen Sie die Sätze mit der richtigen Form von **werden**.

1. In vielen Teilen Österreichs sind Festspiele zu einer beliebten Tradition _____.
2. Dieses Jahr _____ wir zu den Salzburger Festspielen fahren.
3. In Salzburg _____ auch Mozart geboren.
4. Vor dem Salzburger Dom _____ jedes Jahr das Drama „Jedermann" aufgeführt.
5. Dieses Drama erinnert an eine Geschichte aus dem Mittelalter, es _____ jedoch erst in unserem Jahrhundert geschrieben.
6. Obwohl das Stück auf Deutsch gespielt _____, sind doch viele nicht deutschsprechende Besucher unter den Zuschauern.
7. Nach der Aufführung _____ wir noch ein bisschen in der Stadt bummeln.

D Musizieren. Schreiben Sie die Sätze ins Passiv um.

MODELL: Man singt Händels „Messias" oft zu Weihnachten. →
         Händels „Messias" wird oft zu Weihnachten gesungen.

1. Viele Musiker spielen die Trompete.
2. Der Berliner Rundfunk überträgt heute Abend die „Brandenburgischen Konzerte".
3. Man führt diese Woche in Salzburg „Die Zauberflöte" auf.
4. Heute bevorzugen viele Jugendliche Technomusik.
5. In unserem Laden verkauft man CD-Anlagen und Videorecorder.

E Nach München oder nach Hamburg? Sie wissen nicht, ob Sie nach München oder nach Hamburg reisen wollen. Ergänzen Sie die Satzteile in der linken Spalte mit einem passenden Satz aus der rechten Spalte. Für jeden Satzteil gibt es mehrere mögliche Ergänzungssätze.

MODELL: Ich glaube, dass . . . →
         Ich glaube, dass der Hamburger Akzent leichter zu verstehen ist.

1. Ich sollte vielleicht Hamburg besuchen, weil
2. München soll interessante Museen haben und
3. Ich will aber nicht nur Museen und Galerien besuchen, sondern
4. Man sagt, dass
5. Ich möchte gern wissen, ob
6. Ich glaube, dass
7. Ich könnte von München aus in die Alpen fahren, oder

a. Hamburg hat ausgezeichnete Theater.
b. Ich will (auch) etwas Zeit an der Nordseeküste verbringen.
c. Der Hamburger Akzent ist leichter zu verstehen.
d. Ich will mir gern Kunstwerke ansehen.
e. Die Münchner sollen sehr gastfreundlich sein.
f. Ich könnte auf der Alster segeln.
g. Ich will (auch) Spaziergänge in der Natur machen.

12

Georg Heym, 1887 in Hirschberg
(Schlesien) geboren, lebte ab 1900
in Berlin. Er studierte Jura und
promovierte 1911 in Rostock. 1912, ein
Jahr nach Erscheinen seines ersten
Gedichtbandes, ertrank er beim
Eislaufen in der Havel. Er gehörte zum
Kreis junger Lyriker, die als Ausdruck
des Protests den Expressionismus
schufen.

lagern	to camp
die Stirn	forehead
die Wut	anger
die Einsamkeit	loneliness
verirren	to get lost
die Kirchenglocken	church bells
wogen	to surge up
Korybanten	mythological dancing figures
dröhnen	to drone
die Schlote	factory chimneys
der Weihrauch	incense
betäuben	to anesthetize
der Geier	vulture
der Zorn	anger
schütteln	to shake
jagen	to hunt
der Glutqualm	fiery smoke
fressen	to eat, consume (as animals do)

PERSPEKTIVEN

A Zum Thema. Beschreiben Sie Ihre eigene Stadt.

1. Was tut man in Ihrer Stadt für die Umwelt?
2. Was tun Sie selbst für die Umwelt?
3. Welche Unterschiede gibt es zwischen einer Großstadt und einer Kleinstadt? Wo lebt man umweltfreundlicher? Warum?

Der Gott der Stadt

Auf einem Häuserblocke sitzt er breit.
Die Winde lagern schwarz um seine Stirn.
Er schaut voll Wut, wo fern in Einsamkeit
Die letzten Häuser in das Land verirrn.

5 Vom Abend glänzt der rote Bauch dem Baal.
Die großen Städte knien um ihn her.
Der Kirchenglocken ungeheure Zahl
Wogt auf ihn aus schwarzer Türme Meer.

Wie Korybanten-Tanz dröhnt die Musik
10 Der Millionen durch die Straßen laut.
Der Schlote Rauch, die Wolken der Fabrik
Ziehn auf zu ihm, wie Duft von Weihrauch blaut.

Das Wetter schwelt in seinen Augenbrauen.
Der dunkle Abend wird in Nacht betäubt.
15 Die Stürme flattern, die wie Geier schauen
Von seinem Haupthaar, das im Zorne sträubt.

Er streckt ins Dunkel seine Fleischerfaust.
Er schüttelt sie. Ein Meer von Feuer jagt
Durch eine Straße. Und der Glutqualm braust
20 Und frisst sie auf, bis spät der Morgen tagt.

Georg Heym (1887–1912)

B Zum Text. Welche Wörter im Gedicht passen zu den folgenden Kategorien? Passen Sie auf – manche Vokabeln passen vielleicht zu mehreren Kategorien.

KRIEG   RELIGION   TIERE   MENSCHLICHE EIGENSCHAFTEN

C Zur Interpretation. In einem Gedicht werden Bilder mit Wörtern „gemalt". Lesen Sie jede Strophe noch einmal genau, und versuchen Sie, einzelne Bildelemente grafisch darzustellen. Ihre Bilder können abstrakt sein, oder Sie können eine Collage erstellen.

D Die Stadt. Wie erfährt man „die Stadt" in diesem Gedicht? Ist diese Beschreibung auch Ihre Erfahrung?

APPENDIX A

Grammar Tables

1. Personal Pronouns

	SINGULAR					PLURAL		
NOMINATIVE	ich	du / Sie	sie	er	es	wir	ihr / Sie	sie
ACCUSATIVE	mich	dich / Sie	sie	ihn	es	uns	euch / Sie	sie
DATIVE	mir	dir / Ihnen	ihr	ihm	ihm	uns	euch / Ihnen	ihnen

2. Definite Articles and *der*-Words

	SINGULAR			PLURAL
	FEMININE	MASCULINE	NEUTER	
NOMINATIVE	die	der	das	die
ACCUSATIVE	die	den	das	die
DATIVE	der	dem	dem	den
GENITIVE	der	des	des	der

Words declined like the definite article: **jeder, dieser, welcher**

3. Indefinite Articles and *ein*-Words

	SINGULAR			PLURAL
	FEMININE	MASCULINE	NEUTER	
NOMINATIVE	(k)eine	(k)ein	(k)ein	keine
ACCUSATIVE	(k)eine	(k)einen	(k)ein	keine
DATIVE	(k)einer	(k)einem	(k)einem	keinen
GENITIVE	(k)einer	(k)eines	(k)eines	keiner

Words declined like the indefinite article: all possessive adjectives (**mein, dein, sein, ihr, unser, euer, Ihr**).

4. Question Pronouns

	PEOPLE	THINGS AND CONCEPTS
NOMINATIVE	wer	was
ACCUSATIVE	wen	was
DATIVE	wem	
GENITIVE	wessen	

5. Attributive Adjectives without Articles

	SINGULAR			PLURAL
	FEMININE	MASCULINE	NEUTER	
NOMINATIVE	gute	guter	gutes	gute
ACCUSATIVE	gute	guten	gutes	gute
DATIVE	guter	gutem	gutem	guten
GENITIVE	guter	guten	guten	guter

6. Attributive Adjectives with *der*-Words

	SINGULAR			PLURAL
	FEMININE	MASCULINE	NEUTER	
NOMINATIVE	die gute	der gute	das gute	die guten
ACCUSATIVE	die gute	den guten	das gute	die guten
DATIVE	der guten	dem guten	dem guten	den guten
GENITIVE	der guten	des guten	des guten	der guten

7. Attributive Adjectives with *ein*-Words

	SINGULAR			PLURAL
	FEMININE	MASCULINE	NEUTER	
NOMINATIVE	eine gute	ein guter	ein gutes	keine guten
ACCUSATIVE	eine gute	einen guten	ein gutes	keine guten
DATIVE	einer guten	einem guten	einem guten	keinen guten
GENITIVE	einer guten	eines guten	eines guten	keiner guten

8. Prepositions

ACCUSATIVE	DATIVE	ACCUSATIVE/DATIVE	GENITIVE
durch	aus	an	außerhalb
für	außer	auf	innerhalb
gegen	bei	hinter	trotz
ohne	mit	in	während
um (. . . herum)	nach	neben	wegen
	seit	über	
	von	unter	
	zu	vor	
		zwischen	

9. Relative and Demonstrative Pronouns

	SINGULAR			PLURAL
	FEMININE	MASCULINE	NEUTER	
NOMINATIVE	die	der	das	die
ACCUSATIVE	die	den	das	die
DATIVE	der	dem	dem	denen
GENITIVE	deren	dessen	dessen	deren

10. Weak Masculine Nouns

These nouns add **-(e)n** in the accusative, dative, and genitive.

A. *International nouns ending in* **-t** *denoting male persons:* Komponist, Patient, Polizist, Präsident, Soldat, Student, Tourist

B. *Nouns ending in* **-e** *denoting male persons or animals:* Drache, Junge, Neffe, Riese

C. *The following nouns:* Elefant, Herr, Mensch, Nachbar, Name

	SINGULAR	PLURAL
NOMINATIVE	der Student der Junge	die Studenten die Jungen
ACCUSATIVE	den Studenten den Jungen	die Studenten die Jungen
DATIVE	dem Studenten dem Jungen	den Studenten den Jungen
GENITIVE	des Studenten des Jungen	der Studenten der Jungen

11. Principal Parts of Irregular Verbs

The following is a list of the most important strong and mixed verbs that are used in this book. Included in this list are the modal auxiliaries. Since the principal parts of two-part verbs follow the forms of the base verb, two-part verbs are generally not included, except for a few high-frequency verbs whose base verb is not commonly used. Thus you will find **einladen** listed, but not **zurückkommen.**

INFINITIVE	(3RD PERS. SG. PRESENT)	SIMPLE PAST	PAST PARTICIPLE	MEANING
anbieten		bot an	angeboten	*to offer*
anfangen	(fängt an)	fing an	angefangen	*to begin*
backen		backte	gebacken	*to bake*
beginnen		begann	begonnen	*to begin*
begreifen		begriff	begriffen	*to comprehend*
beißen		biss	gebissen	*to bite*
bitten		bat	gebeten	*to ask, beg*
bleiben		blieb	(ist) geblieben	*to stay*
brennen		brannte	gebrannt	*to burn*
bringen		brachte	gebracht	*to bring*
denken		dachte	gedacht	*to think*

INFINITIVE	(3RD PERS. SG. PRESENT)	SIMPLE PAST	PAST PARTICIPLE	MEANING
dürfen	(darf)	durfte	gedurft	to be allowed
einladen	(lädt ein)	lud ein	eingeladen	to invite
empfehlen	(empfiehlt)	empfahl	empfohlen	to recommend
entscheiden		entschied	entschieden	to decide
essen	(isst)	aß	gegessen	to eat
fahren	(fährt)	fuhr	(ist) gefahren	to drive
fallen	(fällt)	fiel	(ist) gefallen	to fall
finden		fand	gefunden	to find
fliegen		flog	(ist) geflogen	to fly
geben	(gibt)	gab	gegeben	to give
gefallen	(gefällt)	gefiel	gefallen	to like; to please
gehen		ging	(ist) gegangen	to go
genießen		genoss	genossen	to enjoy
geschehen	(geschieht)	geschah	(ist) geschehen	to happen
gewinnen		gewann	gewonnen	to win
haben	(hat)	hatte	gehabt	to have
halten	(hält)	hielt	gehalten	to hold; to stop
hängen		hing	gehangen	to hang
heißen		hieß	geheißen	to be called
helfen	(hilft)	half	geholfen	to help
kennen		kannte	gekannt	to know
kommen		kam	(ist) gekommen	to come
können	(kann)	konnte	gekonnt	can; to be able
lassen	(lässt)	ließ	gelassen	to let; to allow
laufen	(läuft)	lief	(ist) gelaufen	to run
leihen		lieh	geliehen	to lend; to borrow
lesen	(liest)	las	gelesen	to read
liegen		lag	gelegen	to lie
mögen	(mag)	mochte	gemocht	to like
müssen	(muss)	musste	gemusst	must; to have to
nehmen	(nimmt)	nahm	genommen	to take
nennen		nannte	genannt	to name
raten	(rät)	riet	geraten	to advise
reiten		ritt	(ist) geritten	to ride
rennen		rannte	gerannt	to run
scheinen		schien	geschienen	to seem; to shine
schlafen	(schläft)	schlief	geschlafen	to sleep
schließen		schloss	geschlossen	to close
schreiben		schrieb	geschrieben	to write
schwimmen		schwamm	(ist) geschwommen	to swim
sehen	(sieht)	sah	gesehen	to see
sein	(ist)	war	(ist) gewesen	to be
singen		sang	gesungen	to sing
sitzen		saß	gesessen	to sit

INFINITIVE	(3RD PERS. SG. PRESENT)	SIMPLE PAST	PAST PARTICIPLE	MEANING
sollen	(soll)	sollte	gesollt	*should, ought; to be supposed*
sprechen	(spricht)	sprach	gesprochen	*to speak*
stehen		stand	gestanden	*to stand*
steigen		stieg	(ist) gestiegen	*to rise; to climb*
sterben	(stirbt)	starb	(ist) gestorben	*to die*
tragen	(trägt)	trug	getragen	*to carry; to wear*
treffen	(trifft)	traf	getroffen	*to meet*
trinken		trank	getrunken	*to drink*
tun		tat	getan	*to do*
umsteigen		stieg um	(ist) umgestiegen	*to change; to transfer*
vergessen	(vergisst)	vergaß	vergessen	*to forget*
vergleichen		verglich	verglichen	*to compare*
verlieren		verlor	verloren	*to lose*
wachsen	(wächst)	wuchs	(ist) gewachsen	*to grow*
waschen	(wäscht)	wusch	gewaschen	*to wash*
werden	(wird)	wurde	(ist) geworden	*to become*
wissen	(weiß)	wusste	gewusst	*to know*
wollen	(will)	wollte	gewollt	*to want*
ziehen		zog	(ist/hat) gezogen	*to move; to pull*

12. Common Inseparable Prefixes of Verbs

be-	besichtigen, besuchen, bezahlen
er-	erleben, erlösen
ver-	vergessen, vermieten, versprechen

13. Conjugation of Verbs

Present Tense
Auxiliary Verbs

	sein	haben	werden
ich	bin	habe	werde
du	bist	hast	wirst
Sie	sind	haben	werden
sie/er/es	ist	hat	wird
wir	sind	haben	werden
ihr	seid	habt	werdet
sie	sind	haben	werden
Sie	sind	haben	werden

Regular Verbs, Strong Verbs, Mixed (or Irregular Weak) Verbs

	REGULAR		STRONG		MIXED
	fragen	**arbeiten**	**geben**	**fahren**	**wissen**
ich	frage	arbeite	gebe	fahre	weiß
du	fragst	arbeitest	gibst	fährst	weißt
Sie	fragen	arbeiten	geben	fahren	wissen
sie/er/es	fragt	arbeitet	gibt	fährt	weiß
wir	fragen	arbeiten	geben	fahren	wissen
ihr	fragt	arbeitet	gebt	fahrt	wisst
sie	fragen	arbeiten	geben	fahren	wissen
Sie	fragen	arbeiten	geben	fahren	wissen

Simple Past Tense

Auxiliary Verbs

	sein	**haben**	**werden**
ich	war	hatte	wurde
du	warst	hattest	wurdest
Sie	waren	hatten	wurden
sie/er/es	war	hatte	wurde
wir	waren	hatten	wurden
ihr	wart	hattet	wurdet
sie	waren	hatten	wurden
Sie	waren	hatten	wurden

Regular Verbs, Strong Verbs, Mixed (or Irregular Weak) Verbs

	REGULAR	STRONG		MIXED
	fragen	**geben**	**fahren**	**wissen**
ich	fragte	gab	fuhr	wusste
du	fragtest	gabst	fuhrst	wusstest
Sie	fragten	gaben	fuhren	wussten
sie/er/es	fragte	gab	fuhr	wusste
wir	fragten	gaben	fuhren	wussten
ihr	fragtet	gabt	fuhrt	wusstet
sie	fragten	gaben	fuhren	wussten
Sie	fragten	gaben	fuhren	wussten

Wissen and the Modal Verbs

	MODAL VERBS						
	wissen	**dürfen**	**können**	**müssen**	**sollen**	**wollen**	**mögen**
ich	wusste	durfte	konnte	musste	sollte	wollte	mochte
du	wusstest	durftest	konntest	musstest	solltest	wolltest	mochtest
Sie	wussten	durften	konnten	mussten	sollten	wollten	mochten
sie/er/es	wusste	durfte	konnte	musste	sollte	wollte	mochte
wir	wussten	durften	konnten	mussten	sollten	wollten	mochten
ihr	wusstet	durftet	konntet	musstet	solltet	wolltet	mochtet
sie	wussten	durften	konnten	mussten	sollten	wollten	mochten
Sie	wussten	durften	konnten	mussten	sollten	wollten	mochten

Present Perfect Tense

	sein	haben	geben	fahren
ich	bin	habe	habe	bin
du	bist	hast	hast	bist
Sie	sind	haben	haben	sind
sie/er/es	ist — gewesen	hat — gehabt	hat — gegeben	ist — gefahren
wir	sind	haben	haben	sind
ihr	seid	habt	habt	seid
sie	sind	haben	haben	sind
Sie	sind	haben	haben	sind

Past Perfect Tense

	sein	haben	geben	fahren
ich	war	hatte	hatte	war
du	warst	hattest	hattest	warst
Sie	waren	hatten	hatten	waren
sie/er/es	war — gewesen	hatte — gehabt	hatte — gegeben	war — gefahren
wir	waren	hatten	hatten	waren
ihr	wart	hattet	hattet	wart
sie	waren	hatten	hatten	waren
Sie	waren	hatten	hatten	waren

Subjunctive

Present Tense: Subjunctive I (Indirect Discourse Subjunctive)

	sein	haben	werden	fahren	wissen
ich	sei	—	—	—	wisse
du	sei(e)st	habest	—	—	—
Sie	seien	—	—	—	—
sie/er/es	sei	habe	werde	fahre	wisse
wir	seien	—	—	—	—
ihr	sei(e)t	habet	—	—	—
sie	seien	—	—	—	—
Sie	seien	—	—	—	—

For the forms left blank, the subjunctive II forms are preferred in indirect discourse.

Present Tense: Subjunctive II

	fragen	sein	haben	werden	fahren	wissen
ich	fragte	wäre	hätte	würde	führe	wüsste
du	fragtest	wär(e)st	hättest	würdest	führ(e)st	wüsstest
Sie	fragten	wären	hätten	würden	führen	wüssten
sie/er/es	fragte	wäre	hätte	würde	führe	wüsste
wir	fragten	wären	hätten	würden	führen	wüssten
ihr	fragtet	wär(e)t	hättet	würdet	führ(e)t	wüsstet
sie	fragten	wären	hätten	würden	führen	wüssten
Sie	fragten	wären	hätten	würden	führen	wüssten

Past Tense: Subjunctive I (Indirect Discourse)

	fahren		wissen	
ich	sei		—	
du	sei(e)st		habest	
Sie	sei(e)n		—	
sie/er/es	sei	gefahren	habe	gewusst
wir	seien		—	
ihr	sei(e)t		habet	
sie	sei(e)n		—	
Sie	sei(e)n		—	

Past Tense: Subjunctive II

	sein		**geben**		**fahren**	
ich	wäre		hätte		wäre	
du	wär(e)st		hättest		wär(e)st	
Sie	wären		hätten		wären	
sie/er/es	wäre	gewesen	hätte	gegeben	wäre	gefahren
wir	wären		hätten		wären	
ihr	wär(e)t		hättet		wär(e)t	
sie	wären		hätten		wären	
Sie	wären		hätten		wären	

Passive Voice

	einladen		
	Present	*Simple Past*	*Present Perfect*
ich	werde	wurde	bin
du	wirst	wurdest	bist
Sie	werden	wurden	sind
sie/er/es	wird eingeladen	wurde eingeladen	ist eingeladen worden
wir	werden	wurden	sind
ihr	werdet	wurdet	seid
sie	werden	wurden	sind
Sie	werden	wurden	sind

Imperative

	sein	**geben**	**fahren**	**arbeiten**
FAMILIAR SINGULAR	sei	gib	fahr	arbeite
FAMILIAR PLURAL	seid	gebt	fahrt	arbeitet
FORMAL	seien Sie	geben Sie	fahren Sie	arbeiten Sie

APPENDIX B

Alternate Spelling and Capitalization

With the German spelling reform, some words now have an alternate old spelling along with a new one. The vocabulary lists at the end of each chapter in this text present the new spelling. Listed here are some common words that are affected by the spelling reform, along with their traditional alternate spellings. This list is not a complete list of words affected by the spelling reform.

NEW	ALTERNATE
Abschluss (¨e)	Abschluß (Abschlüsse)
auf Deutsch	auf deutsch
dass	daß
Erdgeschoss (-e)	Erdgeschoß (Erdgeschosse)
essen (isst), aß, gegessen	essen (ißt), aß, gegessen
Esszimmer (-)	Eßzimmer (-)
Fitness	Fitneß
Fluss (¨e)	Fluß (Flüsse)
heute Abend / . . . Mittag / . . . Morgen / . . . Nachmittag / . . . Vormittag	heute abend / . . . mittag / . . . morgen / . . . nachmittag / . . . vormittag
lassen (lässt), ließ, gelassen Lass uns doch . . .	lassen (läßt), ließ, gelassen Laß uns doch . . .
morgen Abend / . . . Mittag / . . . Nachmittag / . . . Vormittag	morgen abend / . . . mittag / . . . nachmittag / . . . vormittag
müssen (muss), musste, gemusst	müssen (muß), mußte, gemußt
passen (passt), gepasst	passen (paßt), gepaßt
Rad fahren (fährt Rad), fuhr Rad, ist Rad gefahren	radfahren (fährt Rad), fuhr Rad, ist radgefahren
Samstagabend / -mittag / -morgen / -nachmittag / -vormittag	Samstag abend / . . . mittag / . . . morgen / . . . nachmittag / . . . vormittag
Schloss (¨er)	Schloß (Schlösser)
spazieren gehen (geht spazieren), ging spazieren, ist spazieren gegangen	spazierengehen (geht spazieren), ging spazieren, ist spazierengegangen
Stress	Streß
vergessen (vergisst), vergaß, vergessen	vergessen (vergißt), vergaß, vergessen
wie viel	wieviel

VOCABULARY

GERMAN-ENGLISH

This cumulative vocabulary list contains nearly all the German words that appear in the textbook for ***Auf Deutsch!*** *3 Drei.* Exceptions include identical or very close cognates with English that are not part of the active vocabulary. It also contains German words that appeared in ***Auf Deutsch!*** *1 Eins* and ***Auf Deutsch!*** *2 Zwei.* Chapter numbers indicate active vocabulary items from the end-of-chapter **Wortschatz** lists. For **Sie wissen schon** vocabulary, the chapter in *1 Eins* or *2 Zwei* in which the item originally appeared is provided as well. Words in the **Wortschatz** list in the **Einführung** chapter are designated by the book number. For example, "11/3E" indicates that the word appears in the **Wortschatz** list of *Kapitel 11* in ***Auf Deutsch!*** *1 Eins* and the **Einführung** of *3 Drei.*

Entries for strong and mixed verbs include all principal parts, including the third-person singular of the present tense if it is irregular: **fahren (fährt), fuhr, ist gefahren; trinken, trank, getrunken.**

The vocabulary list also includes the following abbreviations.

acc.	accusative
adj.	adjective
adv.	adverb
coll.	colloquial
coord. conj.	coordinating conjunction
dat.	dative
decl. adj.	declined adjective
fig.	figurative
form.	formal
gen.	genitive
indef. pron.	indefinite pronoun
inform.	informal
(-n *masc.*) / **(-en** *masc.*)	masculine noun ending in **-n** or **-en** in all cases but the nominative singular
pl.	plural
sg.	singular
subord. conj.	subordinating conjunction

A

ab (+ *dat.*) from; from . . . on; beginning, **Fahrverbindungen ab Kloster** connections from the monastery; **für die Kids ab zehn** for kids age ten and older; **ab 1850** from 1850 on; **ab und zu** from time to time

der Abbau reduction; **Abbau der Aggression** stress reduction

abbauen (baut ab) to dismantle; to decompose; to reduce

abbiegen (biegt ab), bog ab, abgebogen to turn (22)

abbrechen (bricht ab), brach ab, abgebrochen to break up; to end

das Abc alphabet

der Abend (-e) evening; **am Abend** in the evening; **gestern Abend** last night; **guten Abend!** good evening!; **heute Abend** this evening; **jeden Abend** every night; **morgen Abend** tomorrow evening

das Abendessen (-) dinner; **nach dem Abendessen** after dinner; **zum Abendessen** for dinner (19)

das Abendkleid (-er) evening gown

abends (in the) evenings

die Abendveranstaltung (-en) evening event

das Abenteuer (-) adventure (9/32)

abenteurlich adventurous

der Abenteuerurlaub (-e) adventure vacation

aber (*coord. conj.*) but, however

abernten (erntet ab) to harvest

abfahren (fährt ab), fuhr ab, ist abgefahren to depart

die Abfahrt (-en) departure (24)

der Abfall (¨e) trash (20/35)

die Abfallberatung waste management

die Abfallmenge volume of waste

abfliegen (fliegt ab), flog ab, ist abgeflogen to take off, to depart by plane (24)

abfließen (fließt ab), floss ab, ist abgeflossen to drain

der Abflug (¨e) departure

abführen (führt ab) to remove

das Abgas (-e) exhaust

abgeben (gibt ab), gab ab, abgegeben to give up; to pass on; to drop off (19)

abgefahren (*adj.*) departed

abgelehnt (*adj.*) declined

der/die Abgeordnete (*decl. adj.*) delegate; member of parliament (30)

abgeschlossen (*adj.*) completed, closed

abgeschnitten (*adj.*) cut

abgeschrieben (*adj.*) copied

abgezogen (*adj.*) skinned, peeled, blanched

die Abgrenzung (-en) separation

abhacken (hackt ab) to check off; to chop off

abhängen (hängt ab) to hang up (*telephone*)

abhängig dependent(ly) (13)

die Abhängigkeit dependence

abhauen: hau ab! (*slang*) beat it!

abholen (holt ab) to pick up (23)

abholzen (holzt ab) to deforest

das Abi = Abitur

die Abifete (-n) graduation party (celebrating the *Abitur*)

das Abitur (-e) *exam at the end of secondary school (Gymnasium)* (10)

der Abiturient (-en *masc.***) / die Abiturientin (-nen)** *person who has passed the Abitur*

abkaufen (kauft ab) to buy

abkriegen (kriegt ab): (*coll.*) to get, to be hurt

abladen (lädt ab), lud ab, abgeladen to unload

der Ablauf (Abläufe) course; order of events

ablehnen (lehnt ab) to decline, reject

die Ablehnung (-en) rejection

ableiten (leitet ab) to derive

abliefern (liefert ab) to deliver

abnehmen (nimmt ab), nahm ab, abgenommen to take off; to lose weight

abonnieren to subscribe to (21)

abraten (rät ab), riet ab, abgeraten to advise against

(sich) abreagieren (reagiert ab) to unwind, relax; **zum Abreagieren** for relaxation

abreisen (reist ab), ist abgereist to depart (8)

abreißen, riss ab, abgerissen to tear down (*a building*)

abrunden (rundet ab) to round up; to complete

die Absage (-n) rejection

der Absatz (¨e) heel (*of a shoe*) (21); paragraph, section (*in a text*)

abschaffen (schafft ab) to get rid of (20)

der Abschaum scum, dregs of society

der Abschied (-e) farewell

abschließen (schließt ab), schloss ab, abgeschlossen to finish, conclude

der Abschluss (¨e) completion of studies, degree

abschmecken (schmeckt ab) to taste

abschneiden (schneidet ab), schnitt ab, abgeschnitten to cut

der Abschnitt (-e) cut; segment (28); paragraph in a text

abschreiben (schreibt ab), schrieb ab, abgeschrieben to copy (*in writing*)

absenken (senkt ab) to lower

die Absicht (-en) intention

absolut absolute(ly)

absolvieren to complete (*a degree*) **die Schule absolvieren** to complete school education

abspeichern (speichert ab) to store (*data*)

absprechen (spricht ab), sprach ab, abgesprochen to agree; to make arrangements

die Abstammung (-en) descent, origin

absteigen (steigt ab), stieg ab, ist abgestiegen to get off, dismount

absterben (stirbt ab), starb ab, ist abgestorben to die off

abstrakt abstract(ly)

abstützen to support; to prop up

absuchen (sucht ab) to search

die Abteilung (-en) department

abträglich (+ *dat.*) detrimental

das Abwasser (-) sewage

sich abwechseln (wechselt ab) to take turns, alternate

abwechselnd alternately

die Abwechslung (-en) change; variety (32)

abwechslungsreich variable, changeable (14)

die Abwesenheit (-en) absence

abziehen (zieht ab), zog ab, abgezogen to skin, peel

ach! oh!; **ach ja!** oh right!; **ach so!** I see!; **ach, was!** come on!, **ach wo!** not at all!

acht eight; **es ist acht Uhr** it's eight o'clock (1E)

die Acht (-) attention; **Acht geben (gibt Acht), gab Acht, Acht gegeben: auf den Lehrer Acht geben** to pay attention to the teacher

achten to respect; to take notice (33); **achten auf** (+ *acc.*) to pay attention to

die Achterbahn (-en) roller coaster

achtzehn eighteen (1E)

achtzehnte eighteenth; **der achtzehnte Januar** January eighteenth

achtzig eighty (1E); **die achtziger Jahre** the eighties

der Ackerbau agriculture

der Actionfilm (-e) action film (36)

der ADAC = Allgemeiner Deutscher Automobil Club

addieren to add

adelig noble, of noble birth

das Adjektiv (-e) adjective

die Adjektivendung (-en) adjective ending

der Adler (-) eagle

die Adresse (-n) address

adrett neat(ly)

das Adverb (Adverbien) adverb

die Aerobikübung (-en) aerobic exercise, aerobics

der Affe (-n *masc.*) ape, monkey

(das) Afrika Africa

der Afrikaner (-) / die Afrikanerin (-nen) African (*person*) (18)

der Agent (-en *masc.*) / die Agentin (-nen) secret agent, spy

die Agentur (-en) agency

die Aggression (-en) aggression

(das) Ägypten Egypt

ägyptisch (*adj.*) Egyptian

aha! I see!

ähneln (+ *dat.*) to resemble

ahnen to foresee, know

ähnlich similar(ly); **etwas**

Ähnliches something similar

Ahnung: keine Ahnung! I have no idea!

ahoi! ahoy!

der Ahornsirup maple syrup

das Airbrushing airbrushing

die Akademie (-n) academy

der Akademiker (-) / die Akademikerin (-nen) academic; college graduate

akademisch academic(ally)

der Akkusativ accusative case

die Akkusativpräposition (-en) accusative preposition

das Akkusativpronomen (-) pronoun in the accusative case

die Aktion (-en) action (35)

aktiv active(ly) (32)

das Aktiv active voice

die Aktivität (-en) activity

aktuell current, topical (21)

der Akzent (-e) accent (34)

die Akzeptanz (-en) acceptance

akzeptieren to accept

alarmieren to alarm; to call

albern silly

das Alibi (-s) alibi

der Alkohol alcohol

all, all- all; **all das** all that; **all das Zeug** all that stuff; **all ihr jungen Leute** all you young people; **vor allem, vor allen Dingen** above all

alle (*pl.*) all, everyone; **alle zusammen!** everybody!, all together! (1E); **ein Drittel aller Schüler** a third of all students

die Allee (-n) avenue

die Allegorie (-n) allegory

allein(e) alone (4)

allein erziehend single parenting (30)

allein stehend single

aller-: am aller- (+ *superlative*) the very most; **am allerschönsten** the most beautiful of all

allerdings indeed; though; however; to be sure

die Allergie (-n) allergic reaction, allergy

das Allergiepotential (-e) potential for allergies

allergisch allergic

der Allergologe (-n *masc.*) / die Allergologin (-nen) allergy specialist

alles everything; **alles Gute!** best wishes!, all the best!; **alles klar!** everything ok!; **alles Liebe** love (*closing in letters*); **das ist alles!** that's all!

allgemein general(ly); **Allgemeiner Deutscher Automobil Club** German automobile association; **im Allgemeinen** in general, generally

alljährlich annual(ly), every year

die Allmacht omnipotence

der Allmächtige (*decl. adj.*) Almighty One

allmählich gradual(ly) (28)

der Alltag everyday life (27)

alltäglich daily, ordinary, commonplace

das Alltagsleben everyday life

allzu all too; **allzu menschlich** all too human; **allzu viel** far too much; **allzu wenig** all too few

die Alm (-en) alpine pasture

der Almanach almanac

die Alpen (*pl.*) the Alps (17); **der Alpengipfel (-)** alpine peak; **die Alpenlandschaft** landscape in the Alps

das Alphabet (-e) alphabet

alpin alpine

der Alptraum (-träume) nightmare (27)

als (*subord. conj.*) when; than; as; **als ich jung war** when I was young; **länger als** longer than; **als Gast** as a guest

also well; thus; therefore; so (12); **also, bis dann!** all right then, see you later; **na also!** there we go!

alt (älter, ältest-) old (1)

der Altar (¨-e) altar

die Altbatterie (-n) empty battery

der Altbaubezirk (-e) historic district (*of a city*)

die Altbauwohnung (-en) pre-1945 building (4)

der/die Alte (*decl. adj.*) the old one

der Altenpfleger (-) / die Altenpflegerin (-nen) old people's nurse

das Alter (-) age

alternativ alternative(ly)

die Alternative (-n) alternative

der Altersgenosse (-n masc.) / die Altersgenossin (-nen) person of the same age

das Altersheim (-e) home for the elderly

das Altglas recyclable glass

die Altkleidersammlung (-en) collection of old clothes

altmodisch old-fashioned

das Altpapier recyclable paper

die Altstadt (¨e) old part of town

am = an dem: am achten Mai on May eighth; **am allerschönsten** the most beautiful; **am Montag** on Monday

der Amazonas Amazon river

die Ameise (-n) ant

(das) Amerika America

die Amerikafahrt (-en) trip to America

der Amerikafan (-s) America nut, *person who likes everything about America*

der Amerikaner (-) / die Amerikanerin (-nen) American (*person*) (18)

amerikanisch (*adj.*) American

die Ampel (-n) traffic lights

das Amt (¨er) bureau, agency

das Amtsgeschäft (-e) business matter, transaction

die Amtstätigkeit (-en) job responsibility

amüsant amusing(ly)

amüsieren to amuse

an (+ *acc./dat.*) at; near; up to; to; on (11); **am Internet surfen** to surf the internet (18); **an _____ vorbei** past _____ (22)

analysieren to analyze

die Ananas (-) pineapple

der Anbau cultivation, growing; **kontrolliert biologischer Anbau** organic cultivation / growing

anbei enclosed (*in letters*)

anbieten (bietet an), bot an, angeboten to offer

der Anbieter (-) / die Anbieterin (-nen) supplier

der Anblick (-e) sight

anbringen (bringt an), brachte an, angebracht to install; to put forward

anbrüllen (brüllt an) to yell at

ander- other; **alles andere** everything else; **eins nach dem anderen** one thing at at time; **etwas anderes** something else; **unter anderem** among other things

der/die/das andere (*decl. adj.*) other (one), different (one)

andererseits on the other hand (26)

(sich) ändern to change

andernorts somewhere else

anders different(ly); **anders herum** the other way around; **ganz anders** totally different

andersartig of a different kind

anderswohin in a different place

anderthalb one and a half

die Änderung (-en) change, alteration

aneinander to each other, to one another

die Anekdote (-n) anecdote

die Anerkennung (-en) recognition

anfällig prone

der Anfang (¨e) beginning, start; **am Anfang** in the beginning; **von Anfang an** from the beginning; **Anfang des zwanzigsten Jahrhunderts** at the beginning of the twentieth century

anfangen (fängt an), fing an, angefangen to start (23/31)

anfangs at first (30)

der Anfangsbuchstabe (-n masc.) initial

anfassen (fasst an) to touch; to grasp (31)

die Anfeindung (-en) hostility

anfertigen (fertigt an) to make; to do; to prepare, draw up

anfordern (fordert an) to request, ask for

das Anführungszeichen (-) quotation mark

die Angabe (-n) information

angeben (gibt an), gab an, angegeben to indicate; to give; to name, cite

das Angebot (-e) offer (23)

angeboten (*adj.*) offered

angebracht (*adj.*) attached; suitable

angehen (geht an), ging an, angegangen to concern; **was die Frauen angeht** as far as the women are concerned

angehören (gehört an) to belong to; to be associated with

der/die Angeklagte (*decl. adj.*) defendant (30)

die Angelegenheit (-en) matter

angeln to fish (8)

angemessen appropriate(ly)

angenehm pleasant(ly) (10)

angepasst conformist (26)

angestellt employed (1)

der/die Angestellte (*decl. adj.*) employee

angestrebt desired, sought after

angetan: von jemandem angetan sein to be attracted to someone

angewandt (*adj.*) applied

angreifen (greift an), griff an, angegriffen to attack

der Angriff (-e) attack; **bereit zum Angriff** ready to attack

die Angst (¨e) fear (20); **Angst haben** to be afraid; **keine Angst!** don't be afraid!

ängstlich timid(ly), anxious(ly)

angucken (guckt an) (*coll.*) to have a look at (32)

anhalten (hält an), hielt an, angehalten to stop

der Anhänger (-) trailer

anheben, hob an, angehoben to lift up

anhören (hört an) to listen to

animieren to stimulate

anklagen (klagt an) to accuse

ankommen (kommt an), kam an, ist angekommen to arrive (24); **auf etwas ankommen** to depend upon (32)

ankreuzen (kreuzt an) to cross, check off

ankündigen (kündigt an) to announce

die Ankunft (¨e) arrival

die Anlage (-n) facility

anlasten (lastet an) to accuse

anlegen (legt an) dock (*a boat*)

das Anliegen (-) concern, matter, request

anmachen (macht an) to turn on; **Licht anmachen** turn on a light

anmalen (malt an) to paint on; **ein Clowngesicht anmalen** to paint on a clown's face

das Anmeldeformular (-e) registration form

(sich) anmelden (meldet an) to register (19)

die Anmeldung (-en) registration

anmütig (*adj*) charming; graceful

annähernd approximately

die Annalen (*pl.*) annals, history

annehmen (nimmt an), nahm an, angenommen to accept, take on (34)

die Annehmlichkeiten (*pl.*) comforts, convenience

die Anonymität anonymity

der Anorak (-s) parka, winter jacket (7)

anorganisch inorganic

(sich) anpassen (passt an) (+ *dat.*) to adapt (to); to conform (to) (26)

anprobieren (probiert an) to try on (*clothes*) (7)

anrechnen (rechnet an) to count; to take into account

anreden (redet an) to address

anregen (regt an) to stimulate (31)

die Anregung (-en) stimulation (31)

die Anreise (-n) arrival

anreisen (reist an), reiste an, ist angereist to arrive

der Anruf (-e) phone call

anrufen (ruft an), rief an, angerufen to call up (*on the phone*) (7/3E)

der Anrufer (-) / die Anruferin (-nen) caller

ans = an das

(sich) ansammeln (sammelt an) to accumulate

anschaffen (schafft an) to aquire, purchase

anschauen (schaut an) to look at; to watch (21)

anschaulich vivid(ly), clear(ly)

anschlagen (schlägt an), schlug an, angeschlagen to strike

anschließend immediately following

der Anschluss (¨e) entry, connection, annexation

sich anschmiegen (schmiegt an) to cuddle, snuggle

sich anschnallen (schnallt an) to fasten (20)

das Anschreiben (-) letter

sich ansehen (sieht an), sah an, angesehen to look at; to watch (21)

das Ansehen reputation, recognition

ansiedeln (siedelt an) to settle

ansonsten otherwise

ansprechen (spricht an), sprach an, angesprochen to address, speak to

der Ansprechpartner (-) / die Ansprechpartnerin (-nen) contact person

der Anspruch (¨e) claim, right; **in Anspruch nehmen** to claim; to take advantage of

anständig decent

anstarren (starrt an) to stare at

anstatt (+ *gen.*) instead of

ansteigen (steigt an), stieg an, ist angestiegen to rise, increase

anstellen (stellt an) to hire

anstoßen (stößt an), stieß an, angestoßen to touch; to push, shove

anstreben (strebt an) to strive for something

anstrengend strenuous (23)

die Anstrengung (-en) strain, effort

der Anstrich (-e) paint (35)

der Anteil (-e) part, share, portion

der Anthropologe (-n *masc.***) / die Anthropologin (-nen)** anthropologist

die Antike antiquity

die Antikensammlung (-en) collection of classical antiquities

antiquarisch antique (22)

die Antiquität (-en) antique

antisemitisch anti-Semitic

der Antisemitismus anti-Semitism

der Antrag (¨e) application, request

das Antragsformular (-e) application form

antun: (jemandem etwas) antun (tut an), tat an, angetan to do (something to someone)

die Antwort (-en) answer

der Antwortbrief (-e) letter of response

antworten to answer

der Anwalt (¨e) / die Anwältin (-nen) lawyer (13)

die Anweisung (-en) instruction

die Anwendung (-en) application

anwinkeln (winkelt an) to bend

die Anzeige (-n) advertisement (14)

anzeigen (zeigt an) to sue

(sich) anziehen (zieht an), zog an, angezogen to put on (clothes) (7); to attract

der Anzug (¨e) dress suit

anzünden (zündet an) to light (17)

apart distinctive(ly), unusual(ly)

der Apfel (¨) apple

der Apfelsaft (¨e) apple juice

der Apfelstrudel (-) apple strudel (15)

der Apostel (-) apostle

die Apotheke (-n) drugstore (*for prescription drugs*) (16)

der Apothekenhelfer (-) / die Apothekenhelferin (-nen) pharmaceutical assistant

der Apotheker (-) / die Apothekerin (-nen) pharmacist

der Apparat (-e) apparatus, appliance, gadget; (*phone*) **am Apparat!** speaking!

das Appartement (-s) apartment

der Appetit appetite

der April April (5); **am dreizehnten April** on April thirteenth; **im April** in April

das Aquarium (*pl.* **Aquarien**) aquarium

die Arbeit (-en) work; exam; **an die Arbeit!** back to work!

arbeiten to work

der Arbeiter (-) / die Arbeiterin (-nen) blue collar worker

die Arbeiterfamilie (-n) blue collar family

die Arbeiterstadt (-städte) working class city

der Arbeitgeber (-) / die Arbeitgeberin (-nen) employer (14)

der Arbeitnehmer (-) / die Arbeitnehmerin (-nen) employee (14)

das Arbeitsamt (ër) department of labor, employment office

die Arbeitsatmosphäre (-n) work atmosphere

die Arbeitsbedingungen (*pl.*) working conditions

die Arbeitserfahrung (-en) work experience (14)

die Arbeitsgemeinschaft (-en) association, agency, society

die Arbeitsgruppe (-n) team, workshop

die Arbeitskraft labor force (34)

die Arbeitslage employment situation (*in a society*)

das Arbeitsleben work life, professional life

arbeitslos unemployed (1)

der/die Arbeitslose (*decl. adj.*) unemployed (person)

das Arbeitslosengeld (-er) unemployment benefit

die Arbeitslosenzahl (-en) number of unemployed (29)

die Arbeitslosigkeit unemployment (20)

der Arbeitsmarkt (ëe) job market

die Arbeitsmoral work ethic

der Arbeitsplatz (ëe) workplace (13/29)

die Arbeitssituation (-en) employment situation

die Arbeitsstelle (-n) job, position

die Arbeitsstunde (-n) work hour

die Arbeitssuche job search; **auf Arbeitssuche sein** to be looking for a job

der/die Arbeitssuchende (*decl. adj.*) person looking for employment

der Arbeitstag (-e) work day

Arbeits- und Studienaufenthalte in Afrika *organization for work and study exchange programs to Africa*

der Arbeitsvermittler (-) / die Arbeitsvermittlerin (-nen) employment agent (29)

der Arbeitsvertrag (ëe) employment contract

die Arbeitswelt (-en) professional world, professional environment (13)

die Arbeitswoche (-n) workweek

die Arbeitszeit (-en) work schedule

das Arbeitszimmer (-) (home) office, study

der Architekt (-en *masc.***) / die Architektin (-nen)** architect (13)

die Architektur (-en) architecture

(das) Argentinien Argentina

der Ärger annoyance; anger (34); **aus Ärger** out of anger

ärgern to annoy, make angry (10); **sich ärgern (über)** (+ *acc.*) to be / get upset, annoyed / angry (about) (16)

das Argument (-e) argument

arm (ärmer, ärmst-) poor

der Arm (-e) arm (16)

die Armbanduhr (-en) wristwatch

der/die Arme (*decl. adj.*) poor person; **den Armen helfen** to help the poor

die Armee (-n) army

armenisch (*adj.*) Armenian

die Armenküche (-n) soup kitchen (*for the homeless*)

ärmlich poor, shabby, meager

die Armut poverty (20)

arrangieren to arrange

die Art (-en) type, sort (26)

der Artikel (-) article (*in a newspaper*) (10)

die Artischocke (-n) artichoke

der Arzt (ëe) / die Ärztin (-nen) doctor, physician (6); **zum Arzt gehen** to see a doctor

der Arztbesuch (-e) visit to the doctor (33)

der Arzthelfer (-) / die Arzthelferin (-nen) medical assistant

ärztlich medical

ASA = Arbeits- und Studienaufenthalte in Afrika

die Asche (-n) ash

(das) Aschenputtel Cinderella (12)

der Asiat (-en *masc.***) / die Asiatin (-nen)** Asian (*person*) (18)

(das) Asien Asia

der/die Asoziale (*decl. adj.*) social outcast

der Aspekt (-e) aspect

der Asphalt asphalt

der Assistent (-en *masc.***) / die Assistentin (-nen)** assistant

die Assoziation (-en) association (*cognitive process*)

assoziieren to associate

der Ast (ëe) branch (*of a tree*)

die Ästhetik aesthetics

ästhetisch aesthetic(ally)

das Asthma asthma

der Astronaut (-en *masc.***) / die Astronautin (-nen)** astronaut

der Astronom (-en *masc.***) / die Astronomin (-nen)** astronomer

das Asyl political asylum (34)

der Asylbewerber (-) / die Asylbewerberin (-nen) asylum seeker

das Asylgesetz (-e) asylum law

das Asylrecht right to asylum

der Atem breath; **den Atem anhalten** to hold one's breath

(das) Athen Athens (Greece)

der Athlet (-en *masc.***) / die Athletin (-nen)** athlete

athletisch athletic

der Atlantik Atlantic (Ocean)

der **Atlas** (*pl.* **Atlanten**) atlas
atmen to breathe (33)
die **Atmosphäre** (-n) atmosphere
die **Atmung** breathing
die **Atomkraft** nuclear power
der **Atommüll** nuclear waste
die **Attraktion** (-en) attraction
attraktiv attractive(ly)
das **Attraktive** (*decl. adj.*) attractive (thing)
auch also, as well, too
auf (+ *acc./dat.*) on, upon; onto, to; at; in, into; **auf bald** see you soon; **auf das Gewicht achten** to watch one's figure; **(sich) auf den Weg machen** to get underway, leave; **auf der Straße** in the street; **auf Deutsch** in German; **auf die Frage antworten** to answer the question; **auf die Reise gehen** to travel; **auf eine Idee kommen** to have an idea; **auf einmal** suddenly, at once (12); **auf etwas achten** to pay attention to something; **auf jemanden zukommen** to approach someone; **auf jeden Fall** in any case; **auf nach Köln!** on to Cologne!; **auf Rezept** by prescription; **auf Urlaub** on vacation; **auf Widerruf** without commitment; **auf Wiedersehen!** good-bye!
aufatmen (atmet auf) to take a deep breath, be relieved
aufbauen (baut auf) to build; to set up (29)
das **Aufbauen** the process of building
aufbauend auf based on
aufbleiben (bleibt auf), blieb auf, ist aufgeblieben to stay up
aufbügeln (bügelt auf) to iron out (*clothing*)
aufdecken (deckt auf) to uncover
der **Aufenthalt** (-e) stay (7); visit; layover
der **Aufenthaltsort** (-e) residence, whereabouts
der **Aufenthaltsraum** (⸚e) club room (10)

auffallen (fällt auf), fiel auf, ist aufgefallen (+ *dat.*) to stand out; **mir ist aufgefallen** I have noticed
auffällig conspicuous(ly)
auffangen (fängt auf), fing auf, aufgefangen to catch hold of
die **Auffassung** (-en) opinion, view, conception
die **Auffassungsgabe** intelligence
aufflattern (flattert auf) to flutter (up)
aufführen (führt auf) to put on, perform
die **Aufführung** (-en) performance
die **Aufgabe** (-n) task, job, responsibility, assignment (10)
aufgeben (gibt auf), gab auf, aufgegeben to give up (18/25)
aufgeregt (*adj.*) agitated, upset (24)
aufgeschlossen open-minded, receptive (34)
aufgrund (+ *gen.*) because of, due to
aufhalten (hält auf), hielt auf, aufgehalten to hold up; **ich bin aufgehalten worden** I was held up
aufhören (hört auf) to stop (7/3E)
der **Aufkleber** (-) sticker
aufknallen (knallt auf) to bang
auflegen (legt auf) to put down
auflockern (lockert auf) to loosen up
(sich) auflösen (löst auf) to dissolve; to disintegrate
aufmachen (macht auf) to open (6); **macht die Bücher auf** open your books (1E)
aufmerksam attentive(ly) (36)
die **Aufmerksamkeit** attention
die **Aufnahme** (-n) exposure; reception; recording
die **Aufnahmeprüfung** (-en) entrance exam
aufnehmen (nimmt auf), nahm auf, aufgenommen to start, take up (28); to record (video) (21)
aufpassen (passt auf) to watch out, pay attention; to be careful (9/3E); **auf jemanden aufpassen** to keep an eye on someone (23)

aufräumen (räumt auf) to clean up, organize (23/3E)
(sich) aufregen (regt auf) to be upset; to worry
aufregend exciting
die **Aufregung** (-en) excitement, agitation
(sich) aufrichten (richtet auf) to straighten up; to erect; to restore
aufs = auf das
der **Aufsatz** (⸚e) essay, paper
aufschauen (schaut auf) (*coll.*) to look up
aufscheuchen (scheucht auf) to startle
aufschlagen (schlägt auf) to open; to set up; to increase (prices)
aufschließen (schließt auf), schloss auf, aufgeschlossen to unlock
der **Aufschnitt** (-e) cold cuts
aufschreiben (schreibt auf), schrieb auf, aufgeschrieben to write down
der **Aufschwung** (⸚e) upswing (29)
das **Aufsehen** sensation (35); **Aufsehen erregen** to cause a stir
die **Aufsicht** supervision
aufspringen (springt auf), sprang auf, ist aufgesprungen to jump up
aufstehen (steht auf), stand auf, ist aufgestanden to get up (7)
aufsteigen (steigt auf), stieg auf, ist aufgestiegen to climb up, advance, rise
aufstellen (stellt auf) to put up (*right side up/in a vertical position*)
der **Aufstieg** (-e) advancement, ascent, rise
die **Aufstiegschance** (-n) career opportunity
die **Aufstiegsmöglichkeit** (-en) opportunity for advancement
auftauchen (taucht auf) to appear; to surface
auftauen (taut auf) to thaw, melt
der **Auftrag** (⸚e) task; order, instructions; **im Auftrag** on behalf of

das **Auftreten** appearance, manner

der **Auftritt** (-e) performance, appearance (*on stage*)

aufwachen (wacht auf), wachte auf, ist aufgewacht to wake up (12)

aufwachsen (wächst auf), wuchs auf, ist aufgewachsen to grow up (25)

aufweichen (weicht auf) to make soft, soften

aufzählen (zählt auf) to list, count

aufzehren (zehrt auf) to eat up

der **Aufzug** (-̈e) elevator (8)

das **Auge** (-n) eye (6)

der **Augenarzt** (-̈e) / die **Augenärztin** (-nen) optometrist

der **Augenblick** (-e) moment; **im Augenblick** at the moment

die **Augenbraue** (-n) eyebrow

der **Augenschlitz** (-e) opening of the eye

der **Augenwinkel** (-) corner of the eye

der **August** August (5)

der **Augustinermönch** (-e) Augustine monk

das **Au Pair** (-s) au pair

aus (+ *dat.*) out; out of; of; from (12); **aus Liebe** out of love; **von (Paris) aus** from (Paris) (*with a destination*); **aus vollem Herzen lachen** to laugh out loud; **es ist aus!** it's over!; **die Kirche ist aus** church is out

ausarten (artet aus) to degenerate

ausatmen (atmet aus) to exhale

ausbilden (bildet aus) to train, educate

die **Ausbildung** (-en) education, training

der **Ausbildungsgang** (-gänge) educational background (14)

der **Ausbildungsplatz** (-̈e) position as trainee, apprenticeship

die **Ausbildungsstelle** (-n) training position (13)

der **Ausblick** (-e) view

ausbrechen (bricht aus), brach aus, ist ausgebrochen to break out

die **Ausdauer** endurance, stamina

(sich) ausdenken (denkt aus), dachte aus, ausgedacht to think up, invent

der **Ausdruck** (-̈e) expression (26)

(sich) ausdrücken (drückt aus) to express (oneself) (21)

ausdrücklich explicitly

auseinander apart

auseinander brechen (bricht auseinander), brach auseinander, ist auseinander gebrochen to break apart

die **Auseinandersetzung** (-en) dispute, argument (26)

ausfahren (fährt aus), fuhr aus, ist ausgefahren to go out (*in a boat*)

ausflippen (flippt aus) to flip out

der **Ausflug** (-̈e) trip, outing (10)

das **Ausflugsprogramm** (-e) schedule of trips, outings

ausführen (führt aus) to carry out, perform

ausfüllen (füllt aus) to fill out (8)

die **Ausgabe** (-n) edition

der **Ausgangspunkt** (-e) point of departure

ausgeben (gibt aus), gab aus, ausgegeben to spend (*money*)

ausgedacht (*adj.*) invented

ausgeflippt (*adj.*) flipped out, crazy

ausgehen (geht aus), ging aus, ist ausgegangen to go out; **ausgehen von** to start out from; to assume; **wie ist die Geschichte ausgegangen?** how did the story end?

ausgeklügelt sophisticated, refined

ausgesprochen extremely

ausgestattet equipped; **mit Dusche und W.C. ausgestattet** equipped with shower and toilet

ausgezeichnet excellent(ly), exceptional(ly)

aushalten (hält aus), hielt aus, ausgehalten to put up with (24)

aushelfen (hilft aus), half aus, ausgeholfen to help out

die **Aushilfe** (-n) help, temp, substitute

(sich) auskennen (kennt aus), kannte aus, ausgekannt to know one's way around

ausklügeln to think up, design

(mit jemandem) auskommen (kommt aus), kam aus, ist ausgekommen to get along (with someone)

die **Auskunft** (-̈e) information (7)

auslachen (lacht aus) to ridicule, to laugh (*about someone*)

das **Ausland** foreign country; **im Ausland** abroad

der **Ausländer** (-) / die **Ausländerin** (-nen) foreigner (20/34)

die **Ausländerfeindlichkeit** xenophobia (20/34)

der **Ausländerhass** xenophobia

ausländisch foreign

das **Auslandsamt** (-̈er) immigration services

das **Auslandspraktikum** (-praktika) internship abroad

die **Auslandsreise** (-n) travel abroad

das **Auslandsstudium** (-studien) study abroad program

auslassen (lässt aus), ließ aus, ausgelassen to leave out

die **Auslastung** utilization at full capacity

auslegen (legt aus) to lay out

ausleihen (leiht aus), lieh aus, ausgeliehen to lend; to borrow

ausliefern (liefert aus) to subject to, expose to

ausmachen (macht aus) to turn off; **(mit jemandem) ausmachen** to make plans (with someone); (*visual*) to make out, to be able to see; **die Fischschwärme ausmachen** to locate the fish

das **Ausmaß** (-e) size, measure, degree

ausmessen (misst aus), maß aus, ausgemessen to measure up

ausmisten (mistet aus) to clean animal cages

die **Ausnahme** (-n) exception (34)

auspacken (packt aus) to unpack

ausprägen (prägt aus) to mark, impress (25)

ausprobieren (probiert aus) to try out

ausräumen (räumt aus) to clean out

die Ausrede (-n) excuse

ausreichen (reicht aus) to be enough; to suffice

ausreichend enough, sufficient(ly)

der Ausruf (-e) exclamation

sich ausruhen (ruht aus) to rest; to relax

die Ausrüstung (-en) outfitting; equipment (32)

die Aussage (-n) statement

ausschlafen (schläft aus), schlief aus, ausgeschlafen to sleep in

ausschließlich only, exclusive(ly)

ausschreiten (schreitet aus), schritt aus, ist ausgeschritten to stride out, step out

aussehen (sieht aus), sah aus, ausgesehen to look, appear (3E)

der Außenseiter (-) outsider

außer (+ *dat.*) except (for), besides (12)

außerdem besides that, moreover, on top of that

außergewöhnlich exceptional(ly)

außerhalb (+ *gen.*) outside of

außerirdisch extraterrestrial

(sich) äußern to express (oneself) (10)

äußerst extremely

aussetzen (setzt aus) (+ *dat.*) to expose (to)

die Aussicht (-en) view

der Aussichtspunkt (-e) observation point

der Aussiedler (-) / die Aussiedlerin (-nen) emigrant

sich ausspannen (spannt aus) to unwind, relax

die Aussprache (-n) pronunciation

aussprechen (spricht aus), sprach aus, ausgesprochen to pronounce; to express verbally

ausstatten (stattet aus) to equip with, to furnish

die Ausstattung (-en) equipment

aussteigen (steigt aus), stieg aus, ist ausgestiegen to get off / out of (*a train, car, etc.*) (7)

die Ausstellung (-en) exhibition, fair, show

das Ausstellungsstück (-e) show piece

ausstoßen (stieß aus), ausgestoßen to expel (*breath*)

die Ausstrahlung aura, charisma

aussuchen (sucht aus) to pick out

sich etwas aussuchen (sucht aus) to choose something for oneself (21)

der Austausch exchange, interaction

der Austauschdienst (-e) exchange service

das Austauschprogramm (-e) exchange program

der Austauschschüler (-) / die Austauschschülerin (-nen) exchange student

der Austauschstudent (-en *masc.*) / die Austauschstudentin (-nen) exchange student

(das) Australien Australia

austreten (tritt aus), trat aus, ist ausgetreten to leave (*an organization or the like*)

ausüben (übt aus) to practice, exercise; **einen Beruf ausüben** to practice a profession; **Gewalt ausüben** to exercise power

die Auswahl choice; range; selection

auswählen (wählt aus) to select, choose

der Auswanderer (-) / die Auswanderin (-nen) emigrant (34)

auswandern (wandert aus) to emigrate

sich ausweinen (weint aus) to cry (until one feels better)

der Ausweis (-e) identification, ID card

auswendig (lernen) (to learn) by heart (27)

sich auswirken auf (+ *acc.*) **(wirkt aus)** to have an effect on, influence

auswringen (wringt aus) to wring out

ausziehen (zieht aus), zog aus, ist ausgezogen to move out

die Ausziehtusche (-n) drawing ink

der/die Auszubildende (*decl. adj.*) trainee (13)

der Auszug (¨e) excerpt, extract

das Auto (-s) car (7); **Auto fahren** to drive a car

die Autoabgas (-e) car exhaust; exhaust fumes

die Autobahn (-en) freeway

die Autobahnraststätte (-n) freeway rest area

der Autofahrer (-) / die Autofahrerin (-nen) driver

die Autofahrt (-en) car trip

die Autofirma (-firmen) automobile shop/company

autofrei no cars allowed

der Automat (-en *masc.*) vending machine

automatisch automatic(ally)

der Automechaniker (-), die Automechanikerin (-nen) car mechanic

die Automobilindustrie (-n) automobile industry

die Autonummer (-n) license plate number

die Autopanne (-n) automobile breakdown

der Autor (-en) / die Autorin (-nen) author, writer (13/36)

autoritär authoritarian

die Autorität authority

der Autounfall (¨e) car accident

der Autoverkehr traffic

die Autoversicherung (-en) car insurance

die Autowerkstatt (¨en) machine shop

die Avocado (-s) avocado

der/die Azubi = Auszubildende

B

das Baby (-s) baby

der Babybrei (-e) baby food

babylonisch (*adj.*) Babylonian

das Babysitten babysitting

der Bach (¨e) creek, brook
das Bächlein (-) little brook
die Backe (-n) cheek
backen (**bäckt**), **backte**, **gebacken** to bake
der Bäcker (-) / **die Bäckerin** (-nen) baker
die Bäckerei (-en) bakery (16)
der Background (-s) background
das Backpulver (-) baking powder
der Backsteinweg (-e) brick path
die Backwaren (*pl.*) baked goods
das Bad (¨er) bath; bathroom; spa (33)
die Badeanstalt (-en) spa, bath
der Badeanzug (¨e) swimsuit, bathing suit (7)
der Badeaufenthalt (-e) stay at a spa
das Badebecken (-) pool
die Badehose (-n) swim trunks (7)
baden to bathe (32); to swim (*for recreation*)
der Badespaß fun of bathing/swimming
das Badetuch (¨er) bath towel
der Badeurlaub (-e) beach vacation
die Badewanne (-n) bathtub (3)
das Badezimmer (-) bathroom (3)
das BAföG = **Bundesausbildungsförderungsgesetz**
die Bahn (-en) rail (7); train; **mit der Bahn** by train
der Bahnhof (¨e) train station (7); **am Bahnhof** at the station
die Bahnkarte (-n) train ticket
der Bahnsteig (-e) platform (7)
bald soon (12/3E); **bis bald!** see you soon!
der Balken (-) beam
der Balkon (-s) balcony
der Ball (¨e) ball (17)
ballen: die Faust ballen to make a fist
die Banane (-n) banana (16)
das Band (¨er) ribbon, band; assembly line; **vom Band rollen** to roll off the assembly line
der Band (¨e) volume (*of a book*)
die Band (-s) band, rock group

die Bank (-en) bank (*financial institution*); **auf die Bank** to the bank (4)
die Bank (¨e) bench
die Bankkaufmann (-leute) / **die Bankkauffrau** (-en) bank clerk
die Bar (-s) bar
die Baseballkappe (-n) baseball cap
die Basis basis
der Basketball (¨e) basketball
das Basketballspiel (-e) basketball game
basteln to tinker, build things (*as a hobby*)
das Basteln crafts
das Batikkleid (-er) tie-dyed dress
die Batterie (-n) battery
der Bau building, process of building
der Bauarbeiter (-) / **die Bauarbeiterin** (-nen) construction worker
die Baubranche construction business
der Bauch (¨e) abdomen (6)
der Bauchredner (-) / **die Bauchrednerin** (-nen) ventriloquist
die Bauchschmerzen (*pl.*) stomachache
bauen to build, construct
der Bauer (-n *masc.*) / **die Bäuerin** (-nen) farmer
das Bauernhaus (¨er) farmhouse (4)
der Bauernhof (¨e) farm
baufällig run-down, dilapidated
der Bauingenieur (-e) / **die Bauingenieurin** (-nen) civil engineer
das Bauland development area
der Baum (¨e) tree
baumlang very tall
die Baumreihe (-n) row of trees
die Baumwurzel (-n) tree root
die Baustelle (-n) construction site
der Bauzeichner (-) / **die Bauzeichnerin** (-nen) building-plan artist

bayerisch (*adj.*) Bavarian
(das) Bayern Bavaria (17)
beachten to observe (34)
der Beamte (-n *masc.*) / **die Beamtin** (-nen) civil servant, government employee
beantworten to answer
bearbeiten to work on, develop
der Becher (-) mug
bedauern to regret (20)
bedenken, bedachte, bedacht to consider (31)
bedeuten to mean, signify (17)
bedeutend important, distinguished, eminent
die Bedeutung (-en) meaning
bedienen to serve (*someone*); to operate (*something*)
die Bedienung (-en) service (15)
die Bedingung (-en) condition (29)
bedürfen (**bedarf**), **bedurfte**, **bedurft** to need, require
das Bedürfnis (-se) necessity (34)
sich beeilen to hurry
beeindrucken to impress
beeindruckend impressive
beeinflussen to influence (21/34)
beenden to end
die Beere (-n) berry
der Befehl (-e) order, command
sich befinden, befand, befunden to be located (28)
befolgen to follow, observe, comply with
befragen to question, interrogate
die Befreiung (-en) liberation
befreundet friends with someone (25)
die Befürchtung (-en) fear (34)
begabt talented
sich begegnen to meet (27)
die Begegnung (-en) meeting; encounter (33)
begehbar accessible
begehren to desire (35)
begeistern to inspire (26)
begeistert (*adj.*) amazed, excited
die Begeisterung enthusiasm
der Beginn beginning
beginnen, begann, begonnen to begin (29)

begleichen, beglich, beglichen to settle, pay

begleiten to accompany

der Begleiter (-) / die Begleiterin (-nen) companion

begreifen, begriff, begriffen to understand, grasp (29)

begreiflich comprehensible

begrenzen to limit, restrict

begrenzt (*adj.*) limited

der Begriff (-e) concept, idea (28)

begründen to give reasons for, justify

der Begründer (-) / die Begründerin (-nen) founder

begrüßen to greet (24); to welcome

die Begrüßung (-en) greeting (24), welcoming

behalten (behält), behielt, behalten to keep, hold (16)

behandeln to treat (30)

die Behandlung (-en) treatment

beharrlich persistent

behaupten to claim, make a statement

behelfen (behilft), behalf, beholfen to manage

beherrschen to dominate

behindert handicapped

der/die Behinderte (*decl. adj.*) handicapped person

der/die Behörde (*decl. adj.*) government office (18); official

behüten to protect (30)

bei (+ *dat.*) at, at the place of; for; by; near; with; when (12)

das Beiboot (-e) small boat

beide, beides both; **die beiden** the two of them

beige beige, tan (2)

beigeben (gibt bei), gab bei, beigegeben to add

die Beilage (-n) side dish (15)

beim = bei dem

das Bein (-e) leg (6)

beinahe almost

der Beinbruch: Hals- und Beinbruch! good luck!, break a leg!

beiseite aside

das Beispiel (-e) example; **zum Beispiel** for example, for instance

beispielsweise for example, for instance

beißen, biss, gebissen to bite

beistehen (steht bei), stand bei, beigestanden (+ *dat.*) to support (*someone*) (3E)

der Beitrag (-̈e) contribution (30)

beitragen (trägt bei), trug bei, beigetragen to contribute to (34)

beitreten (tritt bei), trat bei, ist beigetreten to join

bekämpfen to fight, combat

bekannt (well-)known (36)

der/die Bekannte (*decl. adj.*) acquaintance

die Bekanntmachung announcement

die Bekanntschaft (-en) acquaintance

(sich) beklagen to complain; **ich kann mich nicht beklagen** I can't complain

die Bekleidung clothing

bekommen, bekam, bekommen to receive, get (15/28)

bekümmert worried, sad

beladen (belädt), belud, beladen to load

belegen to cover; to take (*a course*) (11/3E); **einen Kurs belegen** to take a course

belehren to instruct, advise, teach

beleidigen to insult (10/28)

(das) Belgien Belgium (9)

beliebt popular; famous (28)

bellen to bark

bemerken to notice; to remark

die Bemerkung (-en) observation; remark, comment (24/28)

sich bemühen um to make an effort, try to do

benachbart neighboring

benachrichtigen to notify

die Benachrichtigung (-en) notification

benachteiligen to place at a disadvantage (30)

die Benachteiligung (-en) putting at a disadvantage

sich benehmen (benimmt), benahm, benommen to behave

beneiden to envy

benennen, benannte, benannt to name, call

benoten to grade

benötigen to need, require

benutzen to use

das Benzin gasoline, fuel

der Benzinkanister (-) gas can

beobachten to observe (36)

bequem comfortable, convenient

beraten (berät), beriet, beraten to advise

der Berater (-) / die Beraterin (-nen) consultant

die Beratung counseling, consulting

das Beratungsangebot (-e) range of advisory services

der Beratungsbedarf demand for consulting, counseling

die Beratungsstelle (-n) counseling office

der Beratungstermin (-e) appointment for counseling

berechnen to calculate

der Bereich (-e) area, field

bereit ready

bereiten to prepare; **Probleme bereiten** to cause problems

bereits already

die Bereitschaft readiness, willingness

bereitwillig eager(ly), willing(ly)

der Berg (-e) mountain (4); **in die Berge fahren** to go to the mountains

der Bergbauer (-n *masc.***) / die Bergbäuerin (-nen)** farmer in the mountains

der Bergführer (-) / die Bergführerin (-nen) mountain guide

die Berglandschaft (-en) alpine landscape

die Berglandwirtschaft alpine farming

bergsteigen: bergsteigen gehen, ging, ist gegangen to go mountain climbing

das Bergsteigen mountain climbing
der Bergwanderer (-) person who hikes in the mountains
das Bergwandern mountain hiking
der Bericht (-e) report, statement (21)
berichten to report (21)
der Berliner (-) / die Berlinerin (-nen) Berliner (*person*)
die Berliner Mauer Berlin Wall (18)
der Bernstein amber
der Beruf (-e) job (29); profession, occupation (13); **einen Beruf ausüben** to practice a profession (13/29)
beruflich occupational(ly); professional(ly) (18); **was machen Sie beruflich?** what do you do for a living?
die Berufsausbildung (-en) professional training
der Berufsberater (-) / die Berufsberaterin (-nen) career counselor
die Berufsberatung career counseling
das Berufsbild (-er) job outline
die Berufserfahrung work experience (29)
die Berufsfachschule (-n) trade school (11)
das Berufsfeld (-er) career field (29)
das Berufsleben professional life
die Berufsmöglichkeit (-en) career opportunity
die Berufspraxis practical job experience
die Berufsschule (-n) professional school
berufstätig employed (23/25)
die Berufswahl choice of profession
der Berufswechsel (-) career change
der Berufswunsch (-̈e) preferred choice of profession
das Berufsziel (-e) professional goal
die Berufung vocation (28)

beruhigen to comfort; **sich beruhigen** to calm oneself, relax
beruhigend calming
berühmt famous, popular
berühren to touch
die Besatzung (-en) military occupation; crew (*on a ship*)
die Besatzungstruppe (-n) troop of the occupying army
beschädigt (*adj.*) damaged (22/27)
sich beschäftigen mit to be occupied with (13/27)
die Beschäftigung (-en) occupation
Bescheid: Bescheid geben to notify
bescheiden modest(ly)
die Bescheidenheit modesty (26)
beschildern to label, put up signs
beschildert (*adj.*) labeled (34)
beschimpfen to insult (30)
beschließen, beschloss, beschlossen to decide, resolve
der Beschluss (-̈e) resolution, decision, order
beschränken to limit, restrict
beschreiben, beschrieb, beschrieben to describe
die Beschreibung (-en) description
beschuldigen to accuse (30)
beschützen to protect
die Beschwerde (-n) complaint
sich beschweren (über + *acc.*) to complain (about) (22)
besehen (besieht), besah, besehen to scrutinize
beseitigen to remove
die Beseitigung (-en) removal
besetzen to occupy (27)
besetzt (*adj.*) occupied; **hier ist besetzt** this seat is taken (15)
besichtigen to visit (*as a sightseer*) (8)
die Besichtigung (-en) guided tour
besiedeln to populate
besiegen to defeat
der Besitz ownership, possessions
besitzen, besaß, besessen to possess, own (30)
der Besitzer (-) / die Besitzerin (-nen) owner (14)
das Besondere (*decl. adj.*) what is special, special (thing)

besonders especially
besorgen to tend to, get done; to take care of
besorgt (*adj.*) worried
die Besorgung (-en) errand
besprechen (bespricht), besprach, besprochen to discuss (18)
besser better
bessern to improve
Besserung: gute Besserung! get well soon!
best-: am besten (the) best
der Bestandteil (-e) component
bestätigen to prove (34)
die Bestätigung (-en) confirmation
das Besteck (-e) silverware (19)
bestehen, bestand, bestanden to pass (*an exam*) (10/27); to overcome (35); **bestehen aus** to consist of (35)
bestehend existing
besteigen, bestieg, bestiegen to climb (23/32)
bestellen to order (15)
bestens: es geht mir bestens I'm doing really well
bestimmen to determine (29)
bestimmt surely, certainly
Bestimmtes: etwas Bestimmtes something specific
die Bestnote (-n) highest possible grade
bestrafen to punish (10)
die Bestrafung (-en) punishment
bestreichen to spread
der Bestseller (-) bestseller
der Besuch (-e) visit; **zu Besuch kommen** to come for a visit
besuchen to visit (8); **die Schule besuchen** to go to school
der Besucher (-) / die Besucherin (-nen) visitor
sich betätigen to be active, involved
betäuben to numb
beteiligt (*adj.*) involved
betonen to emphasize
betrachten to consider; to regard (30); **Kunstwerke betrachten** to look at art objects (8)
betragen (beträgt), betrug, betragen to amount to

betreffen (betrifft), betraf, betroffen to concern, affect (25)

betreffend relevant, in question

betreten (betritt), betrat, betreten to step into, enter

betreuen to look after (30)

der Betreuer (-) / die Betreuerin (-nen) caretaker, person who takes care of someone

die Betreuung (-en) care

der Betrieb (-e) business operation (29)

die Betriebswirtschaft business management

betroffen (*adj.*) upset, dismayed

betrüben to distress

betrübt (*adj.*) distressed, sad

betrügen, betrog, betrogen to betray, deceive

das Bett (-en) bed (3)

die Bettdecke (-n) cover, comforter

betteln to beg

die Bettwäsche bedding, sheets

das Bettzeug bedding

beugen to bend

beunruhigen to worry; to disturb

beurteilen to judge, assess

die Bevölkerung (-en) population

die Bevölkerungsschicht (-en) social class

bevor (*subord. conj.*) before

bevormunden to patronize

bevorzugen to prefer

bewährt proven

bewaldet wooded

bewältigen to cope with, to manage, to get over

die Bewässerung irrigation

bewegen to set into motion (26); **sich bewegen** to move

bewegt eventful; turbulent (27)

die Bewegung (-en) movement (26)

der Beweis (-e) proof

beweisen, bewies, bewiesen to prove (25)

sich bewerben um (bewirbt), bewarb, beworben to apply for (14)

der Bewerber (-) / die Bewerberin (-nen) job applicant (14/29)

die Bewerbung (-en) application (14)

der Bewerbungsbrief (-e) application cover letter

die Bewerbungsunterlagen (*pl.*) application material / portfolio

bewerkstelligen to manage

bewerten to evaluate

die Bewertung assessment, judgement

bewohnbar inhabitable

bewohnen to inhabit

der Bewohner (-) / die Bewohnerin (-nen) inhabitant, resident

bewundern to marvel at, admire

bewusst conscious(ly)

bezahlen to pay (4)

bezeichnen to mark; to indicate; to describe; **bezeichnen als** to call

beziehen, bezog, bezogen to take up (36); **sich beziehen auf** to refer to, relate to

die Beziehung (-en) relationship, relation

beziehungsweise or, respective(ly) (28)

der Bezirk (-e) area, district

Bezug: in Bezug auf (+ *acc.*) in relation to; concerning, regarding, as to

bezüglich regarding

die Bezugsperson (-en) support person

bezuschussen to subsidize

bezweifeln to doubt

die Bibelübersetzung (-en) translation of the Bible

die Bibliothek (-en) library (10)

der Bibliothekar (-e) / die Bibliothekarin (-nen) librarian (13)

bieder conventional, conservative

die Biene (-n) bee

das Biest (-er) beast

bieten, bot, geboten to offer (31)

das Bild (-er) picture

das Bildelement (-e) component of an image

bilden to build, form

bildhaft pictorial, like an image

bildlich pictorial

der Bildschirm (-e) screen, display; **Bildschirmseiten im Internet** pages on the Internet

die Bildung education (11/28); formation, derivation; **die Allgemeinbildung** general education

das Billard billiards (8); **Billard spielen** to play billiards (8)

billig cheap, inexpensive (2)

das Bindewort (¨er) conjunction

Bio = Biologie

die Biografie (-n) biography

der Bioladen (¨) health food store

die Biologie biology (11)

der Biologieprofessor (-en) / die Biologieprofessorin (-nen) biology professor

die Biologievorlesung (-en) biology lecture

biologisch organic(ally)

der Biomarkt (¨e) organic market

das Bioprodukt (-e) organic product

die Biotonne (-n) container for biodegradable waste

die Birne (-n) pear

bis until, till, to; **bis bald** see you later; **bis dann** see you later; **bis jetzt** until now; **bis morgen** see you tomorrow

der Bischof (¨e) / die Bischöfin (-nen) bishop

bisher until now

bislang so far, until now

ein bisschen a little bit

das Bistum (¨er) diocese

bitte please; **bitte noch einmal!** once more, please! (E)

bitten um (+ *acc.*) to ask for

bitter bitter(ly)

bladen to rollerblade (23)

blasen (bläst), blies, geblasen to blow

das Blatt (¨er) leaf; **ein Blatt Papier** sheet of paper

das **Blättchen** (-) little leaf, plate
blau blue (2)
der **Blaue Reiter** *group of Expressionist artists*
blaugekachelt tiled in blue
blaurandig with a blue edge
blauweiß bluish white
das **Blechblasinstrument** (-e) brass instrument
die **Blechtrommel** (-n) tin drum
bleiben, blieb, ist geblieben to stay, remain; **zu Hause bleiben** to stay at home
der **Bleistift** (-e) pencil (E1)
der **Blick** (-e) look, view, eye contact
blicken to look
das **Blickfeld** (-er) field of vision
der **Blickpunkt** (-e) viewpoint
blind blind
blinken to shine
der **Blitz** (-e) lightning; **es blitzt** it's lightning (5)
blitzeblank spick and span
blitzschnell fast as lightning
der **Block** (-s) block, unit
die **Blockflöte** (-n) recorder (*musical instrument*)
blockieren to block
blöd (*coll.*) dumb, stupid
der **Blödmann** idiot
blond blonde, fair
blondiert (*adj.*) bleached/dyed blonde
bloß only
die **Bluejeans** (-) jeans
blühen to bloom
die **Blume** (-n) flower (5)
das **Blumengeschäft** (-e) flower shop
der **Blumenkohl** cauliflower (19)
der **Blumenladen** (¨) flower shop
der **Blumentopf** (¨e) flowerpot
die **Blumenvase** (-n) flower vase
blumig flowery
die **Bluse** (-n) blouse (7)
das **Blut** blood
der **Blutdruck** blood pressure (33)
das **Blutdruckmittel** (-) blood pressure medication
die **Blüte** (-n) blossom

die **Blütezeit** (-en) the golden age, heyday
der **Bluthochdruck** high blood pressure
der **Bock** (¨e) buck, ram
der **Boden** (¨) floor
der **Bodensee** Lake Constance
die **Bodenvergiftung** (-en) soil contamination
der **Bogen** (¨) bow
die **Bohne** (-n) bean (15)
bombardieren to bomb, bombard
das **Bonbon** (-s) candy, treat
(der) **Bonifatius** St. Boniface
Bonner: in seiner Bonner Villa in his villa in Bonn
das **Boot** (-e) boat
der **Bootsrand** (¨er) edge of the boat
Bord: an Bord on board; **von Bord** off board
der **Bordstein** (-e) curb
borgen to borrow, lend
böse naughty; evil, mean; angry (1)
botanisch botanical
die **Boutique** boutique (22)
brach fallow
das **Brandenburger Tor** Brandenburg Gate
der **Brandstifter** (-) / die **Brandstifterin** (-nen) arsonist
(das) **Brasilien** Brazil
der **Brasilianer** (-) / die **Brasilianerin** (-nen) Brazilian (*person*)
der **Bratapfel** (-äpfel) baked apple
der **Braten** (-) roast
braten (brät), briet, gebraten to fry (19)
das **Brathähnchen** (-) baked chicken
die **Bratkartoffeln** fried potatoes (15)
die **Bratwurst** (¨e) *type of sausage*
brauchen to need (2/3E)
braun brown (2)
bräunen to tan (32)
brausen to roar, thunder
die **Braut** (¨e) bride
das **Brautpaar** (-e) couple, bride and groom
brav obedient, well-behaved (1)

brechen (bricht), brach, gebrochen to break
der **Brei** (-e) mush, porridge, baby food
breit wide
die **Breite** (-en) width
brennen, brannte, gebrannt to burn, be on fire
brennend burning
das **Brett** (-er) board (19); **das schwarze Brett** bulletin board
bretteben as flat as a board
die **Brezel** (-n) pretzel (15)
der **Brief** (-e) letter; **Briefe schreiben** to write letters
das **Briefchen** (-) note
der **Brieffreund** (-e) / die **Brieffreundin** (-nen) pen pal
die **Briefmarke** (-n) stamp
das **Briefpapier** stationery
die **Brieftasche** (-n) wallet
der **Briefwechsel** (-) correspondence
die **Brille** (-n) pair of glasses
bringen, brachte, gebracht to bring (5)
der **Brokkoli** broccoli (19)
die **Broschüre** (-n) brochure
das **Brot** (-e) bread (16)
das **Brotbröckchen** (-) bread chunks
das **Brötchen** (-) roll (16)
der **Brotkrümel** (-) bread crumb
der **Brotteller** (-) bread plate
der **Bruchteil** (-e) fraction
die **Brücke** (-n) bridge
der **Bruder** (¨) brother (1/25)
das **Brüderchen** (-n) little brother
das **Bruderherz** (-ens, -en) beloved brother
brummen to buzz; to growl; to drone
der **Brunnen** (-) well
(das) **Brüssel** Brussels
die **Brust** (¨e) breast
der **Bube** (-n *masc.*) boy
das **Buch** (¨er) book (1E)
buchen to book (7)
das **Bücherregal** (-e) bookshelf
der **Bücherschrank** (¨e) bookcase

der Buchhalter (-) / die Buchhalterin (-nen) accountant, bookkeeper
der Buchhändler (-) / die Buchhändlerin (-nen) bookseller
die Buchhandlung (-en) bookstore (16)
der Buchladen (¨) bookstore
der Buchstabe (-n *masc.***)** letter (of the alphabet)
die Bucht (-en) bay (9)
sich bücken to bend over
die Bude (-n) (*coll.*) room, pad
das Buffet (-s) buffet
bügeln to iron
die Bühne (-n) stage (36)
die Bulette (-n) meat patty
(das) Bulgarien Bulgaria
bummeln, ist gebummelt to stroll; to idle (31)
der Bund (¨e) federation, federal government
der Bund = die Bundeswehr German army
die Bundesallee street name
das Bundesausbildungs-förderungsgesetz *federal law in Germany that provides financial aid to students*
die Bundeshauptstadt (¨e) federal capital
der Bundeskanzler (-) / die Bundeskanzlerin (-nen) federal chancellor
das Bundesland (¨er) federal state (17)
die Bundesliga national league (*soccer*)
der Bundesligafan (-s) soccer fan
das Bundesligaspiel (-e) national league soccer game
die Bundesrepublik Deutschland Federal Republic of Germany (17)
der Bundesstaat (-en) federal state
der Bundestag (Lower House of Parliament)
die Bundestagswahl (-en) federal parliamentary election
die Bundeswehr German army
das Bündnis (-se) confederation
der Bungalow (-s) bungalow

der Bunsenbrenner (-) Bunsen burner
bunt colorful(ly), multicolored
buntblühend blooming in colors
der Buntstift (-e) colored pen
die Burg (-en) castle, fort; **Burgen besichtigen** to visit castles (8)
der Bürger (-) / die Bürgerin (-nen) citizen
der Bürgerkrieg (-e) civil war
der Bürgermeister (-) / die Bürgermeisterin (-nen) mayor
das Büro (-s) office, study (13)
die Büroparty (-s) office party
der Büroschreibtisch (-e) office desk
der Bus (-se) bus (7); **mit dem Bus** by bus
die Busfahrt (-en) bus ride
die Bushaltestelle (-n) bus stop
der Bustransfer (-s) bus transfer
die Busverbindung (-en) bus connection
die Butter butter
das Butterbrot (-e) bread with butter
bzw. = beziehungsweise

C

ca. = circa
das Café (-s) café, coffee shop (4)
die Cafeszene (-n) coffee shop scene
die Cafeteria (Cafeterien) cafeteria (10)
der Campingplatz (Campingplätze) campsite
der Campus campus
das Canyoning canyoning
die CD (-s) (*abbrev.* **Compact Disc**) compact disc
die CD-Sammlung (-en) CD collection
der CD-Spieler (-) CD player
das Center (-) center
der Champignon (-s) mushroom (15)
die Chance (-n) chance
die Chancengleichheit equal opportunities
die Chanukka Hanukkah (5)

das Chaos chaos
chaotisch chaotic(ally)
der Charakter (-e) character, nature
charakterisieren to characterize
chatten to chat (*on the Internet*)
der Chef (-s) / die Chefin (-nen) boss, supervisor (13)
der Chefkoch (¨e) / die Chefköchin (-nen) master chef
die Chemie chemistry (11/28)
die Chemikalie (-n) chemical substance
der Chemielehrer (-) / die Chemielehrerin (-nen) chemistry teacher
der Chemikant (-en *masc.***) / die Chemikantin (-nen)** chemical technician, lab assistant
der Chemiker (-) / die Chemikerin (-nen) chemist
chemisch chemical(ly)
der Chinese (-n *masc.***) / die Chinesin (-nen)** Chinese person (18)
das Cholesterin cholesterol
der Cholesterinwert (-e) cholesterol level
Christi Himmelfahrt Ascension Day
der Christkindlmarkt (¨e) Christmas fair (in Bavaria and Austria)
Christus: nach Christus A.D.; **vor Christus** B.C.
circa circa, about, approximately
der Clown (-s) / die Clownin (-nen) clown
das Clowngesicht (-er) clown face
der Club (-s) club
die Cola (-s) coke
die Colaflasche (-n) coke bottle
die Collage (-n) collage
die Comedyserie (-n) sitcom show
der Computer (-) computer
die Computerfirma (-firmen) computer company
die Computerkenntnisse (*pl.*) computer literacy

der Computerkurs (-e) computer class

das Computerspiel (-e) computer game (2)

der Container (-) (large) container, dumpster (20/35)

die Cordjacke (-n) corduroy jacket

die Couch (-s) couch

die Couchgarnitur (-en) living room furniture set

der Cousin (-s) / die Cousine (-n) cousin (1)

der Cowboyhut (⸚e) cowboy hat

das Currypulver (-) curry powder

die Currywurst (⸚e) *a sausage prepared with curry and served with ketchup*

D

da there; **da drüben** over there

DAAD = Deutscher Akademischer Austauschdienst

dabei by it/that; with it/that; **was meinen Sie dabei?** what do you mean by that?; **dabei haben** to have with; **dabei sein** to be a part of; **gerade dabei sein** to be in the process (*of doing something*)

dabeistehen, stand dabei, dabeigestanden to stand by

das Dach (⸚er) roof

der Dachboden (⸚) attic

das Dächermeer (-e) sea of roofs, roofs of a city

die Dachkammer (-n) attic room, garret

der Dachkammerbrand (⸚e) fire in the attic

die Dachrinne (-n) gutter

dadurch through it

dafür instead; in return; for it/them (26)

dagegen against it

daheim at home

daher therefore, thus

dahin there, to it

dahinkommen (kommt dahin), kam dahin, ist dahingekommen to come there

dahinter behind it

daliegen, lag da, dagelegen to lie there

damals back then (25)

die Dame (-n) lady

damit with it/that; (*subord. conj.*) so that, in order that

der Dampf (⸚e) steam

die Dampfmaschine (-n) steam engine

danach after it, afterwards, later; **danach fragen** to ask about it

(das) Dänemark Denmark (9)

dänisch (*adj.*) Danish

der Dank gratitude, thanks; **vielen Dank!** thanks a lot!

dankbar grateful(ly)

die Dankbarkeit gratitude

danke! thanks!

danken to thank

dann then, afterwards, later (12); **also dann!** all right then!; **bis dann!** see you later!

dannen: von dannen (*obsolete*) (from) thence, away

d(a)ran on it, with it, about it; at it; **denken Sie daran** think about it

darauf on it; after it/that; **darauf kommen** to think of (something); **darauf reagieren** to react to it; **es kommt darauf an** it depends

daraus out of it/that

darin in it, within

darstellen (stellt dar) to depict, portray; to present (34); **dramatisch darstellen** to act out

darüber about it/that; **darüber hinaus** moreover, what's more

darüberlegen (legt darüber) to lay over

darübersieben (siebt darüber) to sift over

darum therefore, thus, for this reason

darunter under(neath) it

dass (*subord. conj.*) that

dasselbe the same

dastehen stand da, dagestanden to stand there

die Daten (*pl.*) data

die Datenbank (-en) data base

die Datenflut flood of data, masses of data

der Dativ dative case, case of the indirect object (recipient or benefactive)

die Dativpräposition (-en) dative preposition

das Dativpronomen (-) dative pronoun

das Datum (Daten) date

die Dauer duration

dauerhaft permanent(ly)

dauern to last (7); **wie lange dauert die Fahrt?** how long is the drive?

dauernd constant(ly)

der Daumen (-) thumb; **ich halte dir die Daumen** I'll keep my fingers crossed for you

davon from it, of it

davor in front of it, before it

dazu to it, with it, for it; **und noch dazu** and also, besides

dazugeben (gibt dazu), gab dazu, dazugegeben to add (to it)

DDR = Deutsche Demokratische Republik

die Debatte (-n) debate (35)

das Deck (-s) deck (*on a ship*)

die Decke (-n) cover, blanket; ceiling

decken to cover; **den Tisch decken** to set the table

definieren to define

die Definition (-en) definition

deftig substantial(ly), solid(ly)

(sich) dehnen to stretch; to expand, widen

die Dehnungübung (-en) stretching exercise

dein (*inform. sg.*) your; **dein Michael** yours, Michael (*closing in letters*); **deiner, deine, dein(e)s** (*inform. sg.*) yours (*closing in letters*)

die Dekoration (-en) decoration

dekorieren to decorate, ornate

die Delikatesse (-n) delicacy

der Delphin (-e) dolphin

dementsprechend corresponding(ly), according(ly), respective(ly)

demnächst soon

Demo = Demonstration

die Demokratie (-n) democracy

demokratisch democratic(ally)

demokratisieren to democratize

die Demokratisierung (-en) democratization

der Demonstrant (-en *masc.***) / die Demonstrantin (-nen)** demonstrator

die Demonstration (-en) demonstration (10)

demonstrieren to demonstrate (10)

denken, dachte, gedacht to think (6); **denken an** (+ *acc.*) to think about (26)

das Denkmal (¨er) monument, memorial

denn (*coord. conj.*) because, for

dennoch anyway, still

deponieren to deposit

depressiv depressing

deprimiert depressed

derartig such, of that kind; **der einzige derartige Fall** the only case of that kind

dergleichen of that kind, such, like that

derjenige, diejenige, dasjenige the one (who)

derselbe, dieselbe, dasselbe the same

derzeit at present, at the moment, at that time (past)

derzeitig present, current

deshalb therefore

der Designer (-) / die Designerin (-nen) designer

desillusioniert disillusioned

der Despot (-en *masc.***)** tyrant

desto: je mehr, . . . desto mehr . . . the more, . . . the more . . .

das Detail (-s) detail

der Detektiv (-e) / die Detektivin (-nen) detective

der Detektivroman (-e) detective novel

deuten auf to point to

deutlich clear(ly) (34)

deutsch (*adj.*) German

das Deutsch German (*language*) (11)

das Deutschbuch (¨er) German textbook

der/die Deutsche (*decl. adj.*) German (*person*) (18)

der Deutsche Akademische Austauschdienst German Academic Exchange Service

die Deutsche Demokratische Republik German Democratic Republic

die Deutsche Mark (DM) German mark (*currency*)

der Deutschkurs (-e) German class

(das) Deutschland Germany (9)

die Deutschlandreise (-n) tour of Germany

das Deutschlehren teaching German

der Deutschlehrer (-) / die Deutschlehrerin (-nen) German teacher

deutschsprachig German-speaking

der Deutschstudent (-en *masc.***) / die Deutschstudentin (-nen)** German student, student of German

die Deutschstunde (-n) German class, German hour

der Deutschunterricht German instruction, German class

der Dezember December (5)

das Diagramm (-e) diagram, chart

der Dialekt (-e) dialect

der Dialog (-e) dialogue

der Dialogpartner (-) / die Dialogpartnerin (-nen) dialogue partner

der Diamantring (-e) diamond ring

die Diät (-en) diet (*to lose weight*); **Diät halten** to be on a diet; to diet

die Diätform (-en) diet program

das Diätsystem (-e) dietsystem

dich you (*acc. inform. sg.*) (5); yourself (*refl. pron.*)

dicht tight(ly), dense(ly); heavy; heavily

der Dichter (-) / die Dichterin (-nen) poet

dick fat, thick

der Dieb (-e) / die Diebin (-nen) thief (12)

der Diebstahl (¨e) theft

die Diele (-n) entryway, hall (3)

dienen to serve

der Diener (-) / die Dienerin (-nen) servant

der Dienst (-e) service, duty (14); **zu Diensten** (*archaic*) at your service

der Dienstag (-e) Tuesday (E)

dienstags on Tuesdays

dieser, diese, dies(es) this

der Diesel diesel fuel

dieselbe the same

die Diktatur (-en) dictatorship

das Dilemma (-s) dilemma (23)

das Ding (-e) thing; **vor allen Dingen** above all, most importantly

das Diplom (-e) diploma

die Diplomarbeit (-en) thesis work (28)

die Diplomprüfung (-en) comprehensive exam

das Diplomzeugnis (-se) degree grade report

dir (*inform. sg.*) to you

direkt direct(ly)

der Direktor (-en) / die Direktorin (-nen) director, school principal

der Dirigent (-en) / die Dirigentin (-nen) conductor (*music*)

der Discountladen (¨) discount store

die Disko = Diskothek

die Diskoklamotten (*pl.*) disco outfit

die Diskothek (-en) club, disco

die Diskrepanz (-en) discrepancy

diskriminieren to discriminate

die Diskriminierung (-en) discrimination

die Diskussion (-en) discussion

diskutieren to discuss, debate; **diskutieren über** (+ *acc.*) to discuss (26)

die Dissertation (-en) dissertation
die Distanz (-en) distance
die Disziplin (-en) discipline
divers diverse, various
DM = Deutsche Mark
doch (*coord. conj.*) but, however; (*particle*) **nimm doch zwei Aspirin!** why don't you take two aspirin?; **das ist doch Quatsch!** that really is nonsense!; (*affirmative response to negative question*) **kommst du nicht? —doch!** aren't you coming? —yes, I am!
der Doktor (-en) / die Doktorin (-nen) doctor
der Doktortitel (-) doctorate degree, academic title
das Dokument (-e) document
dolmetschen to interpret (*languages*) (28)
der Dolmetscher (-) / die Dolmetscherin (-nen) interpreter (13)
der Dom (-e) cathedral
dominieren to dominate
das Dominospiel (-e) domino game
der Donner (-) thunder; **es donnert** it's thundering. (5)
der Donnerstag (-e) Thursday (1E)
doof stupid, dumb
das Doppelhaus (-̈er) duplex (4)
die Doppelhaushälfte (-n) part of a duplex
die Doppelmonarchie double monarchy, Austro-Hungarian Empire
doppelt double
das Doppelzimmer (-) double room (8)
das Dorf (-̈er) small town (27), village (4)
das Dornröschen Sleeping Beauty
dort there; **dort drüben** over there
dorthin there
die Dose (-n) can (20)
dösen to doze, to nap (16)
dösend dozing
der Dozent (-en masc.) / die Dozentin (-nen) instructor (*at a university*)

der Drache (-n masc.) dragon (12)
das Drachenfliegen hang gliding
das Drama (pl. Dramen) drama
dramatisch dramatic(ally)
der Dramaturg (-en masc.) / die Dramaturgin (-nen) literary and artistic director
dran = daran; dran sein to be one's turn; **gut dran sein** to be well-off
drängen to push, press
drauf = darauf; gut drauf sein to be in a good mood
draußen outside (31)
der Dreck dirt, filth
das Drehbuch (-̈er) film script
drehen: einen Film drehen to film (a movie) (36)
das Drehrestaurant (-s) revolving restaurant
drei three (E)
dreieinhalb three and a half
die Dreierarbeit (-en) (group) work for three people
die Dreiergruppe (-n) group of three
dreijährig (*adj.*) three-year-old
dreimal three times
das Dreimannzelt (-e) three-man tent
dreimonatig three-month-long
dreißig thirty (E)
dreiwöchig three-week-long
dreizehn thirteen (E)
drin = darin
dringend desperate(ly) (34); urgent(ly)
drinnen within, in there, inside
dritt- third; **zu dritt** in a group of three
das Drittel (-) third
die Droge (-n) drug
die Drogerie (-n) drugstore (16)
drohen to threaten
dröhnen to rumble, roar (*engine*)
drüben: dort drüben, da drüben over there
drüber = darüber
drücken to press; **die Daumen drücken** to keep one's fingers crossed (*for good luck*)

du (*inform. sg.*) you (1)
sich ducken to duck
der Duft (-̈e) scent, fragrance
duften to smell, be fragrant
duftend aromatic
dumm (dümmer, dümmst-) stupid, dumb
die Düne (-n) dune
der Dünger fertilizer
dunkel dark (2)
das Dunkel darkness; **im Dunkeln** in the dark
dunkelbraun dark brown
die Dunkelheit darkness
dünn thin(ly)
der Dunst mist, haze
durch (*+ acc.*) through, by (5); **quer durch** all through, all over
durchaus by any means, indeed; **durchaus nicht** by no means
der Durchbruch (-̈e) breakthrough
durchfallen (fällt durch), fiel durch, ist durchgefallen to fail; **beim Examen durchfallen** to fail the exam (10)
durchführbar feasible
durchführen (führt durch) to perform, lead through, take through
durchgeben (gibt durch), gab durch, durchgegeben to pass through, tell, let know
durchhalten (hält durch), hielt durch, durchgehalten to survive; to see through
durchkauen (kaut durch) to chew; to plow through
durchkreuzen, (kreuzt durch) to cross out; **(durchkreuzt)** to cross (*continent, sea, etc.*)
durchlesen (liest durch), las durch, durchgelesen to read through
durchmachen (macht durch) to experience, endure
durchproben (probt durch) to rehearse
durchqueren to cross, pass through, traverse
durchreißen, riss durch, durchgerissen to tear

durchs = durch das (*coll.*)

durchschneiden, schnitt durch, durchgeschnitten to cut in two, cut in half

der Durchschnitt (-e) average; **im Durchschnitt** on average

durchschnittlich on average

die Durchschnittsnote (-n) average grade

durchsetzen (setzt durch) to carry through, to achieve

die Durchsetzung (-en) carrying through, achievement

dürfen (darf), durfte, gedurft to be allowed to; may; **was darf's sein?** what will you have? (15)

der Durst thirst

die Dusche (-n) shower (3)

duschen to shower

düster gloomy, dismal, murky

das Dutzend (-e) dozen

duzen to address someone with **du** (34)

dynamisch dynamic(ally)

der Dynamo (-s) generator

E

eben (*particle*) **warum eben das?** why that of all things?; (*adj.*) flat, even; (*adv.*) just now

die Ebene (-n) plain; level

ebenfalls as well, likewise

ebenso the same way

echt genuine(ly), real(ly); **echt gut** really good (2); **echt klasse** really great (10)

die Ecke (-n) corner (22)

der Edelstein (-e) gem (22)

das Edelweiß (-e) edelweiss (*alpine flower*)

die EDV = elektronische Datenverarbeitung

effektiv effective(ly)

effizient efficient(ly)

egal equal; **das ist mir egal** it's all the same to me (18)

ehe before

die Ehe (-n) marriage (5/23/25)

die Ehefrau (-en) wife

ehelich marital (25)

ehemalig former (18)

der Ehemann (¨er) husband

das Ehepaar (-e) married couple (25)

der Ehepartner (-) / die Ehepartnerin (-nen) spouse

eher rather; sooner (27)

die Ehre (-n) honor

ehrfürchtig reverent(ly)

ehrgeizig ambitious(ly) (26)

ehrlich honest(ly), sincere(ly)

die Ehrlichkeit (-en) honesty (14)

das Ei (-er) egg

der Eierkocher (-) egg boiler

die Eiernudel (-n) egg noodle

die Eifersucht jealousy

eifersüchtig jealous(ly)

der Eiffelturm Eiffel Tower

eifrig eager(ly), keen(ly)

eigen own (4/25)

eigenartig unique(ly) (28)

die Eigeninitiative (-n) self-initiative (14)

eigens: eigens für (ihn) exclusively for (him)

die Eigenschaft (-en) quality, property, characteristic

eigentlich actual(ly), real(ly) (21)

die Eigentumswohnung (-en) condominium (4)

sich eignen als to be suitable as

eilfertig zealous

der Eimer (-) bucket

einander each other, one another

einatmen (atmet ein) to inhale

einbauen (baut ein) to install

einbeziehen (in) (bezieht ein), bezog ein, einbezogen to include (in); to apply (to)

einbiegen (in) (biegt ein), bog ein, eingebogen to turn (drive) in (22)

einblenden (blendet ein) to fade in

der Einblick (-e) insight, view

einbrocken (brockt ein) to crumble

einchecken (checkt ein) to check in

eindeutig clear(ly), definite(ly), unambiguous(ly)

der Eindruck (¨e) impression (34)

eineinhalb one and a half

einerseits on the one hand

eines Tages one day

einfach simple, simply; easy, easily; one-way (24)

einfallen (fällt ein), fiel ein, ist eingefallen (+ *dat.*) to come to mind (34); **sich einfallen lassen** to think (*of something*)

das Einfamilienhaus (¨er) single-family house (4)

einfassen (fasst ein) to set (*a gemstone*)

der Einfluss (¨e) influence (26)

einflussreich influential

einführen (führt ein) to introduce

die Einführung (-en) introduction

der Eingang (¨e) entrance

eingeben (gibt ein), gab ein, eingegeben to put in

eingehen (geht ein), ging ein, ist eingegangen to enter

eingeschult werden to start school, be enrolled in first grade

einhalten (hält ein), hielt ein, eingehalten to keep (*an appointment*) (34)

die Einhaltung (-en) keeping, following, carrying out

einheimisch local, indigenous

die Einheit (-en) unit; unification; unity (18)

einig: sich einig sein to be in agreement

einige some

sich einigen to come to an agreement

einigermaßen relative(ly); reasonable, reasonably

einiges some (things); quite a bit

die Einigung (-en) agreement

der Einkauf (¨e) shopping; **Einkäufe machen** to go shopping

einkaufen (kauft ein) to shop, go shopping

der Einkäufer (-) / die Einkäuferin (-nen) shopper, buyer

der Einkaufsbummel (-s) shopping trip; **einen Einkaufsbummel machen** to go shopping (leisurely)

der Einkaufskorb (Einkaufskörbe) shopping basket

die **Einkaufsliste (-n)** shopping list (16)

die **Einkaufsstraße (-n)** shopping street, street with lots of shops

die **Einkaufstasche (-n)** shopping bag

das **Einkaufszentrum (-zentren)** shopping center

Einklang: in Einklang bringen mit to bring into line with

einkleiden (kleidet ein) to dress up; to clothe

einklemmen (klemmt ein) to jam, catch

das **Einkommen (-)** income (13)

einladen (lädt ein), lud ein, eingeladen to invite (3E)

die **Einladung (-en)** invitation

einlassen (lässt ein), ließ ein, eingelassen to let in; **sich auf etwas einlassen** to get involved in something

sich einleben (lebt ein) to get accustomed to a place

einmal once; **auf einmal** suddenly, unexpectedly; **es war einmal . . .** once upon a time (12); **noch einmal** once again, one more time

das **Einmaleins** (multiplication) tables; basics

einmalig unique, wonderful

einnehmen (nimmt ein), nahm ein, eingenommen to take up

einnehmend likeable

einpacken (packt ein) to pack; to wrap (7)

der **Einpersonenhaushalt (-e)** single household

einquartieren to put up, accommodate

einrahmen (rahmt ein) to frame

einreichen (reicht ein) to submit (*a form, application*)

einrichten (richtet ein) to furnish, decorate (*an apartment or house*) (4)

die **Einrichtung (-en)** facility

eins one (E); **er will auch eins** he wants one, too; **es ist eins** it's one o'clock

einsam lonely

die **Einsamkeit** loneliness

der **Einsatz (-̈e)** use

einschätzen (schätzt ein) to estimate; to assess

einschlafen (schläft ein), schlief ein, ist eingeschlafen to fall asleep (3)

das **Einschlafen: zum Einschlafen** boring

einschließen (schließt ein), schloss ein, eingeschlossen to include

sich einschreiben (schreibt ein), schrieb ein, eingeschrieben to enroll, sign up (19)

einschüchtern (schüchtert ein) to intimidate

einsetzen (setzt ein) to put in place (29); to use; **sich einsetzen** to show commitment

einst(ens) once; one day; one time

einsteigen (steigt ein), stieg ein, ist eingestiegen to get in/on (*a train, car, etc.*) (7)

der **Einsteiger (-) / die Einsteigerin (-nen)** beginner

einstellen (stellt ein) to appoint, adjust; to cease

die **Einstellung (-en)** attitude; point of view (18)

einstündig hour-long

eintauchen (taucht ein), tauchte ein, ist eingetaucht to dive in

einteilen (teilt ein) to divide

der **Eintopf (-̈e)** stew

eintragen (trägt ein), trug ein, eingetragen to enter, register, put down (*on a list*)

das **Eintreffen** arrival

eintreten (tritt ein), trat ein, ist eingetreten to occur; to enter (33)

der **Eintritt (-e)** admission

die **Eintrittskarte (-n)** ticket, admission

einverstanden: mit etwas einverstanden sein to be in agreement (18/29)

der **Einwanderer (-) / die Einwanderin (-nen)** immigrant (34)

einwandern (wandert ein), wanderte ein, ist eingewandert to immigrate

das **Einwanderungsland (-̈er)** country of immigrants

die **Einwegflasche (-n)** nonreturnable bottle (35)

das **Einweggeschirr** disposable utensils (35), disposable dishes

einwickeln (wickelt ein) to wrap

der **Einwohner (-) / die Einwohnerin (-nen)** inhabitant, citizen (17)

das **Einwohnermeldeamt (-̈er)** residents' registration office

die **Einzahl** singular

einzeichnen (zeichnet ein) to draw in; to mark

das **Einzelbad (-̈er)** single bath

die **Einzelberatung (-en)** individual counseling

einzeln single, singly; individual(ly)

das **Einzelzimmer (-)** single room (8)

einziehen (zieht ein), zog ein, ist eingezogen to move in; to pull in

einzig only (23)

der **Einzug (-̈e)** move, entry

das **Eis** ice, ice cream (15)

der **Eisbecher (-)** ice cream sundae

das **Eisbein (-e)** pork knuckle

die **Eisdiele (-n)** ice cream parlor

der **Eisenstock (-̈e)** metal club

eisern (*adj.*) iron

das **Eishockey** ice hockey

das **Eislaufen** ice skating

das **Eiswasser** ice water

der **Eiszapfen (-)** icicle

das **Eiweiß** egg white; protein

eiweißhaltig containing protein

eklatant sensational, spectacular, striking

eklig disgusting, repulsive

elastisch elastic; stretchy; flexible

elegant elegant(ly)

die **Eleganz** elegance

der **Elektriker (-) / die Elektrikerin (-nen)** electrician

elektrisch electric(ally)

das **Elektrogerät (-e)** electric appliance

der Elektromeister (-) / die Elektromeisterin (-nen) electrician (29)

der Elektroniker (-) / die Elektronikerin (-nen) electronic technician, electrical engineer

die elektronische Datenverarbeitung electronic data processing

das Element (-e) element

elend miserable; miserably

elf eleven (1E)

die Eltern (*pl.*) parents (1/25)

das Elternhaus (¨er) parental house, house in which one grew up

das Elternschlafzimmer (-) parents' bedroom, master bedroom

der Elternteil (-e) parent

die E-Mail (-s) e-mail

die Emanzipation emancipation (30)

emanzipieren to emancipate (30)

emanzipiert (*adj.*) emancipated

emigrieren to emigrate

empfangen (empfängt), empfing, empfangen to receive; to conceive

empfehlen (empfiehlt), empfohl, empfohlen to recommend

empfehlenswert to be recommended

die Empfehlung (-en) recommendation

empfinden, empfand, empfunden to feel, perceive

empfindlich sensitive; empfindlich kalt bitterly cold

die Empfindung (-en) emotion

das Ende end; am Ende in the end; ohne Ende never ending; zu Ende gehen to come to an end; zu Ende schreiben to finish writing

enden to end

endgültig finally

endlich finally (10)

der Endsieg (-e) final victory

die Endung (-en) ending (*grammatical*)

die Energie (-n) energy

die Energiesparlampe (-n) energy-saving lamp

eng narrow(ly), small, tight(ly)

das Engagement (-s) commitment

sich engagieren für to get involved in (26)

engagiert für active(ly) interested (in)

die Enge (-n) narrowing

der Engel (-) angel

(das) England England (9)

der Engländer (-) / die Engländerin (-nen) English person (18)

das Englisch English (*language*) (11); auf Englisch in English; was heißt das auf Englisch? what does that mean in English?

die Englischkenntnisse (*pl.*) knowledge of English

der Enkel (-) / die Enkelin (-nen) grandson/granddaughter (1/25)

das Enkelkind (-er) grandchild (1)

enorm enormous(ly), tremendous(ly)

das Ensemble (-s) ensemble, cast

entdecken to discover

die Entdeckung (-en) discovery

die Ente (-n) duck

(sich) entfernen to remove (oneself) (34)

entfernt away (from); der Bahnhof ist nur zehn Minuten entfernt the station is only ten minutes from here

die Entfernung (-en) distance

sich entfremden to alienate (oneself)

entführen to kidnap, abduct

entgegensetzen (setzt entgegen) to counteract; to set against

entgegenstrecken (streckt entgegen) to hold out

enthalten (enthält), enthielt, enthalten to contain

entkräften to weaken

entlang along(side); (die Straße) entlang along (the street) (22)

entlanggehen (geht entlang), ging entlang, ist entlanggegangen to go along (22)

entlarven to unmask; to find out about

entrüstet appalled

(sich) entscheiden, entschied, entschieden to decide (14)

die Entscheidung (-en) decision

sich entschließen, entschloss, entschlossen to decide (19)

(sich) entschuldigen to excuse (oneself); entschuldigen Sie! excuse me!

entsenden to send out

entsetzt (*adj.*) shocked

entsorgen to remove

der Entsorger (-) person or authority who removes waste

die Entsorgung (-en) removal, disposal

sich entspannen to relax (31)

die Entspannung (-en) relaxation (32)

entsprechen (entspricht), entsprach, entsprochen (+ *dat.*) to correspond to something

entstehen, entstand, ist entstanden to arise (28)

die Entstehung (-en) development, evolution

enttäuschen to disappoint

enttäuscht (*adj.*) disappointed

entwaffnend (*adj.*) disarming

entweder . . . oder . . . either . . . or . . .

entwerfen (entwirft), entwarf, entworfen to design

entwickeln to develop (20)

die Entwicklung (-en) development (29)

das Entwicklungsland (¨er) developing country

entzwei apart, into pieces

entzweireißen (reißt entzwei), riss entzwei, entzweigerissen to tear into pieces

die Enzyklopädie (-n) encyclopedia

die Epik epic poetry

er he

sich erarbeiten to work for (*something*)

erbauen to build (up)

der Erbprinz (-en *masc.***)** prince, heir to the throne

die Erbse (-n) pea (15)

die Erbsensuppe (-n) pea soup

die Erbswurst *pea-based meal compressed into the shape of a sausage*

die Erde Earth

das Erdgeschoss (-e) ground floor (8)

die Erdkunde geography (11)

die Erdnussbutter peanut butter

der Erdteil (-e) continent

der Erdton (ö-e) earth tone

das Ereignis (-se) occurrence, incident, event

erfahren (erfährt), erfuhr, erfahren to learn, hear about; to experience

die Erfahrung (-en) experience (28)

der Erfahrungsaustausch exchange of experience

erfinden, erfand, erfunden to invent (21)

der Erfinder (-) / die Erfinderin (-nen) inventor

die Erfindung (-en) invention

der Erfolg (-e) success (13/26)

erfolgen to follow, ensue, result

erfolgreich successful(ly)

die Erfolgskurve (-n) success rate

das Erfolgsstück (-e) successful production

erforderlich necessary

erfordern to require (29)

erforschen to discover; to explore; to find out

die Erforschung (-en) investigation, research, examination

erfreuen to please, delight; **sich großer Beliebtheit erfreuen** to enjoy popularity, be popular

erfrischend refreshing

erfüllen to fulfill

ergänzen to complete

das Ergebnis (-se) result, outcome (33)

ergreifen, ergriff, ergriffen to seize; to grasp, grip

erhalten (erhält), erhielt, erhalten to receive (29)

erhältlich obtainable, available

die Erhaltung conservation

erheben (erhebt), erhob, erhoben to raise, lift

erhellen to lighten up

erhellend lightening up, brightening

erhitzen to heat (19)

erhoben raised

erhöhen to raise; to increase (33)

sich erholen to recover, recuperate

erholsam relaxing

die Erholung (-en) recreation; rest; recuperation (31)

der Erholungsort (-e) recreational town

die Erholungsreise (-n) recreational vacation

erinnern to remind; **sich erinnern an** (+ *acc.*) to remember (26)

die Erinnerung (-en) memory

erjagen to chase; to hunt down

sich erkälten to catch a cold

erkältet sein to have a cold

die Erkältung (-en) cold, flu (6)

erkämpfen to gain by struggle (26)

erkennen, erkannte, erkannt to recognize

die Erkenntnis (-se) insight, understanding

erklären to explain

die Erklärung (-en) explanation (29)

erkranken to become ill

erkunden to scout, reconnoiter, find out

sich erkundigen (über) to inquire, to ask (about)

erlauben to allow

erlaubt (*adj.*) allowed

erleben to experience (8/26)

das Erlebnis (-se) experience

das Erlebnisbad (ö-er) spa, pool

die Erlebnisgastronomie eating as a culinary experience

die Erlebnisreise (-n) adventure trip

erledigen to see to, take care of, do

erledigt (*adj.*) done, taken care of

erleichtern to relieve

erleiden, erlitt, erlitten to suffer

erlernen to learn; to acquire (29)

erlisten to list

erlösen to save (12)

crmitteln to investigate, find out

ermöglichen to make possible, enable

ermüden to get tired

ermüdend tiring (21)

ermuntern to encourage

ermutigen to encourage

ernähren to nourish (25)

die Ernährung (-en) diet

ernst serious(ly) (1); **ist das dein Ernst?** are you serious?

ernsthaft serious(ly)

die Ernte (-n) harvest

das Erntedankfest (-e) Thanksgiving (5)

erobern to conquer (27)

eröffnen to open

erörtern to discuss

erproben to try out

erquicken to revitalize, bring back to life

erraffen to grab

erraten (errät), erriet, erraten to guess

errechnen to calculate

erregen to excite, arouse

die Erregung (-en) excitement, arousal

erreichen to achieve (25); to reach (30)

erscheinen, erschien, ist erschienen to seem, appear

die Erscheinung (-en) appearance

erschöpfen to exhaust

erschrecken (erschrickt), erschrak, erschrocken to startle

ersetzen to replace, substitute

erst not until; only; **erst** first; **erst einmal** first of all

erstarren to stiffen, harden

erstaunt startled, amazed

erst- first; **am ersten Juni** on the first of June; **der erste beste Mann** the first suitable man; **der erste Stock** the second floor (8); **erst seit kurzem** only recently; **zum ersten Mal** for the first time

erstellen to compile; to put together

erstens first (*in a list*)

das Erstgespräch (-e) first interview

erstklassig first class

erstmal first, primarily

erstmals for the first time

der Erstsemestler (-) / die Erstsemestlerin (-nen) first-semester student at a university

ertappen to catch

erteilen to give; to grant; **jemandem eine Lehre erteilen** to teach someone a lesson; **Unterricht erteilen** to teach, give instruction

ertönen to sound

ertragen (erträgt), ertrug, ertragen to bear, cope with

erträglich bearable

ertrinken, ertrank, ist ertrunken to drown

erübrigen: es erübrigt sich it becomes irrelevant, it is no longer an issue

erwachen to awaken

erwachsen (erwächst), erwuchs, ist erwachsen to arise (31)

der/die Erwachsene (*decl. adj.*) adult (25)

das Erwachsenenpublikum adult audience

erwählen to choose

erwähnen to mention (31)

(sich) erwandern to hike, cover ground

sich erwärmen für etwas to warm up to (develop a liking for) something

erwarten to expect (14); **erwarten von** to expect from (25)

die Erwartung (-en) expectation

(sich) erweisen to prove (oneself)

erweitern to expand; to broaden

erweitert (*adj.*) expanded, widened

erwerben (erwirbt), erwarb, erworben to buy; to obtain

erwischen to catch; **erwischt werden** to get caught

das Erz (-e) ore

erzählen to tell, narrate

der Erzähler (-) / die Erzählerin (-nen) narrator

der Erzbischof (¨-e) archbishop

erziehen, erzog, erzogen to bring up, educate (20)

der Erzieher (-) / die Erzieherin (-nen) educator, teacher, child care person

die Erziehung (-en) upbringing

das Erziehungsgeld (-er) child benefit

der Erziehungsstil (-e) kind of upbringing, way of bringing up children

der Erziehungsurlaub (-e) family leave (23)

es it; **es gibt** there is/are; **es war einmal . . .** once upon a time . . . (12)

der Esel (-) donkey

der Essay (-s) essay

essbar edible

essen (isst), aß, gegessen to eat (3)

das Essen food, meal, eating

die Essensabfälle (*pl.*) table scraps, garbage

die Essensreste (*pl.*) table scraps

die Essgewohnheit (-en) eating habit (34)

der Esstisch (-e) dinner table (3)

das Esszimmer (-) dining room (3)

sich etablieren to establish oneself

etabliert (*adj.*) established

die Etage (-n) floor (*in a building*)

etwa about, roughly

etwaig possible

etwas something, a little, some

euch (*acc./dat. inform. pl.*) you; **wie geht es euch?** how are you? (5)

euer (*inform. pl.*) your; **liebe Grüße, eu(e)re Marion** best wishes, yours, Marion (*closing in letters*)

die Euphorie (-n) euphoria

der Euro European currency unit

(das) Europa Europe

der Europäer (-) / die Europäerin (-nen) European (*person*) (18)

europäisch (*adj.*) European; **die Europäische Union** European Union

eventuell possible; possibly

ewig eternal(ly), forever

die Ewigkeit (-en) eternity

exakt exact(ly)

die Exaktheit (-en) exactness, precision, accuracy

das Examen (-) exam

das Examensergebnis (-se) exam results

das Exemplar (-e) specimen

die Existenz (-en) existence

existieren to exist

die Exkursion (-en) excursion

exotisch exotic(ally)

expandieren to expand

der Experte (-n *masc.***) / die Expertin (-nen)** expert

die Expertenhilfe (-n) expert assistance

explodieren to explode

das Exponat (-e) exhibit

exportieren to export

der Expressionismus Expressionism

expressionistisch expressionist

exquisit exquisite(ly)

extra special(ly), additional(ly), extra

die Extralektion (-en) extra lecture

extrem extreme(ly) (35)

der Extremismus extremism

die Extremsportart (-en) adventure sport (32)

exzellent excellent(ly)

F

die Fabel (-n) fable

die Fabrik (-en) factory (4/35)

der Fabrikationsverkauf (¨-e) factory outlet

das Fach (¨-er) (school) subject (11/27)

der Fachbereich (-e) subject area

die Fachexkursion (-en) educational excursion

der Fachhändler (-) specialty store

das Fachlehrerstudium (-studien) education program

Fachleute (*pl.*) experts

fachlich technical, specialist, professional

der Fachmediziner (-) / die Fachmedizinerin (-nen) specialist

die Fachoberschule (-en) specialized high school (11)

die Fachrichtung (-en) subject area

das Fachwerkhaus (¨er) half-timbered house

die Fackel (-n) torch

das Fädchen (-) little thread

fad(e) boring

der Faden (¨) thread

fähig capable; capably (36)

die Fähigkeit (-en) capability (29)

die Fahne (-n) flag

die Fahrbahn (-en) lane on a road

fahren (fährt), fuhr, ist gefahren to ride, drive, go (3)

der Fahrer (-) / die Fahrerin (-nen) driver

der Fahrgast (¨e) passenger

die Fahrkarte (-n) ticket

der Fahrkartenschalter (-) ticket counter (7)

der Fahrplan (¨e) schedule (7)

das Fahrrad (¨er) bicycle; **mit dem Fahrrad fahren** to go by bicycle (7)

die Fahrradpanne (-n) bicycle breakdown

die Fahrstunde (-n) driving lesson

die Fahrt (-en) trip, journey; ride, drive (24); **gute Fahrt!** have a good trip! (14)

der Fahrtweg (-e) driving time, distance

die Fahrverbindung (-en) connection

faktisch actual, real

das Faktum (pl. Fakten) fact

der Fall (¨e) case; **auf jeden Fall** in any case; **auf keinen Fall** under no circumstance

fallen (fällt), fiel, ist gefallen to fall

falls in case

falsch false(ly), wrong(ly), incorrect(ly)

falten to fold

faltenfrei without wrinkles, wrinkle-free

familiär familial; familiar

die Familie (-n) family (1)

der Familienalltag daily family routine

das Familiendokument (-e) family document

das Familienerbstück (-e) family heirloom

das Familienfoto (-s) family photo

der Familienfragebogen (¨) family questionnaire

die Familiengeschichte (-n) family history

das Familienleben family life

das Familienmitglied (-er) family member

der Familienname (-n masc., -ns gen.) family name

die Familienrolle (-n) family role, role in the family

der Familienstand family status (14/25)

die Familientradition (-en) family tradition

der Fan (-s) fan

der Fang (¨e) catch

fangen (fängt), fing, gefangen to catch

die Fantasie (-n) fantasy (14)

fantasielos unimaginative, uncreative

fantastisch fantastic(ally)

die Farbe (-n) color

färben to dye; to color

der Farbfilm (-e) roll of color film

der Farbstoff (-e) dye, stain

der Fasching Carnival, Mardi Gras (17)

die Fassade (-n) facade, front of a building

fassen to grasp; to believe

fast almost (27)

faszinieren to fascinate (36)

faszinierend fascinating

die Fata Morgana mirage

faul lazy (1)

faulenzen to laze about, be lazy

die Faust (¨e) fist

das Fax (-e) fax

das Faxgerät (-e) fax machine

die Faxmöglichkeit (-en) possibility to fax

FC = Fußballclub soccer club

FDJ = Freie Deutsche Jugend

der Februar February (5)

die Fee (-n) fairy (12)

fegen to sweep

fehlen (+ dat.) to lack; to be missing (21)

fehlend missing

der Fehler (-) error, mistake

der Feierabend (-e) time off (work) (29)

feiern to celebrate (5)

der Feiertag (-e) holiday (5/31)

die Feigheit (-en) cowardliness

fein fine(ly)

feindlich hostile(ly)

feindselig hostile

die Feinheit (-en) fineness, delicateness; (pl.) details

die Feinkost delicacies

das Feld (-er) field (9)

der Feldweg (-e) road between fields

das Fell (-e) fur

der Felsen (-) rock

feminin feminine

der Feminismus feminism

das Fenster (-) window (1E)

die Ferien (pl.) vacation (32)

die Ferienanlage (-n) vacation community

das Feriencamp (-s) vacation camp

das Ferienhaus (¨er) vacation home

das Ferienheim (-e) vacation home (32)

das Ferienlager (-) vacation camp (32)

der Ferienmonat (-e) vacation month

der Ferienplatz (¨e) vacation spot, holiday resort

die Ferienregion (-en) holiday region

die Ferienwohnung (-en) vacation apartment (8)

das Ferienzentrum (-zentren) vacation center

fern far, distant

das Fernglas (¨er) binoculars

fernsehen (sieht fern), sah fern, ferngesehen to watch television/TV (2)

das Fernsehen television; **im Fernsehen schauen** to watch on TV

der Fernseher (-) television/TV set (3)

der Fernsehkrimi (-s) detective show on television/TV

das Fernsehprogramm (-e) television/TV program, television/TV channel

die Fernsehsendung (-en) television/TV program

die Fernsehstation (-en) television/TV station

das Fernsehstudio (-s) television/TV production studio

die Fernsehumfrage (-n) television/TV survey

die Ferse (-n) heel

fertig finished (3E)

fertigstellen (stellt fertig) to complete

fest permanent(ly); certain(ly) (13)

das Fest (-e) festival; party (5); celebration; holiday

festlegen (legt fest) to determine, set

festmachen (macht fest) to fasten

festlich festive(ly) (17)

der Festsaal (-säle) great hall, celebration hall

das Festspiel (-e) cultural festival

feststellen (stellt fest) to ascertain, to establish

die Feststellung (-en) observation

der Festtag (-e) holiday

die Festwoche (-n) festival week

das Festzelt (-e) festival tent

die Fete (-n) (*coll.*) party

fett fat

das Fett (-e) fat (33)

fettgedruckt bold

fetthaltig containing fat, fatty

feucht humid, damp, moist

das Feuer (-) fire

die Feuerbrunst (-̈e) heat of fire, lust

feuerfarben (*adj.*) the color of fire

das Feuerwerk (-e) fireworks (5)

das Feuerzeug (-e) lighter

das Fieber (-) fever (6/33)

die Figur (-en) figure, shape

der Film (-e) film (36)

das Filmfest (-e) film festival

die Filmindustrie (-n) film industry

der Filmkenner (-) / die Filmkennerin (-nen) movie buff

filtern to filter

der Filzstift (-e) felt-tip pen, marker

finanziell financial(ly) (13)

finanzieren to finance; to sponsor

das Finanzzentrum (-zentren) financial center

finden, fand, gefunden to find (2)

der Finger (-) finger (6)

der Fingernagel (-̈) fingernail

der Finne (-n *masc.***) / die Finnin (-nen)** Finnish (*person*)

(das) Finnland Finland (9)

finster dark

die Firma (Firmen) firm, company (13)

der Firmenwagen (-) company car

der Firmenwechsel (-) change of company

der Fisch (-e) fish (19)

fischen to fish

der Fischer (-) / die Fischerin (-nen) fisherman/fisherwoman

das Fischerboot (-e) fishing boat

die Fischerei fishing, fishing industry

die Fischermütze (-n) fisherman's hat

der Fischmarkt (-̈e) fish market

das Fischrestaurant (-s) seafood restaurant

der Fischschwarm (-̈e) swarm of fish

die Fischspezialität (-en) seafood specialty

fit fit; **sich fit halten (hält), hielt, gehalten** to keep fit (23/32)

die Fitness fitness

das Fitnesscenter (-) gym, fitness center

der Fitnessclub (-s) gym, health club

fix und fertig completely exhausted

flach flat

die Fläche (-n) plane, surface

das Fladenbrot (-e) pita bread

das Flair flair

flankieren to flank; to accompany

die Flasche (-n) bottle (20)

flattern to flutter

der Fleck (-e) spot, stain

das Fleisch meat (19)

der Fleischer (-) / die Fleischerin (-nen) butcher

die Fleischwurst *kind of sausage*

fleißig industrious(ly) (1)

flexibel flexible (18); flexibly

die Fliege (-n) fly

fliegen, flog, ist geflogen to fly (7)

fliehen, floh, ist geflohen to flee, escape

fließen, floss, ist geflossen to flow (17)

flink quick(ly)

das Flinserlkostüm (-e) *Austrian Fasching (Karneval) costume*

die Flinserlmusik *Austrian Fasching (Karneval) music*

die Flintenpulverflasche (-n) gunpowder sack

Flitterwochen (*pl.*) honeymoon

der Floh (-̈e) flea

der Flohmarkt (-märkte) flea market (22)

die Flora flora

der Florist (-en *masc.***) / die Floristin (-nen)** florist

die Flöte (-n) flute

die Flucht (-en) flight, escape

flüchten, ist geflüchtet to flee; to escape

flüchtig cursory, cursorily; sketchy, sketchily

der Flüchtling (-e) refugee, fugitive

der Fluchtweg (-e) escape route

der Flug (-̈e) flight (*in an airplane*)

der Flugbegleiter (-) / die Flugbegleiterin (-nen) flight attendant (13)

das Flugblatt (-̈er) flyer

der Flughafen (Flughäfen) airport (24)

die Flugkarte (-n) airline ticket (24)

der/die **Flugreisende** (*decl. adj.*) air passenger

das **Flugzeug** (-e) airplane (7); **mit dem Flugzeug fliegen** to fly (by airplane)

der **Flur** (-e) hallway; corridor

der **Fluss** (¨e) river (9)

flüstern to whisper

die **Flut** (-en) flood; incoming tide

föderalistisch federal

der **Fokus** (-se) focus

die **Folge** (-n) episode; consequence

folgen (+ *dat.*) to follow (14)

folgend following

die **Foltermethode** (-n) method of torture

fordern to demand; to ask; to require

fördern to promote; to support (36)

die **Forderung** (-en) demand

die **Förderung** support

die **Forelle** (-n) trout (15)

die **Form** (-en) form, shape

formal formal(ly)

förmlich formal(ly); literal(ly)

das **Formular** (-e) form (8)

formulieren to formulate

forschen to research

der **Forscher** (-) / die **Forscherin** (-nen) scientist, researcher

die **Forschung** (-en) research

das **Forschungscamp** (-s) research camp

das **Forschungsinstitut** (-e) research institute

(sich) **fortbilden** (bildet fort) to further educate (oneself)

fortbleiben (bleibt fort), blieb fort, ist fortgeblieben to stay away

fortgehen (geht fort), ging fort, ist fortgegangen to leave

fortgeschritten advanced

der **Fortschritt** (-e) advance

fortsetzen (setzt fort) to continue

die **Fortsetzung** continuation

das **Foto** (-s) photo

der **Fotoapparat** (-e) camera

der **Fotograf** (-en *masc.*) / die **Fotografin** (-nen) photographer (13)

fotografieren to photograph (2)

das **Fotografieren** photography

fotokopieren to photocopy

das **Fotokopiergerät** (-e) photocopy machine

der **Frachter** (-) / die **Frachterin** (-nen) shipping manager

die **Frage** (-n) question

der **Fragebogen** (¨) questionnaire

fragen to ask (8); **fragen nach** to ask about

der **Fragenkatalog** (-e) battery of questions

die **Fragestellung** (-en) formulation of a question

das **Fragewort** (¨er) question word, interrogative pronoun

der **Franken** (-) franc (*currency in France and Switzerland*)

das **Frankenreich** Frankish Empire

das **Fränkische Reich** Frankish Empire

(das) **Frankreich** France (9)

der **Franzose** (-n *masc.*) / die **Französin** (-nen) French (*person*)

französisch (*adj.*) French

das **Französisch** French (*language*) (11)

die **Frau** (-en) woman; wife (1)

der/die **Frauenbeauftragte** (*decl. adj.*) women's spokesperson

die **Frauenbewegung** (-en) women's movement (30)

die **Frauenbildung** women's education

der **Frauenbuchladen** (¨) women's bookstore

frauenfeindlich misogynous(ly), anti-women

die **Frauenpower** women's power (*feminist motto*)

die **Frauenrechtlerin** (-nen) feminist

der **Frauensakko** (-s) women's blazer (7)

das **Frauenzimmer** (-) (*derogatory*) woman

frech fresh, impudent(ly)

die **Frechheit** (-en) offensive behavior; **das ist eine Frechheit!** what nerve! (10)

die **Fregatte** (-n) frigate, type of ship

frei free; **ist hier noch frei?** is this seat taken? (15); **wann sind Sie frei?** when do you have time?

das **Freibad** (¨er) outdoor pool

die **Freibühne** (-n) outdoor theater

die **Freie Deutsche Jugend** (FDJ) *a youth organization of the former GDR*

Freien: im Freien in the open air; outdoors (31)

die **Freiheit** (-en) freedom, liberty (23)

die **Freiheitsstatue** Statue of Liberty

das **Freiheitssymbol** (-e) symbol of freedom

der **Freiherr** (-en, -n *masc.*) baron

die **Freistunde** (-n) free hour

der **Freitag** (-e) Friday (E)

der **Freitagabend** (-e) Friday evening

freiwillig voluntarily

die **Freizeit** free time (16/3E)

die **Freizeitaktivität** (-en) pastime, hobby

der **Freizeitbereich** (-e) recreation industry

die **Freizeitbeschäftigung** (-en) pastime, hobby

das **Freizeitzentrum** (-zentren) recreation center

fremd foreign, strange (24)

der/die **Fremde** (*decl. adj.*) stranger

das **Fremdenverkehrsbüro** (-s) tourist office

die **Fremdsprache** (-n) foreign language

die **Fremdsprachenkenntnisse** (*pl.*) foreign language skills

fremdsprachig in a foreign language

fressen (frisst), fraß, gefressen (*animals*) to eat up, gobble

die **Freude** (-n) pleasure, joy (27)

freudig joyful(ly); happy; happily (26)

sich freuen to be happy; **sich freuen auf** (+ *acc.*) to look forward to (18/26); **sich freuen über** (+ *acc.*) to be happy about

der Freund (-e) / die Freundin (-nen) close friend; boyfriend/girlfriend (1)
der Freundeskreis (-e) circle of friends
freundlich friendly (1)
die Freundschaft (-en) friendship
freundschaftlich friendly, as friends
der Frieden peace (26)
die Friedensarbeit (-en) work for peace
die Friedensbewegung peace movement
friedlich peaceful(ly) (26)
frieren, fror, gefroren to freeze, be cold
der Fries (-e) frieze
friesverziert (*adj.*) decorated with friezes
frisch fresh(ly) (5)
frischgefangen freshly caught
der Friseur (-e) / die Friseurin (-nen), die Friseuse (-n) hairdresser
der Frisör (-e) / die Frisöse (-n) hairdresser
der Frisörbesuch (-e) hair salon appointment
die Frisur (-en) hairstyle
froh glad, happy (1); **frohe Weihnachten!** merry Christmas!
fröhlich happy; happily, cheerful(ly), in good spirits
die Front (-en) front, frontage
die Frontlänge (-n) length of the front
der Frosch (-̈e) frog
das Fröschchen (-) little frog
der Froschkönig (-e) frog king (12)
die Froschprinzessin (-nen) frog princess
die Frucht (-̈e) fruit
fruchtig fruity
das Fruchtkonzentrat (-e) fruit concentrate
der Fruchtsaft (-̈e) fruit juice
früh early (16)
der Frühanfänger (-) / die Frühanfängerin (-nen) early beginner
der Früheinwohner (-) early inhabitant

früher earlier, before, in earlier times
das Frühjahr (-e) spring
der Frühjahrsputz spring cleaning
der Frühling (-e) spring
der Frühlingsmarkt (-̈e) spring market
der Frühlingstag (-e) spring day
der Frühruhestand early retirement
das Frühstück (-e) breakfast
frühstücken to have breakfast
der Frühstückstisch (-e) breakfast table
das Frühstückszimmer (-) breakfast room
die Frühzeit prehistory
die Frustphase (-n) phase of frustration
frustrieren to frustrate
frustriert (*adj.*) frustrated
fügen to put; to join
fühlen to feel; **sich wohl fühlen** to feel well; to be comfortable
führen to lead; to guide; to manage; **führen zu** to lead to (26)
führend leading
der Führer (-) leader; guide
die Führerhörigkeit obedience to a leader
der Führerschein (-e) driver's license
das Fuhrunternehmen (-) shipping company
die Fülle abundance
fummeln to fumble
fünf five (E)
fünfeinhalb five and a half
fünfte fifth
fünfzehn fifteen (E)
fünfzig fifty (E); **die fünfziger Jahre** the Fifties
Funk: Funk und Fernsehen radio and television; **per Funk** by radio
funkeln to sparkle, shine
die Funktion (-en) function
funktionieren to function
für (+ *acc.*) for (5)
furchtbar terrible, terribly; awful(ly)
sich fürchten vor (+ *dat.*) to be afraid of (19/28)
fürs = für das

die Fürsorge support (25)
der Fuß (-̈e) foot (6); **zu Fuß** on foot (4)
der Fußball (-̈e) soccer ball
der Fußball soccer; **Fußball spielen** to play soccer (2)
der Fußballfanatiker (-) / die Fußballfanatikerin (-nen) soccer fanatic, soccer nut
das Fußballländerspiel (-e) European championship soccer game
die Fußballmannschaft (-en) soccer team
das Fußballspiel (-e) soccer game (16)
der Fußboden (-̈) floor
der Fußgängerweg (-e) walkway, pedestrian way
die Fußgängerzone (-n) pedestrian zone (20)
die Fußreise (-n) travels on foot
die Fußspitze (-n) tip of the foot
das Futter feed
füttern to feed
das Futur future tense

G

die Gabe (-n) gift, present
die Gabel (-n) fork (19)
gähnen to yawn
die Galerie (-n) gallery (22)
der Gallier (-) / die Gallierin (-nen) Gaul
der Gang (-̈e) gear; corridor
das Gänseblümchen (-) daisy
ganz whole, complete, very; really; **ganz Deutschland** all of Germany; **ganz am Ende** at the very end; **ganz und gar (nicht)** absolutely (not); **ganz schön schwierig** pretty difficult; **nicht ganz** not quite, not really
ganzjährig through the year
die Ganzpackung (-en) full body treatment
ganztags full-time (*work*)
gar: gar kein absolutely no; **gar nicht** absolutely not, not at all; **gar nichts** absolutely nothing, nothing at all

die Garage (-n) garage
garantieren to guarantee
die Garderobe (-n) wardrobe; closet
die Gardine (-n) curtain
die Garnele (-n) large shrimp
garnieren to garnish
garstig nasty
der Garten (·) garden (4)
das Gartenamt (·er) office of parks and recreation
die Gartenanlage (-n) garden facility
die Gartenarbeit (-en) gardening (31)
das Gartengitter (-) garden fence
die Gartenmauer (-n) garden wall
der Gärtner (-) / die Gärtnerin (-nen) gardener
die Gasse (-n) alley
der Gast (·e) guest (8)
der Gastarbeiter (-) / die Gastarbeiterin (-nen) guest worker
das Gäste-WC guest bathroom
die Gastfamilie (-n) host family
gastfreundlich hospitable; hospitably
der Gastgeber (-) / die Gastgeberin (-nen) host/hostess
das Gasthaus (·er) restaurant, inn (15)
der Gasthof (·e) hotel; restaurant (15)
das Gastland (·er) host country
das Gastmahl (-e) banquet
die Gastmutter (·) host mother
der Gastronom (-en masc.) / die Gastronomin (-nen) restaurant owner, restaurateur
die Gaststätte (-n) restaurant, inn (15)
die Gaststube (-n) lounge
der Gastvater (·) host father
der Gastwirt (-e) restaurant owner
gaukeln to flutter
der Gaumen (-) gums, palate
der Gauner (-) / die Gaunerin (-nen) rogue, scoundrel, rascal
das Gebäck (e) cookies; pastries
das Gebäude (-) building

geben (gibt), gab, gegeben to give (3); **es gibt** there is/are
das Gebet (-e) prayer
das Gebirge mountains, alpine region (9)
die Gebirgshose (-n) pants for the mountains
die Gebirgskette (-n) mountain range
das Gebiss (-e) teeth, dentures
geblümt (adj.) flowered (21)
geboren born (25); **wann sind Sie geboren?** when were you born? (14)
die Geborgenheit security
gebrauchen to use
gebrochen (adj.) broken
die Gebrüder Grimm Brothers Grimm
die Gebühr (-en) fee (3E)
gebührenfrei free of charge
gebunden sein an (+ acc.) to be tied to, bound by
das Geburtsdatum (-daten) date of birth
das Geburtshaus (·er) birth house
das Geburtsjahr (-e) year of birth
der Geburtsort (-e) place of birth (14)
der Geburtstag (-e) birthday (5)
das Geburtstagsessen (-) birthday meal
die Geburtstagsfeier (-n) birthday party
die Gedächtniskirche war memorial church in Berlin
der Gedanke (-n masc.) thought
die Gedankenfreiheit freedom of thought (30)
die Gedankenwiedergabe (-n) representation of thought, expression of thought
das Gedicht (-e) poem
der Gedichtband (·e) volume of poetry
die Gedichtsammlung (-en) poetry collection, anthology
die Geduld patience
geehrt: sehr geehrter Herr Gurtler dear Mr. Gurtler
geeignet suitable, appropriate (22)

die Gefahr (-en) danger (32)
gefährlich dangerous(ly) (7)
gefahrvoll dangerous(ly)
gefallen (gefällt), gefiel, gefallen (+ dat.) to be pleasing to; to like (14/31); **die Blumen gefallen mir** I like the flowers
der Gefallen (-) favor
gefangen (adj.) caught, captured
das Gefängnis (-se) jail
gefärbt (adj.) tinted, colored (21)
das Geflügel poultry
die Gefriertruhe (-n) freezer
gefroren (adj.) frozen
das Gefühl (-e) feeling (31)
gefühlsbetont emotional, emotive
gegebenenfalls should the situation arise
gegen (+ acc.) against (5); approximately (27)
der Gegenbeweis (-e) counter-evidence
die Gegend (-en) vicinity, neighborhood
gegeneinander against each other
der Gegensatz (·e) opposite, contradiction
die Gegenschwimmanlage jet stream pool
der Gegenstand (·e) thing, inanimate object
das Gegenteil (-e) opposite
gegenüber opposite; **gegenüber von _____** opposite _____ (22); **jemandem gegenüber** toward someone
gegenübertreten (tritt gegenüber), trat gegenüber, ist gegenübergetreten to face; to step in front of
die Gegenwart present time (27)
gegensätzlich opposite, opposing
gegründet (adj.) founded
das Gehalt (·er) salary (13)
der Gehaltsvorschlag (·e) proposed salary
das Geheimnis (-se) secret
geheimnisvoll strange, secretive
gehen, ging, ist gegangen to go, walk (2); **wie geht's?** how are you?; **mir geht's auch gut** I am

well, too; **das geht zu weit!** that's too much!, that pushes it over the top! (10)

das Gehirn (-e) brain

gehören (+ *dat.*) to belong (to) (21)

der Geier (-) vulture

der Geist (-er) spirit; mind

die Geisteswissenschaften (*pl.*) humanities (28)

geistig mental(ly); spiritual(ly)

geistlich spiritual(ly)

geizig miserly, stingy

der/die Gejagte (*decl. adj.*) hunted person

gelb yellow (2)

das Geld (-er) money

der Geldschein (-e) bill, banknote

die Gelegenheit (-en) opportunity (13)

gelegentlich occasional(ly)

gelingen, gelang, gelungen (+ *dat.*) to succeed; **gut gelungen** came out well

gelten (gilt), galt, gegolten to be valid; **gelten als** to be regarded as; **gelten lassen** to approve (of something); to agree (30)

das Gemälde (-) painting (22)

gemäß (+ *dat.*) according to

gemein mean, malicious(ly)

die Gemeinde (-n) community, town

gemeinsam common; together (28)

die Gemeinsamkeit (-en) common ground, things in common

die Gemeinschaftsdienst (-e) community service

gemischt (*adj.*) mixed

das Gemüse vegetable (5/33)

der Gemüseanbauversuch (-e) vegetable growing experiment

die Gemüsesorte (-n) (kind of) vegetable

gemustert (*adj.*) patterned, printed (21)

das Gemüt (-er) mood, soul, mind

gemütlich comfortable; comfortably; cozy, cozily (16)

die Gemütlichkeit informal atmosphere, cozy atmosphere

genau exact(ly), precise(ly)

die Genauigkeit (-en) accuracy, exactness (34)

genauso just as, exactly the same

genehmigen to authorize; to approve

der General (-̈e) general

die Generation (-en) generation

generell general(ly)

(das) Genf Geneva

genial ingenious(ly), brilliant(ly)

das Genie (-s) genius

genießen, genoss, genossen to enjoy (3E)

der Genitiv genitive case

genmanipuliert genetically manipulated

die Gentechnologie genetic engineering

genug enough

genügen to suffice

genügend enough, sufficient(ly)

das Genus (Genera) gender

genussvoll delightful, pleasurable

geöffnet (*adj.*) open

die Geographie geography

geographisch geographical(ly)

geologisch geological(ly)

geordnet ordered, in order

das Gepäck baggage (7)

die Gepäckaufbewahrung (-en) baggage check (7)

gepflegt (*adj.*) cultured; neat; well-kept

geplant (*adj.*) planned

gepunktet polka-dotted (21)

gerade just, at the moment; straight, even; **gerade noch** just barely; **nicht gerade** not really

geradeaus straight ahead (22)

geraspelt (*adj.*) grated, shredded

das Gerät (-e) device; appliance (31)

geraten (gerät), geriet, ist geraten to come upon (33)

das Geräusch (-e) sound, noise

gerecht fair(ly) (10), just(ly)

die Gerechtigkeit (-en) justice (26)

das Gericht (-e) meal; dish (34); court of law

die Gerichtsakte (-n) file

gering small, negligible (29)

geringschätzig contemptuous, disparaging

germanisch Germanic

die Germanistik German studies (28)

gern(e) (lieber, liebst-) gladly; willingly, with pleasure; **ich hätte gern . . .** I'd like . . . (15); **ich schwimme gern** I like swimming; **ja, gern!** yes, please! my pleasure! **was machen Sie gern?** what do you like to do?

der Geruch (-̈e) smell, scent

der Geruchssinn sense of smell

gesammelt (*adj.*) collected

gesamtdeutsch *pertaining to the unified Federal Republic of Germany*

die Gesamtschule (-n) comprehensive school (11/27)

das Gesamtvermögen national savings, assets

das Gesäß (-e) seat, bottom, posterior

das Geschäft (-e) business; store (26)

geschäftig busily

die Geschäftsfrau (-en) businesswoman

der Geschäftsmann (-leute) businessman (13)

geschändet (*adj.*) blemished

geschehen (geschieht), geschah, ist geschehen to happen (32)

das Geschehen (-) event, happening

gescheit intelligent, sensible (21)

das Geschenk (-e) gift (5)

die Geschichte (-n) history; story (11/28)

geschichtlich historical(ly)

der Geschichtslehrer (-) / die Geschichtslehrerin (-nen) history teacher

geschickt clever(ly) (36)

das Geschirr (*sg.*) dishes; **das Geschirr spülen** to wash or do the dishes (3E)

die Geschirrspülmaschine (-n) dishwasher (3)

das Geschlecht (-er) gender, sex

geschlossen (*adj.*) closed (24)
der Geschmack (¨e) taste
die Geschmacksfrage (-n) question of taste
geschockt (*adj.*) shocked
geschwind(e) quickly
die Geschwister (*pl.*) siblings (1/25)
geschwungen (*adj.*) curved
der Geselle (-n *masc.***)** journeyman; guy
die Gesellenprüfung (-en) journeyman's examination
die Gesellschaft (-en) company, society, association; **Gesellschaft mit begrenzter Haftung (GmbH)** company with limited liability
das Gesetz (-e) law (35)
gesetzlich legal(ly)
gesichert (*adj.*) secure
das Gesicht (-er) face (6)
der Gesichtsausdruck (¨e) facial expression
gespannt (*adj.*) **(auf)** excited (about) (32)
gesperrt closed
das Gespräch (-e) conversation
gestalten to design; to create; to shape (26)
die Gestaltung (-en) organization; shape; design (31)
gestatten to allow (30)
gestehen, gestand, gestanden to admit (34)
gestern yesterday (8)
gestorben (*adj.*) deceased
gestört (*adj.*) interrupted
gestreift (*adj.*) striped (21)
gestresst (*adj.*) under stress, stressed out
das Gesuch (-e) petition
gesucht (*adj.*) wanted, sought after
die/der/das Gesuchte (*decl. adj.*) person/thing wanted
gesund healthy (1/33)
die Gesundheit health (6)
das Gesundheitskonzept (-e) health concept
die Gesundheitspflege health care (33)

das Gesundheitswesen health care system (33)
geteert (*adj.*) tarred, covered with asphalt
das Getränk (-e) drink, beverage
das Getreide grain, cereals
die Getreideernte (-n) grain harvest
getrennt (*adj.*) separate, separated (25)
das Getue to-do, fuss
die Gewähr für etwas leisten to ensure, guarantee something
die Gewalt (-en) force, violence
gewaltig powerful(ly); tremendous(ly) (34)
gewalttätig violent(ly) (26)
die Gewalttätigkeit (-en) act of violence (20)
das Gewerbe (-) trade
das Gewicht (-e) weight
der Gewinn (-e) gain, profit
gewinnen, gewann, gewonnen to win (23/32)
gewiss sure(ly); certain(ly)
das Gewissen conscience
gewissenhaft conscientious(ly)
das Gewitter (-) thunderstorm
sich gewöhnen an (+ *acc.*) to get used to (24/28)
die Gewohnheit (-en) habit
gewohnheitsmäßig in a habitual manner (33)
gewöhnlich usual(ly), normal(ly)
das Gewürz (-e) spice, seasoning
gewürzt (*adj.*) seasoned
gezwungen (*adj.*) obliged, forced
der Giebel (-) gable, pediment
gießen, goss, gegossen to pour (19)
das Gift (-e) poison
giftfrei nontoxic (35)
gigantisch gigantic
der Gipfel (-) peak, summit (17)
das Gis G sharp (*music*)
die Gitarre (-n) guitar
der Glanz (-e) gleam, shine, glitter, sparkle
glänzen to shine, shimmer, sparkle
das Glas (¨er) glass (19)

der Glascontainer (-) glass recycling bin
gläsern glass(y)
die Glasflasche (-n) glass bottle
glatt even, smooth; **glattstreichen, strich gestrichen** to flatten, smooth out
glauben to believe (14)
gleich immediately; equal, same
gleichaltrig of the same age
die Gleichbehandlung (-en) equal treatment
gleichberechtigt sein to have equal rights (30)
die Gleichberechtigung equality (23/30)
der/die/das Gleiche (*decl. adj.*) same (one/person/thing)
gleichfalls you too, as well
gleichgestellt sein to be at an equal level (30)
das Gleichgewicht (-e) balance (35)
gleichgültig indifferently
gleichmäßig even; steady
die Gleichstellung (-en) equal rights
gleichzeitig simultaneous(ly)
das Gleis (-e) track (7); **auf Gleis 3** on track 3; train station platform
gleiten, glitt, ist geglitten to glide, slide
gleitende Arbeitszeit flextime
der Gletscher (-) glacier (17)
die Gliederung (-en) outline, structure
der Globus globe
die Glocke (-n) bell
das Glück happiness, luck; **viel Glück!** good luck! (5); **zum Glück** luckily
glücken (+ *dat.*) to be a success, be successful
glücklich happy (1)
der Glücksbringer (-) lucky charm
der Glücksstern (-e) lucky star
die Glückszahl (-en) lucky number
der Glückwunsch: herzlichen Glückwunsch! congratulations!
die Glut hot coals (*in the fire*)

der Glutqualm smoke from coals
GmbH = Gesellschaft mit begrenzter Haftung company with limited liability
die Gnade (-n) mercy, grace
gnadenlos merciless
gnädig merciful(ly), gracious(ly); **gnädige Frau** *polite form of address; antiquated, but still used in Austria*
das Goethehaus Goethe's birth house
das Gold gold
golden gold(en)
der Goldschmied (-e) goldsmith
das Golf golf; **Golf spielen** to play Golf (8)
der Golfplatz (⁻e) golf course
gönnen: jemandem etwas gönnen to grant someone something; **ich gönne ihm seinen Erfolg** I'm delighted that he's successful, I don't begrude him his success
sich gönnen to allow oneself (*something*)
der Gott (⁻er) God, god; **grüß Gott!** (*in southern Germany, Austria, and Switzerland*) hello!
gottlob thank God
grad/grade = gerade
das Grafengeschlecht (-er) aristocratic lineage
die Grafik (-en) graph, chart
grafisch graphic(ally)
die Grammatik (-en) grammar
das Gras (⁻er) grass
das Grasdach (⁻er) grass roof
grässlich hideous, horrible
die Grasspitze (-n) tip of grass
gratulieren to congratulate (17); **gratuliere!** congratulations! (5)
grau gray (2)
das Grauen horror
graugewaschen faded, discolored
grausam cruel(ly)
die Grazie grace
greifen, griff, gegriffen to grab; to grasp
der Greifvogel (⁻) bird of prey, raptor
die Grenze (-n) border, limit (17)

grenzen an (+ *acc.*) to border on (17)
der Grenzübergang (⁻e) border crossing (18)
grenzüberschreitend across the borders
der Grieche (-n *masc.*) / die Griechin (-nen) Greek (*person*) (18)
(das) Griechenland Greece (9)
griechisch (*adj.*) Greek
(das) Griechisch Greek (*language*)
die Grille (-n) cricket
grillen to grill (31)
das Grillfest (-e) barbecue
die Grippe (-n) cold, flu (6)
der Grips (*coll.*) sense
(das) Grönland Greenland
grob rough
groß (größer, größt-) big, tall (1)
großartig magnificent(ly)
(das) Großbritannien Great Britain (9)
die Größe (-n) size (21)
die Großeltern (*pl.*) grandparents (1/25)
der Größenwahnsinn megalomania
größenwahnsinnig megalomaniac(al)
der Großherzog (⁻e) / die Großherzogin (-nen) grand duke / grand duchess
das Großherzogtum (⁻er) grand duchy
die Großmutter (⁻) grandmother (1)
die Großstadt (⁻e) large city, metropolis (4)
das Großstadtleben big city life
die Großtante (-n) great aunt
die Großtat (-en) great achievement
der/die/das Größte (*decl. adj.*) the biggest, tallest, largest (one)
der Großvater (⁻) grandfather (1)
großzügig generous(ly)
grün green (2)
die Grünanlage (-n) park, recreation area
der Grund (⁻e) reason (18)

gründen to found (27)
das Grundgesetz Basic Law (*German constitution*)
die Grundlage (-n) foundation, basis (27)
der Grundsatz (-sätze) principle
die Grundschule (-n) elementary school (11)
die Gründung founding, setting up
die Grünfläche (-n) green area
grunzen to grunt
die Gruppe (-n) group
das Gruppenangebot (-e) group offer, discount
die Gruppenarbeit (-en) group work
die Gruppenberatung (-en) group counseling
gruppieren to group
die Gruppierung (-en) grouping
der Gruß (⁻e) greeting; **herzliche Grüße! liebe Grüße! schöne Grüße! viele Grüße!** best wishes!
grüßen to greet; **grüß Gott!** (*in southern Germany, Austria, and Switzerland*) hello!
gucken (*coll.*) to watch, to look (14); **guck mal!** watch!, look!
gültig valid
der Gummibär (-en *masc.*) gummi bear
der Gummischuh (-e) rubber boot
die Gunst (⁻e) favor, goodwill
günstig inexpensive, cheap
die Gurke (-n) cucumber (19)
der Gürtel (-) belt (7)
das Gut (⁻er) good, item, property, estate
gut (besser, best-) good, **alles Gute!** all the best!; **gute Besserung!** get well soon!; **gute Fahrt!** have a nice trip! (14); **guten Abend!** good evening!; **guten Morgen!** good morning! (1E); **guten Rutsch ins neue Jahr!** Happy New Year!; **guten Tag!** hello! (1E); **gute Reise!** have a nice trip!
das Gute goodness, the good; **etwas Gutes** something good

der Güterzug (¨e) freight train
das Gütesiegel (-) stamp of quality
gutgelaunt cheerful, in a good mood
gutmütig good-natured(ly)
der Gymnasiallehrer (-) / die Gymnasiallehrerin (-nen) teacher at a **Gymnasium**
der Gymnasiast (-en *masc.***) / die Gymnasiastin (-nen)** student at a **Gymnasium** (26)
das Gymnasium (Gymnasien) college preparatory high school (10/27)
die Gymnastik gymnastics

H
ha! ha!
das Haar (-e) hair (6)
das Haarnetz (-e) hair net
die Haarsträhne (-n) strand of hair
haben (hat), hatte, gehabt to have (2); **ich hätte gern . . .** I'd like . . . (15)
hacken to chop, to mince; to grind
das Hackfleisch ground meat
der Hafen (¨) harbor
die Hafenstadt (¨e) port, harbor city
hager gaunt, thin
der Hahn (¨e) rooster
halb half; **eine halbe Stunde** half an hour; **es ist halb sechs** it's five-thirty
der Halbedelstein (-e) semi-precious gem
die Halbinsel (-n) peninsula (9)
die Halbkugel (-n) hemisphere
die Hälfte (-n) half
hallo! hello!
hallöchen! hello!
der Hals (¨e) neck, throat (6)
der Halsbruch: Hals- und Beinbruch! break a leg! good luck!
die Halsschmerzen (*pl.*) sore throat (6)
das Halsweh sore throat
halt (*particle*) **dann müsst ihr halt mit dem Bus fahren** in that case you'll have to take the bus
halten (hält), hielt, gehalten to hold (3E); to stop; **sich halten an** (+ *acc.*) to keep to, stick to/with (34); **halten für** to consider; to regard (20); **halten von** to have an opinion (3E); **was halten Sie davon?** what do you think about it?, what's your opinion?; **jemand auf dem laufenden halten** to keep someone informed
die Haltung (-en) attitude, opinion
der Hamburger (-) / die Hamburgerin (-nen) person from Hamburg
der Hamburger Dom festival in Hamburg
die Hand (¨e) hand (6)
die Handarbeit (-en) handicraft
der Handball handball
das Handbuch (¨er) handbook, reference work
der Handel trade (27)
handeln to act; **handeln von** to deal with, be about (21)
die Handelsfirma (-firmen) trading company
die Handelsstadt (¨e) city of commerce
das Handelsunternehmen (-) commercial enterprise
das Händeschütteln handshake (24)
der Händler (-) / die Händlerin (-nen) trader, retailer, wholesaler
die Handschmerzen (*pl.*) pain in the hand
die Handschrift (-en) handwriting; manuscript
der Handschuh (-e) glove (21)
die Handtasche (-n) handbag, pocketbook, purse
das Handtuch (¨er) towel
das Handwerk (-e) craft, trade
der Hang inclination; interest
hängen to hang (up)
hängen, hing, gehangen to hang, be in a hanging position
(das) Hannover Hanover
die Hanse Hanseatic League
die Hansekogge (-n) Hanseatic cog (*type of ship*)
das Hanseschiff (-e) Hanseatic ship
die Hansestadt (¨e) Hanseatic city

die Harmonie (-n) harmony
hart hard
hassen to hate
hässlich ugly (1)
hasten to hurry, hasten
haufenweise in heaps
häufig often, frequent(ly) (27)
das Haupt (¨er) (*antiquated*) head
die Hauptattraktion (-en) main attraction
der Hauptautor (-en) main author
der Hauptbahnhof (¨e) main train station
das Hauptfach (¨er) major subject (11/3E)
das Hauptgebäude (-) main building
das Hauptgericht (-e) entree (15)
das Haupthaar hair on one's head
die Hauptinformation (-en) main information
das Hauptinteresse (-n) main interest
die Hauptperson (-en) main character
die Hauptsache (-n) the main thing, mainly
hauptsächlich mainly, primarily (31)
der Hauptschulabschluss (¨e) *a general education degree*
die Hauptschule (-n) general education high school (11)
der Hauptsitz (-e) headquarters
die Hauptstadt (¨e) capital (17)
das Hauptthema (-themen) main topic
der Haupttyp (-en) the main kind, type
das Haus (¨er) house (4); **nach Haus(e) gehen** to go home; **zu Haus(e)** at home
die Hausarbeit (-en) housework, household chore
die Hausaufgabe (-n) homework (10)
der Hausbewohner (-) / die Hausbewohnerin (-nen) resident
das Häuschen (-) little house
der Häuserblock (¨e) block of houses

die **Hausfrau (-en)** housewife
der **Haushalt (-e)** household; **den Haushalt machen** to take care of the household (23/25)
das **Haushaltsgerät (-e)** household appliance (20)
der **Haushaltshelfer (-) / die Haushaltshelferin (-nen)** household help
häuslich domestic
der **Hausmann (¨er)** househusband (23)
das **Hausmärchen (-)** folk tale
der **Hausmeister (-) / die Hausmeisterin (-nen)** maintenance person, janitor
die **Hausmeisterstelle (-n)** position as building maintenance person
der **Hausmüll** household waste
die **Hausnummer (-n)** house number
das **Haustier (-e)** pet
die **Haustür (-en)** front door
die **Haut** skin
die **Hautfarbe (-n)** color of skin
heben, hob, gehoben to lift
das **Heft (-e)** notebook (E)
heften to clip
heftig hard, intense, strong(ly)
die **Heide (-n)** heath (9)
die **Heidelandschaft (-en)** heath landscape
heil whole, healed, in order
das **Heilbad (¨er)** health spa
heilen to heal
heilig holy; **heilig sprechen (spricht), sprach, gesprochen** to canonize
heilklimatisch with a healthy climate
die **Heilung (-en)** healing, curing, cure
das **Heilmittel (-)** remedy (33)
das **Heilverfahren (-)** treatment, cure
das **Heim (-e)** home; **trautes Heim** home sweet home
die **Heimat (-en)** home, sense of belonging
das **Heimatgefühl (-e)** sense of home

der **Heimathafen (¨)** home port
das **Heimatland (¨er)** home country
heimatlich familiar
das **Heimatmuseum (-museen)** local history museum
die **Heimatstadt (¨e)** hometown
heimlich secret(ly) (33)
die **Heimmannschaft (-en)** home team
das **Heimweh** homesickness
die **Heirat (-en)** marriage
heiraten to marry (12/25)
der **Heiratsantrag (¨e)** marriage proposal
heiß hot (5)
heißen, hieß, geheißen to be called (1)
heiter clear (*weather*) (5)
die **Heiterkeit (-en)** cheerfulness
die **Hektik** hectic, rush
der **Held (-en** *masc.***) / die Heldin (-nen)** hero, heroine
die **Heldentat (-en)** heroic deed, feat
helfen (hilft), half, geholfen to help (13)
hell light, bright (2)
hellblau light blue
hellhörig werden to prick up one's ears, pay close attention
das **Hemd (-en)** shirt (7)
die **Hemisphäre (-n)** hemisphere
die **Hemmung (-en)** inhibition
herab downwards
herabfliegen (fliegt herab), flog herab, ist herabgeflogen to fly down
heranziehen (zieht heran), zog heran, herangezogen to involve, consult with
herausfiltern (filtert heraus) to filter out; (*fig.*) to sift out
herausfinden (findet heraus), fand heraus, herausgefunden to find out
die **Herausforderung (-en)** challenge; provocation
herausgeben (gibt heraus), gab heraus, herausgegeben to publish

der **Herausgeber (-) / die Herausgeberin (-nen)** publisher
herausragend outstanding
herb sharp, tangy, bitter
herbei hither, here
der **Herbst** fall, autumn (5); **im Herbst** in the fall
der **Herd (-e)** stove, hearth (3)
die **Herde (-n)** herd, flock
herein! come in!
hereinbrechen (bricht herein), brach herein, ist hereingebrochen to break out
hereinrollen (rollt herein) to roll in
hergeben (gibt her), gab her, hergegeben to give away
herkommen (kommt her), kam her, ist hergekommen to come here
die **Herkunft (¨e)** origin, background
der **Herr (-n** *masc.***, -en)** gentleman; Mr.
herrlich wonderful(ly) (32)
die **Herrlichkeit** magnificence
herrschen to rule, govern
der **Herrscher (-) / die Herrscherin (-nen)** ruler, sovereign
herstellen (stellt her) to manufacture; to produce (29)
herum around; **anders herum** the other way around; **um (Köln) herum** around (Cologne)
herumfahren (fährt herum), fuhr herum, ist herumgefahren to drive around
herumliegen, lag herum, herumgelegen to lie around
sich herumprügeln (prügelt herum) to get into fights
herumschaukeln (schaukelt herum) to jiggle around
herunterkurbeln: das Fenster herunterkurbeln (kurbelt herunter) to roll down the window
hervor forth
hervorragend excellent
hervortreten (tritt hervor), trat hervor, ist hervorgetreten to step forward, appear

das Herz (-en *gen.*, -en *pl.*) heart; am Herzen liegen to bc very dear; zu Herzen gehen to touch the heart

herzaubern (zaubert her) to conjure forth

der Herzinfarkt (-e) heart attack

herzlich warm, kind; herzliche Grüße! best wishes!; herzlichen Glückwunsch! congratulations!; herzlichen Glückwunsch zum Geburtstag! happy birthday! (5); herzlich Willkommen welcome (5)

(das) Hessen Hesse (17)

hetzen to chase, race

das Heu hay

die Heuschrecke (-n) grasshopper

heute today (5)

heutig today's (28)

heutzutage these days, nowadays

die Hexe (-n) witch (12)

hier here; ist hier noch frei? is this seat taken?

die Hilfe help, assistance; mit Hilfe (+ *gen.*) with the help of

das Hilfeangebot (-e) help offer

hilflos helpless

hilfsbereit willing to help, helpful

das Hilfsverb (-en) auxiliary verb

der Himmel sky, heaven (9)

himmlisch heavenly

hin und her back and forth

die Hin- und Rückfahrt (-en) round-trip

hin und zurück (*adv.*) round trip (24)

hinab (*away from speaker*) down

hinabsteigen (steigt hinab), stieg hinab, ist hinabgestiegen (*away from speaker*) to climb down

hinaus out, outside (*away from the speaker*)

hinauslaufen (läuft hinaus), lief hinaus, ist hinausgelaufen to run out(side) (*away from the speaker*)

hinauswollen auf (will hinaus) to imply (30)

hindern to hinder

hindurch through

hineinsehen (sieht hinein), sah hinein, hineingesehen to look in(side) (*away from the speaker*)

hinfahren (fährt hin), fuhr hin, ist hingefahren to go there, drive there

hinkommen (kommt hin), kam hin, ist hingekommen to get there

hinlegen (legt hin) to put down; sich hinlegen to lie down (16)

hinlehnen (lehnt hin) to lean against

hinrichten (richtet hin) to execute

hinschmeißen (schmeißt hin), schmiss hin, hingeschmissen to fling down; to quit

sich hinsetzen (setzt hin) to take a seat, sit down

hinstellen (stellt hin) to put

hinten in the back

hinter (+ *acc./dat.*) behind

die Hinterbeine (*pl.*) hind legs

der Hintergrund (-̈e) background (30)

das Hinterhaus *living quarters at the back of or behind a house and accessible only through a courtyard*

hinterlassen (hinterlässt), hinterließ, hinterlassen to leave (*something*) behind

der Hinweis (-e) tip; piece of advice

der Hippie (-s) hippie

historisch historical(ly)

die Hitparade hit parade

die Hitze heat

das Hobby (-s) hobby (31)

der Hobbykoch (-̈e) hobby chef

hoch (höher, höchst-) high; bis ins hohe Alter to old age; Kopf hoch! keep your chin up!

die Hochachtung deep respect, admiration

der Hochbahnbogen (-̈) bridge construction

das Hochdeutsch standard German, High German

hochgehen (geht hoch), ging hoch, ist hochgegangen to go up

die Hochgratbahn (-en) type of ski lift

das Hochhaus (-̈er) skyscraper (4)

hochklettern (klettert hoch) to climb up

hochschlagen (schlägt hoch), schlug hoch, hochgeschlagen to flip up, fold up

der Hochschulabschluss (-̈e) university degree

die Hochschule (-n) college, institution of higher education (11)

der Hochschüler (-) / die Hochschülerin (-nen) student

die Hochschulreife (-n) exam for admission to higher education institutions

das Hochschulstudium (-studien) program at an institution of higher education

das Hochschulwissen university knowledge

der Hochspannungsmast (-en) electrical pole

der/die/das Höchste (*decl. adj.*) highest (one)

hochtreiben (treibt hoch), trieb hoch, hochgetrieben to drive up, raise

die Hochzeit (-en) wedding

der Hochzeitsgast (-̈e) wedding guest

die Hochzeitsliste (-n) gift registry

der Hochzeitsmarsch (-̈e) wedding march

die Hochzeitsreise (-n) honeymoon (trip)

der Hochzeitsservice wedding service

der Hof (-̈e) yard; courtyard (31)

hoffen to hope

hoffentlich hopefully

die Hoffnung (-en) hope

hoffnungslos hopeless

hoffnungsvoll hopeful

höfisch courtly

höflich polite(ly), courteous(ly)

die Höflichkeit (-en) courtesy

hoh- high; **hohe Cholesterinwerte** high cholesterol level; **bis ins hohe Alter** into old age
die Höhenlage (-n) elevation
der Höhepunkt (-e) high point, climax (36)
hohl hollow
höhlen to hollow out
holen to get, fetch
der Holocaust holocaust
das Holz (¨er) wood
die Holzbrücke (-n) wooden bridge
die Homöopathie homeopathic medicine
hören to hear (2)
hörenswert worth hearing
der Hörer (-) telephone receiver
der Hörer (-) / die Hörerin (-nen) listener
der Horizont (-e) horizon
der Hörsaal (-säle) auditorium, lecture hall (19)
der Hörtext (-e) listening comprehension text
die Hose (-n) pants, trousers (7)
der Hosenschlitz (-e) fly (*in a pair of pants*)
die Hosentasche (-n) pocket
das Hotel (-s) hotel (8)
die Hotelbar (-s) hotel bar
der Hotelfachmann (¨er) / die Hotelfachfrau (-en) hotel manager
das Hotelfenster (-) hotel window
der Hotelwechsel (-) change of hotel
das Hotelzimmer (-) hotel room
Hrsg. = Herausgeber
hübsch pretty, good-looking
der Hubschrauber (-) helicopter
der Huf (-e) hoof
der Hügel (-) hill (9)
die Hügellandschaft (-en) hills, hilly landscape
die Hummel (-n) bumblebee
der Hummer (-) lobster (15)
der Humor humor (36)
humorvoll humorous(ly)
der Hund (-e) dog
das Hundefutter dog food
hundemüde dead tired

hundert one hundred (1E)
hundertjährig hundred-year-old
hundertprozentig one hundred percent
der Hunger hunger (20); **hast du Hunger?** are you hungry?
die Hungersnot (¨e) famine
hungrig hungry
husten to cough (6)
der Husten (-) cough
der Hut (¨e) hat (7)
das Hütchen (-) little hat
die Hütte (-n) cabin
die Hymne (-n) hymn

I

der ICE = Intercityexpresszug high speed train
ich I (1)
ideal ideal(ly)
das Ideal (-e) ideal (26)
die Idee (-n) idea (10)
(sich) identifizieren (mit) to identify (with)
die Identität (-en) identity (26)
die Identitätskrise (-n) identity crisis
der Idiot (-en *masc.***) / die Idiotin (-nen)** idiot
idyllisch idyllic, picturesque
ihm (*dat.*) to him
ihn (*acc.*) him
Ihnen (*dat.*) you, to you (*form.*)
Ihr (*nom./gen. pl.*) you, your
ihr you; (*gen.*) their; **ihr** (*gen./dat.*) her, to her
ihrerseits on her part, herself; on their part, themselves
illegal illegal(ly)
die Illustration (-en) illustration
die Illustrierte (-n) magazine
imaginär imaginary (36)
der Imbiss (-e) snack, fast food
der Imbissstand (¨e) snack stand (15)
die Imbissstube (-n) hot dog stand
immer always (3E)
der Imperativ (-e) imperative
das Imperfekt imperfect
impliziert implied
imponieren to impress

imposant impressive
die Impression (-en) impression
in (+ *acc./dat.*) in, into; **in der Nähe** in the vicinity (17)
inbrünstig fervent, ardent
indem (*subord. conj.*) in that, by
der Inder (-) / die Inderin (-nen) person from India (18)
indirekt indirect(ly)
individuell individual(ly)
die Industrialisierung industrialization (31)
die Industrie (-n) industry
das Industrieland (¨er) industrial country
die Industrieanlage (-n) industrial facility
die Industriegesellschaft (-en) industrial society
das Industrielabor (-s) industrial lab
industriell industrial(ly)
der Industrielle(r) (*decl. adj.*) industrialist
ineinander in/with each other
die Infektion (-en) infection
der Infinitiv (-e) infinitive
die Inflation (-en) inflation
die Info (-s) info
infolge (+ *gen.*) due to
die Informatik computer science (11)
der Informatiker (-) / die Informatikerin (-nen) computer programmer (13)
die Information (-en) information
das Informationsamt (¨er) information office (22)
der Informationsbroker (-) information broker
informieren to inform; **sich informieren** to get information
die Infrastruktur (-en) infrastructure
der Ingenieur (-e) / die Ingenieurin (-nen) engineer (13)
die Ingenieurswissenschaften mechanical engineering (*as a subject*)
der Inhalt (-e) content
die Initiative (-n) initiative

inklusive including, included
innen within, inside
der Innenarchitekt (-en *masc.***) /
die Innenarchitektin (-nen)**
interior designer
die Innenarchitektur interior
design
die Inneneinrichtung (-en) interior
decoration
die Innenstadt (¨e) inner city,
downtown area
die Innentemperatur (-en) inside
temperature
die Innentür (-en) interior door
das Innere (*decl. adj.*) interior,
inside
innerhalb (+ *gen.*) within, inside
innovativ innovative
insbesondere in particular
die Insel (-n) island (9)
insgesamt altogether
inspirieren to inspire
das Institut (-e) institute
die Institution (-en) institution
das Instrument (-e) instrument,
device
inszenieren to stage (36)
intakt intact
die Integration (-en) integration
integrieren to integrate
intellektuell intellectual(ly) (36)
intelligent intelligent(ly)
die Intelligenz intelligence
intensiv intensive(ly)
die Interaktion (-en) interaction
der Intercity (*also:* **InterCity**) *train
between major cities*
der Intercityexpresszug *high-speed
train between major cities*
interessant interesting (1)
das Interesse (-n) interest (14);
Interesse haben an (+ *dat.*) to be
interested in, to have interest in
interessieren to interest; **sich
interessieren für** to be interested
in (13/31)
das Internat (-e) boarding school
international international(ly)
das Internet Internet
der Internetanschluss connection
to the Internet

die Interpretation (-en)
interpretation
interpretieren to interpret
das Interview (-s) interview
interviewen to interview
intuitiv intuitive(ly)
investieren to invest
die Investition (-en) investment
inwiefern to what extent, in what
way
inzwischen in the meantime (34)
irgendein(e) some, any
irgendetwas something, anything
irgendwann sometime
irgendwas = irgendetwas
irgendwie somehow, some way
irgendwo somewhere, anywhere
(das) Irland Ireland (9)
die Ironie (-n) irony
ironisch ironic; ironically
ironisieren to treat ironically
irre (*coll.*) crazy; wild (32)
der Irrtum (¨er) mistake, error
irrtümlich by mistake; in error
der Islam Islam
(das) Island Iceland (9)
(das) Italien Italy (9)
**der Italiener (-) / die Italienerin
(-nen)** Italian (*person*) (18)
italienisch (*adj.*) Italian
der Italienurlaub (-e) vacation in
Italy

J

ja yes; **ja, gern!** yes, please!;
(*particle*) **ist ja echt super**
that's really great; **wir wissen
ja, wie schwer du arbeitest** we
do know, after all, how hard you
work
die Jacke (-n) jacket (7)
das Jackett (-s) jacket (7)
die Jagd (-en) hunt
der Jagdhund (-e) hunting dog
jagen to hunt
der Jäger (-) / die Jägerin (-nen)
hunter
das Jahr (-e) year; **im kommenden
Jahr** next year; **im Jahr(e) 1750**
in 1750; **jedes Jahr** every year;
mit sechs Jahren when (s)he was

six years old; **vor einem Jahr** a
year ago
die Jahreszeit (-en) season (5)
das Jahrhundert (-e) century
(27); **im achtzehnten
Jahrhundert** in the eighteenth
century
die Jahrhundertwende turn of the
century
-jährig: ein 16-jähriger Schüler a
sixteen-year old student (11)
jährlich annual(ly)
der Jahrmarkt (-märkte) fair
das Jahrzehnt (-e) decade (26)
(das) Jamaika Jamaica
der Jammerlaut (-e) wailing
jammern to wail, lament
der Januar January (5)
jauchzen to rejoice, exult
die Jazzmusik jazz
je ever
die Jeans (-) jeans (7)
die Jeanshose (-n) jeans
jeder, jede, jedes each, every, any;
auf jeden Fall in any case
jedenfalls in any case (30)
jedermann everyone
jedesmal every time
jedoch however
jeglicher, jegliche, jegliches any
jemals ever
jemand someone, anyone
jener, jene, jenes that, that one
jenseits on the other side of, beyond
jetzig current, present
jetzt now; **erst jetzt** not until now
jeweilig respective
jeweils respectively; for each (32)
der Job (-s) job
jobben to have a temporary job
das Jobinterview (-s) job interview
joggen to jog (8)
der Jogginganzug (¨e) jogging
suit (7)
der Jogurt (-s) yogurt
**der Jongleur (-e) / die Jongleurin
(-nen)** juggler
der Journalismus journalism
der Journalist (-en *masc.***) / die
Journalistin (-nen)** journalist
(13)

der Jubel jubilation, cheering
das Jubiläum (Jubiläen) anniversary
der Jude (-n *masc.***) / die Jüdin (-nen)** Jew
jüdisch Jewish
die Jugend (-en) youth (25)
die Jugendbewegung (-en) youth movement
die Jugendforschung (-en) youth research
das Jugendfreizeitheim (-e) youth retreat house
der Jugendfreund (-e) / die Jugendfreundin (-nen) childhood friend
die Jugendgruppe (-n) youth group
die Jugendherberge (-n) youth hostel (8)
jugendlich youthful
der/die Jugendliche (*decl. adj.***)** young person, teenager (26)
das Jugendmagazin (-e) youth magazine
das Jugendmuseum (-museen) youth museum
die Jugendpolitik youth politics
das Jugendporträt (-s) youth portraits
der Jugendreiseveranstalter (-) / die Jugendreiseveranstalterin (-nen) youth travel organizer
die Jugendstudie (-n) youth study
das Jugendtheater (-) youth theater
das Jugendzentrum (-zentren) youth social organization
(das) Jugoslawien Yugoslavia
der Juli July (5)
jung (jünger, jüngst-) young (1)
der Junge (-n *masc.***)** boy
die Jungfrau Virgo
der Jüngling (*antiquated***)** young man
die Jungsozialisten Young Socialist (*youth organization of the German Social Democratic Party*)
der Juni June (5)
der Junker (-) squire
Jura law (studies) (28)

der Juwelier (-e) / die Juwelierin (-nen) jeweler
das Juweliergeschäft (-e) jewelry store (22)

K

das Kabarett (-s) cabaret
das Kabel (-) cable, wire, cord
das Kabelfernsehen cable television/TV
die Kachel (-n) tile
der Kachelofen (̈) tiled stove
der Kaffee (-s) coffee (16); **Kaffee trinken** to drink coffee (2)
die Kaffeemaschine (-n) coffeemaker
die Kaffeemühle (-n) coffee grinder
der Kaffeetopf (̈e) coffeepot
das Kaffeetrinken coffee drinking
das Kaffeewasser water for coffee
die Kahnfahrt (-en) boat ride
der Kaiser (-) / die Kaiserin (-nen) emperor/empress
die Kaiserzeit imperial era
das Kajak (-s) kayak
der Kakao cocoa
das Kalbfleisch veal
der Kalender (-) calendar
(das) Kalifornien California
die Kalkulation (-en) calculation
kalt (kälter, kältest-) cold (5)
die Kamera (-s) camera
der Kamerad (-en *masc.***)** fellow soldier, comrade
(das) Kamerun Cameroon
der Kamillentee (-s) chamomile tea
der Kamin (-e) chimney
das Kaminfeuer (-) fire in the fireplace
sich kämmen to comb
der Kampf (̈e) fight, struggle, combat
kämpfen to struggle; to fight (30)
der Kampfgenosse (-n *masc.***) / die Kampfgenossin (-nen)** fellow soldier
der Kampfhund (-e) attack dog
(das) Kanada Canada
der Kanadier (-) / die Kanadierin (-nen) Canadian (*person*) (18)

kanadisch Canadian
die Kanalisation sewer system
der Kandidat (-en *masc.***) / die Kandidatin (-nen)** candidate
das Kaninchen (-) rabbit
der Kanton (-e) canton
der Kanzler (-) / die Kanzlerin (-nen) chancellor
das Kapital capital
der Kapitän (-e) captain (14)
das Kapitel (-) chapter
kaputt broken, out of order
kaputtmachen (macht kaputt) to break
die Kardinalzahl (-en) cardinal number
der Karfreitag Good Friday
die Karibik Caribbean
kariert checkered (21)
der Karneval carnival (5), Mardi Gras (5)
das Karnevalsfest (-e) traditional festival (related to Mardi Gras)
die Karotte (-n) carrot (19)
die Karriere (-n) career (13)
die Karrierechance (-n) career opportunity
die Karte (-n) card; ticket; menu; map; **Karten spielen** to play cards (2)
der Kartendienst (-e) map service
das Kartenhaus (̈er) house made out of cards
die Kartoffel (-n) potato (15)
die Kartoffelschale (-n) potato skin
die Kartoffelsuppe (-n) potato soup
der Käse cheese (16)
der Käsekuchen (-) cheesecake (15)
das Kasino (-s) casino
die Kasse (-n) cashier, cash register
der Kassierer (-) / die Kassiererin (-nen) cashier
der Kasten (̈) box
der Kasus case (*grammatical*)
die Kasusform (-en) case ending
der Katalog (-e) catalogue
die Kategorie (-n) category
der Kater (-) tomcat
das Katerleben (-) cat's life

der Katheder (-) teacher's desk; lectern
katholisch (*adj.*) Catholic
das Kätzchen (-) little cat, kitten
die Katze (-n) cat
das Katzenfutter cat food
die Katzentoilette (-n) cat litter box
kauen to chew
kaufen to buy, purchase
das Kaufhaus (¨er) department store (16)
der Kaufmann (-leute) / die Kauffrau (-en) salesperson, businessperson, manager (13)
kaum hardly; barely
keeken (*dialect*) to look
die Kegelbahn (-en) bowling alley
der Kegler (-) / die Keglerin (-nen) bowler
die Kehle (-n) throat
kein no, not a, not any (3)
kein(e)s none
keinesfalls under no circumstances
keineswegs! by no means!
der Keller (-) cellar, basement
der Kellner (-) / die Kellnerin (-nen) waitperson (15)
kennen, kannte, gekannt to know, be acquainted with (8)
kennen lernen (lernt kennen) to get to know
die Kenntnis (-se) knowledge (14/29)
das Kennzeichen (-) logo, symbol, registration number
der Kerl (-e) fellow, guy
das Kerlchen (-) little fellow
die Kerze (-n) candle (17)
die Kette (-n) chain
das Kettenglied (-er) link in a chain
die Kettenreaktion (-en) chain reaction
kichern to giggle
kicken to kick
die Kids (*pl.*) kids
die Kieler Woche sailing event in Kiel
der Kilometer (-) kilometer
kilometerlang miles long

das Kind (-er) child; **als Kind** as a child
das Kindchen (-) little child
der Kinderbetreuer (-) / die Kinderbetreuerin (-nen) child-care worker
die Kindererziehung child care, upbringing
der Kindergarten (¨) kindergarten (11)
das Kindergeld child benefit
die Kinderkrippe (-n) daycare center (30)
kinderreich with many children
die Kindersachen (*pl.*) children's clothes and toys
das Kinder(schlaf)zimmer (-) child's room (3)
das Kinderspiel (-e) child's game
das Kindertheater (-) children's theater
der Kinderwagen (-) stroller
die Kindheit (-en) childhood
das Kinn (-e) chin (6)
das Kino (-s) movie theater (4); **ins Kino gehen** to go see a movie (2)
der Kinofilm (-e) movie
der Kiosk (-s) kiosk
die Kirche (-n) church (5)
die Kirchenglocke (-n) church bell
die Kirsche (-n) cherry
die Kirschtorte (-n) cherry cake
das Kirschwasser (-) cherry liquor
das Kissen (-) pillow
das Kistenbrett (-er) cheap boards (*from boxes*)
der Kitsch junk
klagen to complain
kläglich pitiful, wretched, miserable
Klammern (*pl.*) parentheses
die Klamotten (*pl.*) (*slang*) clothes (21)
die Klangfarbe (-n) tone color
klappen to work out
das Klappmesser (-) flick knife
klar clear; **alles klar?** everything clear?
die Klarinette (-n) clarinet
die Klärung (-en) clarification
klasse! great!; **echt klasse!** really great! (10)

die Klasse (-n) class, grade (10)
die Klassenarbeit (-en) exam
der Klassenkamerad (-en *masc.*) / **die Klassenkameradin (-nen)** classmate
der Klassenlehrer (-) / die Klassenlehrerin (-nen) homeroom teacher
das Klassenprofil (-e) class profile
die Klassenumfrage (-n) class survey
das Klassenzimmer (-) classroom (10)
die Klassik classicism
klassisch classical, classic
klauen (*coll.*) to steal
die Klausur (-en) exam (10)
das Klavier (-e) piano (3)
der Klavierlehrer (-) / die Klavierlehrerin (-nen) piano instructor
kleben to stick
die Kleckergefahr (*silly*) danger of spilling
kleckern to spill
der Klee clover
das Kleeblatt (¨er) clover leaf
das Kleid (-er) dress (7)
der Kleiderschrank (¨e) closet, dresser
der Kleiderstil (-e) dress style
die Kleidung clothes (21)
das Kleidungsstück (-e) piece of clothing (7)
klein small, little (1)
die Kleinanzeige (-n) classified ad (*in a paper*) (21)
die Kleinfamilie (-n) small family
der Kleingarten (¨) small garden
das Kleingeld (small) change
die Kleingruppe (-n) small group
die Kleinigkeit (-en) small thing, trivial matter
die Kleinstadt (¨e) small town (4)
klettern to climb (8/32)
die Klettertour (-en) mountain climbing tour
die Kletterwand (¨e) climbing wall
klicken to klick
das Klima climate

der Klimawechsel (-) change of climate
klingeln to ring (23)
klingen to sound
das Klinglein (-) little bell
die Klinik (Kliniken) clinic, infirmary, hospital
das Klinikum clinical internship
klirrend clinking
klopfen to knock, rap (19); to pat
die Klosterpforte (-n) gate to the monastery
der Klub (-s) club
klug (klüger, klügst-) smart
km = der Kilometer
knabbern to nibble
der Knabe (-n masc.) boy
das Knabengesicht (-er) boy's face
das Knabenpensionat (-e) boarding school for boys
knapp short; tight; barely, shy of
die Kneipe (-n) pub (15)
kneten to knead
das Knie (-) knee
das Kniegelenk (-e) knee joint
knistern to crackle, rustle
der Knoblauch garlic (15)
der Knochen (-) bone
der Knödel (-) dumpling
Knopfdruck: per Knopfdruck by pushing a button
knusprig crunchy
der Koch (¨e) / die Köchin (-nen) chef, cook
kochen to cook (2)
die Kochkunst (¨e) art of cooking, cooking skills
der Kochtopf (¨e) pot
der Koffer (-) suitcase
das Kofferpacken packing suitcases
der Kofferraum (¨e) trunk of a car
die Kogge (-n) cog (type of ship)
die Kohle (-n) coal
das Kohlekraftwerk (-e) coal power plant
der Kollege (-n masc.) / die Kollegin (-nen) colleague (13)
das Kollegheft (-e) booklet
das Kollegium (-ien) faculty

(das) Köln Cologne; **der Kölner Dom** cathedral in Cologne
(das) Kolumbien Colombia
die Kolumne (-n) column
der Kolumnist (-en masc.) / die Kolumnistin (-nen) columnist
die Kombination (-en) combination
kombinieren to combine
der Komiker (-) / die Komikerin (-nen) comedian
komisch funny, comical, strange (10)
kommen, kam, ist gekommen to come (2)
kommend coming, next; **im kommenden Jahr** in the coming year, next year
der Kommentar (-e) comment; **kein Kommentar!** no comment!
kommentieren to comment
kommerziell commercial(ly)
der Kommilitone (-n masc.) / die Kommilitonin (-nen) classmate (28)
die Kommode (-n) dresser, chest of drawers (3)
die Kommodenschublade (-n) drawer in a chest
kommunal communal, public
die Kommunikation (-nen) communication
die Kommunikationswissenschaften (pl.) mass communication (as a subject)
kommunikativ communicative
kommunizieren to communicate
die Komödie (-n) comedy (36)
der Komparativ (-e) comparative
kompetent competent(ly)
komplett complete, whole
die Komplikation (-en) complication
das Kompliment (-e) compliment
kompliziert (adj.) complicated
komponieren to compose (36)
der Komponist (-en masc.) / die Komponistin (-nen) composer (36)
die Komposition (-en) composition
der Komposthaufen (-) compost heap (35)

kompostieren to compost (20)
der Kompromiss (-e) compromise
die Konditorei (-en) pastry shop, bakery (16)
die Konfitüre (-n) preserves
der Konflikt (-e) conflict
konfrontieren to confront
der König (-e) / die Königin (-nen) king/queen (12)
das Königspaar (-e) the royal couple
der Königssohn (¨e) prince
die Königstochter (¨) princess
die Konjugation (-en) conjugation
konjugieren to conjugate
die Konjunktion (-en) conjunction
der Konjunktiv subjunctive
konkret concrete
die Konkurrenz competition
konkurrieren to compete
können (kann), konnte, gekonnt to be able to
die Konsequenz (-en) consequence (10)
konservativ conservative(ly)
die Konstruktion (-en) construction
das Konsulat (-e) consulate
konsultieren to consult
der Konsum consumption
das Konsumgut (¨er) consumer item
konsumieren to consume
der Kontakt (-e) contact
kontaktbereit personable, sociable
kontaktieren to contact
der Kontext (-e) context
kontra against; **pro und kontra** pro and con, for and against
der Kontrast (-e) contrast
das Kontrastprogramm (-e) side program, alternative program
kontrollieren to control
kontrovers controversial
die Konversation (-en) conversation
das Konzentrationslager (-) concentration camp
die Konzentrationsschwäche (-n) attention deficit
sich konzentrieren to concentrate

konzentriert (*adj.*) concentrated
das Konzept (-e) concept
das Konzert (-e) concert; **ins Konzert gehen** to go to a concert (2)
die Kooperative (-n) cooperative
koordinieren to coordinate
der Kopf (¨e) head (6)
der Kopfhörer (-) headphones
das Kopfkissen (-) pillow (3)
das Kopfnicken nodding
der Kopfsalat (-e) lettuce
die Kopfschmerzen (*pl.*) headache
kopfschüttelnd shaking one's head; **der Fremde setzte sich kopfschüttelnd** the foreigner sat down shaking his head
das Kopftuch (¨er) scarf, head cover
das Kopfweh headache
die Kopie (-n) copy
kopieren to copy
das Kopiergerät (-e) copy machine
der Korb (¨e) basket
die Kordhose (-n) corduroy pants
der Koreakrieg Korean War
das Korn (¨er) grain
der Körper (-) body (6)
körperlich physical(ly)
die Körperpflege personal hygiene (33)
der Körperteil (-e) body part (6)
die Körpertemperatur (-en) body temperature
korrekt correct(ly)
die Korrespondenz (-en) correspondence
korrespondieren to correspond
korrigieren to correct
kosmopolit cosmopolitan
der Kosmos cosmos
die Kost diet, board
kostbar precious; valuable
kosten to cost
kostenfrei free of charge
köstlich delicious
das Kostüm (-e) costume (5); woman's suit (7)
kotzen (*vulgar*) to vomit
die Krabbe (-n) shrimp
der Krabbencocktail (-s) shrimp cocktail (15)

der Krach noise, racket; **mit Ach und Krach** (*formulaic*) barely
die Kraft (¨e) power, strength
kräftig powerful(ly)
der Kragen (¨) collar
krähen to crow
die Kralle (-n) claw
krank sick, ill (1)
der Krankenbesuch (-e) visit with a sick person
das Krankenhaus (¨er) hospital (6/33)
die Krankenkasse (-n) wellness fund
der Krankenpfleger (-) / die Krankenpflegerin (-nen) nurse (6)
die Krankenschwester (-n) nurse (*female*)
die Krankenversicherung (-en) health insurance
der Krankenwagen (-) ambulance (6)
das Krankenzimmer (-) hospital room
die Krankheit (-en) illness, disease (20)
das Krankheitssymptom (-e) symptom of a disease
kratzen to scratch
das Kraut (¨er) herb
der Kräutertee (-s) herbal tea
die Krawatte (-n) tie (7)
kreativ creative(ly)
die Kreativität creativity
das Krebsforschungszentrum (-zentren) cancer research center
die Kreide chalk (1E)
die Kreidefelsen (*pl.*) chalk cliffs
der Kreis (-e) circle (28)
der Kreislauf circulation
die Kreuzfahrt (-en) cruise
das Kreuzfahrtschiff (-e) cruise ship
die Kreuzung (-en) intersection (22)
kriechen, kroch, ist gekrochen to creep
der Krieg (-e) war (20)
kriegen (*coll.*) to get (20)
das Kriegsende (-n) end of the war

der Kriegsverbrecher (-) war criminal
der Krimi (-s) detective novel or film
der/die Kriminelle (*decl. adj.*) criminal
die Krimiserie (-n) detective story (*on television*)
der Kringel (-) ring
kringelig crinkly, frizzy; **sich kringelig lachen** to laugh oneself silly
die Krippe (-n) day care center
die Krise (-n) crisis
die Kritik (-en) criticism
der Kritiker (-) / die Kritikerin (-nen) critic
kritisch critical(ly) (29)
kritisieren to criticize
(das) Kroatien Croatia
kroatisch Croatian
die Krone (-n) crown
krumm crooked, bent
(das) Kuba Cuba
die Küche (-n) kitchen (3); cuisine
der Kuchen (-) cake (16)
die Küchenerfindung (-en) kitchen invention
die Küchenfliese (-n) kitchen tile
der Küchenschrank (¨e) kitchen cabinet
der Küchentisch (-e) kitchen table
kucken (*coll.*) to look
die Kugel (-n) ball
der Kugelschreiber (-) ballpoint pen (1E)
kühl cool (5)
das Kühlhaus (¨er) walk-in refrigerator
der Kühlschrank (¨e) refrigerator (3)
kulinarisch culinary
die Kultur (-en) culture (36)
der Kulturbesitz (-e) cultural property
der Kulturbeutel (-) toilet bag
kulturell cultural(ly) (36)
die Kulturgeschichte cultural history
die Kulturgruppe (-n) cultural group

die **Kulturhauptstadt** (¨e) cultural capital

das **Kulturprojekt** (-e) cultural project

der **Kulturspiegel** (-) culture mirror

die **Kulturstadt** (¨e) cultural metropolis

die **Kultusbehörde** (-n) ministry for culture and education

sich **kümmern um** to concern oneself with (30)

die **Kümmernis** (-se) trouble, worry

der **Kumpel** (-) buddy, friend

der **Kunde** (-n *masc.*) / die **Kundin** (-nen) customer (26)

der **Kundenberater** (-) / die **Kundenberaterin** (-nen) customer service representative

der **Kundendienst** (-e) customer service

künftig future (29)

die **Kunst** (¨e) art (11/36)

die **Kunstausstellung** (-en) art exhibit, art show

das **Kunstbild** (-er) painting

der **Kunsthistoriker** (-) / die **Kunsthistorikerin** (-nen) art historian

die **Kunsthochschule** (-n) art academy

der **Künstler** (-) / die **Künstlerin** (-nen) artist (13/36)

künstlerisch artistic(ally) (36)

die **Künstlervereinigung** (-en) art association

das **Künstlerviertel** (-) artists' quarter (*in a city*)

künstlich artificial(ly)

der **Kunstmarkt** (¨e) art exhibition, auction

das **Kunstobjekt** (-e) art object

der **Kunstsalon** (-s) art studio, gallery

das **Kunstwerk** (-e) work of art; **ein Kunstwerk betrachten** to look at a work of art (8)

die **Kuppel** (-n) dome, cupola

die **Kur** (-en) health spa; course of treatment (33); **eine Kur machen** to go to a spa (8)

der **Kurarzt** (¨e) / die **Kurärztin** (-nen) spa physician

der **Kurbetrieb** (-e) spa therapy organization

der **Kurdirektor** (-en) / die **Kurdirektorin** (-nen) spa director

die **Kurkarte** (-n) ID card for spa therapy participant

der **Kurort** (-e) health spa, resort (3E)

der **Kurpark** (-s) park at a health resort

der **Kurs** (-e) (academic) course; class (11/3E)

kursiv in italics

das **Kursprojekt** (-e) course project

die **Kurstadt** (¨e) town with therapy programs

der **Kursteilnehmer** (-) / die **Kursteilnehmerin** (-nen) course participant

kurz (**kürzer, kürzest-**) short (1)

kurzerhand on the spot, without further ado

die **Kurzform** (-en) short form

die **Kurzgeschichte** (-n) short story

das **Kurzinterview** (-s) short interview

kuscheln to snuggle

die **Kusine** (-n) (*female*) cousin (25)

der **Kuss** (¨e) kiss

küssen to kiss

die **Küste** (-n) coast (9)

die **Kutsche** (-n) carriage

der **Kutter** (-) cutter, boat

L

das **Label** (-s) label

das **Labor** (-s) laboratory (10/33)

lächeln to smile

lachen to laugh

lächerlich ridiculous(ly)

der **Lachs** (-e) salmon (15)

die **Lackhose** (-n) patent leather pants

lackieren to varnish; to paint

laden (**lädt**), **lud, geladen** to load

der **Laden** (¨) store (16)

der **Ladenschluss** store closing time (24)

die **Ladenschlusszeit** store hours

die **Lage** (-n) situation; location (18)

das **Lagerfeuer** (-) campfire (31)

das **Lagerhaus** (**Lagerhäuser**) warehouse

lagern to store

die **Lakritze** licorice

die **Lakritzfabrik** (-en) licorice factory

das **Lakritzprodukt** (-e) licorice product

die **Lakritzschnecke** (-n) licorice (shaped like a spiral)

das **Lamm** (¨er) lamb (3)

das **Lammfleisch** mutton

der **Lammrücken** (-) rack of lamb

die **Lampe** (-n) lamp

das **Lampenlicht** light from a lamp

das **Land** (¨er) country, countryside (4); **auf dem Land** in the country (4)

landen, ist gelandet to land (24)

länderspezifisch (*adj.*) specific to a country

das **Landesamt** state office

das **Landesexamen** (-) state board exam

die **Landesgrenze** (-n) national border

die **Landeshauptstadt** (¨e) capital

die **Landeskunde** regional studies

die **Landessprache** (-n) national language

das **Landestheater** (-) state theater

die **Landfläche** (-n) land, space, area

der **Landgraf** (-en *masc.*) / die **Landgräfin** (-nen) count/countess

die **Landkarte** (-n) map

das **Landleben** life in the country

die **Landschaft** (-en) countryside, landscape

landschaftlich regional

die **Landschaftsform** (-en) kind of landscape

die **Landschaftspflege** environmental preservation

die **Landsleute** (*pl.*) compatriots

die **Landwirtschaft** agriculture (35)

lang (länger, längst-) long (1);
lange schlafen to sleep in; **seit
langem** for a long time
langsam slow(ly)
langweilen to bore; **sich
langweilen** to be bored (31)
langweilig boring (1/27)
der Lärm noise (20/35)
lassen (lässt), ließ, gelassen to let;
to have (*something done*)
lästig tiresome, annoying
der Lastwagen (-) truck
(das) Latein Latin (*language*)
(das) Lateinamerika Latin America
die Lateinstunde (-n) Latin class
die Laterne (-n) lantern
das Laub foliage, leaves
die Laube (-n) garden cabin,
gazebo
die Laubenkolonie (-n) area of
privately owned gardens with
cabins
der Lauf (Läufe) run
laufen (läuft), lief, ist gelaufen to
run; to walk (3); **Schi laufen** to
ski; **Schlittschuh laufen** to ice
skate; **um die Wette laufen** to
race; **wie läuft es?** how is it going?
der Laufschritt (-e) run; running
pace
die Laune (-n) mood
lauschen to listen
laut loud(ly) (1)
der Laut (-e) sound
lauten to sound; to be; to read; **wie
lautet die Frage?** what's the
question?
läuten to ring (10)
lauter pure, nothing but
lautlos without a sound
leben to live (12)
das Leben (-) life
lebend(ig) alive, living
die Lebensart (-en) way of life
die Lebensgemeinschaft (-en)
lifetime relationship
Lebensgewohnheiten (*pl.*) lifestyle,
way of life
die Lebensgröße life-size, actual size
das Lebensjahr (-e) year of one's
life

der Lebenslauf (¨e) résumé,
curriculum vitae, CV (14)
das Lebensmittel (-) (*pl.*) groceries
(19)
das Lebensmittelgeschäft (-e)
grocery store
die Lebensqualität quality of life
der Lebensstil (-e) lifestyle (26)
lebenswert worth living
das Lebenszeichen (-) vital sign,
sign of life
die Lebenszeit lifetime
das Lebensziel (-e) lifetime goal
die Leber liver
der Leberkäs(e) Bavarian meat
loaf (15)
lebhaft lively
der Lebkuchen (-) gingerbread (17)
lecker (*coll.*) delicious, tasty (19)
das Leder leather (21)
der Lederball (¨e) leather ball
der Lederhandschuh (-e) leather
glove
die Lederhose (-n) leather shorts,
lederhosen
die Lederjacke (-n) leather jacket
ledig single, unmarried (14/25)
lediglich only
leer empty
legen to lay (down); **sich ins Bett
legen** to lie down, go to bed;
Wert legen auf (+ *acc.*) to value
something (27)
die Legende (-n) legend
legendenhaft legendary
das Lehrangebot (-e) course
offerings (*in a school or
university*)
der Lehrassistent (-en *masc.***) / die
Lehrassistentin (-nen)** teaching
assistant
der Lehrberuf (-e) profession, craft
das Lehrbuch (¨er) textbook
die Lehre (-n) traineeship,
apprenticeship; **eine Lehre
erteilen** to teach a lesson
lehren to teach (11/27)
**der Lehrer (-) / die Lehrerin
(-nen)** teacher (1E)
die Lehrergruppe (-n) teacher
group

das Lehrerpult (-e) teacher's desk
das Lehrerzimmer (-) teacher's
office, staff room
die Lehrkraft (¨e) teacher,
instructor
der Lehrling (-e) apprentice (13)
die Lehrlingsstelle (-n)
apprenticeship, position as an
apprentice
**der Lehrmeister (-) / die
Lehrmeisterin (-nen)** master
die Lehrstelle (-n) apprenticeship
die Lehrveranstaltung (-en) class,
lecture
die Lehrzeit (-en) (period of)
apprenticeship
leicht light, easy (2)
das Leid (-en) sorrow, grief; **es tut
mir Leid!** I'm sorry!
leiden, litt, gelitten to suffer; **sie
konnten ihn nicht leiden** they
couldn't stand him
die Leidenschaft (-en) passion
leider unfortunately
leihen, lieh, geliehen (+ *dat.*) to
borrow (3E); to lend; **kannst du
mir ein bisschen Geld leihen?**
can you lend me some money?
der Lein flax
die Leine (-n) leash
das Leinen linen
leise quiet(ly) (26)
leisten to achieve; **sich leisten** to
afford (32)
das Leistungsfach (¨er) main
subject
der Leistungskurs (-e) main
subject class
die Leistungsübersicht grade
report, transcript
der Leitartikel (-) lead article
leiten to lead (30)
leitend leading
der Leiter (-) / die Leiterin (-nen)
leader; director; supervisor, head
(31)
die Leitstimme (-n) lead voice
die Leitung (-en) wire, line
(*telephone*); administration
das Leitungswasser tap water
die Lektion (-en) lesson

lenken to steer, guide

der Lenz (*poetic*) spring (season)

lernen to learn (8); to study (10)

die Lernsoftware instructional software

das Lernziel (-e) learning goal

lesen (liest), las, gelesen to read (3)

lesenswert worth reading

der Leser (-) / die Leserin (-nen) reader

die Leseratte (-n) bookworm

der Leserbrief (-e) letter to the editor (21)

die Leserschaft (-en) readers, audience

das Lesetheater (-) reading theater

letzt- last; **in der letzten Folge . . .** in the last episode . . .

leuchten to shine

die Leute (*pl.*) people

libanesisch Lebanese

das Licht (-er) light

das Lichtbild (-er) photograph

die Lichterkette (-n) chain of lights (*line of people carrying candles*)

lichterloh brennen to burn like wildfire

lieb lovely, nice; **liebe Daniela** dear Daniela; **lieber Lars** dear Lars (*salutation in letters*)

die Liebe (-n) love

lieben to love

lieber rather; preferably

das Liebesdrama (-dramen) romantic drama

das Liebesdreieck (-e) love triangle

der Liebesfilm (-e) romantic movie (36)

das Liebesgedicht (-e) love poem

die Liebesgeschichte (-n) love story

das Liebespaar (-e) couple

der Liebesroman (-e) romantic novel

Lieblings- favorite

liebst: am liebsten best of all; **was machst du am liebsten?** what is your favorite thing to do?

(das) Liechtenstein Liechtenstein (9)

das Lied (-er) song (17)

liegen, lag, hat gelegen to lie, be situated (2); **in der Sonne liegen** to sunbathe

die Liegewiese (-n) lawn for sunbathing

lila purple (2)

die Lilie (-n) lily

die Limo = Limonade

die Limonade (-n) carbonated soft drink (15)

die Linguistik linguistics (11)

die Linie (-n) track, line

link- left

links to the left (8)

der Lippenstift (-e) lipstick

(das) Lissabon Lisbon

die Liste (-n) list

die Litanei (-en) litany

der Liter (-) liter

literarisch literary

die Literatur (-en) literature (11/36)

die Literaturgeschichte (-n) literary history

die Literaturvorlesung (-en) lecture on literature

die Lizenz (-en) license

loben to praise

das Loch (¨er) hole

locken to attract, entice (36)

die Lockerheit (-en) informality, relaxed manner (24)

lockern to loosen

der Löffel (-) spoon (19)

logisch logical(ly)

die Logistik logistics

der Logistiker (-) / die Logistikerin (-nen) logistics expert

das Logo (-s) logo

der Lohn (¨e) wages

sich lohnen to be worthwhile; to pay off

das Lokal (-e) restaurant

die Lokalnachrichten (*pl.*) local news (21)

die Lorelei *a legendary maiden who lived on a cliff above the Rhine* (17)

los: was ist los? what's up? what's wrong?; **ich muss los** I have to be off

das Löschblatt (¨er) blotting paper

lose loose

lösen to loosen (30); to solve

losfahren (fährt los), fuhr los, ist losgefahren to depart (14)

losgehen, ging los, ist losgegangen to leave

die Lösung (-en) solution

die Lösungssuche search for a solution

loswerden (wird los), wurde los, ist losgeworden to get rid of

losziehen, zog los, ist losgezogen to set out

der Lotse (-n *masc.*) pilot, navigator, guide

die Lotterie (-n) lottery

der Löwe (-n *masc.*) lion

die Lücke (-n) gap, blank

die Luft air (4)

die Luftkrankheit (-en) air sickness

die Luftqualität air quality

die Luftreinheit purity of the air, air quality

der Luftverkehr air traffic

die Luftverschmutzung air pollution

die Lüge (-n) lie (10)

lügen to lie, tell an untruth

die Lunge (-n) lung

die Lungenentzündung (-en) pneumonia

der Lurch (-e) salamander

die Lust (¨e) pleasure; **Lust haben** to feel like

lustig fun(ny); cheerful(ly) (17/27)

das Lustschloss (¨er) pleasure castle

der Lutscher (-) lollipop

(das) Luxemburg Luxemburg (9)

der Luxus luxury (32)

das Luxushotel (-s) luxury hotel

die Luxuskreuzfahrt (-en) luxury cruise

die Luxusreise (-n) luxury vacation

das Luxusschiff (-e) luxury ship

der Lyriker (-) / die Lyrikerin (-nen) poet

M

machen to do, make (2)
mächtig strong, mighty
der Machtinstinkt (-e) power instinct
machtlos powerless, helpless
das Mädchen (-) girl
die Made (-n) maggot
der Magen (⸚) stomach; **mit leerem Magen** on an empty stomach
magisch magic(al)
mähen to mow; **Rasen mähen** to mow the lawn
die Mahlzeit (-en) meal
mahnen to urge (33)
die Mahnung (-en) warning
der Mai May (5)
der Maifeiertag (-e) May Day
(das) Mailand Milan
der Mais corn
das Make-up makeup
die Makrele (-n) mackerel
mal = einmal; (*particle*) **schreib mal wieder!** come on, write again!; (*adv.*) ever
das Mal (-e) point in time (31); **zum ersten Mal** for the first time
malen to paint
der Maler (-) / die Malerin (-nen) painter
die Malerei (-en) painting
der Malkurs (-e) painting class
die Mama (-s) momma
mancher, manche, manches some, a few
manchmal sometimes
die Mandel (-n) almond
der Mangel (⸚) an (+ *dat.*) lack of
mangeln an (+ *dat.*) to lack
mangelnd lacking
die Mango (-s) mango
der Mann (⸚er) man; husband (1)
die Männerwelt (-en) man's world
die Mannigfaltigkeit (-en) variety
das Männlein (-) little man
männlich masculine, male (25)
die Mannschaft (-en) team (23/32)
der Mantel (⸚) coat (7)
die Manteltasche (-n) coat pocket
das Märchen (-) fairy tale

die Märchenfigur (-en) fairy tale figure (12)
die Margarine margarine
die Mark mark (*German currency*)
das Marketing marketing
der Marketingspezialist (-en *masc.*) / die Marketingspezialistin (-nen) marketing expert
markieren to mark
der Markt (⸚e) market
die Marktkaufleute (*pl.*) market vendors
der Marktplatz (⸚e) marketplace
das Markttor (-e) market gate
das Markttreiben having a market
die Marktwirtschaft (-en) market economy (18)
die Marmelade (-n) jam (16)
der Marmor marble
(das) Marokko Morocco
marschieren, ist marschiert to march (32)
die Marschkolonne (-n) marching column
die Marschmusik march music
der März March (5)
die Maschine (-n) machine
der Maschinenbau mechanical engineering (11/28)
der Maschinenraum (⸚e) engine room
das Maschinenschreiben typing
die Maske (-n) mask
maskulin masculine
das Maß (-e) measure, measurement; **mit Maß** in moderation
der Massageraum (⸚e) massage room
der Massentourismus mass tourism
die Massenuniversität (-en) mass university
mäßig moderate(ly)
maßgeschneidert custom made
maßlos immoderate, excessive
die Maßnahme (-n) measure
das Material (Materialien) material
der Materialfluss flow of materials

die Mathe(matik) math(ematics) (11)
die Mathe(matik)arbeit (-en) math(ematics) test
der Mathematiklehrer math teacher
mathematisch mathematical(ly)
die Matrone (-n) matron
der Matrose (-n *masc.*) sailor, seaman
matschig slushy, muddy
die Mauer (-n) wall (18); **die Berliner Mauer** the Berlin Wall
der Mauerstein (-e) brick of a wall
das Maul (⸚er) (*animals*) mouth
maunzen to meow
der Maurer (-) / die Maurerin (-nen) bricklayer, mason
die Maus (⸚e) mouse
das Mäusefiepen mouse squeak
die Mäusenahrung mouse food
das Mäusetier (-e) rodent
maximal maximal(ly)
der Mechaniker (-) / die Mechanikerin (-nen) mechanic (13)
der Mechanismus (Mechanismen) mechanism
(das) Mecklenburg-Vorpommern Mecklenburg-Western Pomerania (17)
die Medaille (-n) medal
die Medien (*pl.*) media (21)
das Medikament (-e) medication (6/33)
die Medizin medicine (28)
medizinisch medicinal(ly)
der Medizinstudiengang (⸚e) medical school, program in medicine
das Meer (-e) ocean, sea (9); **das Schwarze Meer** Black Sea
die Meeresatmosphäre (-n) atmosphere of the ocean
die Meeresbiologie marine biology
die Meeresverschmutzung pollution of the ocean
die Meerschaumpfeife (-n) meerschaum pipe
das Mehl flour

mehr more; **nicht mehr** not anymore
mehren to augment; to increase
mehrere several, various
die Mehrfachbelastung (-en) multiple responsibilities
die Mehrheit (-en) majority
mehrmals several times, often
der Mehrpersonenhaushalt (-e) household with several persons
die Mehrwegflasche (-n) reusable bottle
die Mehrzahl (-en) plural
meiden to avoid
die Meile (-n) mile
der Meilenstein (-e) mile stone
mein my
meinen to think; to mean (3E)
die Meinung (-en) opinion (10)
der Meinungsaustausch exchange of opinions, discussion
die Meinungsforschung public opinion research
die Meinungsfreiheit freedom of speech (18)
meist most(ly)
meisten: am meisten most(ly)
meistens most of the time, most often
der Meister (-) / die Meisterin (-nen) master craftsman
die Meisterprüfung (-en) exam for the master craftsman's certificate
die Meisterschaft (-en) championship (23)
das Meisterwerk (-e) masterpiece
melancholisch melancholic(ally)
sich melden bei to go to, report to
die Meldung (-en) report
die Menge (-n) amount, quantity; **eine Menge** a lot
die Mensa (Mensen) university cafeteria (19)
der Mensch (-en masc.**)** person; human being (4)
der Menschenauflauf (¨e) crowd
die Menschenhand human hand
das Menschenrecht (-e) human right (30)

menschlich human(ly); **Menschliches** that which is human
merken to notice (20)
merklich noticeable
das Merkmal (-e) characteristic
merkwürdig remarkable; peculiar; odd (24/28)
messbar measurable
messen to measure (33)
das Messer (-) knife (19)
das Messezentrum (-zentren) convention center
der Messias Messiah
das Metall (-e) metal
der Meteorologe (-n masc.**) / die Meteorologin (-nen)** meteorologist
der/das Meter (-) meter
die Methode (-n) method
die Metropole (-n) metropolis
die Metzgerei (-en) butcher's shop (16)
der Mexikaner (-) / die Mexikanerin (-nen) Mexican (person) (18)
mexikanisch (adj.**)** Mexican
(das) Mexiko Mexico
miauen to meow
mich (acc.**)** me (5)
die Mickymaus Mickey Mouse
die Miene (-n) demeanor; facial expression (29)
die Miete (-n) rent (4)
mieten to rent (4)
der Mietpreis (-e) rent
das Mietshaus (¨er) apartment building (4)
die Mikrowelle (-n) microwave (3)
die Milch milk
der Milchteller (-) milk bowl
mild mild(ly)
das Militär military
die Milliarde (-n) billion
die Million (-en) million
die Minderheit (-en) minority (30)
mindestens at least
das Mineralwasser mineral water (15)
das Miniatur-Modell miniature model

die Miniaturtrompete (-n) miniature trumpet
der Minidialog (-e) mini-dialogue
das Minidrama mini-drama
das Minimum minimum
der Minnesänger (-) minnesinger
die Minute (-n) minute
die Minze mint
mir (dat.**)** (to) me
mischen to mix
die Mischung (-en) mixture
miserabel bad, terrible
missmutig depressed, in low spirits
missverstehen, missverstand, missverstanden to misunderstand (21)
der Mist: so ein Mist! (vulgar**)** what a nuisance!
mit (+ dat.**)** with; by; **mit meiner Mutter** with my mother; **mit der Bahn fahren** to go by train; **mit dem Schiff** by ship; **mit dem Auto** by car (7)
mitarbeiten (arbeitet mit) to work together with
der Mitarbeiter (-) / die Mitarbeiterin (-nen) co-worker (13)
mitbestimmen (bestimmt mit) to have a say (27)
die Mitbestimmung codetermination
der Mitbewohner (-) / die Mitbewohnerin (-nen) roommate
mitbringen (bringt mit), brachte mit, mitgebracht (+ dat.**)** to bring along, take along
der Mitbürger (-) / die Mitbürgerin (-nen) fellow citizen
miteinander with each other, together
mitfahren (fährt mit), fuhr mit, ist mitgefahren to ride with, ride together
das Mitglied (-er) member
mithelfen (hilft mit), half mit, mitgeholfen to help out
mitkommen (kommt mit), kam mit, ist mitgekommen to come along (7/3E)

das Mitleid pity, compassion, sympathy

mitmachen (macht mit) to participate

mitnehmen (nimmt mit), nahm mit, mitgenommen to take along (23)

der/die Mitreisende (*decl. adj.*) travel companion

der Mitschüler (-) / die Mitschülerin (-nen) classmate (10)

mitspielen (spielt mit) to participate (*in a game*), play with

der Mitstudent (-en *masc.***) / die Mitstudentin (-nen)** fellow student (*at a university*)

der Mittag (-e) noon; **zu Mittag essen** to have lunch

das Mittagessen (-) lunch

mittags in the afternoon

die Mittagshitze midday heat

die Mitte middle, center (22)

mitteilen (teilt mit) to convey; to tell (36)

die Mittel (*pl.*) means; funds; **ohne künstliche Mittel** without artificial ingredients

das Mittelalter Middle Ages (28)

mittelalterlich medieval

mittelmäßig medium, middling, mediocre

der Mittelpunkt center

mittendrin in the middle

mitten in right in the middle of

die Mitternacht (ˉe) midnight

Ein Mittsommernachtstraum *A Midsummer Night's Dream*

mitwirken (wirkt mit) to participate

der Mittwoch Wednesday (1E)

die Möbel (*pl.*) furniture (3)

das Möbelstück (-e) piece of furniture

die Mobilität mobility (18)

möblieren to furnish; **möbliert** furnished (4)

möchten: ich möchte I would like

das Modalverb (-en) modal verb

die Mode (-n) fashion

der Modeexperte (-n *masc.***)** fashion expert

das Modell (-e) model

modellieren to sculpt

das Modellschiff (-e) model ship

die Moderation (-en) mediation, direction

der Moderator (-en) / die Moderatorin (-nen) host of a television or radio show

modern modern

die Modernisierung (-en) modernization

der Modetrend (-s) fashion trend

modisch stylish(ly) (21)

das Mofa (-s) moped

mogeln to cheat

das Mogeln cheating

mögen (mag), mochte, gemocht to like

möglich possible (10)

die Möglichkeit (-en) possibility (29)

möglichst as much as possible; **möglichst viele** as many as possible

moin! (*dialect*) hello!

die Molkerei (-en) dairy

das Molkereiprodukt (-e) dairy product

der Moment (-e) moment; factor (23); **im Moment** at the moment

momentan at the moment

der Monat (-e) month (5)

monatlich monthly (4)

der Mönch (-e) monk

das Mönchsgut (ˉer) monastic estate

der Mond (-e) moon

das Monstrum monstrosity, monstrous thing

der Montag (-e) Monday (E)

das Moor (-e) bog, moor

das Moped (-s) moped

morgen tomorrow; **bis morgen** until tomorrow; **morgen Abend** tomorrow evening; **morgen früh** tomorrow morning

der Morgen morning; **am Morgen** in the morning; **guten Morgen!** good morning!; **heute Morgen** this morning; **jeden Morgen** every morning; **eines Morgens** one morning

das Morgenrot dawn

die Morgenroutine (-n) morning routine

morgens in the morning(s)

das Mosaik (-e) mosaic

mosaikartig like a mosaic

die Motivation (-en) motivation

motivieren to motivate

der Motor (-en) engine

das Motorrad (-räder) motorcycle, motorbike (7)

der Motorradstiefel (-) motorcycle boot

der Motorradunfall (ˉe) motorcycle accident

der Motorwagen (-) automobile

das Motto (-s) motto

das Mountainbiken mountain biking

die Mozartkugel (-n) *marzipan- and nougat-filled chocolate ball*

müde tired; **todmüde** (*coll.*) dead tired

muffig grumpy

die Mühe (-n) trouble (29)

die Mühle (-n) mill

der Müll trash; garbage, waste (20/35)

die Mülldeponie (-n) landfill

der Mülleimer (-) garbage can

die Müllgebühr (-en) garbage collection fee

die Mülltonne (-n) garbage can

die Mülltrennung garbage sorting

multi-kulti (*coll.*) multicultural

multikulturell multicultural(ly) (34)

(das) München Munich

der Mund (ˉer) mouth (6)

mündlich oral(ly)

mundtot machen to silence (*somebody*)

munter lively, bright

die Münze (-n) coin

murmeln to mumble

das Museum (Museen) museum (22)

der Museumsbesucher (-) visitor to a museum

die Musik music (5/36); **Musik hören** to listen to music (2)

musikalisch musical(ly)

der Musikant (-en *masc.***) die Musikantin (-nen)** musician

das Musikantenland *area where music plays an important role*

die Musikaufführung (-en) musical performance

der Musiker (-) / die Musikerin (-nen) (*professional*) musician

das Musikgeschäft (-e) music store

die Musikhochschule (-n) conservatory

die Musikwissenschaft (-en) musicology

musizieren to play music (31)

die Muskulatur muscle system

das Müsli muesli

der Muslim (-e) / die Muslimin (-nen) Muslim

die Muße leisure

müssen (muss), musste, gemusst to have to, must

die Mußestunde (-n) leisure hour

das Musterkind (-er) model child

mustern to scrutinize

der Musterschüler (-) / die Musterschülerin (-nen) model student

der Mut courage

mutig courageous(ly) (20)

Mut machen (macht Mut) to encourage

die Mutter (⸚) mother (1/25)

der Mutterkomplex (-e) mother complex

die Muttersprache (-n) native language

der Muttersprachler (-) / die Muttersprachlerin (-nen) native speaker

der Muttertag (-e) Mother's Day (5)

die Mutti (-s) mommy, mom

die Mütze (-n) cap, hat (7)

der Mythos (Mythen) myth

N

nach (+ *dat.*) after; according to; to (*place*) (12); **nach Hause** (*going*) home; **von . . . nach . . .** from . . . to . . .

der Nachbar (-n *masc.***) / die Nachbarin (-nen)** neighbor (4)

das Nachbarbundesland (⸚er) neighboring state

die Nachbildung (-en) replica

nachdem (*subord. conj.*) after

nachdenken (denkt nach), dachte nach, nachgedacht to reflect, contemplate

nachdenklich pensive(ly), contemplative(ly)

der Nachdruck stress, emphasis

nacheinander after each other

nachforschen (forscht nach) to research into

nachfragen (fragt nach) to inquire, ask

nachhaltig lasting(ly), effective(ly)

nachher afterwards, later

die Nachhilfe tutoring

nachinszenieren (inszeniert nach) to reenact

der Nachkriegsfilm (-e) postwar movie

der Nachkriegsroman (-e) postwar novel

die Nachkriegszeit (-en) postwar era

nachlassen (lässt nach), ließ nach, nachgelassen to recede, drop

der Nachmittag (-e) afternoon; **am Nachmittag** in the afternoon

nachmittags in the afternoon(s)

die Nachricht (-en) news (22)

die Nachrichtensendung (-en) news show

nachschlagen (schlägt nach), schlug nach, nachgeschlagen to look up

nachsehen (sieht nach), sah nach, nachgesehen to look, check into

die Nachspeise (-n) dessert (15)

nachspüren (spürt nach) to track, trace, spy on

nächst- next; **am nächsten Tag** the next day

nachstehen (steht nach) to be second to

nächstfolgend next, following

die Nacht (⸚e) night

der Nachteil (-e) disadvantage

die Nachtigall (-en) nightingale

der Nachtisch (-e) dessert

der Nachtklub (-s) nightclub

das Nachtleben nightlife

der Nachtmusikant (-en *masc.***) / die Nachtmusikantin (-nen)** night musician

nachts at night

der Nachttisch (-e) nightstand (3)

die Nachtwanderung (-en) night walk

der Nachweis (-e) proof (31)

nachweisbar provable

nachweisen (weist nach), wies nach, nachgewiesen to prove

der Nachwuchsforscher (-) / die Nachwuchsforscherin (-nen) junior scientist

nachwürzen (würzt nach) to season to taste, to season again

der Nacken (-) back of the neck

der Nagelschuh (-e) hobnailed boot

nagen to gnaw

nah(e) (näher, nächst-) near, close by (7); **jemandem nah stehen** to be close to someone (25)

die Nähe vicinity (17/27); **in der Nähe von** in the vicinity of (17)

sich nähern to approach, draw near

die Nahrung nourishment (20)

das Nahrungsmittel (-) food

der Nährwert (-e) nutritional value

na ja! well!

der Name (-n *masc.***, -ns** *gen.***)** name

der Namenszug (⸚e) signature

namentlich by name

nämlich namely

narkotisch narcotic

der Narr (-en *masc.***) / die Närrin (-nen)** fool

NASA-mäßig NASA-type (*person*)

die Nase (-n) nose (6)

nass wet

die Nation (-en) nation

national national(ly)

die Nationalgruppe (-n) national group

der Nationalismus nationalism

die Nationalität (-en) nationality

der Nationalpark (-s) national park

der Nationalsozialismus National Socialism

der Nationalsozialist (-en *masc.***) / die Nationalsozialistin (-nen)** National Socialist

die Nationalspeise (-n) national dish

die Natur nature (9)

der Naturarzt (¨e) / die Naturärztin (-nen) physician with a focus on natural medicine

das Naturerlebnis (-se) nature experience

die Naturfaser (-n) natural fiber

die Naturfreunde (*pl.*) *name of nature organization*

die Naturheilkunde natural medicine, homeopathic medicine

das Naturheilverfahren (-) homeopathic treatment

naturkundlich natural-history

natürlich natural(ly)

naturnahe close to nature, nature friendly

das Naturparadies (-e) paradise

das Naturprodukt (-e) organic product

die Naturschönheit (-en) natural beauty

das Naturschutzgebiet (-e) nature reserve

die Naturwissenschaft (-en) natural science

der Nazi = Nationalsozialist

die Nazizeit Nazi era, Third Reich

der Neandertaler (-) Neanderthal Man

der Nebel (-) fog (5)

die Nebelfreiheit lack of fog, no fog

der Nebelmantel (¨) blanket of fog

neben (*+ acc./dat.*) next to

nebenan next door

nebenbei on the side

nebenberuflich on the side

nebeneinander next to each other

das Nebenfach (¨er) minor subject (11/3E)

die Nebenkosten (*pl.*) additional expenses (*such as for utilities*)

das Nebenzimmer (-) side room

neblig foggy (5)

nee! (*coll.*) no!

der Neffe (-n *masc.***)** nephew (1/25)

negativ negative(ly)

das Negativ negative

negieren to negate

nehmen (nimmt), nahm, genommen to take (3); **etwas auf sich** (*acc.*) **nehmen** to take something upon onself; **Rücksicht nehmen auf** to be considerate of; **Zeit in Anspruch nehmen** to take up time (33)

der Neid envy

nein no

nennen, nannte, genannt to name, call, mention

die Neonröhre (-n) neon light

der Nerv (-en) nerve

nerven to get on (someone's) nerves

der Nervenkitzel excitement (32)

die Nervensäge (-n) (*person who is a*) pain in the neck

nervös nervous(ly)

die Nervosität nervousness, tension

nesteln to fiddle with

das Netz (-e) net

neu new (2)

neuartig new

die Neubauwohnung (-en) post-1945 building (4)

neuerdings recently, as of late

neugekauft (*adj.*) newly purchased

die Neugier(de) curiosity

neugierig curious(ly) (1)

der/die Neugierige (*decl. adj.*) curious person

das Neujahr New Year's Day (5)

neulich recently, the other day

neun nine (E)

neunzehn nineteen (E)

neunzig ninety (E); **die neunziger Jahre** the Nineties

(das) Neuseeland New Zealand

neutral neutral

das Neutrum (*grammatical*) neuter

nicht not (3)

die Nichtakzeptanz (-en) nonacceptance (34)

die Nichte (-n) niece (1/25)

nichts nothing

das Nichtstun inactivity

nicken to nod

nie never

nieder low; down

niederknien (kniet nieder) to kneel down

die Niederlande the Netherlands (9)

der Niederländer (-) / die Niederländerin (-nen) Dutch (*person*) (18)

die Niederlassung (-en) branch, subsidiary

(das) Niedersachsen Lower Saxony (17)

niedlich cute

niedrig low

niemals never

niemand nobody, no one

die Niere (-n) kidney

niesen to sneeze (6)

das Niesen sneezing (6)

der Nikolaus Saint Nicolas (17)

das Nikotin nicotine

der Nil Nile River

nimmer (*coll.*) no more, never again

nimmermehr never again

nirgends nowhere

das Niveau (-s) level, niveau

der Nobelpreis (-e) Nobel prize

das Nobelquartier (-e) extravagant accommodations

noch still; **immer noch** still; **ist hier noch frei?** is this seat taken?; **noch dazu** in addition to that; **noch (ein)mal** one more time, once again; **noch nicht** not yet; **noch nie** never; **was noch?** what else?; **weder . . . noch** neither . . . nor; **wissen Sie noch?** do you remember?

der Nomade (-n *masc.***)** nomad

das Nomen (-) noun

der Nominativ nominative

nominieren to nominate

der Nonkonformismus nonconformism

(das) Nordafrika North Africa

(das) Nordamerika North America

nordamerikanisch North American
norddeutsch (*adj.*) northern German
(das) Norddeutschland northern Germany
der Norden north, **im Norden** in the north; **nach Norden** north
das Nordkap North Cape
nördlich (von) north of
der Nordosten northeast
nordöstlich (von) northeast (of)
der Nordpol North Pole
(das) Nordrhein-Westfalen North Rhine-Westphalia (17)
die Nordsee North Sea
die Nordseeküste North Sea coast
die Nordwestküste (-n) northwest coast
die Norm (-en) norm
normal normal
normalerweise normally; usually (32)
(das) Norwegen Norway (9)
nostalgisch nostalgic(ally)
die Not (¨e) despair, misery
die Note (-n) grade (10)
das Notenheft (-e) sheet music
der Notfall (¨e) emergency (6)
notieren to note, write down; **kurz notiert** briefly noted
nötig necessary
das Nötigste most essential (thing)
die Notiz (-en) note (10)
der Notizblock (¨e) notepad
notwendig necessary
die Notwendigkeit (-en) necessity
der November November (5)
nüchtern sober
die Nudel (-n) noodle (19)
null zero (1E)
die Nummer (-n) number
das Nummernschild (-er) license plate (20)
der Numerus (*grammatical*) number
nun now
(das) Nürnberg Nuremberg; **die Nürnberger Bratwurst (¨e)** pork sausage

die Nuss (¨e) nut
nutzen to use (32)
nützlich helpful, practical

O

ob (*subord. conj.*) whether, if
obdachlos homeless
der/die Obdachlose (*decl. adj.*) homeless person (20)
die Obdachlosigkeit homelessness (20)
oben above; upstairs; **da oben** up there; **obendrein** on top of everything; **obengenannt** above-mentioned
die Oberfläche (-n) surface
oberflächlich superficial(ly) (21/36)
oberhalb (+ *gen.*) above
der Oberschenkel (-) thigh
obig above
das Objekt (-e) object
das Objektpronomen (-) object pronoun
das Obst fruit (5/33)
die Obstschale (-n) skin of fruit
obwohl (*subord. conj.*) although (30)
der Ochse (-n *masc.*) bull, ox
öd(e) dreary; bleak
oder (*coord. conj.*) or
der Ofen (¨) stove, furnace
offen open (16)
die Offenbarung (-en) revelation
öffentlich public(ly) (35); open(ly) (23)
die Öffentlichkeit public
die Öffentlichkeitsarbeit public relations work
offiziell official(ly)
der Offizier (-e) officer (14)
öffnen to open
die Öffnungszeiten (*pl.*) business hours
oft (**öfter, öftest-**) often (4)
oftmals often
ohne (+ *acc.*) without (5)
ohnehin anyway
das Ohr (-en) ear (6)
die Ohrenklappen (*pl.*) ear covers
die Ohrenschmerzen (*pl.*) earache
die Ohrenschützer (*pl.*) ear muffs

die Ökobewegung environmental movement
ökologisch ecological(ly), environmental(ly)
der Ökonom (-en *masc.*) / **die Ökonomin (-nen)** economist
ökonomisch economic(al)
die Ökowelle environmental wave, movement
der Oktober October (5)
das Oktoberfest *autumn festival in southern Germany* (17)
die Olive (-n) olive
der Ölteppich (-e) oil spill
der Ölverbrauch oil consumption
die Oma (-s) (*coll.*) grandma
der Onkel (-) uncle (1/25)
der Opa (-s) (*coll.*) grandpa
die Oper (-n) opera
die Operation (-en) operation, surgery (6)
operieren to operate, perform surgery
der Opernsänger (-) / **die Opernsängerin (-nen)** opera singer
opfern to sacrifice
optimal optimal(ly)
optimistisch optimistic(ally)
die Option (-en) option
orange orange (2)
die Orange (-n) orange
der Orangensaft orange juice
das Orchester (-) orchestra
die Orchidee (-n) orchid
der Orden (-) (*religious*) order
ordentlich neat, orderly
ordnen to order
die Ordnung (-en) order (34)
ordnungsgemäß in due order, orderly
das Organ (-e) organ
die Organisation (-en) organization
das Organisationstalent (-e) organizational skills
der Organisator (-en) / **die Organisatorin (-nen)** organizer
organisch organic(ally) (20/35)
(sich) organisieren to organize (oneself) (30)
die Orgel (-n) (*music*) organ

das Orgelspiel organ playing
orientalisch Oriental
sich orientieren an (+ *dat.*) to orientate oneself; to inform oneself; to adapt to
die Orientierung (-en) orientation
die Orientierungswoche (-n) orientation week
das Original (-e) original
der Originalschauplatz (¨e) original location
das Originalzitat (-e) direct quote
originell original(ly) (22)
der Ort (-e) place, town (4)
der Ortseingang (¨e) town entrance
der Ortskern (-e) center of town
die Ortslage (-n) location
der Ortsteil (-e) part of town
die Ostalgie (*sarcastic*) nostalgia for the former GDR
der Ostblock Eastern Europe
das Ostblockland (¨er) Eastern European countries
ostdeutsch East German
(das) Ostdeutschland East Germany
der Osten east; **im Osten** in the east
die Osterblume (-n) Easter lily
das Osterei (-er) Easter egg
die Osterferien (*pl.*) Easter holidays
das Osterfest Easter
der Osterhase (-n *masc.*) Easter bunny
der Ostermontag Easter Monday
das Ostern Easter
(das) Österreich Austria (9)
der Österreicher (-) / die Österreicherin (-nen) Austrian (person) (18)
österreichisch (*adj.*) Austrian
der Ostersonntag Easter Sunday
(das) Osteuropa eastern Europe
osteuropäisch eastern European
ostfriesisch East Frisian
(das) Ostfriesland East Frisia
östlich (von) east (of)
die Ostsee Baltic Sea
die Ostseeküste Baltic coast
der Overheadprojektor (-en) overhead projector (1E)

der Ozean (-e) ocean, sea
das Ozon ozone
das Ozonloch hole in the ozone layer
der Ozonwert (-e) ozone level

P

paar: ein paar some, a few, a couple; **ein paar Mal** a few times
das Paar (-e) couple
das Päckchen (-) package
packen to pack
der Packen stack
die Packung (-en) pack, packaging, box, bag
der Pädagoge (-n *masc.*) / die Pädagogin (-nen) teacher, instructor
das Paddelboot (-e) paddle boat
paddeln to paddle
das Paket (-e) package
der Palast (¨e) palace
die Palme (-n) palm tree
das Paniermehl bread crumbs
paniert breaded, with a batter
die Panik panic
das Panorama (-s) panorama
der Panoramablick (-e) panoramic view
der Pantoffel (-n) slipper
die Pantomime (-n) pantomime (36)
der Papa (-s) daddy
das Papier (-e) paper (1E); **Papiere** (*pl.*) documents
das Papierknäuel (-) ball of paper
der Papierkorb (¨e) wastepaper basket
die Pappe cardboard
die Paprika bell pepper
der Paprika paprika
die Parade (-n) parade
das Paradies (-e) paradise
paradiesisch heavenly
der Paragraf (-en *masc.*) paragraph, section
die Parallele (-n) parallel
das Parfum (-s) fragrance
der Park (-s) park
der Parkplatz (¨e) parking space, parking lot

das Parlament (-e) parliament
die Parole (-n) motto, slogan, password
die Partei (-en) (*political*) party
das Parteimitglied (-er) party member
der Partikel (-n) particle
das Partizip (-ien) participle
der Partner (-) / die Partnerin (-nen) partner
die Partnerarbeit (-en) partner work
die Partneraufgabe (-n) partner exercise
das Partnergespräch (-e) partner conversation
die Partnerschaft (-en) partnership
partnerschaftlich as partners
die Partneruniversität (-en) partner university
die Party (-s) party (24)
die Partyvorbereitung (-en) party preparation
der Pass (¨e) passport
der Passagier (-e) / die Passagierin (-nen) passenger
der Passant (-en *masc.*) / die Passantin (-nen) passerby, bystander
passen (+ *dat.*) to fit (21); **die Hose passt mir nicht** the pants don't fit me
passend matching, fitting, appropriate
passieren, ist passiert to happen (9); **was ist passiert?** what happened?
das Passiv passive voice
die Passivität passiveness
die Passkontrolle (-n) passport control
das Patentamt (¨er) patent office
patentieren to patent
der Patient (-en *masc.*) / die Patientin (-nen) patient (6)
patriotisch patriotic
pauken to cram, study hard (10)
die Pauschalreise (-n) package holiday/tour
die Pause (-n) break (10)

das **Pausenbrot (-e)** snack, sandwich (10)

pausenlos constant(ly)

der **Pazifik** Pacific (Ocean)

der **Pazifische Ozean** Pacific Ocean

das **Pech** bad luck

das **Pedal (-e)** pedal

der **Peiniger (-) / die Peinigerin (-nen)** torturer, tormentor

peinlich embarrassing

die **Pension (-en)** bed-and-breakfast inn (8)

der **Pensionsinhaber (-) / die Pensionsinhaberin (-nen)** innkeeper, owner of a bed and breakfast inn

das **Pensum (Pensa or Pensen)** workload

die **Pepperoni** (*pl.*) chilis

perfekt perfect(ly)

das **Perfekt** present perfect tense

die **Peripherie (-n)** periphery

permanent permanent(ly)

das **Perserreich** Persian Empire

die **Person (-en)** person

die **Personalanzeige (-n)** personal ad

der **Personalchef (-s)** personnel manager

die **Personenbeschreibung (-en)** description of a person

der **Personenkraftwagen (-)** private car

persönlich personal(ly) (14/32)

die **Persönlichkeit (-en)** personality

die **Perspektive (-n)** perspective

pessimistisch pessimistic(ally)

das **Pestizid (-e)** pesticide

der **Pfad (-e)** path

der **Pfadfinder (-) / die Pfadfinderin (-nen)** pathfinder, scout

die **Pfalz** Palatinate; das **pfälzische Essen** traditional food of the Palatinate

das **Pfand (¨er)** pledge, security, deposit

die **Pfandflasche (-n)** returnable bottle (35)

die **Pfanne (-n)** pan (19)

der **Pfarrer (-)** priest, minister

der **Pfeffer** pepper (15)

die **Pfefferminze** peppermint

pfeffrig peppery

die **Pfeife (-n)** pipe

pfeifen, pfiff, gepfiffen to whistle (20)

der **Pfeifenkopf (¨e)** pipe bowl

der **Pfennig (-e)** pfennig (*German currency*)

das **Pferd (-e)** horse (23)

das **Pferdefuhrwerk (-e)** horse-drawn carriage

die **Pferdekutsche (-n)** horse-drawn carriage

das **Pfingsten** Pentecost

der **Pfingstmontag** day after Pentecost

die **Pflanze (-n)** plant

pflanzen to plant

die **Pflanzenart (-en)** plant family

das **Pflanzensammeln** collecting plants

das **Pflaster (-)** bandage

die **Pflege** care, attention

pflegen to look after (31); **Konversation pflegen** to make conversation

die **Pflicht (-en)** duty (14)

das **Pflichtfach (¨er)** required course (27)

die **Pfote (-n)** paw

das **Pfund (-e)** pound (= 500 g)

die **Pfütze (-n)** puddle

das **Phänomen (-e)** phenomenon

die **Phantasie (-n)** imagination, fantasy

phantasiebegabt imaginative

phantastisch fantastic(ally)

die **Pharmaindustrie (-n)** pharmaceutical industry

der **Philosoph (-en** *masc.*) / die **Philosophin (-nen)** philosopher (13)

die **Philosophie** philosophy

das **Photo (-s)** photo

der **Photoamateur (-e) / die Photoamateurin (-nen)** hobby photographer

der **Photograph (-en** *masc.*) / die **Photographin (-nen)** photographer

die **Physik** physics (11/28)

physikalisch physical(ly)

der **Physiker (-) / die Physikerin (-nen)** physicist (13)

das **Physiklehrbuch (¨er)** physics textbook

der **Physiklehrer (-) / die Physiklehrerin (-nen)** physics teacher

das **Physikstudium** university program in physics

die **Physikvorlesung (-en)** physics lecture

physisch physical(ly)

der **Pianist (-en** *masc.*) / die **Pianistin (-nen)** pianist

das **Picknick** picnic (9)

pieksig prickly

der **Pilz (-e)** mushroom (9)

der **Pionier (-e) / die Pionierin (-nen)** pioneer

der **Pirat (-en** *masc.*) / die **Piratin (-nen)** pirate

das **Piratengesicht (-er)** pirate face

die **Pizza (-s)** pizza

das **Pizzabacken** pizza baking

die **Pizzeria (-s)** pizza restaurant

Pkw = Personenkraftwagen

die **Plage (-n)** plague

das **Plakat (-e)** poster

der **Plan (¨e)** plan (16)

planen to plan

der **Planet (-en** *masc.*) planet

die **Planung (-en)** planning

die **Planwirtschaft** planned economy (18)

das **Plastik** plastic

der **Plastikbecher (-)** plastic cup (35)

der **Plastiksack (¨e)** plastic bag

die **Plastiktüte (-n)** plastic bag (20)

der **Plateauschuh (-e)** platform shoe

das **Plattdeutsch** Low German (*language*)

der **Platz (¨e)** place, space, seat; **viel Platz** lots of space, room

das **Plätzchen (-)** cookie (16)

platzieren to place

plaudern to chat (10)
plötzlich suddenly (12)
plündern to plunder
das Plusquamperfekt past perfect
das Podium (Podien) podium
die Pointe (-n) point, gist, joke
der Pole (-n *masc.***) / die Polin
(-nen)** Polish person (18)
(das) Polen Poland
die Politik politics (21)
**der Politiker (-) / die Politikerin
(-nen)** politician (13)
politisch political(ly)
die Politologie political science
die Polizei police (20)
der Polizist (-en *masc.***) / die
Polizistin (-nen)** police officer
polnisch (*adj.*) Polish
das Polster (-) cushion, upholstery
die Polymermischung polymer mix
die Pommes frites (*pl.*) french
fries (15)
populär popular
das Portemonnaie wallet
die Portion (-en) portion
das Porträt (-s) portrait
porträtieren to portray
**der Porträtmaler (-) / die
Porträtmalerin (-nen)** portrait
artist
(das) Portugal Portugal (9)
das Porzellan porcelain
die Position (-en) position
positiv positive(ly)
die Posse (-n) trick, joke
die Post post office (4)
das Postamt (¨er) post office
der Postempfang (¨e) receipt of mail
das Poster (-) poster
das Postfach (¨er) post office box
die Postkarte (-n) postcard
die PR-Abteilung (-en) PR (public
relations) department
das Prädikat rating
(das) Prag Prague
prägen to emboss; to impress; to
mint
pragmatisch pragmatic(ally)
prahlen to boast
das Praktikum (*pl.* **Praktika**)
internship (19)

der Praktikumsplatz (¨e) intern
position
die Praktikumsstelle (-n) intern
position
praktisch practical(ly)
praktizieren to practice
prall blazing
präparieren to prepare
die Präposition (-en) preposition
das Präsens present tense
die Präsentation (-en) presentation
präsentieren to present
der Präsident (-en *masc.***) / die
Präsidentin (-nen)** president
das Präteritum preterite, past tense
die Praxis (Praxen) practice; **in die
Praxis umsetzen** to put into
practice (35)
der Preis (-e) price
die Preiselbeere (-n) cranberry
die Preiselbeermarmelade (-n)
cranberry preserves
preisgünstig fairly priced (31)
preiswert economical; inexpensive
(7)
die Pressefreiheit freedom of the
press
pressen to press; to squeeze; to cast
das Prestige prestige (14)
(das) Preußen Prussia
preußisch (*adj.*) Prussian
prima (*coll.*) great, excellent (27)
primitiv primitive(ly)
der Prinz (-en *masc.***)** prince (12)
die Prinzessin (-nen) princess
das Prinzip (-ien) principle
die Priorität (-en) priority
privat private(ly)
**der Privatdetektiv (-e) / die
Privatdetektivin (-nen)** private
detective
die Privatisierung (-en)
privatization
das Privatleben private life
pro per; every; for
die Probe (-n) test; rehearsal
der Probetag (-e) trial day
probieren to try, sample (15)
das Problem (-e) problem (20)
problematisch problematic(ally)
problemlos without problem

der Problemstoff (-e) problematic
substance
das Produkt (-e) product
die Produktionsgesellschaft (-en)
manufacturing society
die Produktionsmenge (-n)
output
produktiv productive(ly)
produzieren to produce
professionell professional(ly)
**der Professor (-en) / die
Professorin (-nen)** professor
profitieren to benefit, profit
das Programm (-e) program,
station, channel (21)
progressiv progressive(ly)
das Projekt (-e) project
**der Projektleiter (-) / die
Projektleiterin (-nen)** project
manager
die Projektwoche (-n) project
week
die Promenade (-n) promenade
prominent popular, famous
die Promotion (-en) obtainment of
a doctorate degree
promovieren to get a doctorate
degree
prompt prompt(ly)
das Pronomen (-) pronoun
das Proseminar (-e) seminar
prosodisch prosodic
der Protest (-e) protest
die Protestaktion (-en) protest
protestantisch (*adj.*) Protestant
protestieren to protest (10)
das Protokoll (-e) transcript,
record, minutes
**der Protokollführer (-) / die
Protokollführerin (-nen)**
secretary, clerk
die Provinz (-en) province
das Prozent (-e) percent
der Prozentanteil (-e) percentage
die Prozession (-en) procession
prüfen to test (28)
die Prüfung (-en) exam (10)
die Prüfungsangst (¨e) anxiety
before an exam
**der Psychiater (-) / die
Psychiaterin (-nen)** psychiatrist

der Psychologe (-n *masc.***) / die Psychologin (-nen)** psychologist (13)

die Psychologie psychology (11)

psychologisch psychological(ly)

die Psychotherapie psychotherapy

das Publikum audience (36); public

der Publikumssport entertainment sport

der Puck (-s) puck

der Pulli (-s) sweater

der Pullover (-) sweater (7)

das Pulver (-) powder, gunpowder

der Pulverblitz (-e) gunpowder explosion

pumpen to pump

der Punkt (-e) point

pünktlich punctual(ly) (14)

die Pünktlichkeit promptness, punctuality (34)

die Puppe (-n) doll, puppet

das Puppenspiel (-e) puppet show

das Puppentheater (-) puppet show

die Pute (-n) turkey

putzen to clean; **die Nase putzen** to blow one's nose (6)

der Putztag (-e) cleaning day

das Puzzle (-s) puzzle

die Pyramide (-n) pyramid

Q

der Quadratfuß (-) square foot

der Quadratkilometer (-) square kilometer

quaken to quack

die Qual (-en) pain, agony

die Qualifikation (-en) qualification (14)

die Qualität (-en) quality

das Quartal (-e) quarter (11)

quasi- quasi-

quasseln to babble

der Quatsch nonsense

quatschen to talk, gossip (28)

das Quecksilber mercury

die Quelle (-n) source

die Quizsendung (-en) quiz show

die Quotierungsfrage (-n) question of quotation

R

der Rabe (-n *masc.***)** raven

sich rächen to avenge, seek revenge

das Rad (¨er) wheel, bicycle; **mit dem Rad fahren** to go by bike; **Rad fahren** to bicycle (4)

radeln to bicycle

der Radfahrer (-) / die Radfahrerin (-nen) bicyclist

radikal radical(ly)

das Radio (-s) radio

das Radioprogramm (-e) radio show

die Radiosendung (-en) radio show

der Radler (-) / die Radlerin (-nen) (*coll.*) cyclist

die Radtour (-en) bike ride

das Rafting rafting

ragen to rise, tower, loom

der Rahmen (-) frame, context (18)

die Rahmenbedingung (-en) basic condition

die Rakete (-n) rocket

der Rand (¨er) edge, top rim, brim

der Rang (¨e) rank, position

die Rangliste (-n) ranking, list

die Rangordnung hierarchy

die Ranke (-n) tendril, branch, stalk

rar rare

rasch quick(ly)

der Rasen (-) lawn (3E); **den Rasen mähen** to mow the lawn (16/3E)

rasend fast, swift

die Rasenfläche (-n) lawn area

der Rasierapparat (-e) electric shaver

sich rasieren to shave

der Rasierpinsel shaving brush

der Rassismus racism

die Rast (-en) rest

die Raststätte (-n) rest area, restaurant

der Rat advice

raten (rät), riet, geraten (+ *dat.*) to advise; to guess (13)

das Ratespiel (-e) guessing game

der Ratgeber (-) / Ratgeberin (-nen) adviser; counsellor; advice column; columnist (21)

das Rathaus (¨er) city hall

ratlos helpless(ly) (32)

ratsam advisable

der Ratschlag (¨e) advice (27)

der/die Ratsuchende (*decl. adj.*) person who seeks advice

die Ratte (-n) rat

der Rattenfänger von Hameln Pied Piper of Hamelin

der Rauch smoke (35)

rauchen to smoke

die Raucherecke (-n) smoking area

die Räucherei (-en) smokehouse

räuchern to smoke (*something*)

der Raum (¨e) room, space, area

räumlich spacial(ly), physical(ly)

das Raumschiff (-e) spaceship

rausfinden (findet raus), fand raus, rausgefunden to find out

rauskommen (kommt raus), kam raus, ist rausgekommen to come out

reagieren to react; **reagieren auf** (+ *acc.*) to react to (26)

die Realien (*pl.*) realities, facts

die Realisierung (-en) realization

realistisch realistic(ally)

die Realität (-en) reality

realitätsnah close to reality, realistic

die Realschule (-n) vocational school (11/27)

die Rechenmaschine (-n) calculator

die Rechenschaft account

recherchieren to research, investigate

rechnen to calculate (27)

der Rechner (-) computer, calculator

die Rechnung (-en) bill (15)

das Recht (-e) right; **das Recht auf Asyl** right to asylum; **Recht haben** to be right

recht right; rather, quite, pretty; **recht sein** (+ *dat.*) to agree; to approve

rechteckig square, rectangular

rechtlich legal(ly) (34)

rechts to the right, on the right (8); **nach rechts** to the right

das Rechtschreiben spelling
rechtsgerichtet right-oriented
die Rechtswissenschaft
jurisprudence (28)
rechtwinklig right-angled
sich recken to stretch
recyceln to recycle (16/35)
das Recycling recycling
das Recyclingprogramm (-e)
recycling program
der Redakteur (-e) / die
Redakteurin (-nen) editor
die Redaktion (-en) editorial board
die Rede (-n) speech
die Redefreiheit freedom of speech
(30)
reden über (+ *acc.*) **/ von** to talk
about/of (10)
die Redewendung (-en) figure of
speech
reduzieren to reduce
das Referat (-e) term paper; **ein**
Referat halten to present a paper
(orally)
das Reflexiv (-e) reflexive
(pronoun)
das Reflexivpronomen (-) reflexive
pronoun
die Reform (-en) reform
die Reformation Reformation
der Reformator (-en) (*hist.*)
Reformer
das Reformhaus (⸚er) health food
store (22)
reformieren to reform
das Regal (-e) shelf (3)
die Regel (-n) rule (34)
regelmäßig regular(ly) (33)
die Regelmäßigkeit (-en)
regularity
regeln to regulate (25)
die Regelung (en) regulation
(sich) regen to move, stir
der Regen rain (5)
der Regenbogen (⸚) rainbow
(sich) regenerieren to regenerate,
revitalize
der Regenmantel (⸚) raincoat (7)
der Regenschirm (-e) umbrella
der Regentropfen (-) raindrop
der Regenwald (⸚er) rain forest

das Regenwetter rainy weather
die Regierung (-en) government
die Region (-en) region
regional regional(ly)
die Regionalstadt (⸚e) regional
city
der Regionalzug (⸚e) *short distance*
train with frequent stops
der Regisseur (-e) / die
Regisseurin (-nen) director (*of a*
film or play) (36)
registrieren to register
regnen to rain; **es regnet** it's
raining (5)
regnerisch rainy
regulär regular(ly)
die Regung (-en) movement, motion
die Rehabilitationsklinik (-en)
rehab clinic
reiben to rub
reich rich(ly)
das Reich (-e) empire
reichen to suffice, be enough; to
give; to pass; to hand
der Reichstag Parliament
reif ripe, mature
der Reifen (-) tire
die Reihe (-n) row; series (30)
die Reihenfolge (-n) order,
sequence
das Reihenhaus (⸚er) row house (4)
rein pure(ly)
die Reinigungskraft (⸚e) cleaning
power
reinkommen (kommt rein), kam
rein, ist reingekommen to get in,
to come in
reinlassen (lässt rein), ließ rein,
reingelassen to let in
reinlich clean(ly), neat(ly), tidy
der Reis rice (15)
die Reise (-n) trip, journey
das Reiseangebot (-e) travel
offer
der Reisebegleiter (-) / die
Reisebegleiterin (-nen) travel
guide
der Reisebericht (-e) travel
report
der Reisebrief (-e) letter from a
trip

das Reisebüro (-s) travel agency
das Reiseerlebnis (-se) travel
experience
die Reisefamilie (-n) traveling
family
die Reisefreiheit freedom to travel
(18)
der Reiseführer (-) / die
Reiseführerin (-nen) travel
guide; (*masc.*) guidebook
die Reisegewohnheiten (*pl.*) travel
habits
die Reisegruppe (-n) tourist group
die Reiseindustrie travel industry,
tourist industry
die Reiselust desire to travel (32)
die Reisemöglichkeit (-en) travel
opportunity
reisen to travel (9)
der/die Reisende (*decl. adj.*)
traveler (24)
der Reisepass (⸚e) passport (24)
die Reisequalität travel quality
die Reisetasche (-n) travel bag
der Reisetipp (-s) travel tip
das Reiseunternehmen (-) travel
company
die Reisevorbereitung (-en)
vacation preparation
das Reiseziel (-e) destination
reißen, riss, gerissen to rip, tear;
an sich reißen to seize
der Reißnagel (⸚) thumbtack
reiten, ritt, ist geritten to ride (*an*
animal) (8/32)
der Reitstall (⸚e) horse stables
die Reklame (-n) advertisement
(21)
rekonstruieren to reconstruct
der Rektor (-en) / die Rektorin
(-nen) principal
relativ relative(ly)
das Relativpronomen (-) relative
pronoun
der Relativsatz (⸚e) relative clause
relaxen (*coll.*) to relax
relevant relevant
die Religion (-en) religion (11)
religiös religious(ly)
rennen, rannte, ist gerannt to run
das Rennen (-) race (23)

renovieren to renovate, remodel (*a building*)

die Rente (-n) pension (29)

der Rentner (-) / die Rentnerin (-nen) pensioner (29)

reparieren to repair

repetieren to learn by repetition; to repeat (*a grade*)

die Repetitionsstunde (-n) detention

der Reporter (-) / die Reporterin (-nen) reporter

repräsentieren to represent

die Republik (-en) republic

reservieren to reserve

die Reservierung (-en) reservation (8)

die Residenz (-en) residence; (royal) capital

das Resort (-s) resort

der Respekt respect

respektabel respectable

respektieren to respect (25)

respektvoll respectful

die Ressource (-n) resource

der Rest (-e) rest, remnant

das Restaurant (-s) restaurant (4)

der Restaurantbesitzer (-) / die Restaurantbesitzerin (-nen) owner of a restaurant

der Restaurator (-en) / die Restauratorin (-nen) restorer (22)

restaurieren to restore (*historic preservation*)

restlich remaining

der Restposten remaining stock

das Resultat (-e) result

retten to save, rescue

die Rettung (-en) rescue, salvation

das Revier (-e) police station

das Rezept (-e) prescription (6/33); **auf Rezept** by prescription

die Rezeption (-en) reception desk (*in a hotel or office*) (8)

der Rezeptionist (-en *masc.*) / die Rezeptionistin (-nen) receptionist

die Rezession recession

der Rhein Rhine River

(das) Rheinland-Pfalz Rhineland Palatinate (17)

die Rheinlandschaft (-en) Rhine landscape

das Rheuma rheumatism

richten an (+ *acc.*) to address; to send to (*a letter*)

sich richten nach to orientate oneself

der Richter (-) / die Richterin (-nen) judge (30)

richtig correct, right (24)

die Richtlinie guideline

die Richtung (-en) direction

riechen nach to smell like (33)

der Riese (-n *masc.*) / die Riesin (-nen) giant

riesengroß enormous (28)

das Riesenrad (¨er) ferris wheel

riesig (*adj.*) giant

das Rind (-er) cow

das Rinderfett beef fat

das Rinderhackfleisch ground beef

der Ring (-e) ring

die Ringeltaube (-n) pigeon

ringsum / ringsherum (all) around

der Rinnstein (-e) gutter

riskieren to risk

der Riss (-e) tear, rip, crevice, fissure

der Ritter (-) knight

der Rittersaal (-säle) knights' hall (in a medieval castle)

der Roboter (-) robot

der Rock (¨e) skirt (7)

der Rock 'n' Roll Rock 'n' Roll

der Rockfan (-s) rock fan

das Rocklied (-er) rock song

roh raw (19)

der Rohstoff (-e) raw material (35)

die Rolle (-n) roll

rollen to roll

das Rollenspiel (-e) role play

der Rollschuh (-e) roller skate; **Rollschuh laufen (läuft), lief, ist gelaufen** to roller skate

das Rollschuhlaufen roller skating (23)

(das) Rom Rome

der Roman (-e) novel

die Romantik Romantic period (*in German art and literature*)

romantisch romantic(ally) (1)

das Romantsch Rhaetian, Rhaeto-Romanic

die Romanverfilmung (-en) filming of a novel (36)

der Römer (-) / die Römerin (-nen) Roman (*person*)

römisch (*adj.*) Roman

rosa pink (2)

der Rosinenbomber *plane during Berlin airlift in 1948*

rot red (2)

rotgolden red gold

das Rotkäppchen Little Red Riding Hood

die Rübe (-n) beet

rüber over here, over there (*destination*); **ich gehe mal zu den Nachbarn rüber** I'm going over to the neighbors

ruckartig jerky

der Rücken (-) back (6)

die Rückfahrkarte (-n) return ticket (24)

die Rückfahrt (-en) return trip

rücklings backwards, from behind

der Rucksack (¨e) backpack (7/32)

die Rücksicht consideration (35); **Rücksicht auf andere Menschen nehmen** to be considerate of other people

rücksichtsvoll considerate (29)

der Rückstand: im Rückstand to be behind

rückwärts backwards

der Rückweg (-e) return trip, way back

rudern to row (*a boat*) (23/32)

der Ruf (-e) call; reputation (28)

rufen, rief, gerufen to call, shout

die Ruhe peace, silence, stillness; **Ruhe jetzt!** quiet now! (4)

ruhen to rest, be still

der Ruhestand retirement

der Ruhetag (-e) *day when restaurant is closed* (15)

ruhig calm, peaceful(ly) still (1/28)

rühren to move; to stir (31)

rührend touching

das Ruhrgebiet Ruhr Basin

die **Ruine** (-n) ruin
ruinieren to ruin
rumbummeln (bummelt rum) (*coll.*) to stroll
das Rumpelstilzchen Rumpelstiltskin (12)
rumrennen (rennt rum) (*coll.*) to run around
rund round; around, about
der **Rundbogen** (¨) arch
der **Rundfunk** radio
runter down here, downward; **wir sind runter zum Strand gelaufen** we went down to the beach
runterfallen (fällt runter), fiel runter, ist runtergefallen to fall down
der **Russe** (-n *masc.*) / die **Russin** (-nen) Russian (person) (18)
russisch (*adj.*) Russian
das Russisch Russian (*language*)
(das) Russland Russia
Rutsch: guten Rutsch (ins neue Jahr)! Happy New Year!

S

der **Saal (Säle)** hall
die **Sache** (-n) thing, object
sachkundig well-informed
die **Sachlichkeit** matter of factness; objectivity
(das) Sachsen Saxony (17)
(das) Sachsen-Anhalt Saxony-Anhalt (17)
sächsisch (*adj.*) Saxon
der **Sack** (¨e) sack, bag
der **Saft** (¨e) juice (16)
saftig juicy
sagen to say
sagenhaft legendary, fabulous
die **Sahne** cream (15)
die **Saison** (-s) season
das **Sakko** (-s) man's jacket, coat
die **Salami** (-s) salami
der **Salat** (-e) salad; head of lettuce (15)
die **Salatgurke** (-n) cucumber
die **Salbe** (-n) ointment
der **Salon** (-s) salon
das **Salz** salt (15)

salzig salty (19)
sammeln to collect, gather
die **Sammelstelle** (-n) collecting station (20)
der **Sammler** (-) collector; gatherer
die **Sammlung** (-en) collection
der **Samstag** (-e) Saturday (1E)
der **Samstagabend** (-e) Saturday evening
samstags on Saturdays
die **Sandale** (-n) sandal (7)
die **Sandburg** (-en) sand castle
der **Sandstrand** (¨e) sandy beach
sanft soft(ly)
der **Sänger** (-) / die **Sängerin** (-nen) singer (13)
der **Sängerkrieg** (-e) competition of Minnesingers
satirisch satirical(ly)
der **Sattel** (¨) saddle
der **Satz** (¨e) sentence
der **Satzanfang** (¨e) beginning of a sentence
das **Satzelement** (-e) sentence element
der **Satzteil** (-e) part of a sentence
die **Satzverknüpfung** (-en) combination of sentences
sauber clean (4)
sauber machen (macht sauber) to clean (23)
die **Sauberkeit** cleanliness (34)
sauer sour (22)
der **Sauerbraten** (-) braised beef (*marinaded in vinegar*), sauerbraten
die **Sauerei** (-en) mess, scandal, filth
das **Sauerkraut** sauerkraut (15)
sauertöpfisch sour, sour-faced
die **Säule** (-n) pillar, column
die **Sauna** (-s) sauna; **in die Sauna gehen** to go in a sauna (8)
sausen to buzz, whistle, roar
sauwohl (*coll.*) really good
die **S-Bahn** (-en) urban train (22)
die **Schachtel** (-n) (cardboard) box
schade! too bad!
schaden (+ *dat.*) to damage, harm
schädigen to damage (35)
die **Schädigung** (-en) damage, damaging

das **Schaf** (-e) sheep
schaffen, schuf, geschaffen to make; to accomplish (28)
schaffen, schaffte, geschafft to manage
der **Schaffner** (-) / die **Schaffnerin** (-nen) conductor, ticket collector (*on public transportation*)
der **Schal** (-s) scarf (21)
schalldicht soundproof
die **Schallplatte** (-n) record
der **Schalter** (-) counter
scharf (schärfer, schärfst-) spicy, sharp (19); sharp(ly)
schärfen to sharpen
schattenlos without shade
die **Schattenseite** (-n) shady side; downside
schattig shady
der **Schatz** (¨e) treasure; **mein Schatz** honey, darling
schauen to look, watch (2)
der **Schauplatz** (¨e) scene
das **Schauspiel** (-e) play (36)
der **Schauspieler** (-) / die **Schauspielerin** (-nen) actor (13/36)
das **Schauspielhaus** (¨er) theater
der **Schausteller** (-) / die **Schaustellerin** (-nen) fairground showman
die **Scheibe** (-n) (window)pane
die **Scheibe** (-n) slice
sich scheiden lassen (lässt), ließ, gelassen to divorce
die **Scheidung** (-en) divorce (23/25)
scheinbar apparent(ly), seeming(ly)
scheinen, schien, geschienen to shine; to appear, seem; **die Sonne scheint** the sun is shining (5); **Marion scheint beschäftigt zu sein** Marion seems to be busy
scheitern to fail
schellen to ring
der **Schenkel** (-) thigh
schenken to give (*as a present*) (5)
scheppern to rattle
die **Schere** (-n) scissors, shears
scheren to cut, crop
der **Scherz** (-e) joke
scheu timid, shy (1)

scheußlich horrible, awful (1)
der Schi (-er) ski; **Schi laufen (läuft), lief, ist gelaufen** to ski (8)
schick chic, elegant
schicken to send
das Schicksal (-e) fate, destiny
schieben, schob, geschoben to push
die Schiebermütze (-n) flat cap
schief crooked; **der Schiefe Turm von Pisa** the Leaning Tower of Pisa; **schief gehen** to go wrong; **schief und krumm** crooked; **sich schief lachen** to laugh oneself silly
das Schienbein (-e) shin
schießen, schoss, geschossen to shoot
das Schiff (-e) ship (7)
die Schifffahrt shipping, navigation
das Schifffahrtsmuseum (-museen) naval museum
der Schiffskoch (¨e) cook on a ship
die Schiffsreise (-n) voyage, cruise (32)
der Schiffstyp (-en) type of ship
das Schild (-er) shield, sign (16)
der Schimmer glimmer, gleam
schimmernd shimmering, glimmering
schimpfen to moan, grumble; to scold; **mit jemandem schimpfen** to tell somebody off, scold someone
der Schinken (-) ham
das Schinkenbrot (-e) ham sandwich
der Schiunfall (¨e) skiing accident
der Schiurlaub (-e) skiing trip, vacation
der Schlafanzug (-züge) pajamas (21)
die Schlafcouch (-s) sofa bed
die Schlafdauer duration of sleep
schlafen (schläft), schlief, geschlafen to sleep (3)
schläfrig sleepy
der Schlafsack (¨e) sleeping bag
das Schlafzimmer (-) bedroom (3)
der Schlag (¨e) blow
schlagen (schlägt), schlug, geschlagen to hit, beat (19)
der Schlager (-) hit (song)

die Schlägerei (-en) fist fight
die Schlaghose (-n) bell-bottom pants
die Schlagsahne whipped cream
die Schlagzeile (-n) headline (21)
der Schlamm mud
die Schlange (-n) snake; **Schlange stehen** to stand in line
schlapp worn-out, tired
schlappen to lap
das Schlaraffenland Cockaigne (*legendary land of plenty*)
schlau clever, smart
die Schlauheit (-en) cleverness, smartness
schlecht bad(ly) (1)
schleichen, schlich, ist geschlichen to sneak
schlendern to stroll
schleppen to lug, drag, haul
der Schlepper (-) tugboat
(das) Schlesien Silesia
schlesisch (*adj.*) Silesian
schleudern to hurl, sling, fling
die Schleuse (-n) lock, floodgate
schließen, schloss, geschlossen to lock, shut
schließlich finally, eventually (10)
schlimm bad, grave, severe
der Schlips (-e) tie
der Schlittschuh (-e) ice skate; **Schlittschuh laufen (läuft), lief, ist gelaufen** to ice skate
die Schlittschuhbahn (-en) ice skating rink
das Schlittschuhlaufen ice skating (23)
das Schloss (¨er) castle (12)
das Schlossrestaurant (-s) restaurant in a castle
der Schlot (-e) chimney
die Schlucht (-en) gorge
das Schluchtwandern hiking through a gorge, ravine
schluchzen to sob
schlucken to swallow
der Schlumpf (¨e) smurf
schlurfen to shuffle
der Schluss (¨e) end, conclusion; **am Schluss** in the end, finally
der Schlüssel (-) key (8)

die Schlussrechnung (-en) final calculation
schmackhaft palatable, tasty
schmal narrow
das Schmalz lard
schmatzen to smack
schmecken (+ *dat.*) to taste; **das schmeckt (mir) gut** that tastes good (to me) (15)
schmeißen, schmiss, geschmissen (*coll.*) to throw
das Schmelzwasser melted snow and ice
der Schmerz (-en) pain (6)
schmerzend painful
der Schmetterling (-e) butterfly
schmieden to forge
sich schminken to put on make-up
der Schmuck jewelry (22)
schmücken to decorate (17)
schmutzig dirty, soiled (4)
der Schnabel (¨) beak
schnalzen to click one's tongue
schnattern to chatter, quack
das Schnäuzchen little snout
die Schnecke (-n) snail
der Schnee snow (5)
der Schneemann (¨er) snowman
schneeweiß snow-white
das Schneewittchen Snow White (12)
schneiden, schnitt, geschnitten to cut, slice (19)
die Schneiderei tailor shop; dressmaking shop; tailoring; dressmaking
schneidern to be a tailor/dressmaker
schneien: es schneit it's snowing (5)
schnell quick(ly), fast
der Schnellimbiss (-e) hot dog stand, fast food joint
das Schnellrestaurant (-s) fast-food restaurant
der Schnippel (-) scrap (of paper)
der Schnitt (-e) cut
das Schnitzel (-) cutlet, schnitzel
der Schnupfen (-) (head) cold
schnuppern to sniff
die Schnur (¨e) rope

schnurren to purr
der Schock (-s) shock
die Schokolade (-n) chocolate
das Schokoladenei (-er) chocolate egg
schön beautiful(ly), nice(ly) (1)
schonen to take care of
die Schonung (-en) forest plantation area
der Schoß (¨e) lap
schräg sloping, slanted
der Schrank (¨e) cupboard; closet, wardrobe (3)
die Schranke (-n) barrier
der Schrebergarten (¨) garden plot
der Schreck (-e) fright
der Schrecken (-) horror
schrecklich terrible, horrible
schreiben, schrieb, geschrieben to write (2)
der Schreiber (-) / die Schreiberin (-nen) writer
die Schreibhilfe (-n) writing aid
der Schreibtisch (-e) desk
die Schreibunterlage (-n) writing pad
das Schreibwarengeschäft (-e) stationery store (22)
schreien, schrie, geschrieen to scream, shout
die Schrift (-en) (hand)writing; script
schriftlich written, in writing
der Schriftsteller (-) / die Schriftstellerin (-nen) author, writer
der Schritt (-e) step (13/34); **Schritt halten** to keep up
die Schrothkur Schroth Therapy
der Schrott junk
der Schub (¨e) push; thrust; batch
der Schubkarchler (-) (dialect) small tent
der Schubkasten (¨) drawer
die Schublade (-n) drawer
schüchtern shy
der Schuh (-e) shoe (7)
der Schuhverkauf (¨e) shoe sale
der Schulablauf (¨e) school routine
der Schulabschluss degree

der Schulalltag everyday school routine
die Schularbeit (-en) schoolwork
der Schulbus (-se) school bus (10)
der Schulchor (¨e) school choir
die Schuld (-en) guilt, debt
das Schuldgefühl (-e) guilty feeling, bad conscience
der Schuldienst teaching
der Schuldirektor (-en) / die Schuldirektorin (-nen) school principal, headmaster
die Schule (-n) school (10)
der Schüler (-) / die Schülerin (-nen) student (not in university) (1E/3E)
die Schülerinitiative (-n) student association
die Schülerzeitung (-en) student newspaper (10)
das Schulfach (¨er) school subject
die Schulferien (pl.) school holidays, vacation
das Schulfest (-e) school festival
der Schulfreund (-e) / die Schulfreundin (-nen) schoolmate, school friend
der Schulgang (¨e) professional training program
das Schulhaus (¨er) school building
der Schulhof (¨e) courtyard (10)
schulisch scholastic
das Schuljahr (-e) school year
der Schuljunge (-n masc.) schoolboy
der Schulkamerad (-en masc.) / die Schulkameradin (-nen) fellow student, school friend
der Schulkiosk school concessions
die Schulklasse (-n) school class
das Schulleben school life
der Schulkamerad (-en masc.) / die Schulkamaradin (-nen) fellow student, school friend
die Schulpflicht mandatory school attendance
der Schulpsychologe (-n masc.) / die Schulpsychologin (-nen) school psychologist
die Schulreise (-n) school trip

der Schulrektor (-en) / die Schulrektorin (-nen) school principal
die Schulstunde (-n) school lesson
das Schulsystem (-e) school system
der Schultag (-e) school day
die Schulter (-n) shoulder (6)
die Schulterhöhe (-n) shoulder height
das Schulwesen school system, education system
die Schulzeit (-en) time in school
die Schulzeiterinnerung (-en) school memory
die Schulzeitung (-en) school newspaper
die Schürzentasche (-n) apron pocket
schütteln to shake
schütten to pour
der Schutz protection (26)
schützen to protect (20/35)
der Schutzpatron (-e) / die Schutzpatronin (-nen) saint
die Schwäbische Alb Swabian Mountains
schwach (schwächer, schwächst-) weak
der Schwager (¨) brother-in-law (25)
die Schwägerin (-nen) sister-in-law (25)
der Schwamm (¨e) blackboard eraser (1E)
der Schwan (¨e) swan
schwanken to sway, roll, rock
der Schwanz (¨e) tail
schwärmen to swarm
schwärmen von to enthuse about
schwarz black (2); **das schwarze Brett (-er)** bulletin board (19)
der Schwarzwald Black Forest
schwatzen to chat, gossip
(das) Schweden Sweden (9)
schwedisch (adj.) Swedish
schweigen (schwieg, geschwiegen) to be silent
die Schweigsamkeit (-en) silence, not speaking
das Schwein (-e) pig
der Schweinebraten (-) pork roast (15)

das **Schweinefleisch** pork
die **Schweinshaxe** (-n) pork knuckle
schweißgebadet bathed in sweat
die **Schweiz** Switzerland (9)
der **Schweizer** (-) / die **Schweizerin** (-nen) Swiss (*person*) (18)
schweizerisch (*adj.*) Swiss
schwellen (**schwillt**), **schwoll, ist geschwollen** to swell
schwellend swelling, bulging
schwer heavy; difficult, hard (2)
die **Schwerindustrie** (-n) heavy industry
die **Schwerkraft** gravity
schwermütig melancholic(ally)
die **Schwester** (-n) sister (1)
das **Schwesterchen** (-) little sister
die **Schwestersprache** (-n) related language
die **Schwiegermutter** (¨) mother-in-law (25)
der **Schwiegervater** (¨) father-in-law (25)
schwierig difficult
die **Schwierigkeit** (-en) difficulty (30)
schwimmen, schwamm, ist geschwommen to swim (2)
die **Schwimmhalle** (-n) indoor swimming pool
der **Schwindel** swindle
schwindelig (+ *dat.*) dizzy; **mir ist schwindelig** I'm dizzy
schwirren to buzz, whizz
schwitzen to sweat
sechs six (E)
sechste sixth
sechzehn sixteen (E)
sechzig sixty (E); **die sechziger Jahre** the Sixties
der **See** (-n) lake (9)
die **See** ocean, sea (9)
die **Seebrücke** (-n) bridge over a lake
seegängig seaworthy
seegehend seafaring
die **Seele** (-n) soul
die **Seeluft** sea air
das **Seemannslied** (-er) sailor's song

der **Seeräuber** (-) pirate
das **Segel** (-) sail
das **Segelboot** (-e) sailboat
segeln to sail (2)
das **Segeln** sailing
die **Segelreise** (-n) sailing vacation
segensreich beneficial
sehen (**sieht**), **sah, gesehen** to see (3)
sehenswert worth seeing
die **Sehenswürdigkeit** (-en) sight, attraction
die **Sehne** (-n) ligament
sich sehnen nach to long for (28)
die **Sehnsucht** (¨e) yearning, longing
die **Seife** soap
die **Seifenoper** (-n) soap opera
das **Seifenpulver** soap powder, detergent
der **Seiltänzer** (-) / die **Seiltänzerin** (-nen) tightrope walker
sein (**ist**), **war, ist gewesen** to be (1); **was darf's sein?** what will you have? (15)
sein his
seit (+ *dat.*) since, for; **seit dem Abitur** since the Abitur; **seit kurzem** recently; **seit zehn Jahren** for ten years
seitdem since then
die **Seite** (-n) page; side; **auf Seite 15** on page 15; **zur Seite stehen** to stand by someone
der **Seitenflügel** (-) side wing (*of a building*)
das **Seitental** (¨er) side valley
seither since then
der **Sekretär** (-e) / die **Sekretärin** (-nen) secretary
das **Sekretariat** (-e) secretarial office
der **Sekt** champagne (15)
der **Sekundarbereich** (-e) secondary school level
die **Sekundarschule** (-n) secondary school
selber (one)self
(**sich**) **selbst** (one)self
das **Selbstbildnis** self-portrait

selbstklebend self-sticking
selbstständig independent(ly) (13/29); self-employed
der/die **Selbstständige** (*decl. adj.*) self-employed person (14)
das **Selbstbewusstsein** self-confidence
das **Selbstporträt** (-s) self-portrait
selbstverständlich natural(ly), self-evident(ly)
die **Selbstverwirklichung** ego-fulfillment; self-realization
das **Selbstwertgefühl** (-e) self-esteem
selektieren to select
der **Sellerie** celery
selten seldom, rare(ly) (4)
das **Selters(wasser)** (-) seltzer water
seltsam strange(ly), peculiar(ly)
seltsamerweise strangely enough
das **Semester** (-) semester (11/3E)
die **Semesterarbeit** (-en) term paper
die **Semesterferien** (*pl.*) school recess
das **Seminar** (-e) seminar
senden, sandte, gesendet to send
die **Sendung** (-en) broadcast, show (21)
der **Senf** mustard (15)
der **Senior** (-en) / die **Seniorin** (-nen) senior citizen
senkrecht perpendicular; vertical
sensibel sensitive
sentimental sentimental
separat separate
der **September** September (5)
die **Serie** (-n) series
der **Service** service
der **Servicetechniker** (-) / die **Servicetechnikerin** (-nen) service technician
servieren to serve (*food*)
die **Serviette** (-n) napkin
der **Sessel** (-) recliner, armchair (3)
sesshaft settled, resident
die **Sesshaftigkeit** settled way of life
setzen to put; **sich setzen** to sit down, to take a seat
seufzen to sigh

der Seufzer (-) sigh
shoppen to go shopping
die Shorts (-) shorts (7)
die Show (-s) show
sich (one)self
sicher secure(ly), safe(ly); sure(ly), certain(ly) (13)
die Sicherheit (-en) security
der Sicherheitsgurt (-e) seat belt (20)
sicherlich surely (29)
sich sichern to secure for oneself
die Sicht visibility, sight; **aus der Sicht** (+ *gen.*) from the point of view of
sichtbar visible; visibly
sieben seven (E)
siebenfach sevenfold
siebte seventh
siebzehn seventeen (1E)
siebzig seventy (1E); **die siebziger Jahre** the Seventies
die Siedlung (-en) settlement; neighborhood (35)
siegen to win, defeat
siehe oben see above
siezen to address someone with **Sie** (34)
das Signal (-e) signal
signalisieren to signal
silbern (*adj.*) silver
das Silvester New Year's Eve (5)
die Sinfonie (-n) symphony
singen, sang, gesungen to sing (5)
single single (25)
der Singular singular
sinken, sank, ist gesunken to sink
der Sinn (-e) sense (29)
das Sinneserlebnis (-se) sense experience
sinnlich sensual
sinnlos senseless, pointless
sinnvoll sensible; meaningful (33)
die Sitte (-n) custom, practice
die Situation (-en) situation
der Sitz (-e) seat; headquarters
sitzen, saß, gesessen to sit (2), be in a sitting position
(das) Sizilien Sicily
der Skandal (-e) scandal

(das) Skandinavien Scandinavia
das Skateboard (-s) skateboard
der Skaterschuh (-e) skating shoe
skeptisch skeptical(ly)
der Ski (-er) ski
die Skiarena (-arenen) ski arena
das Skifahren skiing (23)
der Skikurs (-e) skiing lessons
die Skikurswoche (-n) skiing instruction week
das Skilaufen skiing
das Skiresort (-s) ski resort
die Skizze (-n) sketch, drawing
die Slawistik Slavic language and culture
der Smoking (-s) tuxedo
das Snowboarden snowboarding
so so; as; thus; **sogenannt** so-called
sobald as soon as
die Socke (-n) sock (7)
das Sofa (-s) sofa (3)
die Sofagarnitur (-en) living room furniture
der Sofatisch (-e) coffee table (3)
sofern in so far as, if
sofort immediately (22)
die Softballmannschaft (-en) softball team
sogenannt so-called
sogar as well; indeed; even (32)
sogleich immediately
der Sohn (¨e) son (1/25)
solange as long as
die Solaranlage (-n) solar generator
die Solarberghütte (-n) solar mountain cabin
das Solarium (*pl.* **Solarien**) tanning bed
solcher, solche, solches such
der Soldat (-en *masc.*) / die Soldatin (-nen) soldier
solidarisch in solidarity
die Solidarität solidarity
der Solidaritätszuschlag solidarity surcharge on income tax (*for the reconstruction of eastern Germany*)
sollen (soll), sollte, gesollt to be supposed to (*do something*), should
somit therefore

der Sommer (-) summer (5); **im Sommer** in the summer
die Sommerferien (*pl.*) summer vacation
die Sommerferiensaison summer vacation season
das Sommersemester (-) summer semester
der Sommerurlaub (-e) summer vacation
das Sommerwetter summer weather
das Sonderangebot (-e) special offer (16)
die Sonderkommission special committee; special commission
der Sondermüll hazardous waste
sondern (*coord. conj.*) but (rather); **nicht nur . . . sondern auch . . .** not only . . . but also . . .
die Sonderschule (-n) special education school
der Sonnabend Saturday
die Sonne (-n) sun (5)
(sich) sonnen to sun, lie in the sun
die Sonnenbrille (-n) sunglasses
das Sonnenlicht sunlight
sonnenlos sunless
der Sonnenschein sunshine
der Sonnenschirm (-e) sunshade; (beach) umbrella
die Sonnenseite (-n) sunny side
der Sonnenstrahl (-en) sun beam
der Sonnenuntergang (¨e) sunset
sonnig sunny
der Sonntag (-e) Sunday (1E)
sonst else, besides that, apart from that; **was brauchen wir sonst noch?** what else do we need?
sonstig miscellaneous, other
die Sorge (-n) worry (24); **sich Sorgen machen (um)** to worry (about)
sorgen für to care for (23/25)
sorgfältig careful(ly) (31)
die Sorte (-n) kind, type
sortieren to sort, organize
soviel so much
soweit is as far as; thus far
sowie as well as
sowieso in any case; anyway (32)

sowohl . . . als auch . . . as well as
sozial social(ly)
die Sozialhilfe social welfare
die Sozialkritik social criticism
die Sozialkunde social science (11)
die Sozialleistung (-en) social support (29)
die Sozialverträglichkeit social acceptability
sozusagen so to speak
die Spaghetti (*pl.*) spaghetti
die Spalte (-n) column (*of written text*)
spalten to split
die Spaltung (-en) splitting, separation
(das) Spanien Spain (9)
das Spanisch Spanish (*language*) (11)
der Spanischkurs (-e) Spanish class
der Spann (-e) instep
spannend exciting; tense (23/32)
das Sparbuch (-̈er) savings account book
sparen to save (35)
das Sparkonto (-konten) savings account
der Spaß fun; **Spaß machen** (+ *dat.*) to be fun; **das macht mir Spaß** that is fun (5); **viel Spaß!** have fun! (5)
spät late; **wie spät ist es?** what time is it?
spätestens at the latest
spazieren gehen, ging spazieren, ist spazieren gegangen to go for a walk (2)
der Spaziergang (-̈e) walk; **einen Spaziergang machen** to take a walk
die SPD = Sozialdemokratische Partei Deutschlands
der Speck bacon (15)
die Spedition (-en) shipping company, trucking line
die Speditionsabteilung (-en) shipping department
die Speditionsfirma (-firmen) shipping company

der Speditionskaufmann (-leute) / die Speditionskauffrau (-en) shipping agent
der Speicher (-) storage
die Speise (-n) dish
die Speisekarte (-n) menu (15)
spekulieren to speculate
der Sperrmüll bulky garbage (*for special collection*)
der Spezialist (-en *masc.***) / die Spezialistin (-nen)** specialist
die Spezialität (-en) speciality (15)
speziell special(ly); specific(ally)
spezifisch specific(ally)
der Spickzettel (-) cheat sheet
der Spiegel (-) mirror (3)
das Spieglein (-) little mirror
das Spiel (-e) game
das Spielbein (-e) leg bearing no weight
spielen to play (8); **Streiche spielen** (+ *dat.*) to play tricks
der Spieler (-) / die Spielerin (-nen) player
das Spielfeld (-er) playing field
der Spielfilm (-e) movie (on television)
die Spielfläche (-n) playing area
das Spielkasino (-s) casino
das Spielzeug (-e) toy (17)
das Spielzimmer (-) playroom
der Spießer (-) bourgeois, narrow-minded person
spießig (*adj.*) bourgeois
der Spinat spinach
die Spindel (-n) spindle
die Spinne (-n) spider
spinnen to spin; (*fig.*) to be crazy; **der spinnt doch!** he's crazy! (10)
der Spinner (-) crazy person
das Spital (-̈er) hospital
spitz pointy, sharp
der Spitzbube (-n *masc.***)** imp, little boy
die Spitze (-n) top, highest point
der Spitzname (-n *masc.***)** nickname
der Splitter (-) splinter, fragment
spontan spontaneous(ly)

der Sport sports, exercise (11); **Sport treiben, trieb Sport, Sport getrieben** to play a sport (23/32)
die Sportart (-en) type of sport (23/32)
die Sporthalle (-n) sport center (16)
die Sporthochschule (-n) sports academy
der Sportlehrer (-) / die Sportlehrerin (-nen) physical education teacher
der Sportler (-) / die Sportlerin (-nen) athlete (23)
sportlich athletic
der Sportplatz (-̈e) sports field (10)
der Sportschuh (-e) sneaker (7)
der Sportverein (-e) sports club
die Sportwissenschaft physical education
der Sprachatlas (-atlanten) language atlas
sprachbegabt linguistically talented, good at languages
die Sprache (-n) language; **die Sprache verschlagen** (+ *dat.*) to leave speechless
die Sprachkenntnisse (*pl.*) foreign language skills, language proficiency
der Sprachkurs (-e) language course
das Sprachlabor (-s) language lab (10)
sprachlich linguistic(ally)
der Sprachspiegel (-) language mirror
die Sprachwahl (-en) choice of language
die Sprachwissenschaft linguistics
die Spraydose (-n) spray can
sprechen (spricht), sprach, gesprochen to speak (3)
sprechend speaking; **sprechende Tiere** speaking animals
der Sprecher (-) / die Sprecherin (-nen) speaker, spokesperson, representative
der Sprechfunk radio-telephone system
die Sprechstunde (-n) office hour

die Sprechstundenhilfe (-n) assistant in a doctor's office

das Sprechzimmer (-) office

das Sprichwort (¨er) proverb

springen, sprang, ist gesprungen to jump (32)

die Springform (-en) springform (pan)

die Spritze (-n) vaccine, shot (6)

spröd(e) aloof; austere; rough; recalcitrant

der Spruch (¨e) saying

das Sprudelwasser carbonated water

der Sprung (¨e) crack

das Sprungbrett (-er) springboard

die Spur (-en) trace

spürbar traceable (36)

spüren to feel

der Staat (-en) state

staatlich (*adj.*) state-owned, state-run; **staatlich anerkannt** state-approved

der Staatsbürger (-) / die Staatsbürgerin (-nen) citizen (26)

die Staatsbürgerschaft (-en) citizenship

die Staatsgrenze (-n) state border

stabil stable

das Stadion (Stadien) stadium

das Stadium (Stadien) phase, stage

die Stadt (¨e) city (4)

das Stadtbad (¨er) municipal pool, public swimming pool

stadtbekannt popular

das Städtchen (-) little town

der Städtebund confederation of cities

die Städteerkundung (-en) exploration of a city

der Stadtführer (-) city guidebook

das Stadtgebiet (-e) city area

städtisch municipal

das Stadtleben city life

das Städtlein (-) little town

die Stadtmitte (-n) downtown area, town center

der Stadtmusikant (-en *masc.*) / die Stadtmusikantin (-nen) musician

der Stadtpark (-s) public park

der Stadtpfarrer (-) city priest

der Stadtplan (¨e) city map

die Stadtrundfahrt (-en) city tour (*by bus*)

der Stadtteil (-e) part of town, neighborhood

das Stadtviertel (-) quarter, neighborhood (4)

das Stadtzentrum (-zentren) downtown

der Stahl steel

der Stahlarbeiter (-) / die Stahlarbeiterin (-nen) steelworker

das Stahlwerk (-e) steel mill

der Stammbaum (¨e) family tree

stammeln to stammer

stammen aus to be from

das Stammlokal (-e) favorite restaurant

der Stammtisch (-e) table for regulars (*at a restaurant or bar*)

der Standard (-s) standard

das Standbein (-e) weight-bearing leg; pivot leg

ständig permanent(ly), constant(ly)

der Standpunkt (-e) viewpoint

die Standuhr (-en) grandfather clock (3)

der Stapel (-) stack (*of something*)

der Star (-s) star

stark (stärker, stärkst-) strong(ly)

starren to stare

der Startort (-e) starting point

die Station (-en) station

die Statistik (-en) statistics

statt (*+ gen.*) instead of

stattfinden (findet statt), fand statt, stattgefunden to take place (17/27)

die Statue (-n) statue

der Status status

der Stau (-s) traffic jam

der Staub dust; **Staub saugen** to vacuum

stauen to dam, stem the flow

staunen to be astonished, amazed

das Staunen astonishment

staunend amazing(ly)

der/die Staunende (*decl. adj.*) amazed person

stechen (sticht), stach, gestochen to stab, pierce, sting

der Steckbrief (-e) personal description, wanted poster

stecken to put; to stick; to be located; to put in a concealed place; **wo steckt der Schlüssel?** where is the key?

der Stefansdom St. Stephen's Cathedral (*in Vienna*)

stehen, stand, gestanden to stand (16); (*+ dat.*) to suit (21)

stehlen (stiehlt), stahl, gestohlen to steal

die Steiermark Styria

steif stiff(ly)

steigen, stieg, ist gestiegen to climb

steigend rising, increasing

steigern to increase; to raise (29)

die Steilküste (-n) steep coast (*with rocks and cliffs*)

der Stein (-e) stone, rock

die Steinzeit Stone Age

die Stelle (-n) place; position (13/29)

stellen to put, place (*upright*)

das Stellenangebot (-e) job offer (14)

die Stellenanzeige (-n) job advertisement

die Stellensuche (-n) job search (14)

stemmen to lift (*weights*)

sterben (stirbt), starb, ist gestorben to die (12)

die Stereoanlage (-n) stereo system (3)

stereotyp stereotypical

der Stern (-e) star

sternenklar starry

das Sternzeichen (-) sign of the zodiac

stet constant, steady

das Steuer (-) steering wheel (*in a car*)

die Steuer (-n) tax (29)

steuerbar controllable, controlled

das Steuerbord starboard

steuern to steer; to direct
das Stichwort (¨er) key word
der Stiefbruder (¨) stepbrother (25)
der Stiefel (-) boot (7)
die Stiefmutter (¨) stepmother (12)
der Stiefsohn (¨e) stepson (12)
die Stieftochter (¨) stepdaughter (12)
der Stiefvater (¨) stepfather (12)
der Stier (-e) bull
der Stierkämpfer (-) bullfighter
der Stift (-e) pen
der Stil (-e) style (27)
still quiet, calm, silent
die Stille silence
die Stimme (-n) voice
stimmen to be correct, be true; **das stimmt** that's correct
die Stimmung (-en) mood, atmosphere (17/36)
stinken, stank, gestunken to stink
stinkig stinky
stinklangweilig deadly boring
stinksauer very angry
die Stirn (-e) forehead
stochern to poke
der Stock (-werke) floor, story (*above the ground floor*) (8); **im dritten Stock** on the fourth floor
stocken to falter; to hesitate
das Stockwerk (-e) floor, level (*in a building*)
der Stoff (-e) material (28)
der Stoffwechsel metabolism
stöhnen to groan
stolpern to trip
stolz proud(ly)
der Stolz pride
stopfen to stuff
das Stoppelfeld (-er) wheatfield after harvest
stoppen to stop
stören to disturb (24)
störend disturbing
(der) Störtebeker *legendary sailor*
störungsfrei undisturbed
die Story (-s) story
stoßen (stößt), stieß, gestoßen to push, shove
stottern to stutter
die Strafe (-n) punishment

der Strahl (-en) ray, beam
der Strand (¨e) beach (4)
der Strandabschnitt (-e) beach section
der Strandkorb (¨e) covered beach chair
strapaziös stressful, exhausting
die Straße (-n) street; **sie wohnt in der Schiller-Straße** she lives on Schiller Street
die Straßenbahn (-en) streetcar (22)
das Straßenfest (-e) street festival
der Straßenköter (-) mutt
der Straßenkünstler (-) / die Straßenkünstlerin (-nen) street artist
das Straßenschild (-er) street sign
das Straßentheater street theater
die Strategie (-n) strategy
strategisch strategic, strategical(ly)
sich sträuben to resist; **die Haare sträuben** to stand on end (*hair, fur*)
der Strauch (¨er) bush, shrub
streben nach to strive for
die Strecke (-n) stretch, distance; course; **auf der Strecke bleiben** to be left behind, get lost
sich strecken to stretch
der Streich (-e) trick, prank (14)
streicheln to stroke, caress
streichen, strich, gestrichen to paint; to strike, cross out
das Streichholz (¨er) match
der Streifen (-) strip; stripe
der Streifenpolizist (-en *masc.*) / die Streifenpolizistin (-nen) patrol officer, police officer on the beat
der Streifenwagen (-) police car
der Streik (-s) strike
streiken to go on strike
der Streit (-e) argument, confrontation
streiten, stritt, gestritten to argue (23)
streng strict(ly) (20/27)
der Stress stress
stressig stressful(ly)
streuen to scatter; to spread

das Strichmännchen (-) stick figure
stricken to knit
der Strom electricity (35); current
die Strophe (-n) verse, line
der Strudel ( ) strudel
die Struktur (-en) structure
die Strumpfhose (-n) tights (21)
die Stube (-n) room
stubenrein housebroken
das Stück (-e) (theater) piece (36); **ein Stück gehen** to walk for a bit
das Stückchen (-) little piece
der Student (-en *masc.*) / die Studentin (-nen) (university) student (1E)
der Studentenalltag everyday life of a student
der Studentenball (¨e) dance, ball for students
die Studentenbewegung (-en) student movement
der Studentenfilm (-e) student film
das Studentenleben student life
der Studentenprotest (-e) student protest
das Studententheater (-) student theater
das Studentenwerk (-e) student administration
das Studentenwohnheim (-e) dormitory (19/3E)
das Studentenzimmer (-) student room
der Studienablauf (¨e) course of one's studies, program
der Studienabschnitt (-e) part of a program of study
der Studienaufenthalt (-e) study abroad program
die Studienberatung student advising
die Studiendauer length of a university studies program
das Studienfach (¨er) subject of study
die Studiengebühren (*pl.*) tuition (19)
der Studienplatz (¨e) place in a university program
die Studienreise (-n) student excursion, educational excursion

die Studientour (-en) field trip
studieren to study (8); to be a student at a university (11)
der/die Studierende (*decl. adj.*) student
das Studio (-s) studio
das Studium (Studien) course of study (*at a university*) (19/3E)
die Stufe (-n) step
der Stuhl (¨e) chair (1E)
der Stummfilm (-e) silent movie (36)
der Stummfilmstar (-s) star in a silent movie
die Stunde (-n) hour (23), lesson
der Stundenplan (¨e) lesson plan, schedule (10)
stur stubborn
die Sturheit stubbornness
der Sturm (¨e) storm
stürmisch passionate, ardent
stutzen to trim
sich stützen auf (+ *acc.*) to lean on; to be based on
der Stützpunkt (-e) military outpost
das Subjekt (-e) subject
das Substantiv (-e) noun
subtil subtle; subtly
die Suche (-n) search (26)
suchen to search, seek (9)
die Sucht addiction
die Suchterscheinung (-en) symptom of addiction
(das) Südafrika South Africa
(das) Südamerika South America
(das) Südbaden province in South West Germany
der Süden south; **im Süden** in the south
der Südflügel (-) south wing
südlich (von) south (of)
der Südosten southeast
südöstlich (von) southeast (of)
der Südwesten southwest
südwestlich (von) southwest (of)
das Suffix (-e) suffix
sühnen to atone
summen to hum, buzz
super (*coll.*) super; **das ist super!** that's great!

superlang(e) (*coll.*) super long, extremely long
der Superlativ (-e) superlative
die Superlativform (-en) superlative forms
der Supermarkt (¨e) supermarket (4)
superschlacksig (*coll.*) uncoordinated, unorthodox in movement
die Suppe (-n) soup (15)
surfen to surf; **im Web surfen** to surf the Web
surreal surreal
süß sweet (19); **etwas Süßes** something sweet
die Süßigkeiten (*pl.*) candy
das Sweatshirt (-s) sweatshirt
der Swimmingpool (-s) swimming pool
das Symbol (-e) symbol (16)
symbolisieren to symbolize
die Symbolwirkung (-en) symbolism
die Sympathie (-n) fondness; sympathy
sympathisch nice, congenial (1)
das Symptom (-e) symptom
die Synagoge (-n) synagogue
synchronisieren to dub (*a film*) (36)
das Synonym (-e) synonym
syrisch Syrian
das System (-e) system (19)
die Szene (-n) scene

T

die Tabelle (-n) table
die Tablette (-n) pill
tabu taboo (26)
die Tafel (-n) blackboard (1E)
der Tag (-e) day (1E); **der Tag der Deutschen Einheit** Day of German Unity (5); **eines Tages** one day, someday
das Tagebuch (Tagebücher) diary
der Tagebucheintrag (¨e) diary entry
tagelang for day's

der Tagesablauf (Tagesabläufe) course of the day, daily routine
der Tagesausflügler (-) / die Tagesausflüglerin (-nen) day-tripper
die Tagesetappe (-n) leg of a journey
das Tageslicht daylight
die Tagesschau *German public television news show*
tageweise per day, for a day
täglich daily (21)
tagsüber during the day
das Tal (¨er) valley (9)
das Talent (-e) talent
talentiert talented
der Taler (-) thaler (*old unit of currency*)
tanken to pump gas
die Tankstelle (-n) gas station
die Tante (-n) aunt (1/25)
der Tanz (¨e) dance (36)
tanzen to dance (2)
die Tanzmusik dance music
der Tanzsaal (-säle) dancing hall
der Tanzschuh (-e) dancing shoe
tapfer brave
die Tasche (-n) bag, pocket (7)
das Taschengeld (-er) pocket money
die Tasse (-n) cup
die Tat (-en) deed, crime; **auf frischer Tat ertappt** caught in the act
der Täter (-) / die Täterin (-nen) culprit, criminal
tätig active; **tätig sein** to work
die Tätigkeit (-en) activity (13)
die Tatsache (-n) fact
tatsächlich really, indeed, as a matter of fact
taub deaf
die Taube (-n) pigeon
der Taubenschwarm (¨e) flock of pigeons
der Taubenzuchtverein (-e) pigeon breeders' club
der Tauchsieder (-) immersion coil (*for boiling water*)
taumeln to stagger, sway

tauschen to change, switch, exchange

tausend thousand (1F)

das Taxi taxicab

der Taxifahrer (-) / die Taxifahrerin (-nen) cabdriver

das Team (-s) team (23)

die Teamberatung (-en) team counseling

der Teamwerker (-) team worker

die Technik (-en) technique, technology (11)

der Techniker (-) / die Technikerin (-nen) technician

technisch technical(ly)

die Technologie (-n) technology

technologisch technological(ly)

die Technomusik techno music

der Teddybär (-en *masc.***)** teddy bear

der Tee (-s) tea (2)

das Teeglas (¨er) tea glass

teeren to tar

der Teig dough, batter

der Teil (-e) part; **zum Teil** partly, in part

teilen to divide; to share (31)

die Teilnahme (-n) participation

teilnehmen (nimmt teil), nahm teil, teilgenommen to participate (20); **teilnehmen an** (+ *dat.*) to take part in (26)

der Teilnehmer (-) / die Teilnehmerin (-nen) participant

die Teilung (-en) division, separation

das Telefon (-e) telephone (3)

das Telefonbuch (¨er) phone book

telefonieren (mit) to be on the phone (with), call

telefonisch by phone

die Telefonnummer (-n) phone number

die Telefonsprechstunde (-n) office hours (by phone)

die Telefonzelle (-n) telephone booth

der Teller (-) plate (19)

das Tempolimit (-s) speed limit

die Tendenz (-en) tendency

das Tennis tennis; **Tennis spielen** to play tennis (2)

der Tennisplatz (¨e) tennis court

der Tennisschläger (-) tennis racket

der Teppich (-e) rug, carpet

der Teppichboden (¨) wall-to-wall carpet

der Teppichfaden (¨) carpet thread

der Teppichrand (¨er) edge of the carpet

der Termin (-e) appointment (29)

das Terminal (-s) airline terminal (24)

der Terminkalender (-) date book

die Terrasse (-n) terrace, patio (16)

der Test (-s) test

testen to test

teuer (teurer, teuerst-) expensive (2)

der Text (-e) text

der Textauszug (¨e) excerpt from a text

das Textbeispiel (-e) example from a text

die Textstelle (-n) quote from a text

die Texttafel (-n) text table

thailändisch (*adj.*) Thai

das Theater (-) theater (36); **ins Theater gehen** to go to the theater (2)

die Theateraufführung (-en) theater play, production

die Theaterdekoration (-en) props, stage set, stage background

der Theatersaal (-säle) theater hall

das Theaterstück (-e) play

die Theaterwissenschaften (*pl.*) drama (*as a subject*)

das Thema (Themen) topic; **zum Thema** on the topic (of)

der Themenbereich (-e) topic area

die Theologie theology

der Theoretiker (-) / die Theoretikerin (-nen) theorist

theoretisch theoretical(ly)

die Theorie (-n) theory

die Therapie (-n) therapy

die Therapieform (-en) kind of therapy

das Thermometer (-) thermometer (6)

die These (-n) hypothesis, thesis

der Thunfisch (-e) tuna (15)

(das) Thüringen Thuringia (17)

thüringisch (*adj.*) Thuringian

tief deep(ly) (33)

tiefblau deep blue

die Tiefkühlpizza (-s) frozen pizza

tiefliegend deep-set (*eyes*)

das Tier (-e) animal

der Tierarzt (¨e) / die Tierärztin (-nen) veterinarian

die Tierbeobachtung (-en) animal observation

die Tierbestimmung identification of animals

der Tiergarten (¨) zoo

die Tierhandlung (-en) pet store (22)

die Tierpraxis (-praxen) veterinarian's practice

der Tierschützer (-) / die Tierschützerin (-nen) animal conservationist

der Tiger (-) tiger

die Tinte (-n) ink

das Tintenfass (¨er) ink bottle

der Tipp (-s) tip, hint

der Tisch (-e) table

die Tischdecke (-n) tablecloth

das Tischlein (-) little table

der Tischler (-) / die Tischlerin (-nen) carpenter

das Tischtennis table tennis (8)

der Titel (-) titel

tja well, . . .

der Toast (-s) toast

der Toaster (-) toaster

die Tochter (¨) daughter (1/25)

die Tochterfirma (-firmen) subsidiary

der Tod (-e) death

die Todeszahlen (*pl.*) death statistics

tödlich deadly, fatal

die Toilette (-n) bathroom, toilet bowl (3)

tolerant tolerant

die Toleranz (-en) tolerance

toll (*coll.*) great (2)

die Tomate (-n) tomato (16)

die Tomatensoße (-n) tomato sauce, marinara sauce (19)

der Ton (¨e) sound
der Tonfilm (-e) sound film (36)
die Tonne (-n) container; bin (35); ton
der Topf (¨e) pot (19)
töpfern to make pottery (31)
topfit fit
das Tor (-e) (*sport*) goal; gate (23)
die Torte (-n) fancy cake
die Tortenplatte (-n) cake platter
die Tortur (-en) ordeal
tot dead
total total(ly)
töten to kill (12)
die Tour (-en) tour
der Tourenverlauf (¨e) course of a trip, route
der Tourismus tourism
der Tourist (-en *masc.*) / die Touristin (-nen) tourist
der Touristenbetreuer (-) / die Touristenbetreuerin (-nen) tourist attendant, guide
das Touristikcamp (-s) tourist camp, resort
touristisch touristic(ally)
die Tradition (-en) tradition
traditionell traditional(ly)
das Traditionsbewusstsein consciousness of traditions
tragen (trägt), trug, getragen to carry; to wear (5)
tragisch tragic(ally)
die Tragetasche (-n) bag for carrying objects, for example, grocery bag
der Trainer (-) / die Trainerin (-nen) coach
trainieren to train; to exercise
das Training training; exercise
der Transport (-e) transport
der Transporter (-) van
transportieren to transport
das Transportmittel (-) means of transportation
das Transportschiff (-e) freight ship
die Traube (-n) grape
der Traubensaft grape juice (15)
die Trauer mourning, grief
traulich cozy
der Traum (¨e) dream

träumen to dream
das Traumhaus (¨er) dream house
die Traumkarriere (-n) dream career, job (14)
der Traumurlaub (-e) dream vacation
traurig sad (1)
traut beloved, familiar; **trautes Heim** home sweet home
der Treff (-s) joint, bar, disco
treffen (trifft), traf, getroffen to meet
treffend fitting
der Treffpunkt (-e) meeting place
treiben, trieb, getrieben: Sport treiben to exercise; to play a sport
das Treibhaus (¨er) hothouse
der Trenchcoat (-s) trenchcoat (7)
der Trend (-s) trend
trendig trendy
trennbar separable
trennen to separate (17/35); to divide
die Trennung (-en) separation (25)
die Treppe (-n) stairs (8)
das Treppenhaus (¨er) staircase
treten (tritt), trat, ist getreten to kick, step
der Trick (-s) trick (14)
der Trickfilm (-e) animated film
der Trimm-dich-Pfad exercise trail
trinken, trank, getrunken to drink (2)
das Trinkgeld (-er) tip
die Trinkkur: eine Trinkkur machen *to drink mineral waters for healing purposes*
das Trinkwasser drinking water
trippeln to toddle
trocken dry
die Trockenkonserve (-n) dried food
trocknen to dry
der Trommler (-) drummer
die Trompete (-n) trumpet
der Tropfen (-) drop
tropisch tropical
trostlos desolate
trotz (+ *gen.*) in spite of
trotzdem anyway, in spite of that

trüb(e) blurry, foggy
trunken (*poetic*) intoxicated
(das) Tschechien Czech Republic
tschechisch (*adj.*) Czech
tschüss! (*inform.*) bye!
das T-Shirt (-s) T-shirt (7)
die Tuba (Tuben) tuba
tüchtig capable, competent
tun, tat, getan to do
die Tür (-en) door (1E)
turbulent turbulent
der Türke (-n *masc.*) / die Türkin (-nen) Turk (18)
die Türkei Turkey
türkisch (*adj.*) Turkish
der Turm (¨e) tower
der Turmalinsplitter (-) splinter of tormaline
das Turnier (-e) tournament; competition
der Turnschuh (-e) athletic shoe
der Türsteher (-) bouncer
die Tüte (-n) bag
das Tuten: von Tuten und Blasen keine Ahnung haben to have no clue
der Typ (-en *masc.*) (*coll.*) guy, dude
typisch typical(ly)

U

die U-Bahn (-en) subway (22)
übel bad; **übel dran sein** to have it bad, be in a bad situation
üben to practice
über (+ *acc./dat.*) above; about; over
überall everywhere
der Überblick (-e) overview
überbrücken to bridge
überdurchschnittlich above average
übereinstimmen (stimmt überein) (mit etwas) to agree (with something) (3E)
überfliegen, überflog, überflogen to skim (21)
überflüssig superfluous
überfüllt (*adj.*) crowded
übergeben (übergibt), übergab, übergeben to hand over
überhaupt (nicht) (not) at all
überholt (*adj.*) out-dated

überlassen (überlässt), überließ, überlassen to leave to; sich selbst über lassen sein to be left to one's own devices

überlastet (adj.) overwhelmed

die Überlastung (-en) burden, overload (27)

überleben to survive (25)

(sich) überlegen to consider (29)

überleiten to lead to

übermorgen day after tomorrow

übernachten to spend the night (3E)

die Übernachtung (-en) overnight stay (8)

übernehmen (übernimmt), übernahm, übernommen to take over

überprüfen to check

überragen to stand out

überraschen to surprise (17)

überrascht (adj.) surprised (14)

die Überraschung (-en) surprise (14)

überreden to persuade, convince

übers = über das

die Überschrift (-en) heading

übersetzen to translate (28)

die Übersetzungsarbeit (-en) translation work

übersichtlich clear, clearly laid out

überspringen, sprang über, übersprungen to jump over; to skip

überstehen, überstand, überstanden to overcome

die Überstunde (-n) overtime hour (22)

übertragen (überträgt), übertrug, übertragen to transmit

übertreiben, übertrieb, übertrieben to exaggerate (29)

übertrieben (adj.) exaggerated (20)

überwachen to supervise (32)

überwältigen to overwhelm, overpower

überweisen, überwies, überwiesen to transfer, refer

überwinden, überwand, überwunden to overcome

überzeugen to convince

überzeugt sein (von) to be convinced (of)

die Überzeugungskraft (¨e) power of persuasion

üblich usual

übrig left over

übrigens by the way (22)

die Übung (-en) exercise (33)

das Ufo (-s) UFO

die Uhr (-en) clock (1E); um acht Uhr at eight o'clock; wie viel Uhr ist es? what time is it? (1E)

die Uhrzeit (-en) time

um (. . . herum) (+ acc.) around; at (time); um die Ecke around the corner; um acht Uhr at eight o'clock; um . . . herum around; um Köln herum around Cologne (5); um wieviel Uhr at what time; um (. . .) zu . . . in order to

umarmen to embrace, hug (24)

die Umarmung (-en) hug (24)

umfallen (fällt um), fiel um, ist umgefallen to fall over, collapse

umfangreich extensive

umfassend comprehensive, thorough

das Umfeld surroundings

die Umfrage (-n) survey, opinion poll

der Umgang interaction

die Umgangssprache colloquial language

umgeben von surrounded by

die Umgebung (-en) surroundings, vicinity (4)

umgehen (geht um), ging um, ist umgegangen to go round; mit etwas umgehen to deal with, handle (26)

umgehend immediately

umgekehrt vice versa, the other way around

umhegen to care for

der Umkreis surroundings, vicinity

der Umlaut (-e) umlaut

umreißen (reißt um), riss um, umgerissen to tear down

ums = um das

der Umsatz (¨e) turnover

die Umsatzdaten turnover data

der Umschlag (¨e) envelope

umschreiben (schreibt um), schrieb um, umgeschrieben to rewrite

sich umsehen (sieht um), sah um, umgesehen to look around

umsetzen (setzt um) to convert; in die Praxis umsetzen to put into practice (35)

umsonst for nothing, free

der Umstand (¨e) circumstance

umsteigen (steigt um), stieg um, ist umgestiegen to change (trains) (7)

die Umstellung (-en) adjustment (25)

umstimmen (stimmt um) to retune; to change someone's mind

umwechseln (wechselt um) to change (28)

die Umwelt environment (20/35)

das Umweltamt (¨er) environmental agency

umweltbedingt conditioned by the environment

die Umweltbelastung (-en) damage to the environment

die Umweltbeschädigung (-en) environmental damage

umweltbewusst environmentally conscious

das Umweltbewusstsein environmental awareness (35)

umweltbezogen referring to the environment

umweltfeindlich hostile to the environment (35)

der Umweltforscher (-) / die Umweltforscherin (-nen) environmental scientist

die Umweltforschung environmental research

umweltfreundlich environmentally friendly (20/35)

das Umweltpapier (-e) recycled paper

die Umweltpolitik environmental politics

das Umweltproblem (-e) environmental problem

das Umweltprojekt (-e) environmental project

der Umweltschutz environmental protection (35)

die Umweltschutzbewegung (-en) environmental protection movement

der Umweltsünder (-) / die Umweltsünderin (-nen) polluter, litterbug (20/35)

der Umweltverschmutzer (-) polluter

die Umweltverschmutzung environmental pollution

umziehen (zieht um), zog um, ist umgezogen to move (4)

der Umzug (¨e) parade (17); move

die Umzugsfirma (-firmen) moving company

unabhängig independent(ly) (25)

die Unabhängigkeit (-en) independence (25)

unangebracht inappropriate(ly)

unangenehm unpleasant(ly)

unaufhörlich uninterrupted

unausgepackt unopened

unbedeutend insignificant(ly)

unbändig boisterous

unbedingt absolutely, in any case, no matter what, necessarily (11/20/34)

unbefangen outgoing; uninhibited (1)

unbefestigt open

unbegrenzt unlimited

unbegründet unfounded

unbeholfen clumsy; clumsily

unbekannt unknown

unbequem uncomfortable; uncomfortably

unbeschreiblich indescribable; indescribably (31)

und (*coord. conj.*) and; **und so weiter** and so forth, et cetera

undankbar ungrateful(ly)

unecht fake

uneingeschränkt unrestricted

unendlich never-ending

unentbehrlich essential (29)

unentschlossen undecided

unersetzlich irreplaceable (31)

unerträglich unbearable; unbearably

unfair unfair(ly)

der Unfall (¨e) accident

unfreundlich unfriendly (1)

ungarisch (*adj.*) Hungarian

(das) Ungarn Hungary

ungeduldig impatient(ly)

ungefähr approximately (11/22/29)

ungeheuer extreme(ly); **es war ungeheuer kalt** it was extremely cold

ungenießbar inedible, undrinkable

ungerecht unfair(ly) (10)

ungesund unhealthy; unhealthily

ungewöhnlich unusual(ly) (14)

unglaublich unbelievable; unbelievably

das Unglück (-e) unhappiness; accident; bad luck

unglücklich unhappy; unhappily

unheilbar incurable; incurably

unheilvoll fateful(ly), ominous(ly), disastrous(ly)

unheimlich scary, spooky, eerie; eerily, uncanny; uncannily

unhöflich impolite(ly)

die Uni (-s) = Universität

der Uniabschluss (¨e) university degree

die Uniform (-en) uniform

das Unileben student life, life as a student

uninteressant uninteresting

uninteressiert uninterested

universell universal(ly)

die Union (-en) union

die Universität (-en) university (11)

die Universitätsstadt (¨e) university town

unklar unclear

unkritisch uncritical(ly)

unmenschlich inhuman(ly)

unmittelbar direct(ly) (34)

unmöglich impossible; impossibly

unnötig unnecessary; unnecessarily

die UNO UN (United Nations)

unordentlich untidy; untidily

die Unordnung (-en) mess

unpersönlich impersonal(ly)

unpraktisch impractical(ly)

Unrecht haben to be wrong

unregelmäßig irregular(ly), uneven(ly)

unromantisch unromantic(ally) (1)

die Unruhe restlessness, agitation

unruhig restless(ly)

uns (*acc./dat.*) us, to us

unschätzbar inestimable; inestimably

unschlüssig undecided (33)

unser our

unsicher insecure(ly), uncertain(ly)

die Unsicherheit (-en) insecurity (27)

der Unsinn nonsense

unsympathisch unpleasant; disagreeable (1)

untätig idle, idly

unten below, down there

unter (+ *acc./dat.*) under(neath)

unterbrechen (unterbricht), unterbrach, unterbrochen to interrupt; to stop

unterbreiten to tell, inform, present with

unterbringen (bringt unter), brachte unter, untergebracht to accommodate

unterdrücken to oppress, hold back, restrain, suppress (30)

die Unterdrückung (-en) suppression, oppression

der Untergang decline, demise, downfall, sinking

sich unterhalten (unterhält), unterhielt, unterhalten to entertain (28); **sich unterhalten über** (+ *acc.*) to converse

unterhaltsam entertaining (21)

die Unterhaltung (-en) entertainment (36)

das Unterhemd (-en) undershirt (21)

unterkriegen: lass dich nicht unterkriegen! keep your chin up!

die Unterkunft (¨e) accommodation

das Unternehmen (-) business enterprise (29)

unternehmen (unternimmt), unternahm, unternommen to undertake, do (9/31)

die Unternehmung (-en) activity

der Unterricht instruction; class

unterrichten to teach (11/27); instruct

der Unterrichtsausfall cancellation of class

die Unterrichtsmethode (-n) teaching method (27)

der Unterrichtsstil (-e) teaching style

die Unterrichtsstunde (-n) lesson

unterrühren (*cooking*) to fold in

unterscheiden to distinguish

sich unterscheiden von, unterschied, unterschieden to differ from (27)

der Unterschied (-e) difference

unterschiedlich various (26)

der Unterschlupf shelter

unterschreiben, unterschrieb, unterschrieben to sign

die Unterschrift (-en) signature, autograph

unterstreichen, unterstrich, unterstrichen to underline

unterstützen to support

die Unterstützung support

untersuchen to examine (6)

die Untersuchung (-en) examination (33)

der Untertitel (-) subtitle (36)

die Unterwäsche underwear (7)

unterwegs underway, on the road

die Unterweisung (-en) instruction

untrennbar inseparable; inseparably

untypisch atypical(ly)

unüberhörbar loud(ly), obvious(ly)

unverdrossen undeterred(ly)

unvergesslich unforgettable; unforgettably

unvergleichbar incomparable, incomparably

unvernünftig unreasonable; unreasonably

unverschämt shameless(ly), unconscionable; unconscionably (10)

die Unverschämtheit (-en) impudence; **das ist eine Unverschämtheit!** that's outrageous! (10)

unverträglich intolerable; intolerably

die Unverträglichkeit (-en) intolerance, allergy

unvollständig incomplete(ly)

unvoreingenommen unbiased (34)

unweigerlich inevitable; inevitably (34)

unwichtig unimportant(ly)

unwillkürlich spontaneous(ly), instinctive(ly)

unzählig countless

unzufrieden unsatisfied (29)

uralt very old

die Urenkel (*pl.*) great-grandchildren (25)

die Urgroßeltern (*pl.*) great-grandparents (25)

die Urgroßmutter (:) great-grandmother

der Urgroßvater (:) great-grandfather

der Urlaub (-e) vacation (17/32); **Urlaub machen** to go on vacation (32)

der Urlauber (-) / die Urlauberin (-nen) vacationer

die Urlaubsatmosphäre holiday atmosphere

die Urlaubsfreude (-n) holiday pleasure

der Urlaubsort (-e) vacation spot

die Urlaubsreise (-n) vacation

die Urlaubszeit (-en) vacation time

die Ursache (-n) cause; **keine Ursache!** don't mention it!

der Ursprung (:e) origin

ursprünglich original(ly) (36)

der Ursprungsort (-e) origin

die USA USA

usw. = und so weiter and so on

V

der Valentinstag Valentine's Day (5)

die Vanille vanilla

der Vanillinzucker vanilla sugar

die Variante (-n) variety, alternative

die Variation (-en) variation

die Vase (-n) vase

der Vater (:) father (1/25)

das Vaterland (:er) home country

der Vatertag Father's Day

der Vati (-s) daddy, dad

der Vegetarier (-) / die Vegetarierin (-nen) vegetarian (*person*)

vegetarisch (*adj.*) vegetarian (33)

(das) Venedig Venice (Italy)

die Verabredung (-en) appointment; date (34)

sich verabschieden to take leave (24)

die Verachtung (-en) contempt (34)

sich verändern to change (27)

die Veränderung (-en) change (25)

veranstalten to organize, arrange, produce

die Verantwortung (-en) responsibility (14)

verarbeiten to use, work, finish

verärgert upset, angry

das Verb (-en) verb

der Verband (:e) union, association

das Verbandsziel (-e) goal of the union

verbannen to banish; to exile

verbessern to improve

die Verbesserung (-en) improvement

die Verbform (-en) verb form

verbieten, verbot, verboten to forbid (20/27)

verbinden, verband, verbunden to unite (29)

die Verbindung (-en) connection, combination

sich verbitten, verbat, verbeten to refuse to tolerate

verblassen to fade, pale

verboten (*adj.*) not allowed; **Rauchen verboten!** no smoking!

verbrauchen to consume (35); to use (20)

der Verbraucher (-) / die Verbraucherin (-nen) consumer (35)

der Verbrecher (-) / die Verbrecherin (-nen) criminal

die Verbrecherjagd (-en) chase after criminals
verbreiten to distribute (20)
verbrennen, verbrannte, verbrannt to burn
verbringen, verbrachte, verbracht to spend (*time*) (5/3E)
verbunden (*adj.*) allied (18)
verdauen to digest
verderben (verdirbt), verdarb, verdorben to spoil, ruin
verdienen to earn (13/25)
verdreckt dirty
verehren to admire
der Verehrer (-) / die Verehrerin (-nen) admirer
verehrt honorable, dear; **verehrtes Brautpaar!** dear bride and groom!
der Verein (-e) organization; association; club
vereinbaren to agree; to arrange (34)
vereinigen to unite, combine
vereinigt (*adj.*) united; **die Vereinigten Staaten von Amerika** United States of America
die Vereinigung (-en) uniting, organization, union
der Vereinsraum (ë-e) club room
das Verfahren (-) trial, process, method
verfassen to write, compose
verfehlen to defeat, miss
verfestigen to reinforce, strengthen
verfilmen to film (36)
die Verfilmung (-en) film adaptation (*of a novel, play, etc.*)
verfolgen to follow; to persecute (34)
die Verfolgung (-en) persecution
Verfügung: jemandem zur Verfügung stehen to be at one's disposal
vergangen past; preceding (26)
die Vergangenheit past (27)
die Vergangenheitsform (-en) past-tense form
vergeben (vergibt), vergab, vergeben to give, assign

vergeblich futile(ly)
vergeistigt cerebral, spiritual
die Vergeistigung (-en) spiritualization
vergessen (vergisst), vergaß, vergessen to forget (9)
vergesslich forgetful(ly)
vergiften to poison (12/35)
vergiftet (*adj.*) poisoned
der Vergleich (-e) comparison, **im Vergleich mit** in comparison with
vergleichen, verglich, verglichen to compare
sich vergnügen to amuse oneself (33)
das Vergnügen pleasure; **mit Vergnügen** with pleasure
vergnügt happy, happily
der Vergnügungspark (-s) amusement park
sich verhalten (verhält), verhielt, verhalten to act, behave
das Verhalten attitude (31)
die Verhaltensweise (-n) behavioral pattern
das Verhältnis (-se) relationship; circumstance; proportion
verharren to pause, remain
sich verheiraten mit to get married to (23)
verheiratet married (25)
verhüllen to veil, to mask, to disguise
sich verirren to get lost
verjüngen rejuvenate
verjüngt (*adj.*) rejuvenated
verkaufen to sell
der Verkäufer (-) / die Verkäuferin (-nen) vendor, salesperson
der Verkaufsingenieur (-e) / die Verkaufsingenieurin (-nen) sales engineer
die Verkaufsunterlagen (*pl.*) sales documents
der Verkehr traffic (35)
der Verkehrsingenieur (-e) / die Verkehrsingenieurin (-nen) traffic engineer
das Verkehrsmittel (-) mode of transportation (35)

das Verkehrsschild (-er) traffic sign
die Verkleidungsparty (-s) costume party
verknüpfen to connect, combine
verkürzen to shorten
verkürzt (*adj.*) shortened
der Verlag (-e) publisher
verlagern to shift; to move
verlangen to demand (14/28)
verlängern to extend, lengthen; to renew
die Verlängerung (-en) extention, lengthening
verlassen (verlässt), verließ, verlassen to leave (14/27)
verlegen (*adj.*) embarrassed
die Verlegenheit (-en) embarrassment (29)
der Verleger (-) / die Verlegerin (-nen) publisher
verleiden, verlitt, verlitten (+ *dat.*) to spoil
verleihen, verlieh, verliehen to lend
verlernen to forget how to
(sich) verletzen to hurt (oneself), to injure (19)
die Verletzung (-en) injury
sich verlieben in (+ *acc.*) to fall in love with
verliebt (*adj.*) in love (25)
verlieren, verlor, verloren to lose
verlobt (*adj.*) engaged (25)
die Verlobung (-en) engagement (25)
verloren gegangen (*adj.*) lost
die Verlosung (-en) raffle
verlustig: etwas (+ *gen.*) **verlustig gehen** to forfeit, to lose
sich vermählen (*antiquated*) to marry, wed
vermehren to multiply
die Vermehrung increase, reproduction, breeding
vermeiden, vermied, vermieden to avoid
vermieten to rent out (4)
der Vermieter (-) / die Vermieterin (-nen) landlord, landlady

vermindern to reduce (20)
vermischen to mix (19)
vermissen to miss, lack
vermitteln to convey, impart (26)
vermittelst (*antiquated*) by means of, with
die Vermittlungsagentur (-en) agency; **Au-Pair-Vermittlungsagentur** au pair agency
vernehmlich clear(ly), audible; audibly
verneinen to negate
die Vernunft reason
vernünftig reasonable; reasonably (10)
veröffentlichen to publish
verpacken to wrap; to package
die Verpackung (-en) packaging (20)
das Verpackungsmaterial (-ien) packaging material (35)
der Verpackungsmüll packaging waste
verpassen to miss
die Verpflegung (-en) catering, full board
die Verpflichtung (-en) duty; obligation; commitment
verraten (verrät), verriet, verraten to tell, reveal
sich verrechnen to miscalculate (33)
verregnet (*adj.*) rainy
verreisen to go on a trip (32)
verrückt crazy, mad (17)
die Verrücktheit (-en) madness, craziness
versagen to fail
die Versagensangst (-̈e) fear of failure
versalzen to put too much salt in
versalzen (*adj.*) too salty
(sich) versammeln to assemble, gather together
die Versammlung (-en) meeting
verschenken to give away
verschärfen to increase
verscheuchen to scare away
verschieben, verschob, verschoben to move, change, reschedule

verschieden different(ly) (22)
verschlossen closed
verschlucken to swallow
verschmutzen to pollute (35)
die Verschmutzung (-en) pollution (35)
verschollen lost, missing
verschränken: die Hände verschränken to cross one's hands
verschreiben, verschrieb, verschrieben to prescribe (33)
verschwenden to waste
die Verschwendung (-en) waste, wastefulness
verschwinden, verschwand, verschwunden to disappear (20)
das Versehen (-) mistake; **aus Versehen** by mistake
versetzen to move; to transplant; to transfer (16)
sich versetzen: sich in die Rolle von jemandem versetzen to put oneself in the role of someone
die Versetzung (-en) transfer
versichern to assure
versichert (*adj.*) insured
die Versichertenkarte (-n) insurance card
die Versicherung (-en) insurance (33)
der Versicherungsbeitrag (-̈e) insurance premium
versiert (*adj.*) experienced, practiced
die Version (-en) version
versorgen to provide for, support
die Versorgung care, supply
sich verspäten to be late (34)
verspätet belated, late
die Verspätung (-en) delay (24/32)
versperren to block
das Versprechen (-) promise
versprechen (verspricht), versprach, versprochen to promise
die Versprechung (-en) promise (34)
der Verstand reason; common sense
das Verständnis understanding

verständnislos without understanding
verständnisvoll understanding(ly)
verstärken to reinforce
verstaubt dusty
das Versteck (-e) hiding place
verstecken to hide
verstehen, verstand, verstanden to understand; **verstanden?** understood?
verstopfen to stuff
verstreut (*adj.*) scattered
der Versuch (-e) attempt, experiment, try
versuchen to try, attempt
verteilen to distribute
verteufelt tricky, darned
vertiefen to deepen
vertieft in depth
der Vertrag (-̈e) contract (25)
sich vertragen (verträgt), vertrug, vertragen to get along
verträglich amicable; amicably; tolerable; tolerably
das Vertrauen trust
verträumt dreamy, dreamily
vertraut sein mit to be aquainted with
vertreten (vertritt), vertrat, vertreten to appear; to represent (27); **vertreten sein** to be represented
der Vertreter (-) / die Vertreterin (-nen) representative
die Vertreterfirma (-firmen) distributor, wholesaler
die Vertretung (-en) substitute
der Vertrieb sales
verursachen to cause (18)
verurteilen to condemn, convict, sentence
verwalten to manage, run
die Verwaltung management; administration
verwandeln (*adj.*) (**in** + *acc.*) to turn (into)
verwandelt (*adj.*) transformed (12)
verwandt (*adj.*) related
der/die Verwandte (*decl. adj.*) relative, relation

dic Verwandtschaft (-en) relatives, relations, family
das Verweilen stay
verwelken to wilt
verwendbar usable
verwenden to apply (35); to use (20)
verwerten to use
verwickelt (*adj.*) entangled
verwirklichen to realize; to fulfill (26)
verwirren to confuse
verwirrt (*adj.*) confused
(sich) verwöhnen to pamper
verwunden to injure, wound
verwunderlich surprising(ly), astonishing(ly)
verwundet (*adj.*) injured
verwünschen to cast a negative spell on (12)
verwünscht (*adj.*) enchanted (12)
verzaubern to cast a spell, do magic
verzeihen, vezieh, verziehen to forgive; **wird Silke ihm verzeihen?** will Silke forgive him?
die Verzeihung (-en) forgiveness, pardon
verzichten (auf + *acc.*) to renounce (35); to do without (21)
verzweifelt desperate(ly) (33)
die Verzweiflung (-en) desperation
der Vetter (-n) (*male*) cousin (25)
das Video (-s) video
der Videorekorder (-) video recorder
das Videospiel (-e) video game
der Videotext videotext
die Videothek (-en) video store
die Videovorstellung (-en) video show
viel (mehr, meist-) a lot, much
viele many
die Vielfalt variety
vielfältig diverse
vielfarbig multicolored
vielleicht perhaps, maybe (11)
vielmehr . . . rather . . .
vielseitig manifold, versatile, diversified, multifaceted
vier four (1E)

der Vierbeiner (-) four-legged animal
vierbeinig four-legged
die Vierergruppe (-n) group of four
die Viererkabine (-n) cabin for four (*on a ship*)
viermal four times
viert: zu viert the four of us
das Viertel (-) quarter
vierzehn fourteen (1E)
vierzig forty (1E); **die vierziger Jahre** the Forties
der Vietnamkrieg Vietnam War
die Villa (Villen) villa
violett violet
das Violinkonzert (-e) violin concerto
visuell visual(ly)
vital vigorous, energetic
das Vitamin (-e) vitamin
der Vogel (⁻) bird
der Vogelkundler (-) / die Vogelkundlerin (-nen) ornithologist
die Vogelmutter (⁻) bird mother
die Vogelscheuche scarecrow
die Vogelstimme (-n) bird song
die Vogelwelt (-en) world of birds
die Vokabel (-n) vocabulary item
die Vokabelarbeit vocabulary work
die Vokabelliste (-n) vocabulary list
der Vokabeltest (-s) vocabulary test
das Vokabular (-e) vocabulary
das Volk (⁻er) people
die Völkerverständigung intercultural communication
das Volksfest (-e) fair
die Volksgruppe (-n) group of peoples
die Volkshochschule (-n) extension school, adult education center (31)
voll full(y) (15); **aus vollem Herzen** wholeheartedly; **aus voller Kehle** at the top of one's lungs
vollenden to complete
voller full of; **voller Hoffnung** full of hope
der Volleyball volleyball

völlig completely
vollkommen perfect(ly), complete(ly)
die Vollpension (-en) full board
vollständig complete(ly), total(ly)
die Vollverpflegung full board
vollwertigt full
vom = von dem
von (+ *dat.*) from, of; by (12)
vor (+ *acc./dat.*) before, in front of; ago; **vor allem** above all, most importantly; **vor allen Dingen** above all, most importantly; **vor drei Jahren** three years ago
voranbringen (bringt voran), brachte voran, vorangebracht to bring forth, promote
voraus ahead
Voraus: im Voraus in advance
voraussetzen (setzt voraus) to presuppose; to require
die Voraussetzung (-en) prerequisite, condition
vorbehalten (behält vor), behielt vor, vorbehalten to reserve
vorbei over
vorbeifahren (fährt vorbei), fuhr vorbei, ist vorbeigefahren to drive past
vorbeikommen (kommt vorbei), kam vorbei, ist vorbeigekommen to drop by (7/3E)
(sich) vorbereiten (bereitet vor) to prepare (27)
die Vorbereitung (-en) preparation (32)
das Vorbild (-er) example, idol, model
vorbildlich exemplary
vorderasiatisch Near Eastern
(das) Vorderasien Near East
der Vordergrund (⁻e) foreground
die Vorderpfote (-n) front paw
das Vordiplom (-e) exam, first diploma
vorerst for now, as of now
der Vorfahre (-n *masc.***) / die Vorfahrin (-nen)** ancestor
die Vorgabe points allowed (handicap)

vorgefertigt (*adj.*) prefabricated

vorgehen (geht vor), ging vor, ist vorgegangen to go ahead, go first

vorhaben (hat vor), hatte vor, vorgehabt to plan, intend (23)

vorher before, beforehand; **am Abend vorher** the night before

vorherig preceding, prior

vorhin earlier; before; **es tut mir Leid wegen vorhin** I'm sorry about what happened earlier

vorkommen (kommt vor), kam vor, ist vorgekommen to occur, happen

der Vorläufer (-) / die Vorläuferin (-nen) precursor

vorläufig temporary; temporarily

vorlesen (liest vor), las vor, vorgelesen to read (aloud)

die Vorlesung (-en) lecture (19/3E); **Vorlesung halten** to give a lecture

der Vorlesungssaal (-säle) lecture hall

die Vorliebe (-n) liking

der Vorname (-n *masc.*) first name

vorne: von vorne from the beginning

sich vornehmen (nimmt vor), nahm vor, vorgenommen to undertake; to carry out (33)

der Vorort (-e) suburb (4)

vorrangig primarily, as a priority

der Vorrat (ꞏe) stock, supply

die Vorrede (-n) preface, prologue

der Vorsatz (ꞏe) resolution

der Vorschlag (ꞏe) suggestion (14)

vorschlagen (schlägt vor), schlug vor, vorgeschlagen to suggest (22/3E)

vorsichtig cautious(ly) (31)

vorsichtshalber as a precaution

die Vorsorge preventive medicine (33)

die Vorsorgeuntersuchung (-en) medical check-up

vorsortieren (sortiert vor) to presort, preorganize

die Vorspeise (-n) starter, first course (15)

vorspielen (spielt vor) to act out, perform

sich (*dat.*) etwas vorstellen (stellt vor) to imagine something; **ich kann es mir nicht vorstellen** I can't imagine it; **sich (*acc.*) vorstellen** to interview for a job; to introduce oneself (13)

die Vorstellung (-en) performance; imagination; ideas

das Vorstellungsgespräch (-e) interview (13)

der Vorteil (-e) advantage

vorteilhaft advantageous

der Vortrag (ꞏe) lecture, talk; **einen Vortrag halten** to give a lecture (19/3E)

das Vorurteil (-e) prejudice (24)

vorwiegend primarily, predominantly

der Vorwurf (ꞏe) reproach, accusation

vorziehen (zieht vor), zog vor, vorgezogen to prefer (20)

der Vorzug (ꞏe) advantage

vorzüglich excellent(ly), superb(ly)

W

der Wachdienst (-e) guard (duty)

wachen to wake; to guard

wachsam watchful, vigilant

wachsen (wächst), wuchs, ist gewachsen to grow

das Wachstum growth (35)

der Wachstumsprüfer (-) / die Wachstumsprüferin (-nen) gardener

die Wade (-n) calf (*lower leg*)

die Waffe (-n) weapon

der Wagen (-) car

die Wahl (-en) election (18); choice

wählen to choose; to elect (26)

das Wahlfach (ꞏer) elective course (27)

das Wahlrecht right to vote, suffrage (30)

wahnsinnig crazy; crazily

wahr true

wahren to look after, protect

während (+ *gen.*) during

während (*adj.*) lasting

die Wahrheit (-en) truth

wahrnehmen (nimmt wahr), nahm wahr, wahrgenommen to perceive

wahrscheinlich probable; probably

die Währung (-en) currency (18); **die Währungsreform (-en)** monetary reform, currency reform

die Währungsunion monetary union (18)

der Wal (-e) whale

der Wald (ꞏer) forest (9)

die Waldarbeit (-en) forestry work

der Waldeinsatz (ꞏe) forest clean-up

die Waldfläche (-n) forest area

die Waldlandschaft (-en) forest landscape

das Waldsterben dying of the forests (35)

der Waldweg (-e) forest path (20)

wallen to surge, seethe

das Wallis Valais

walten to prevail, reign, rule

die Walze (-n) roller

sich wälzen to roll

die Wand (ꞏe) wall (1E)

der Wandel change (26)

die Wanderbewegung (-en) hiking movement, rambling

der Wanderer (-) / die Wanderin (-nen) hiker

die Wanderkarte (-n) hiking map

das Wanderlied (-er) hiking song

wandern to hike (2/32)

die Wanderreise (-n) hiking vacation

der Wanderschuh (-e) hiking boot

der Wandersmann (-leute) traveler, wayfarer

der Wanderstock (ꞏe) walking stick

die Wanderung (-en) hike, walk

der Wanderverein (-e) rambling club

der Wanderweg (-e) hiking trail

das Wandposter (-) wall poster

die Wange (-n) cheek (6)

wann when

die Waren (*pl.*) goods (22)

das Warenhaus (ꞏer) warehouse; department store

das Warenzeichen (-) trademark; **das eingetragene Warenzeichen** registered trademark

warm (wärmer, wärmst-) warm (5)

die Wärme warmth

die Warnung (-en) warning

(das) Warschau Warsaw

warten (auf) (+ *acc.*) to wait (for)

der Warteraum (-räume) waiting area (24)

der Wartesaal (-säle) waiting room

die Wartezeit (-en) waiting period

das Wartezimmer (-) waiting room (33)

was what; **was darf's sein?** what will you have? (15)

das Waschbecken (-) sink (3)

die Wäsche laundry (3E)

waschen (wäscht), wusch, gewaschen to wash (16); **sich waschen** to wash oneself (19)

die Waschküche (-n) laundry room

der Wäschetrockner (-) (clothes) dryer (35)

die Waschmaschine (-n) washing machine

der Waschtag (-e) laundry day

das Wasser (-) water (16)

die Wasseranwendung (-en) water treatment

das Wasserglas (¨er) water glass

der Wasserkessel (-) hot water heater

die Wasserratte (-n) water rat (*person who likes to swim*)

die Wasserwaage (-n) level

die Watte cotton wool, wadding

die Web-Seite (-n) Web page

der Wechsel (-) change

wechseln to exchange, switch

wecken to waken (16)

der Wecker (-) alarm clock

weder . . . noch . . . neither . . . nor . . .

weg away

der Weg (-e) way; **sich auf den Weg machen** to get on one's way (24)

wegbleiben (bleibt weg), blieb weg, ist weggeblieben to stay away

wegbrausen (braust weg) (*coll.*) to zoom away

wegen (+ *gen.*) because of

wegfahren (fährt weg), fuhr weg, ist weggefahren to drive off, leave

weggehen (geht weg), ging weg, ist weggegangen to go away

wegkommen (kommt weg), kam weg, ist weggekommen to get away

weglaufen (läuft weg), lief weg, ist weggelaufen to run away

wegsausen (saust weg), sauste weg, ist weggesaust to buzz off

wegschicken (schickt weg) to send away

wegschmeißen (schmeißt weg), schmiss weg, weggeschmissen (*coll.*) to throw away (35)

wegwerfen (wirft weg), warf weg, weggeworfen to throw away

die Wegwerfflasche (-n) disposable bottle (20)

wegziehen (zieht weg), zog weg, ist weggezogen to move away (4)

wehen to blow in the wind

wehren (+ *dat.*) to fight; **wehret den Anfängen!** nip it in the bud!

sich wehren gegen to defend oneself against (26)

wehtun (+ *dat.*) to hurt; **das tut mir weh** it hurts me (6)

weiblich feminine, female (25)

weich soft(ly)

die Weide (-n) pasture

sich weigern to resist; to refuse

weihen (+ *dat.*) to dedicate (27)

der Weiher (-) pond

(das) Weihnachten Christmas (5)

der Weihnachtsbaum (¨e) Christmas tree

der Weihnachtsmann Santa Claus

der Weihnachtsmarkt (¨e) Christmas fair

der Weihnachtstag: zweiter Weihnachtstag Boxing Day (*legal holiday in Canada for giving boxed gifts to service workers*)

der Weihrauch incense

weil (*subord. conj.*) because

die Weile while; **eine Weile** a while (16); **nach einer Weile** after a while

weinen to cry, weep

weise wise(ly)

die Weisheit (-en) wisdom

weiß white (2)

weit far; **das geht zu weit!** that's too much!; that pushes it over the top!

weiter farther, further

sich weiterbilden (bildet weiter) to continue one's education (31)

die Weiterbildung continuing education, further education

die Weiterentwicklung (-en) further development, advancement

weitergeben (gibt weiter), gab weiter, weitergegeben to pass on

weitergehen (geht weiter), ging weiter, ist weitergegangen to go further

weitgehend mostly, for the most part

weiterhin furthermore

weiterleben (lebt weiter) to live on, survive

weitgehend extensive(ly) (27)

weitverbreitet common; widely held

die Weizenlandschaft (-en) wheat land

welche, welcher, welches which

die Welle (-n) wave

der Wellenkamm (¨e) crest of a wave

die Welt (-en) world; **die Neue Welt** the New World

weltbekannt known all over the world

weltberühmt world-famous

weltfremd awkward; ignorant of the world

die Weltkarte (-n) world map

der Weltkonzern (-e) international corporation

der Weltkrieg (-e) world war

die Weltmeisterschaft (-en) world championship

die Weltreise (-n) world tour

die Weltstadt (¨e) cosmopolitan city

weltweit worldwide

wem (*dat.*) to whom

wen (*acc.*) who, whom

die Wende the change (*in reference to the reunification of Germany in 1989*) (18)

wenden to turn, flip around

wenig little; few (32); **ein wenig** a little

wenige few

wenigstens at least

wenn (*subord. conj.*) whenever, when, if

wer who

die Werbesendung (-en) commercial (21)

der Werbespot (-s) television commercial

der Werbespruch (¨e) slogan

die Werbung (-en) advertising (21)

werden (wird), wurde, ist geworden to become (9)

werfen (wirft), warf, geworfen to throw

das Werk (-e) manufacturing plant (16); work (*in literature, art, music*)

die Werkstatt (¨en) workshop

der Werktag (-e) weekday

das Werkzeug (-e) tool

der Wert (-e) value; **Wert legen auf** (+ *acc.*) to value (*something*) (27)

wert sein to be worth

wertvoll valuable (22)

das Wesen (-) being; creature; essence; nature

im Wesentlichen essentially; fundamentally (31)

die Wespe (-n) wasp

westdeutsch West German

(das) Westdeutschland West Germany

der Westen (-) west; **im Westen** in the west

die Westküste west coast

westlich (von) west (of)

der Westteil (-e) western part

der Wettbewerb (-e) competition (27)

die Wette (-n) bet

wetten to bet

das Wetter (-) weather (5)

die Wetterlage (-n) weather situation

der Wettkampf (¨e) competition

der Wettstreit competition

wetzen to sharpen

WG = Wohngemeinschaft

wichtig important (23)

die Wicke (-n) sweet pea

wickeln to wrap

der Widerruf (-e) revocation, withdrawal, cancellation

widersprechen (widerspricht), widersprach, widersprochen to contradict

der Widerstand resistance

die Widerstandsbewegung (-en) resistance movement

wie how; **um wie viel Uhr?** at what time?; **wie schade!** too bad!; **wie viel** how much; **wie viele** how many

wieder again; **immer wieder** again and again

der Wiederaufbau reconstruction (29)

die Wiederentdeckung (-en) rediscovery

sich wieder erkennen (erkennt wieder), erkannte wieder, wieder erkannt to recognize oneself, identify with

wiederholen to repeat (3E)

die Wiederholung (-en) repetition

das Wiederhören: auf Wiederhören! (*phone*) good-bye!

wiederkommen (kommt wieder), kam wieder, ist wiedergekommen to come again

wiedermal once again

auf Wiedersehen! good-bye!

die Wiedervereinigung (-en) reunification (18)

wieder verwerten to recycle (35)

die Wiege (-n) cradle

(das) Wien Vienna; **die Wiener Festwochen** (*pl.*) arts festival in Vienna; **das Wiener Schnitzel** veal cutlet (15)

die Wiese (-n) meadow (9)

wieso why

wild wild(ly)

die Wildbiene (-n) wild bee

die Wildblume (-n) wildflower

der Wildreis wild rice

der Wille will

willkommen welcome; **willkommen heißen, hieß willkommen, willkommen geheißen** to welcome (34)

die Willkür arbitrariness, capriciousness, despotism

die Willkürherrschaft (-en) tyranny

willkürlich arbitrary; arbitrarily; random(ly)

der Wind (-e) wind (5)

die Windel (-n) diaper; **Windeln wechseln** to change diapers

windgeschützt (*adj.*) protected from the wind

windig windy (5)

die Windmühle (-n) windmill

die Windstille (-n) calm, absence of wind

der Winkel (-) angle

der Winter (-) winter (5)

die Winterferien (*pl.*) winter holidays

der Wintermantel (¨) winter coat

das Wintersemester (-) winter semester

wir we

der Wirbelsturm (¨e) whirlwind; tornado

wirken to work, have an effect, act

wirklich real(ly) (10)

die Wirklichkeit reality (14)

die Wirkung (-en) result; effect (27)

die Wirtschaft (-en) economics (11); economy (29)

wirtschaftlich economical

der Wirtschaftsingenieur (-e) / die Wirtschaftsingenieurin (-nen) person holding a university degree in engineering and business administration

die Wirtschaftskraft economic power

wirtschaftspolitisch economic-political

die Wirtschaftswissenschaften (*pl.*) economics

das Wirtschaftswunder economic miracle

das Wirtshaus (¨er) inn, restaurant (15)

wissen (weiß), wusste, gewusst to know (*a fact*) (8)

das Wissen knowledge

die Wissenschaft (-en) science (27), scholarship

der Wissenschaftler (-) / die Wissenschaftlerin (-nen) scientist, scholar

wissenschaftlich scientific(ally), scholarly

der Witz (-e) joke

witzig funny, witty

wo where

woanders somewhere else

wobei where, in which

die Woche (-n) week (1E); **nächste Woche** next week; **seit Wochen** for weeks

die Wochenbelastung (-en) weekly stress

die Wochenendaktivität (-en) weekend activity

das Wochenende (-n) weekend; **am Wochenende** on the weekend

die Wochenendehe (-n) weekend marriage

wochenlang for weeks

der Wochentag (-e) weekday (1E)

wöchentlich weekly

wofür for what

wogen to surge, wave

woher from where

wohin (to) where; **wohin?** where to?; **wo wollen Sie denn hin?** where do you want to go?

wohl (*particle*) probably; (*adv.*) well

sich wohl fühlen (fühlt wohl) to feel well (6), be comfortable

wohlgefällig pleasing, well-pleased

der Wohlgeruch (¨e) scent, fragrance

wohlig pleasant(ly), cozy; cozily

wohlriechend fragrant

der Wohlstand prosperity (26)

das Wohlwollen goodwill

wohlwollend benevolent(ly)

wohnen to live (*in a place*) (8)

die Wohngemeinschaft (-en) shared housing, commune

das Wohnhaus (¨er) residential building

das Wohnheim (-e) dormitory

der Wohnheimplatz (¨e) place in a dormitory

das Wohnheimzimmer (-) dorm room

die Wohnkosten (*pl.*) housing costs

die Wohnmöglichkeit (-en) housing option

der Wohnort (-e) place of residence

der Wohnraum (¨e) living space

die Wohnsiedlung (-en) housing development

die Wohnung (-en) apartment; dwelling (3)

die Wohnungssuche (-n) housing search

das Wohnzimmer (-) living room (3)

die Wohnzimmertür (-en) living room door

sich wölben to bulge, swell, vault

die Wolke (-n) cloud (5)

wolkenlos cloudless

der Wolkenkratzer (-) skyscraper

wolkig cloudy (5)

die Wolle wool

wollen (will), wollte, gewollt to want; **auf etwas hinaus wollen** to imply something; to have a certain goal (30)

der Wollmantel (¨) wool coat

womit with what

woran on what; of what

worauf on what

woraus from what; out of what

das Wort (¨er) word

das Wörterbuch (¨er) dictionary

der Wortkasten (¨) word box

wörtlich literal(ly)

die Wortliste (-n) word list

der Wortsalat (-e) word search (puzzle)

der Wortschatz (¨e) vocabulary

wortschlau clever with words

der Wortsinn (-e) meaning of a word

die Wortstellung (-en) word order

worüber about what; above what

worum around what; about what

wovor before what; of what

das Wrack (-s) wreck

wühlen to dig, burrow

die Wunde (-n) wound, injury (6)

das Wunder (-) wonder; miracle

wunderbar wonderful(ly)

sich wundern (über + *acc.*) to be surprised (at) (28)

wunderschön very beautiful(ly)

der Wunsch (¨e) wish

wünschen to wish; **ich wünsche Ihnen einen schönen Urlaub** I wish you a nice vacation; **sich** (*dat.*) **wünschen** (+ *acc.*) to desire; **ich wünsche mir einen Hut zum Geburtstag** I would like a hat for my birthday

wünschenswert desirable

das Wunschgeschenk (-e) desired present

der Wunschsatz (¨e) wish sentence

würdevoll dignified

würdig dignified

der Würfel (-) die, cube

die Wurst (¨e) sausage (15)

das Wurstbrot (-e) sausage sandwich

wurstförmig shaped like a sausage

der Wurstmarkt sausage festival

der Wurstsalat (-e) sausage salad

die Wurstwaren (*pl.*) sausage products

die Wurzel (-n) root

würzen to season

würzig tasty, spicy, tangy

wuschelig fuzzy

die Wüste (-n) desert

die Wut anger

wütend angry; angrily

Y

der Yuppie (-s) yuppie

Z

z.B. – zum Beispiel
die Zacke (-n) point, prong, tooth
zäh tough (19)
die Zahl (-en) number
zahlen to pay for (15)
zählen to count
zahlreich numerous(ly)
das Zahlwort (¨er) word for a
   number
zahm tame
zähmen to tame
der Zahn (¨e) tooth (6)
der Zahnarzt (¨e) / die Zahnärztin
   (-nen) dentist (13)
die Zange (-n) pliers
zart tender(ly)
die Zärtlichkeit (-en) tenderness
der Zauberberg Magic Mountain
   (novel by Thomas Mann)
der Zauberer (-) / die Zauberin
   (-nen) magician
die Zauberflöte Magic Flute (opera
   by Mozart)
die Zauberkraft (¨e) magic power
das Zaubermeer (-e) magic ocean
zaubern to do magic
der Zaun (¨e) fence
zehn ten (1E)
das Zeichen (-) sign, token (26)
die Zeichensprache sign language
die Zeichentrickserie (-n)
   cartoon
zeichnen to draw (13)
die Zeichnung (-en) drawing
der Zeigefinger (-) index finger
zeigen to show (6)
die Zeile (-n) (written) line
die Zeit (-en) time
das Zeitalter (-) era
die Zeitangabe (-n) time expression
die Zeiteinteilung (-en) time
   management
zeitlich timewise, temporal(ly)
der Zeitpunkt (-e) point in time
der Zeitraum (¨e) time period
die Zeitschrift (-en) magazine,
   periodical (21)

die Zeitung (-en) newspaper; in
   der Zeitung in the newspaper
der Zeitungsartikel (-) newspaper
   article
das Zeitungspapier (old)
   newspaper; newsprint
der Zeitvertreib (-e) pastime
das Zeitwort (¨er) time expression
das Zelt (-e) tent (8)
zelten to camp (9/31)
das Zeltlager (-) camp
der Zement concrete
die Zensur (-en) grade
der Zentimeter (-) centimeter
der Zentner (-) (metric system)
   hundredweight (100 kg)
zentral central(ly) (4)
die Zentralbank (-en) central bank
das Zentralinstitut (-e) central
   institution
der Zentralrechner (-) main
   computer in a network
das Zentrum (pl. Zentren) center
die Zeremonie (-n) ceremony
die Zeremonietradition (-en)
   ceremonial tradition
zerknittert (adj.) creased (clothing)
zerlegen to dismantle, take apart
zerreißen, zerriss, zerrissen
   to tear
zerschmettern to shatter; to crush
zersiedeln to spoil by development
die Zersiedelung (-en) spoiling by
   development
zerstören to destroy (27)
die Zerstörung (-en) destruction
zerstreuen to scatter, disperse; sich
   zerstreuen to take one's mind off
   things
zerstückeln to cut into pieces
der Zettel (-) note; piece of paper
   (33)
das Zeug gear, junk, stuff
das Zeugnis (-se) report card (10)
die Zeugniskopie (-n) grade report,
   transcript
die Zickzacklinie (-n) zigzag line
die Ziege (-n) goat
ziehen, zog, gezogen to pull; to
   move (4/31)
das Ziel (-e) goal, aim (26)

die Zielgruppe (-n) target group
ziemlich rather, quite (2)
das Zimmer (-) room (3)
die Zimmerpflanze (-n) indoor
   plant (3)
der Zinnmann tin man
der Zirkuskünstler (-) / die
   Zirkuskünstlerin (-nen) circus
   artist
zirpen to chirp
zischen to hiss
das Zitat (-e) quote, quotation
zitieren to quote
die Zitrone (-n) lemon
die Zitronenscheibe (-n) slice of
   lemon
die Zitrusfrucht (¨e) citrus fruit
der Zivi (-s) =
   Zivildienstleistender
die Zivilbevölkerung (-en) civilian
   population
der Zivildienst (-e) social service
   (as an alternative to military
   service)
der/die Zivildienstleistende (decl.
   adj.) person who chooses to do
   social service as an alternative to
   military service
der Zivilist (-en masc.) / die
   Zivilistin (-nen) civilian
der Zoff (coll.) argument, conflict
   (between people)
der Zollbeamte (-n masc.) / die
   Zollbeamtin (-nen) customs
   officer
die Zone (-n) zone
der Zoo (-s) zoo
zoologisch zoological(ly)
der Zorn anger
zu closed (16); zu (prep. + dat.) to
   (12); zu (adv.) too; zu Fuß on
   foot; zu Hause (at) home
züchtig modest, chaste
zucken to twitch, flinch
der Zucker sugar
zueinander to each other
zuerst first; zuerst einmal first of
   all
die Zuflucht (¨e) refuge, last
   resort
zufrieden satisfied (19/29)

die **Zufriedenheit (-en)** contentedness
zufügen (fügt zu) to add
der **Zug (¨e)** train (7)
der **Zugang (¨e)** entrance
zugänglich available, approachable
zugeben (gibt zu), gab zu, zugegeben to admit
zugehören (gehört zu) to belong to
die **Zugfahrkarte (-n)** train ticket
das **Zugfenster (-)** window in a train
der **Zugführer (-) / die Zugführerin (-nen)** train conductor
zugleich at the same time
zugreifen (greift zu), griff zu, zugegriffen to grab
die **Zugspitze** *highest mountain in Germany*
zuhören (hört zu) to listen; **hör gut zu!** listen carefully!
die **Zukunft (¨e)** future (26)
zukünftig future
zukunftsorientiert future-oriented
die **Zukunftsstrategie (-n)** strategy for the future
der **Zukunftstraum (¨e)** future dream
das **Zukunftsziel (-e)** future goal
zulassen (lässt zu), ließ zu, zugelassen to allow, admit
die **Zulassung (-en)** admission
zuletzt finally, in the end
zuliebe (+ *dat.*) for the sake of (35)
die **Zulieferfirma (-firmen)** supplier
zum = zu dem
zumachen (macht zu) to close (6)
zumindest at least
zunächst first
die **Zündschnur (¨e)** fuse
zunehmen (nimmt zu), nahm zu, zugenommen to increase (28); to gain (*weight*)
die **Zunge (-n)** tongue
zur = zu der
zurecht: du hast dir zurecht Sorgen gemacht your worries were well-founded

zurechtkommen (kommt zurecht), kam zurecht, ist zurechtgekommen to get by; to get along; to cope
sich zurechtmachen (macht zurecht) to prepare, get ready (*by dressing and grooming oneself*)
(das) Zürich Zurich
zurück back; **hin und zurück** round trip (24)
zurückbekommen (bekommt zurück), bekam zurück, zurückbekommen to get back; to stay behind
zurückbleiben (bleibt zurück), blieb zurück, zurückgeblieben to stay behind, remain
zurückbringen (bringt zurück), brachte zurück, zurückgebracht to bring back
sich zurückerinnern an (+ *acc.*) **(erinnert zurück)** to remember
zurückfallen (fällt zurück), fiel zurück, ist zurückgefallen to fall behind
zurückgehen (geht zurück), ging zurück, ist zurückgegangen to go back
zurückgewinnen (gewinnt zurück), gewann zurück, zurückgewonnen to win back
zurückkehren (kehrt zurück), ist zurückgekehrt to return
zurückkommen (kommt zurück), kam zurück, ist zurückgekommen to come back (7/3E)
sich zurücklegen (legt zurück) to lie back
zurückschrecken vor (schreckt zurück) to shy away from
zurückweisen (weist zurück) to reject
(sich) zurückziehen (zieht zurück), zog zurück, zurückgezogen to withdraw, move back
zurufen, rief zu, zugerufen to shout to
die **Zusage (-n)** acceptance, positive response to a request

zusammen together (4)
die **Zusammenarbeit (-en)** cooperation
zusammenfassen (fasst zusammen) to summarize
die **Zusammenfassung (-en)** summary
sich zusammenfinden (findet zusammen) fand zusammen, zusammengefunden to gather, assemble
zusammenhalten (hält zusammen), hielt zusammen, zusammengehalten to keep together (23); to stay together
der **Zusammenhang (¨e)** connection, correlation
zusammenklappen (klappt zusammen) to collapse
zusammenleben (lebt zusammen) to cohabitate, live together
zusammenpassen (passt zusammen) to go together
zusammensetzen (setzt zusammen) to put together, assemble
die **Zusammensetzung (-en)** composition
zusammenstellen (stellt zusammen) to put together
zusätzlich additional(ly)
zuschauen (schaut zu) to watch
der **Zuschauer (-) / die Zuschauerin (-nen)** spectator (23)
zuschicken (schickt zu) to send
zuschlagen (schlägt zu), schlug zu, zugeschlagen to slam shut
zuschließen (schließt zu), schloss zu, zugeschlossen to close, shut, lock
zusehen (sieht zu), sah zu, zugesehen to watch
zusprechen (spricht zu), sprach zu, zugesprochen to speak to, grant
der **Zustand (¨e)** state, condition
zuständig responsible, in charge
zustechen (sticht zu), stach zu, zugestochen to stab, pierce

zustimmen (stimmt zu) (+ *dat.*) to agree with

die Zutat (-en) ingredient

zutraulich friendly, trusting

zuverlässig reliable; reliably (14)

die Zuverlässigkeit reliability (14)

zuvor before, earlier

zwanzig twenty (1E); **die zwanziger Jahre** the Twenties

die Zwangsarbeit forced labor

zwar in fact, actually; **zwar** (*emphatic*) **er braucht zwar Kraft, aber auch Intelligenz** he does need strength, but he also needs intelligence; **zwar sitzt man viel im Stau, aber das Auto hat Vorteile** in spite of the traffic jams, the car has advantages; **und zwar . . .** namely . . .

der Zweck (-e) purpose (36)

zweckentfremden to misuse

zwei two (1E)

das Zweierkajak (-s) kayak for two

der Zweifel (-) doubt

zweifeln an (+ *dat.*) to doubt someone/something

zweimal twice

zweisprachig bilingual

zweit: zu zweit by twos, in pairs

zweit-: der zweite Stock the third floor (8)

zweitrangig secondary

zweiwöchig two-week-long

der Zwerg (-e) dwarf (12)

die Zwiebel (-n) onion (15)

die Zwiebelsuppe (-n) onion soup

der Zwiebelturm (ˮe) onion dome

der Zwilling (-e) twin (1)

zwingen, zwang, gezwungen to force (29)

zwinkern to blink

zwischen (+ *acc./dat.*) between

zwischendurch in between

der Zwischenhändler (-) / die Zwischenhändlerin (-nen) middleman

die Zwischenprüfung (-en) mid-diploma exam (19/3E)

zwitschern to chirp

zwölf twelve (E)

der Zynismus cynicism

ENGLISH-GERMAN

This vocabulary list contains all the words from the end-of-chapter **Wortschatz** lists in *Auf Deutsch!* *1, 2,* and *3.* For each word the chapter number in which the word appears in the **Wortschatz** list is provided. For **Sie wissen schon** vocabulary, the chapter in *Auf Deutsch!* *1* or *2* is also provided. Words in the **Wortschatz** list in the **Einführung** chapter are designated by the book number. For example "11/3E" indicates that the word appears in the **Wortschatz** list of **Kapitel 11** in *Auf Deutsch!* *1* and the **Einführung** in *3.* For a list of the abbreviations used, see page R-13.

A

absolutely unbedingt (11/20/34)
accent der Akzent (-e) (34)
to accept annehmen (nimmt an), nahm an, angenommen (34)
to accomplish schaffen (28)
accuracy die Genauigkeit (34)
to accuse beschuldigen (30)
to achieve erreichen (25)
action die Aktion (-en) (35)
action film der Actionfilm (-e) (36)
active(ly) aktiv (32)
activity die Tätigkeit (-en) (13)
act of violence die Gewalttätigkeit (-en) (20)
actor der Schauspieler (-) / die Schauspielerin (-nen) (13/36)
actually eigentlich (21)
to address someone with *du* duzen (34)
to address someone with *Sie* siezen (34)
adjustment die Umstellung (-en) (25)
to admit gestehen, gestand, gestanden (34)
adult der/die Erwachsene (*decl. adj.*) (25)
adult education center die Volkshochschule (-n) (31)
adventure das Abenteuer (9/32)
adventure sport die Extremsportart (-en) (32)
advertisement die Anzeige (-n) (14)
advertising die Reklame, die Werbung (21)

advice der Ratschlag (¨e) (27)
advice columnist der Ratgeber (-) / die Ratgeberin (-nen) (21)
to advise raten (rät), riet, geraten (13)
to affect betreffen (betrifft), betraf, betroffen (25)
to afford sich leisten (32)
to be afraid of sich fürchten vor (+ *dat.*) (19/28)
African (*person*) der Afrikaner (-) / die Afrikanerin (-nen) (18)
against gegen (+ *acc.*) (5)
agent: employment agent der Arbeitsvermittler / die Arbeits-vermittlerin (-nen) (29)
to agree gelten lassen (lässt), ließ, gelassen (30); **to agree (with something)** übereinstimmen (mit etwas) (stimmt überein) (3E)
agreement: to be in agreement with something mit etwas einverstanden sein (18/29)
agriculture die Landwirtschaft (35)
aim das Ziel (-e) (26)
air die Luft (4); **in the open air** im Freien (31)
airline terminal das Terminal (-s) (24)
airline ticket der Flugschein (-e) (24)
airplane das Flugzeug (-e) (7)
airport der Flughafen (¨) (24)
all together! alle zusammen! (1E)
allied verbunden (18)
to allow gestatten (30)
almost fast (27)

alone allein (4)
along _____ entlang (22)
the Alps die Alpen (*pl.*) (17)
although obwohl (30)
always immer (3E)
ambitious(ly) ehrgeizig (26)
ambulance der Krankenwagen (-) (6)
American (*person*) der Amerikaner (-) / die Amerikanerin (-nen) (18)
to amuse onself sich vergnügen (33)
anger der Ärger (34)
angry böse (1); sauer (22)
to annoy ärgern (10)
annoyance der Ärger (34)
antique antiquarisch (22)
apartment die Wohnung (-en) (3)
apartment building das Mietshaus (¨er) (4)
to appear aussehen (sieht aus), sah aus, ausgesehen (7/3E); vertreten (vertritt), vertrat, vertreten (27)
appetizer die Vorspeise (-n) (15)
apple der Apfel (¨) (16)
apple strudel der Apfelstrudel (-) (15)
appliance das Gerät (-e) (31)
applicant (*for a job*) der Bewerber (-) / die Bewerberin (-nen) (14/29)
application die Bewerbung (-en) (14)
to apply verwenden (35)
to apply for sich bewerben um (bewirbt), bewarb, beworben (13)
appointment der Termin (-e) (29); die Verabredung (-en) (34)
apprentice der Lehrling (-e) (13)

to approve gelten lassen (lässt), ließ, gelassen (30)

approximate(ly) gegen (27); ungefähr (11/22/29)

April der April (5)

architect der Architekt (-en *masc.*) / die Architektin (-nen) (13)

to argue streiten, stritt, gestritten (23)

argument die Auseinandersetzung (-en) (26)

to arise entstehen, entstand, ist entstanden (28); erwachsen (erwächst), erwuchs, ist erwachsen (31)

arm der Arm (-e) (6)

around um . . . herum (+ *acc.*) (5)

to arrange vereinbaren (34)

arrival die Ankunft (ᵛe) (24)

to arrive ankommen (kommt an), kam an, ist angekommen (24)

art die Kunst (ᵛe) (11/36)

article der Artikel (-) (10)

artist der Künstler (-) / die Künstlerin (-nen) (13/36)

artistic(ally) künstlerisch (36)

as well sogar (32)

Asian (*person*) der Asiat (-en *masc.*) / die Asiatin (-nen) (18)

to ask fragen (8)

assignment die Aufgabe (-n)

asylum: political asylum das Asyl (34)

at first anfangs (30)

at once auf einmal (12)

at that time damals (25)

athlete der Sportler (-) / die Sportlerin (-nen) (23)

attentive(ly) aufmerksam (36)

attitude das Verhalten (31)

attorney der Anwalt (ᵛe) / die Anwältin (-nen) (13)

to attract locken (36)

August der August (5)

aunt die Tante (-n) (1/25)

Austria (das) Österreich (9)

Austrian (*person*) der Österreicher (-) / die Österreicherin (-nen) (18)

author der Autor (-en) / die Autorin (-nen) (13/36)

awful scheußlich (1)

B

back der Rücken (-) (6)

back then damals (25)

background der Hintergrund (ᵛe) (30)

backpack der Rucksack (ᵛe) (7/32)

bacon der Speck (15)

bad schlecht (1)

bag die Tasche (-n) (7)

baggage das Gepäck (7)

baggage check die Gepäckaufbewahrung (7)

bakery die Bäckerei (-en) (16)

balance das Gleichgewicht (35)

ball der Ball (ᵛe) (17)

ballpoint pen der Kugelschreiber (-) (1E)

banana die Banane (-n) (16)

bank die Bank (-en) (4)

basis die Grundlage (-n) (27)

bath das Bad (ᵛer) (33)

to bathe baden (32)

bathroom das Badezimmer (-) (3)

bathtub die Badewanne (-n) (3)

Bavaria (das) Bayern (17)

Bavarian meatloaf der Leberkäs (15)

bay Bucht (-en) (9)

to be sein (1); **to be about** handeln von (21); **to be annoyed** sich ärgern (16); **to be afraid of** sich fürchten vor (+ *dat.*) (19/28); **to be at an equal level** gleichberechtigt sein (30); **to be bored** sich langweilen (31); **to be called** heißen (hieß) (1); **to be close to** nah stehen, stand, gestanden (+ *dat.*); **to be crazy** spinnen (der spinnt doch!) (10); **to be in agreement with something** mit etwas einverstanden sein (18/29); **to be interested in** sich interessieren für (13/31); **to be located** sich befinden, befand, befunden (28); **to be missing** fehlen (+ *dat.*) (21); **to be occupied with** sich beschäftigen mit (13/27); **to be pleasing to** gefallen (gefällt), gefiel, gefallen (+ *dat.*) (14/31); **to be right/wrong** Recht/Unrecht

haben (10); **to be surprised at** sich wundern über (+ *acc.*) (28)

beach der Strand (ᵛe) (4)

bean die Bohne (-n) (15)

to beat schlagen (schlägt), schlug, geschlagen (19)

beautiful schön (1)

to become werden (wird), wurde, ist geworden (9)

bed das Bett (-en) (3)

bed and breakfast inn die Pension (-en) (8)

bedroom das Schlafzimmer (3)

to begin beginnen, begann, begonnen (29); anfangen (fängt an), fing an, angefangen (23)

Belgium (das) Belgien (9)

to believe glauben (14)

to belong to gehören (+ *dat.*) (21)

belt der Gürtel (-) (7)

Berlin Wall die Berliner Mauer (18)

bicycle das Fahrrad (ᵛer) (7); **go by bicycle** mit dem Fahrrad fahren (7)

big groß (1)

bill die Rechnung (-en) (15)

bin die Tonne (-n) (35)

biology die Biologie (11)

birthday der Geburtstag (-e) (5)

black schwarz (2)

blackboard die Tafel (-n) (1E); **blackboard eraser** der Schwamm (ᵛe) (1E)

blood pressure der Blutdruck (33)

blouse die Bluse (-n) (7)

to blow one's nose sich die Nase putzen (6)

blue blau (2)

board das Brett (-er) (19)

body part der Körperteil (-e) (6)

body der Körper (-) (6)

to book buchen (7)

book das Buch (ᵛer) (1E)

bookstore die Buchhandlung (-en) (16)

boot der Stiefel (-) (7)

border die Grenze (-n) (17)

border crossing der Grenzübergang (18)

to border on grenzen an (+ *acc.*) (17)

to be bored sich langweilen (31)

boring langweilig (1/27)

born geboren; **when were you born?** geboren: wann sind Sie geboren? (14/25)

to borrow leihen, lieh, geliehen (3E)

boss der Chef (-s) / die Chefin (-nen) (13)

bottle die Flasche (-n) (20); **nonreturnable bottle** die Einwegflasche (-n) (35); **returnable bottle** die Pfandflasche (-n) (35)

boutique die Boutique (-n) (22)

bread das Brot (-e) (16)

break die Pause (-n) (10)

to breathe atmen (33)

bright hell (2)

to bring bringen, brachte, gebracht (5)

to bring up erziehen, erzog, erzogen (20)

broadcast die Sendung (-en) (21)

broccoli der Brokkoli (19)

brother der Bruder (÷) (1/25)

brother-in-law der Schwager (÷) (25)

brown braun (2)

to build aufbauen (baut auf) (29)

building: post-1945 building die Neubauwohnung (-en); **pre-1945 building** die Altbauwohnung (-en) (4)

bulletin board das schwarze Brett (19)

burden die Überlastung (-en) (27)

bus der Bus (-se) (7)

business das Geschäft (-e) (26)

business enterprise das Unternehmen (-) (29)

business operation der Betrieb (-e) (29)

businessman / businesswoman der Geschäftsmann (-leute) / die Geschäftsfrau (-en) (13)

butcher's store die Metzgerei (-en) (16)

to buy kaufen (2E)

by heart auswendig (27)

by the way übrigens (23)

C

café das Café (-s) (4)

cafeteria die Cafeteria (-s) (10)

cake der Kuchen (-) (16)

to calculate rechnen (27)

to call on the phone anrufen, rief an, angerufen (7/3E)

calm ruhig (1/28)

to camp zelten (9/31)

campfire das Lagerfeuer (-) (9/31)

Canadian (*person*) der Kanadier (-) / die Kanadierin (-nen) (18)

candle die Kerze (-n) (17)

cap die Mütze (-n) (7)

capability die Fähigkeit (-en) (29)

capable; capably fähig (36)

capital city die Hauptstadt (÷e) (17)

captain der Kapitän (-e) (14)

car das Auto (-s) (7)

carbonated soft drink die Limonade (-n) (15)

to care for sorgen für (23/25)

career die Karriere (-n) (13); **career field** das Berufsfeld (-er) (29); **career school** Berufsschule (-n) (13)

to be careful aufpassen (passt auf) (7/3E)

careful(ly) sorgfältig (31)

Carnival der Fasching (17)

carrot die Karotte (-n) (19)

to carry out sich vornehmen (nimmt vor), nahm vor, vorgenommen (33)

to cast a spell on verwünschen (12)

castle die Burg (-en) (8); das Schloss (÷er) (12)

cauliflower der Blumenkohl (19)

to cause verursachen (18)

cautious(ly) vorsichtig (31)

to celebrate feiern (5)

center die Mitte (-n) (22)

central zentral (4)

century das Jahrhundert (-e) (27)

certain(ly) fest (13)

chair der Stuhl (÷e) (E)

chalk die Kreide (1E)

championship die Meisterschaft (-en) (23)

change die Abwechslung (-en) (32); die Veränderung (-en) (25); der Wandel (26)

to change sich verändern (27); umwechseln (wechselt um) (28); ändern (10)

to change (trains) umsteigen (steigt um), stieg um, ist umgestiegen (7)

channel das Programm (-e) (21)

to chat plaudern (10)

cheap billig (2)

checkered kariert (21)

cheek die Wange (-n) (6)

cheerful(ly) lustig (17/27)

cheese der Käse (16)

cheesecake der Käsekuchen (-) (15)

chemistry die Chemie (11/28)

child das Kind (-er) (1)

child's room das Kinderzimmer (-) (3)

chin das Kinn (-e) (6)

Chinese (*person*) der Chinese (-n *masc.*) / die Chinesin (-nen) (18)

to choose wählen (26)

to choose something for oneself sich etwas aussuchen (21)

Christmas das Weihnachten (-) (5)

Cinderella das Aschenputtel (12)

circle der Kreis (-e) (28)

circumstance der Umstand (÷e) (33)

citizen der Staatsbürger (-) / die Staatsbürgerin (-nen) (26)

city die Stadt (÷e) (4)

class der Kurs (-e) (27); die Klasse (-n) (10)

classified ad die Kleinanzeige (-n) (21)

classmate der Kommilitone (-n *masc.*) / die Kommilitonin (-nen) (28)

classroom das Klassenzimmer (-) (10)

clean sauber (4)

to clean sauber machen (23)

to clean up aufräumen (räumt auf) (23/3E)

cleanliness die Sauberkeit (34)

clear(ly) deutlich (34)

clear (*weather*) heiter (5)

clever(ly) geschickt (36)
climax der Höhepunkt (-e) (36)
to climb besteigen, bestieg, bestiegen (23/32); klettern (23/32)
clock die Uhr (-en) (1E)
to close zumachen (macht zu) (6); **close your books!** machen Sie die Bücher zu! (1E)
close by nah (7)
to be close to someone jemandem nah stehen, stand, gestanden (25)
closed zu, geschlossen (16)
closet der Schrank (-e) (3)
clothes (*slang*) die Klamotten (*pl.*) (21)
clothes dryer der Wäschetrockner (-) (35)
clothing die Kleidung (21)
cloud die Wolke (-n) (5)
cloudy wolkig (5)
club room der Vereinsraum (-e) (10)
coast die Küste (-n) (9)
coat der Mantel (-) (7)
coffee der Kaffee (2)
coffee table der Sofatisch (-e) (3)
cold die Erkältung (-en) (6)
cold kalt (5)
collection station die Sammelstelle (-n) (20)
colleague der Kollege (-en) / die Kollegin (-nen) (13)
college die Hochschule (-n)
college preparatory high school das Gymnasium (Gymnasien) (10/27)
colored gefärbt (21)
colorful bunt (E)
to come kommen, kam, ist gekommen (2); **to come along** mitkommen, kam mit, ist mitgekommen (7/3E); **to come back** zurückkommen, kam zurück, ist zurückgekommen (7/3E); **to come by** vorbeikommen, kam vorbei, ist vorbeigekommen (7/3E); **to come to mind** einfallen (fällt ein), fiel ein, ist eingefallen (+ *dat.*) (34);

to come upon geraten (gerät), geriet, ist geraten (33)
comedy die Komödie (-n) (36)
comfortable gemütlich (16)
comment die Bemerkung (-en) (24/28)
commercial die Werbesendung (-en) (21)
common gemeinsam (28)
company die Firma (Firmen) (13)
competition der Wettbewerb (-e) (27)
to complain about sich beschweren über (+ *acc.*) (22)
to compose komponieren (36)
composer der Komponist (-en *masc.*) / die Komponistin (-nen) (36)
to compost kompostieren (20)
compost heap der Komposthaufen (-) (35)
comprehensive school die Gesamtschule (-n) (11/27)
computer game das Computerspiel (-e) (2)
computer programmer der Informatiker (-) / die Informatikerin (-nen) (13)
computer science die Informatik (11)
concept der Begriff (-e) (28)
to concern oneself with sich kümmern um (30)
to concern betreffen (betrifft), betraf, betroffen (25)
concert das Konzert (-e) (2)
condition die Bedingung (-en) (29)
condominium die Eigentumswohnung (-en) (4)
to conform anpassen (passt an) (26)
conformist (*adj.*) angepasst (26)
congenial sympathisch (1)
to congratulate gratulieren (17)
to conquer erobern (27)
to consider bedenken, bedachte, bedacht (31); betrachten (30); halten für (hält), hielt, gehalten (20); sich überlegen (29); **to consider something important** Wert legen auf (+ *acc.*) (27)

considerate rücksichtsvoll (29)
consideration die Rücksicht (35)
to consist of bestehen aus, bestand bestanden (35)
to consume verbrauchen (35)
consumer der Verbraucher (-) / die Verbraucherin (-nen) (35)
container der Container (-) (20/35)
contempt die Verachtung (34)
context der Rahmen (-) (18)
to continue one's education weiterbilden (bildet weiter) (31)
contract der Vertrag (-e) (25)
contribution der Beitrag (-e) (30)
to contribute to beitragen zu (trägt bei), trug bei, beigetragen (34)
contribution der Beitrag (-e) (30)
to converse sich unterhalten über (+ *acc.*) (unterhält), unterhielt, unterhalten (28)
to convey mitteilen (teilt mit) (36); vermitteln (26)
to cook kochen (2)
cookie das Plätzchen (-) (16)
cool kühl (5)
corner die Ecke (-n) (22)
correct richtig (24)
cough der Husten (6)
counter der Schalter (-) (24)
country das Land (-er) (4)
couple: married couple das Ehepaar (-e) (25)
courageous(ly) mutig (20)
course (academic) der Kurs (-e) (11/3E); **elective course** das Wahlfach (-er) (27); **required course** das Pflichtfach (-er)
course: course of study (*at a university*) das Studium (Studien) (19/3E); **course of treatment** die Kur (-en) (33)
courtyard der Hof (-e) (31); der Schulhof (-e) (10)
cousin (*male*) der Vetter (-n), der Cousin (-s) (1) / (*female*) die Kusine (-n) (25)
coworker der Mitarbeiter (-) / die Mitarbeiterin (-nen) (13)
to cram pauken (10)
crazy verrückt (17); irre (*coll.*) (32)
cream die Sahne (15)

critical(ly) kritisch (29)
crossing die Kreuzung (-en) (22)
cruise die Schiffsreise (-n) (32)
cucumber die Gurke (-n) (19)
cuisine die Küche (-n) (15)
cultural(ly) kulturell (36)
culture die Kultur (-en) (36)
cup: plastic cup der Plastikbecher (-) (35)
curious neugierig (1)
currency union die Währungsunion (18)
currency die Währung (-en) (18)
current aktuell (21)
current der Strom (35)
curriculum vitae (CV) der Lebenslauf (¨e) (14)
customer der Kunde (-n masc.) / die Kundin (-nen) (26)
cut der Abschnitt (-e) (28)
to cut schneiden, schnitt, geschnitten (19)

D

daily täglich (21)
to damage schädigen (35)
damaged beschädigt (22/27)
dance der Tanz (¨e) (36)
to dance tanzen (2)
danger die Gefahr (-en) (32)
dangerous gefährlich (7)
dark dunkel (2)
date die Verabredung (-en) (34)
date of birth das Geburtsdatum, pl. Geburtsdaten (14)
daughter die Tochter (¨) (1/25)
day der Tag (-e) (1E)
day care center die Kinderkrippe (-n) (30)
to deal with handeln von (21)
to deal with something mit etwas umgehen, ging um, ist umgegangen (26)
debate die Debatte (-n) (35)
decade das Jahrzehnt (-e) (26)
December der Dezember (5)
to decide entscheiden, entschied, entschieden (14); sich entschließen, entschloss, entschlossen (19)
to decorate schmücken (17)

to dedicate weihen (+ dat.) (27)
deep(ly) tief (33)
to defend oneself against sich wehren gegen (26)
defendant der/die Angeklagte (decl. adj.) (30)
delay die Verspätung (-en) (24/32)
delegate der/die Abgeordnete (decl. adj.) (30)
delicious lecker (19)
to demand verlangen (14/28)
demanding anstrengend (23)
demeanor die Miene (-n) (29)
to demonstrate demonstrieren (10)
demonstration die Demonstration (-en) (10)
Denmark (das) Dänemark (9)
dentist der Zahnarzt (¨e) / die Zahnärztin (-nen) (13)
to depart abreisen (reist ab), ist abgereist (8); losfahren (fährt los), fuhr los, ist losgefahren (14); **to depart by plane** abfliegen (fliegt ab), flog ab, ist abgeflogen
department store das Kaufhaus (¨er) (16)
departure die Abfahrt (-en), der Abflug (¨e) (24)
to depend upon auf etwas ankommen, kam an, ist angekommen (32)
dependent(ly) abhängig (13)
to depict darstellen (stellt dar) (34)
to desire begehren (35)
desire to travel die Reiselust (32)
desk der Schreibtisch (-e)
desperate verzweifelt (33)
desperate(ly) dringend (34)
dessert die Nachspeise (-n) (15)
to destroy zerstören (27)
to determine bestimmen (29)
to develop entwickeln (20)
development die Entwicklung (-en) (29)
device das Gerät (-e) (31)
to die sterben (stirbt), starb, ist gestorben (12)
to differ from sich unterscheiden von, unterschied, unterschieden (27)

different verschieden (22)
different(ly) anders (24)
difficult schwer (2)
difficulty die Schwierigkeit (-en) (30)
dilemma das Dilemma (-s) (23)
dining room das Esszimmer (-) (3)
dinner table der Esstisch (-e) (3)
dinner das Abendessen (-) (19)
direct(ly) unmittelbar (34)
director der Leiter (-) / die Leiterin (-nen) (31); der Regisseur (-e) / die Regisseurin (-nen) (36)
dirty schmutzig (4)
to disappear verschwinden, verschwand, verschwunden (20)
to discuss diskutieren (10); besprechen (bespricht), besprach, besprochen (18); diskutieren über (+ acc.) (20/26)
dish (meal) das Gericht (-e) (34)
dishes das Geschirr (3E); **to wash the dishes** das Geschirr spülen
dishwasher die Geschirrspülmaschine (-n) (3)
disposable bottle die Wegwerfflasche (-n) (20)
disposable utensils das Einweggeschirr (35)
dispute die Auseinandersetzung (-en) (26)
to distribute verbreiten (20)
to disturb stören (24)
to divide teilen (31); trennen (17/35)
divorce die Scheidung (-en) (23/25)
to do machen (2); unternehmen (unternimmt), unternahm, unternommen (9/31)
to do without verzichten auf (+ acc.) (21/35)
doctor der Arzt (¨e) / die Ärztin (-nen); **visit to the doctor** der Arztbesuch (-e) (33)
door die Tür (-en) (1E)
dormitory das Studentenwohnheim (-e) (19/3E)
double room das Doppelzimmer (-) (8)
to doze dösen (16)
dragon der Drache (-n masc.) (12)

to draw zeichnen (13)
dream career, job die Traumkarriere (-n) (14)
dress das Kleid (-er) (7)
dresser die Kommode (-n) (3)
to drive fahren (fährt), fuhr, ist gefahren (3)
to drop by vorbeikommen, kam vorbei, ist vorbeigekommen (7/3E)
drugstore (*for prescription drugs*) die Apotheke (-n); (*for over-the-counter drugs and sundries*) die Drogerie (-n) (16)
dryer (*for clothes*) der Wäschetrockner (-) (35)
to dub (*a film*) synchronisieren (36)
dumb blöd (2)
dumpster der Container (-) (20/35)
duplex das Doppelhaus (-er) (4)
Dutch (*person*) der Niederländer (-) / die Niederländerin (-nen) (18)
dwarf der Zwerg (-e) (12)
dying of the forest das Waldsterben (35)

E

ear das Ohr (-en) (6)
earlier damals (25)
early früh
to earn verdienen (13/25)
easy leicht (2)
to eat essen (isst), aß, gegessen (3)
eating habit die Essgewohnheit (-en) (34)
economy die Wirtschaft (11/29)
to educate erziehen, erzog, erzogen (20)
education die Bildung (11/28)
educational background der Ausbildungsgang (-e) (14)
effect die Wirkung (-en) (27)
eight acht (1E)
eighteen achtzehn (1E)
eighty achtzig (1E)
to elect wählen (26)
election die Wahl (-en) (18)
elective das Wahlfach (-er) (27)
electrician der Elektromeister (-) / die Elektromeisterin (-nen) (29)
electricity der Strom (35)

elementary school die Grundschule (-n) (11)
elevator der Aufzug (-e) (8)
to emancipate emanzipieren (30)
emancipation die Emanzipation (30)
embarrassment die Verlegenheit (-en) (29)
emergency der Notfall (-e) (6)
emigrant der Auswanderer (-) / die Auswandererin (-nen) (34)
employed angestellt (1); berufstätig (23/25)
employee der Arbeitnehmer (-) / die Arbeitnehmerin (-nen) (14)
employer der Arbeitgeber (-) / die Arbeitgeberin (-nen) (14)
employment agent der Arbeitsvermittler (-) / die Arbeitsvermittlerin (-nen) (29)
enchanted verwünscht (12)
encounter die Begegnung (-en) (33)
engaged verlobt (25)
engagement die Verlobung (-en) (25)
engineer der Ingenieur (-e) / die Ingenieurin (-nen) (13)
engineering: mechanical engineering der Maschinenbau (11/28)
England (das) England (9)
English (*language*) das Englisch (11)
English (*person*) der Engländer (-) / die Engländerin (-nen) (18)
to enjoy genießen, genoss, genossen (3E)
enormous riesengroß (28)
to enroll einschreiben (schreibt ein), schrieb ein, eingeschrieben (19)
to enter eintreten (tritt ein), trat ein, ist eingetreten (33)
enterprise: business enterprise das Unternehmen (29)
to entertain unterhalten (28)
entertaining unterhaltsam (21)
entertainment die Unterhaltung (-en) (36)
to entice locken (36)
entree das Hauptgericht (-e) (15)

environment die Umwelt (20/35); **hostile to the environment** umweltfeindlich (35)
environmental awareness das Umweltbewusstsein (35)
environmental protection der Umweltschutz (35)
environmentally friendly umweltfreundlich (20/35)
to be at an equal level gleichgestellt sein (30)
to have equal rights gleichberchtigt sein (30)
equality die Gleichberechtigung (23/30)
equipment die Ausrüstung (-en) (32)
essential unentbehrlich (29)
essentially im Wesentlichen (31)
European (*person*) der Europäer (-) / die Europäerin (-nen) (18)
even sogar (32)
evil böse (1)
eventful bewegt (27)
everyday life der Alltag (27)
exactness die Genauigkeit (34)
to exaggerate übertreiben, übertrieb, übertrieben (29)
exaggerated übertrieben (20)
exam die Klausur (-en); die Prüfung (-en) (10); **exam after secondary school** das Abitur (10); **mid-diploma exam** die Zwischenprüfung (-en) (19/3E)
examination die Untersuchung (-en) (33)
to examine untersuchen (6)
excellent prima (27)
exception die Ausnahme (-n) (34)
excited aufgeregt (24); gespannt (32)
excitement der Nervenkitzel (32)
exciting aufregend (21); spannend (23/32)
exercise das Training (23); die Übung (-en) (33)
to exercise trainieren (16)
to exist bestehen, bestand, bestanden (35)
to expect (from) erwarten (von) (14/25)

expensive teuer (2)
experience die Erfahrung (-en) (28); **work experience** die Berufserfahrung (-en) (29)
to experience erleben (8/26)
to explain erklären (21)
explanation die Erklärung (-en) (29)
to express ausdrücken (drückt aus) (21)
expression der Ausdruck (-̈e) (26); **facial expression** die Miene (-n) (29)
extension school die Volkshochschule (-n) (31)
extensive(ly) weitgehend (27)
extreme sport die Extremsportart (-en) (32)
extreme(ly) extrem (35)
eye das Auge (-n) (6)

F

face das Gesicht (-er) (6)
facial expression die Miene (-n) (29)
factor das Moment (-e) (23)
factory die Fabrik (-en) (4/35)
to fail (*an exam*) durchfallen (fällt durch), fiel durch, ist durchgefallen (10)
fairly priced preisgünstig (31)
fairy die Fee (-n) (12)
fairy tale das Märchen (-) (12)
fairy tale figure die Märchenfigur (-en) (12)
Fall der Herbst (5)
to fall asleep einschlafen (schläft ein), schlief ein, ist eingeschlafen (16)
family die Familie (1)
family home das Einfamilienhaus (-̈er) (4)
family leave der Erziehungsurlaub (-e) (23)
family status der Familienstand (25)
fantasy die Fantasie (-n) (14)
far weit (7)
farmhouse Bauernhaus (-̈er) (4)
to fascinate faszinieren (36)
to fasten anschnallen (schnallt an) (20)

fat das Fett (-e) (33)
father der Vater (-̈) (1/25)
father-in-law der Schwiegervater (-̈) (25)
fear die Angst (-̈e) (20); die Befürchtung (-en) (34)
February der Februar (5)
Federal Republic of Germany die Bundesrepublik Deutschland (17)
fee die Gebühr (-en) (E)
to feel well sich wohl fühlen (6)
feeling das Gefühl (-e) (31)
fellow student der Mitschüler (-) / die Mitschülerin (-nen) (10)
female weiblich (25)
feminine weiblich (25)
festival das Fest (-e) (5)
festive festlich (17)
fever das Fieber (6/33)
few wenig (32)
field das Feld (-er) (9)
fifteen fünfzehn (1E)
fifty fünfzig (1E)
to fight kämpfen (30)
to fill out ausfüllen (füllt aus) (8)
film der Film (-e) (36); **action film** der Actionfilm (-e) (36); **romantic film** der Liebesfilm (-e) (36); **silent film** der Stummfilm (-e) (36); **sound film** der Tonfilm (-e) (36)
to film verfilmen (36); **to film (*a movie*)** (einen Film) drehen (36)
filming of a novel die Romanverfilmung (-en) (36)
finally endlich (10); schließlich (10)
financial(ly) finanziell (13)
to find finden, fand, gefunden (2)
finger der Finger (-) (6)
finished fertig (3E)
Finland (das) Finnland (9)
fireworks das Feuerwerk (-e) (5)
firm die Firma (Firmen) (13)
first: at first anfangs (30)
to fish angeln (8)
fish der Fisch (-e) (19)
to fit passen (+ *dat.*) (21)
fit: to keep fit sich fit halten (hält), hielt, gehalten (23/32)
five fünf (1E)
flea market der Flohmarkt (-̈e) (22)

flexible flexibel (18)
flight attendant der Flugbegleiter (-) / die Flugbegleiterin (-nen) (13)
floor der Stock (Stockwerke) (8); **second floor** der erste Stock
to flow fließen, floss, geflossen (17)
flower die Blume (-n) (5)
flowered geblümt (21)
flu die Grippe (6)
to fly fliegen, flog, ist geflogen (7)
fog der Nebel (5)
foggy neblig (5)
to follow folgen (+ *dat.*) (14)
food die Lebensmittel (*pl.*) (19)
foot der Fuß (-̈e) (6)
for für (+ *acc.*) (5)
for it/them dafür (26)
for the sake of zuliebe (+ *dat.*)
to forbid verbieten, verbot, verboten (20/27)
to force zwingen, zwang, gezwungen (29)
foreign fremd (24)
foreigner der Ausländer (-) / die Ausländerin (-nen) (20/34)
forest der Wald (-̈er) (9); **dying of the forest** das Waldsterben (35)
forest path der Waldweg (-e)
to forget vergessen (vergisst), vergaß, vergessen (9)
fork die Gabel (-n) (19)
form das Formular (-e) (8)
former ehemalig (18)
forty vierzig (E)
to found gründen (27)
foundation die Grundlage (-n) (27)
four vier (1E)
fourteen vierzehn (1E)
France (das) Frankreich (9)
free time die Freizeit (16/3E)
freedom die Freiheit (-en) (23)
freedom of opinion die Meinungsfreiheit (18)
freedom of the press die Pressefreiheit (18)
freedom of speech die Redefreiheit (30)
freedom of thought die Gedankenfreiheit (30)
freedom of travel die Reisefreiheit (18)

French fries die Pommes frites (*pl.*) (15)
French (*language*) das Französisch (11)
frequent(ly) häufig (27)
fresh frisch (5)
Friday der Freitag (1E)
fried potato die Bratkartoffel (-n) (15)
friend der Freund (-e) / die Freundin (-nen) (1)
friendly freundlich (1)
friends with someone befreundet (25)
frog king der Froschkönig (12)
fruit das Obst (5/33)
to fry braten (brät), briet, gebraten (19)
to fullfill oneself sich verwirklichen (26)
full voll; satt (15)
fun(ny) lustig (17/27)
fund: wellness fund die Krankenkasse (33)
fundamentally im Wesentlichen (31)
to furnish möblieren (4)
furniture die Möbel (*pl.*) (3)
future (*adj.*) künftig (29)
future die Zukunft (-̈e) (26)

G

to gain by struggle erkämpfen (26)
gallery die Galerie (-n) (22)
garbage der Abfall (-̈e) (20/35), der Müll (20)
garden der Garten (-̈) (4); **small garden** der Kleingarten (-gärten) (31)
gardening die Gartenarbeit (31)
garlic der Knoblauch (15)
gate das Tor (-e) (23)
general education high school die Gesamtschule (-n); die Hauptschule (-n); die Realschule (-n) (11)
geography die Erdkunde (11)
German (*language*) das Deutsch (11)
German (*person*) der/die Deutsche (*decl. adj.*) (18)
German school system das deutsche Schulsystem (11)

German studies die Germanistik (28)
German Unity Day der Tag der deutschen Einheit (5)
to get bekommen, bekam, bekommen (13/28); kriegen (20)
to get involved in sich engagieren für (26)
to get off (*a train, car, etc.*) aussteigen (steigt aus), stieg aus, ist ausgestiegen (7)
to get on (*a train, car, etc.*) einsteigen (steigt ein), stieg ein, ist eingestiegen (7)
to get on one's way sich auf den Weg machen (24)
to get rid of abschaffen (schafft ab), schuf ab, abgeschaffen (20)
to get up aufstehen (steht auf), stand auf, ist aufgestanden (7)
to get used to sich gewöhnen an (+ *acc.*) (24/28)
gingerbread der Lebkuchen (17)
to give geben (gibt), gab, gegeben (3); (*as a gift*) schenken (5)
to give a lecture/talk einen Vortrag halten (19/3E)
to give up aufgeben (gibt auf), gab auf, aufgegeben (18/25)
glacier der Gletscher (-) (17)
glad froh (1)
glass das Glas (-̈er) (19)
glove der Handschuh (-e) (21)
to go gehen, ging, ist gegangen; **to go to the movies/theater** ins Kino/Theater gehen; **to go to a concert** ins Konzert gehen (2); **to go for a walk** spazieren gehen (2); fahren (fährt), fuhr, ist gefahren; **to go by bicycle/bus/car/motorcycle/ship/train** mit dem Fahrrad/Bus/Auto/Motorrad/Schiff/Zug (der Bahn) fahren (7); **to go to a spa** Kur machen (8)
to go along entlanggehen (geht entlang) ging entlang, ist entlanggegangen (22)
to go on a trip verreisen (32)
goal das Tor (-e) (23); das Ziel (-e) (26); **to have a certain goal** auf etwas hinaus wollen (30)

good gut (1); **good morning!** guten Morgen! (1E)
goods die Waren (*pl.*) (22)
to gossip quatschen (28)
grade die Note (-n) (10)
gradual(ly) allmählich (28)
grandchild das Enkelkind (-er) (1)
granddaughter die Enkelin (-nen) (1/25)
grandfather der Großvater (-̈) (1)
grandfather clock die Standuhr (-en) (3)
grandmother die Großmutter (-̈) (1)
grandparents die Großeltern (*pl.*) (1/25)
grandson der Enkel (-) (1/25)
grape juice der Traubensaft (15)
to grasp anfassen (fasst an) (31); begreifen, begriff, begriffen (29)
gray grau (2)
great prima (27); echt Klasse (10); super (2); toll (2)
Great Britain (das) Großbritannien (9)
great-grandchildren die Urenkel (*pl.*) (25)
great-grandparents die Urgroßeltern (*pl.*) (25)
Greece (das) Griechenland (9)
Greek (*person*) der Grieche (-n *masc.*) / die Griechin (-nen) (18)
green grün (2)
to greet begrüßen (24)
greeting die Begrüßung (-en) (24)
to grill grillen (31)
ground level das Erdgeschoss (-e) (8)
to grow up aufwachsen (wächst auf), wuchs auf, ist aufgewachsen (25)
growth das Wachstum (35)
guest der Gast (-̈e) (8)

H

habitual: in a habitual manner gewohnheitsmäßig (33)
hair das Haar (-e) (6)
hallway die Diele (-n) (3)
hand die Hand (-̈e) (6)
hand: on the other hand andererseits (26)

to handle something mit etwas umgehen, ging um, ist umgegangen (26)

handshake das Händeschütteln (-) (24)

Hanukkah die Chanukka (5)

to happen geschehen (geschieht), geschah, geschehen (32); passieren, ist passiert (9)

happy glücklich (1)

hat der Hut (¨e) (7)

to have haben (hat), hatte, gehabt (2)

to have a certain goal auf etwas hinaus wollen (30); **to have a look at** angucken (guckt an) (*coll.*) (32); **to have a say** mitbestimmen (bestimmt mit) (27); **to have an opinion of** halten von (hält), hielt, gehalten (3E); **to have equal rights** gleichberechtigt sein (30); **to have fun** Spaß machen (5); **have a good trip!** gute Fahrt! (14)

head der Kopf (¨e) (6)

headline die Schlagzeile (-n) (21)

health die Gesundheit (6)

health attendant der Krankenpfleger (-) / die Krankenpflegerin (-nen) (6)

health care die Gesundheitspflege (33)

health care system das Gesundheitswesen (-) (33)

health food store das Reformhaus (-häuser) (22)

health spa der Kurort (-e) (3E); die Kur (-en) (33)

healthy gesund (1/33)

to hear hören (6)

heart: by heart auswendig (27)

to heat erhitzen (19)

heaven der Himmel (9)

heavy schwer (10)

heel der Absatz (¨e) (21)

hello! guten Tag! (1E)

to help helfen (hilft) (13)

helpless(ly) ratlos (32)

Hesse (das) Hessen (17)

high point der Höhepunkt (-e) (36)

high school: general education high school die Gesamtschule (-n); die Hauptschule (-n); die Realschule (-n); **specialized high school** die Fachoberschule, (-n) (11)

to hike wandern, ist gewandert (2/32)

hill der Hügel (-) (9)

him (*acc.*) ihn (5)

history die Geschichte (-n) (11/28)

hobby das Hobby (-s) (31)

to hold halten (hält), hielt, gehalten (3E); behalten (behält), behielt, behalten (16)

holiday der Feiertag (-e) (5/31); **holidays** die Ferien (*pl.*) (32)

homeless person der/die Obdachslose (*decl. adj.*) (20)

homelessness die Obdachlosigkeit (20)

homework die Hausaufgabe (-n) (10)

honesty die Ehrlichkeit (14)

horse das Pferd (-e) (23)

hospital das Krankenhaus (¨er) (6/33)

hostile to the environment umweltfeindlich (35)

hot heiß (5)

hot (*spicy*) scharf (19)

hotel das Hotel (-s) (8); der Gasthof (¨e) (15)

hour die Stunde (-n) (23)

house das Haus (¨er) (4)

household der Haushalt (-e) (23/25); **to take care of the household** den Haushalt machen (23)

household appliance das Haushaltsgerät (-e) (20)

househusband der Hausmann (¨er) (23)

houseplant die Zimmerpflanze (-n) (23)

hug die Umarmung (-en) (24)

to hug umarmen (24)

human being der Mensch (-en *masc.*) (4)

human right das Menschenrecht (-e) (30)

humanities die Geisteswissenschaften (*pl.*) (28)

humor der Humor (36)

hundred hundert (1E)

hunger der Hunger (20)

to hurt wehtun (tut weh), tat weh, wehgetan (6)

I

I ich (1)

ice cream das Eis (15)

ice skating Schlittschuh laufen (läuft), lief, ist gelaufen; **ice skating rink** die Schlittschuhbahn (-en) (23)

Iceland (das) Island (9)

idea die Idee (-n) (10); der Begriff (-e) (28)

ideal das Ideal (-e) (26)

identity die Identität (-en) (26)

to idle bummeln, bummelte, ist gebummelt (31)

illness die Krankheit (-en) (20)

imaginary imaginär (36)

immediately sofort (22)

immigrant der Einwanderer (-) / die Einwanderin (-nen) (34)

to impart vermitteln (26)

to imply something auf etwas hinaus wollen (30)

important wichtig (23); **to consider something important** wert legen auf (+ *acc.*) (27)

impossible unmöglich (10)

to impress ausprägen (prägt aus) (25)

impression der Eindruck (¨e) (34)

in: in agreement einverstanden (29); **in any case** jedenfalls (30); unbedingt (11/34); **in return** dafür (26); **in the meantime** inzwischen (34) **in the open air** im Freien (31); **in the vicinity** in der Nähe (17)

income das Einkommen (-) (13)

to increase erhöhen (33); steigern (29); zunehmen (nimmt zu), nahm zu, zugenommen (28)

indeed sogar (32)

independence die Unabhängigkeit (25)

independent(ly) unabhängig (25); selbstständig (13/29)
indescribable; indescribably unbeschreiblich (31)
Indian (*person*) der Inder (-) / die Inderin (-nen) (18)
indoor swimming pool die Schwimmhalle (-n) (22)
industrialization die Industrialisierung (31)
industrious fleißig (1)
inevitable; inevitably unweigerlich (34)
influence der Einfluss (¨e) (26)
to influence beeinflussen (21/34)
informality die Lockerheit (24)
information die Auskunft (¨e) (7)
inhabitant der Einwohner (-) / die Einwohnerin (-nen) (17)
injection die Spritze (-n) (6)
inn: bed and breakfast inn die Pension (-en) (8)
inn das Gasthaus (¨er); das Wirtshaus (¨er) (15)
insecurity die Unsicherheit (-en) (27)
to inspire begeistern (26)
instead dafür (26)
instruction der Unterricht (10)
to insult beleidigen (28); beschimpfen (30)
insurance die Versicherung (-en) (33)
intellectual(ly) intellektuell (36)
intelligent gescheit (21)
to intend vorhaben (hat vor), hatte vor, vorgehabt (23)
interest das Interesse (-n) (14)
to be interested in sich interessieren für (13/31)
interesting interessant (1)
internship das Praktikum (*pl.* Praktika) (19)
to interpret (*languages*) dolmetschen (28)
interpreter der Dolmetscher (-) / die Dolmetscherin (-nen) (13)
intersection die Kreuzung (-en) (22)
to introduce oneself sich vorstellen (13)

to invent erfinden, erfand, erfunden (21)
to invite einladen (lädt ein), lud ein, eingeladen (7/3E)
to get involved in sich engagieren für (26)
Ireland (das) Irland (9)
to iron bügeln (23)
irreplaceable; irreplaceably unersetzlich (31)
island die Insel (-n) (9)
it es (1)
Italian (*person*) der Italiener (-) / die Italienerin (-nen) (18)
Italy (das) Italien (9)

J
jacket; die Jacke (-n) (7); das Jackett (-s) (7); der Sakko (-s); **women's jacket** der Frauensakko (-s) (7)
jam die Marmelade (-n) (16)
January der Januar (5)
jeans die Jeans (*pl.*) (7)
jelly die Marmelade (-n) (16)
jewelry der Schmuck (22)
jewelry store das Juweliergeschäft (-e) (22)
job der Beruf (-e) (13/29)
job applicant der Bewerber (-) / die Bewerberin (-nen) (14/29)
job interview das Vorstellungsgespräch (-e) (13)
job offer das Stellenangebot (-e) (14)
job search die Stellensuche (14)
to jog joggen (8)
jogging suit der Jogginganzug (¨e) (7)
journalist der Journalist (-en *masc.*) / die Journalistin (-nen) (13)
journey die Fahrt (-en) (24)
joy die Freude (-n) (27)
joyful(ly) freudig (26)
judge der Richter (-) / die Richterin (-nen) (30)
juice der Saft (¨e) (16)
July der Juli (5)
to jump springen, sprang, ist gesprungen (32)
June der Juni (5)

jurisprudence die Rechtswissenschaft (28)
justice die Gerechtigkeit (-en) (26)

K
to keep behalten (behält), behielt, behalten (16)
to keep (*an appointment*) einhalten (hält ein), hielt ein, eingehalten (34)
to keep fit sich fit halten (hält), hielt, gehalten (23/32)
to keep to sich halten an (+ *acc.*) (hält), hielt, gehalten (34)
to keep together zusammenhalten (hält zusammen), hielt zusammen, zusammengehalten (23)
key der Schlüssel (-) (8)
to kill töten (12)
kindergarten der Kindergarten (¨) (11)
king der König (-e) (12)
kitchen die Küche (-n) (3)
knife das Messer (-) (19)
to knock klopfen (19)
to know (*a fact*) wissen (weiß), wusste, gewusst; (*be acquainted with*) kennen, kannte, gekannt (8)
knowledge die Kenntnis (-se) (14/29); das Wissen (26)
known: well-known bekannt (36)

L
labeled beschildert (34)
labor force die Arbeitskraft (¨e) (34)
laboratory das Labor (-s) (10/33)
to lack fehlen (+ *dat.*) (21)
lake der See (-n) (9)
to land landen, ist gelandet (24)
language die Sprache (-n) (11)
language lab das Sprachlabor (-s) (10)
to last dauern (7)
late spät (16)
to be late sich verspäten (34)
laundry die Wäsche (3E)
law das Gesetz (-e) (35)
law (*as field or course of study*) Jura (28)
lawn der Rasen (16/3E)

lawyer der Anwalt (¨e) / die Anwältin (-nen) (13)

lazy faul (1)

to lead leiten (30); **to lead to** führen zu (26)

leader der Leiter (-) / die Leiterin (-nen) (31)

to learn lernen (8); erlernen (29); **to learn by heart** auswendig lernen (27)

leather das Leder (21)

to leave verlassen (verlässt), verließ, verlassen (14/27)

lecture die Vorlesung (-en) (19/3E); der Vortrag (¨e) (3E)

lecture hall der Hörsaal (Hörsäle) (19)

left links (8)

leg das Bein (-e) (6)

legal(ly) rechtlich (34)

letter der Brief (-e) (2)

letter to the editor der Leserbrief (-e) (21)

librarian der Bibliothekar (-e) / die Bibliothekarin (-nen) (13)

library die Bibliothek (-en) (10)

license plate das Nummernschild (-er) (20)

lie Lüge (-n) (10)

to lie (*flat*) liegen, lag, gelegen (2)

lifestyle der Lebensstil (-e) (26)

light hell (2)

to like gefallen (gefällt), gefiel, gefallen (+ *dat.*) (14/31)

linguistics die Linguistik (11)

to listen hören (13); **to listen to music** Musik hören (2)

literature die Literatur (-en) (11/36)

litterbug der Umweltsünder (-) / die Umweltsünderin (-nen) (20/35)

little klein (1); wenig (32)

to live (*exist*) leben (12); **to live** (*reside*) wohnen (8)

living room das Wohnzimmer (-) (3)

lobster der Hummer (-) (15)

local news die Lokalnachrichten (*pl.*) (21)

to be located sich befinden, befand, befunden (28)

location die Lage (-n) (18)

long lang (1)

to long for sich sehnen nach (28)

to look after betreuen (30); pflegen (31); **to look at** angucken (guckt an) (*coll.*) (32); anschauen (schaut an); sich ansehen (sieht an), sah an, angesehen (21); **to look at** (*art*) betrachten (8); **to look forward to** sich freuen auf (+ *acc.*) (18/26)

to loosen lösen (30)

loud laut (1)

love: in love verliebt (25)

Lower Saxony (das) Niedersachsen (17)

luxury der Luxus (32)

M

mad verrückt (17)

magazine die Zeitschrift (-en) (21)

major subject das Hauptfach (¨er) (11/3E)

to make schaffen (28)

to make enthusiastic begeistern (26)

to make music musizieren (31)

to make pottery töpfern (31)

male männlich (25)

man der Mann (¨er) (1)

manufacturing plant das Werk (-e) (16)

March der März (5)

to march marschieren, marschierte, ist marschiert (32)

Mardi Gras der Karneval (5); der Fasching (17)

marital ehelich (25); **marital status** der Familienstand (14/25)

market economy die Marktwirtschaft (-en) (18)

marriage die Ehe (-n) (5/23/25)

married verheiratet (14), ehelich (25)

married couple das Ehepaar (-e) (25)

to marry heiraten (12/25)

masculine männlich (25)

material der Stoff (-e) (28); **packaging material** das Verpackungsmaterial (-ien) (35); **raw material** der Rohstoff (-e) (35)

math(ematics) die Mathe(matik) (11)

May der Mai (5)

maybe vielleicht (11)

meadow die Wiese (-n) (9)

meal das Gericht (-e) (34)

to mean meinen (3E); bedeuten (17)

meaningful sinnvoll (33)

meantime: in the meantime inzwischen (34)

to measure messen (misst), maß, gemessen (33)

meat das Fleisch (19)

meatloaf, Bavarian der Leberkäs (15)

mechanic der Mechaniker (-) / die Mechanikerin (-nen) (13)

mechanical engineering der Maschinenbau (11/28)

Mecklenburg-Western Pomerania (das) Mecklenburg-Vorpommern (17)

medication das Medikament (-e) (6/33)

medicine die Medizin (28); **preventive medicine** die Vorsorge (33)

to meet sich begegnen (27)

meeting die Begegnung (-en) (33)

member of parliament der/die Abgeordnete (*decl. adj.*) (30)

to mention erwähnen (31)

menu die Speisekarte (-n) (15)

merchant der Kaufmann, *pl.* die Kaufleute (13)

method: teaching method die Unterrichtsmethode (-n) (27)

metropolis die Großstadt (¨e) (4)

Mexican (*person*) der Mexikaner (-) / die Mexikanerin (-nen) (18)

microwave die Mikrowelle (-n) (3)

mid-diploma exam die Zwischenprüfung (-en) (19/3E)

middle die Mitte (-n) (22)

Middle Ages das Mittelalter (28)

milk die Milch (5)

mineral water das Mineralwasser (15)

minor subject das Nebenfach (¨er) (11/3E)

minority die Minderheit (-en) (30)
mirror der Spiegel (-) (3)
to miscalculate sich verrechnen (33)
to misunderstand missverstehen, missverstand, missverstanden (21)
to mix vermischen (19)
mode of transportation das Verkehrsmittel (-) (35)
modesty die Bescheidenheit (-en) (26)
moment der Moment (-e) (23)
Monday der Montag (1E)
month der Monat (-e) (5)
monthly monatlich (4)
mood die Stimmung (-en) (17/36)
mother die Mutter (¨) (1/25)
mother-in-law die Schwiegermutter (¨) (25)
Mother's Day der Muttertag (5)
motion: to set into motion bewegen (26)
motorcycle das Motorrad (¨er) (7)
mountain der Berg (-e) (4)
mountains das Gebirge (9)
mouth der Mund (¨er) (6)
to move (*change place of residence***)** umziehen (zieht um), zog um, ist umgezogen (4)
to move rühren (31)
to move away wegziehen (zieht weg), zog weg, ist weggezogen (4)
movement die Bewegung (-en) (26); **women's movement** die Frauenbewegung (-en) (30)
movie theater das Kino (-s) (2)
to mow the lawn den Rasen mähen (16/3E)
multicultural(ly) multikulturell (34)
museum das Museum (Museen) (22)
mushroom der Pilz (-e) (9); der Champignon (-s) (15)
music die Musik (11/36); **to play music** musizieren (31)
mustard der Senf (15)

N

to nap dösen (16)
napkin die Serviette (-n) (19)
nature die Natur (9)

near nah (7)
nearly fast (27)
necessarily unbedingt (11/20/34)
necessity das Bedürfnis (-se) (34)
neck der Hals (¨e) (6)
to need brauchen (2/3E)
negligible gering (29)
to negotiate begeben, begab, begeben (33)
neighbor der Nachbar (-n *masc.*) / die Nachbarin (-nen) (4)
neighborhood das Stadtviertel (-) (4); die Siedlung (-en) (35)
nephew der Neffe (-n *masc.*) (1/25)
nerve: what nerve! das ist eine Frechheit! (10)
Netherlands die Niederlande (9)
new neu (2)
New Year's Day das Neujahr (5)
New Year's Eve das Silvester (5)
news die Nachricht (-en) (22)
nice nett (1)
niece die Nichte (-n) (1/25)
nightmare der Alptraum (¨e) (27)
nightstand der Nachttisch (-e) (3)
nine neun (1E)
nineteen neunzehn (1E)
ninety neunzig (1E)
no kein (3); nein
noise der Lärm (20/35)
nonacceptance die Nichtakzeptanz (34)
nonreturnable bottle die Einwegflasche (-n) (35)
nontoxic giftfrei (35)
noodle die Nudel (-n) (19)
normally normalerweise (32)
North Rhine-Westphalia (das) Nordrhein-Westfalen (17)
Norway (das) Norwegen (9)
nose die Nase (-n) (6)
not nicht; **not a/any** kein (3)
note die Notiz (-en) (10); der Zettel (33)
notebook das Heft (-e) (1E)
to notice merken (20)
to nourish ernähren (25)
nourishment die Nahrung (20)
November der November (5)

number of unemployed die Arbeitslosenzahl (-en) (29)
nurse der Krankenpfleger (-) / die Krankenpflegerin (-nen) (13)

O

observation die Bemerkung (-en) (24/28)
to observe beachten (34); beobachten (36)
occupation der Beruf (-e) (13/29)
occupational(ly) beruflich (18)
to occupy besetzen (27)
to be occupied with sich beschäftigen mit (13/27)
to occur eintreten (tritt ein), trat ein, ist eingetreten (33)
ocean das Meer (-e) (9)
October der Oktober (5)
odd merkwürdig (24/28)
to offend beleidigen (10)
offer das Angebot (-e) (23)
to offer bieten, bot, geboten (31)
office das Büro (-s) (13)
officer der Offizier (-e) (14)
official der/die Behörde (*decl. adj.*) (18)
often oft (4); häufig (27)
old alt (1)
on the other hand andererseits (26)
once more please! bitte noch einmal! (1E)
once upon a time . . . es war einmal . . . (12)
one ein(s) (1E)
one-way einfach (24)
onion die Zwiebel (-n) (15)
only einzig (23)
open offen (16)
to open aufmachen (macht auf), aufgemacht (6); **open your books!** macht die Bücher auf! (1E)
openly öffentlich (23)
open-minded aufgeschlossen (34)
to operate operieren (6)
operation: business operation der Betrieb (-e) (29)
opinion die Meinung (-en) (10)

opportunity die Gelegenheit (-en) (13)

opposite _____ gegenüber von _____ (22)

orange orange (2)

order die Ordnung (34)

to order bestellen (15)

organic(ally) organisch (20/35)

organization die Gestaltung (-en) (31)

to organize (*clean up*) aufräumen (räumt auf) (23/E3)

to organize oneself sich organisieren (30)

original(ly) originell (22); ursprünglich (36)

other: on the other hand andererseits (26)

outdoors im Freien (31)

outcome das Ergebnis (-se) (33)

outfitting die Ausrüstung (32)

outgoing unbefangen (1)

outrage: that's an outrage! das ist eine Unverschämtheit! (10)

outside draußen (31)

to overcome bestehen, bestand, bestanden (35)

overhead projector der Overheadprojektor (-en) (1E)

overload die Überlastung (-en) (27)

overnight stay die Übernachtung (-en) (8)

overtime hour die Überstunde (-n) (22)

own eigen (4/25)

to own besitzen, besaß, besessen (30)

owner der Besitzer (-) / die Besitzerin (-nen) (14)

P

to pack einpacken (packt ein) (7)

packaging die Verpackung (20); das Verpackungsmaterial (-ien) (35)

pain der Schmerz (-en) (6)

paint der Anstrich (-e) (35)

painting das Gemälde (-) (22)

pajamas der Schlafanzug (¨e) (21)

pan die Pfanne (-n) (19)

pantomime die Pantomime (-n) (36)

pants die Hose (-n) (7)

paper das Papier (1E); **piece of paper** der Zettel (33)

parade der Umzug (¨e) (17)

parenting: single parenting alleinerziehend (30)

parents die Eltern (*pl.*) (1/25)

parka der Anorak (-s) (7)

part der Abschnitt (-e) (28); **to take part in** teilnehmen an (+ *dat.*) (nimmt teil), nahm teil, teilgenommen (26)

to participate teilnehmen (nimmt teil), nahm teil, teilgenommen (20)

party die Party (-s) (24)

to pass (*a test or exam*) bestehen, bestand, bestanden (10/27)

to pass on abgeben (gibt ab), gab ab, abgegeben (19)

passenger der Fahrgast (¨e) (7)

passport der Reisepass (¨e) (24)

past (*adj.*) vergangen (26)

past die Vergangenheit (27)

past _____ an _____ vorbei (22)

pastry shop die Konditorei (-en) (16)

patient der Patient (-en *masc.*) / die Patientin (-nen) (6)

patterned gemustert (21)

pay das Gehalt (¨er) (13)

to pay zahlen (15)

to pay (for) bezahlen (4)

to pay attention aufpassen (passt auf) (7/3E)

pea die Erbse (-n) (15)

peace der Frieden (26)

peaceful(ly) friedlich (26); ruhig (1/28)

peculiar merkwürdig (24/28)

pedestrian zone die Fußgängerzone (-n) (20)

pencil der Bleistift (-e) (1E)

peninsula die Halbinsel (-n) (9)

pension die Rente (-n) (29)

pensioner der Rentner (-) / die Rentnerin (-nen) (29)

pepper der Pfeffer (15)

perfect(ly) perfekt (23)

periodical die Zeitschrift (-en) (21)

to persecute verfolgen (34)

personal persönlich (14)

personal hygiene die Körperpflege (33)

personal(ly) persönlich (32)

pet das Haustier (-e) (22)

pet store die Tierhandlung (-en) (22)

philosopher der Philosoph (-en *masc.*) / die Philosophin (-nen) (13)

photographer der Fotograf (-en *masc.*) / die Fotografin (-nen) (13)

physician der Arzt (¨e) / die Ärztin (-nen) (6)

physicist der Physiker (-) / die Physikerin (-nen) (13)

physics die Physik (11/28)

piano das Klavier (-e) (3)

to pick up abholen (holt ab) (23)

picnic das Picknick (-s) (9)

piece: piece of clothing das Kleidungsstück (-e) (7); **piece of paper** der Zettel (33); **theater piece** das Stück (-e) (36)

pillow das Kopfkissen (-) (3)

pink rosa (2)

place der Ort (-e) (4); die Stelle (-n) (13/29)

to place at a disadvantage benachteiligen (30)

place of birth der Geburtsort (14)

to plan vorhaben (hat vor), hatte vor, vorgehabt (23)

planned economy die Planwirtschaft (18)

plastic bag die Plastiktüte (-n) (20)

plastic cup der Plastikbecher (-) (35)

plate der Teller (-) (19)

platform der Bahnsteig (-e) (7)

platform (*in a train station*) das Gleis (-e)

play (*theater*) das Stück (-e) (36), das Schauspiel (-e) (36)

to play spielen (8); **to play cards** Karten spielen (2); **to play golf** Golf spielen; **to play pool** Billard spielen (8); **to play tennis** Tennis spielen (2)

to play: to play music musizieren (31); **to play a sport** Sport treiben, trieb, getrieben (23/32)

to **please** gefallen (+ *dat.*) (gefällt), gefiel, gefallen (9/31)

pleasure die Freude (-n) (27)

point: high point der Höhepunkt (-e) (36); **point in time** das Mal (-e) (31); **point of view** die Einstellung (-en) (18)

to **poison** vergiften (12/35)

police die Polizei (20)

Polish (*person*) der Pole (-n *masc.*) / die Polin (-nen) (18)

political asylum das Asyl (34)

politician der Politiker (-) / die Politikerin (-nen) (13)

politics die Politik (21)

polka-dotted gepunktet (21)

to **pollute** verschmutzen (35)

polluter der Umweltsünder (-) / die Umweltsünderin (-nen) (20/35); der Umweltverschmutzer (-)

pollution die Verschmutzung (35)

popular beliebt (28)

pork roast der Schweinebraten (-) (15)

to **portray** darstellen (stellt dar) (34)

Portugal (das) Portugal (9)

position die Stelle (-n) (13/29)

to **possess** besitzen, besaß, besessen (30)

possibility die Möglichkeit (-en) (29)

possible möglich (10)

post office die Post (4); das Postamt (22)

pot der Topf (-̈e) (19)

potato die Kartoffel (-n) (15)

pour gießen, goss, gegossen (19)

poverty die Armut (20)

powerful(ly) gewaltig (34)

practice: to put into practice in die Praxis umsetzen (35)

to **practice a profession** einen Beruf ausüben (übt aus) (13/29)

prank der Streich (-e) (14)

preceding vergangen (26)

to **prefer** vorziehen (zieht vor), zog vor, vorgezogen (20)

prejudice das Vorurteil (-e) (24)

preparation die Vorbereitung (-en) (32)

to **prepare** sich vorbereiten (bereitet vor) (27)

to **prescribe** verschreiben, verschrieb, verschrieben (33)

prescription das Rezept (6/33)

present das Geschenk (-e) (5)

to **present** darstellen (stellt dar) (34)

present time die Gegenwart (27)

prestige das Prestige (14)

pretzel die Brezel (-n) (15)

preventive medicine die Vorsorge (33)

primarily hauptsächlich (31)

prince der Prinz (-en *masc.*) (12)

princess die Prinzessin (-nen) (12)

printed gemustert (21)

to **produce** herstellen (stellt her) (29)

profession der Beruf (-e) (13/29); **to practice a profession** einen Beruf ausüben (13/29)

professional(ly) beruflich (18)

to **prohibit** verbieten, verbot, verboten (20)

promise die Versprechung (-en) (34)

to **promise** versprechen (verspricht), versprach, versprochen (3)

to **promote** fördern (36)

promptness die Pünktlichkeit (34)

proof der Nachweis (-e) (31)

prosperity der Wohlstand (26)

to **protect** behüten (30); schützen (20/35)

protection der Schutz (26)

to **protest** protestieren (10)

to **prove** beweisen, bewies, bewiesen (25); bestätigen (34)

psychologist der Psychologe (-n *masc.*) / die Psychologin (-nen) (13)

psychology die Psychologie (11)

pub die Kneipe (-n) (15)

public das Publikum (36)

publicity die Reklame (-n) (21)

public(ly) öffentlich (23/35)

to **pull** ziehen, zog, gezogen (4/31)

punctual pünktlich (14)

punctuality die Pünktlichkeit (34)

to **punish** bestrafen (10)

purple lila (2)

purpose der Zweck (-e) (36)

to put in place einsetzen (setzt ein) (29)

to put into practice in die Praxis umsetzen (setzt um) (35)

to put on anziehen, (zieht an), zog an, angezogen (7)

to put up with aushalten (hält aus), hielt aus, ausgehalten (24)

Q

qualification die Qualifikation (-en) (14)

quarter das Quartal (-e) (11)

queen die Königin (-nen) (12)

quiet(ly) leise (26)

R

race das Rennen (-) (23)

racism der Rassismus (20)

rain der Regen (5)

to rain regnen (es regnet) (5)

raincoat der Regenmantel (-̈) (7)

to raise erhöhen (33); steigern (29)

rather ziemlich (2); eher (27)

raw roh (19)

raw material der Rohstoff (-e) (35)

to reach erreichen (30)

to react to reagieren auf (+ *acc.*) (26)

to read lesen (liest), las, gelesen (3)

reality die Wirklichkeit (14)

to realize verwirklichen (26)

real(ly) echt (10); **really good** echt gut (2)

really wirklich (10)

reason der Grund (-̈e) (18)

to receive bekommen, bekam, bekommen (15/28); erhalten (erhält), erhielt, erhalten (29)

reception die Rezeption (-en) (8)

receptive aufgeschlossen (34)

recliner der Sessel (-) (3)

reconstruction der Wiederaufbau (29)

to record (video) aufnehmen (nimmt auf), nahm auf, aufgenommen (21)

recuperation die Erholung (31)

to recycle wieder verwerten (35); recyceln (16/35)

red rot (2)

to reduce abbauen, vermindern (20)

refrigerator der Kühlschrank (¨e) (3)

to regard halten für (hält), hielt, gehalten (20); betrachten (30)

to register anmelden (meldet an) (19)

to regret bedauern (20)

regular(ly) regelmäßig (33)

to regulate regeln (25)

to relax sich entspannen (31)

relaxation die Entspannung (32)

relaxed manner die Lockerheit (24)

reliability die Zuverlässigkeit (14)

reliable zuverlässig (14)

religion die Religion (-en) (11)

to remain bleiben, blieb, ist geblieben (2E)

remark die Bemerkung (-en) (24/28)

remarkable merkwürdig (24/28)

remedy das Heilmittel (-) (33)

to remember sich erinnern an (+ acc.) (26)

to remove oneself sich entfernen (34)

to renounce verzichten auf (+ acc.) (35)

rent die Miete (-n) (4)

to rent mieten; **to rent (out)** vermieten (4)

to repeat wiederholen (3E)

report der Bericht (-e) (21)

report card das Zeugnis (-se) (10)

to report berichten (21)

to represent vertreten (vertritt), vertrat, vertreten (27)

reputation der Ruf (-e) (28)

to require erfordern (29)

required course das Pflichtfach (¨er) (27)

reservation die Reservierung (-en) (8)

to reside wohnen (2E)

resort der Kurort (-e) (3E)

to respect respektieren (25)

to respect achten (33)

respective(ly) beziehungsweise (28) jeweils

responsibility die Verantwortung (-en) (14)

rest die Erholung (-en) (31)

restaurant das Restaurant (-s) (4); die Gaststätte (-n), der Gasthof (¨e), das Gasthaus (¨er), das Wirtshaus (¨er) (15)

restorer der Restaurator (-en) / die Restauratorin (-nen) (22)

restroom die Toilette (-n) (3)

result das Ergebnis (-se) (33); die Wirkung (-en) (27)

résumé der Lebenslauf (¨e) (14)

return: in return dafür (26)

return ticket die Rückfahrkarte (-n) (24)

returnable bottle die Pfandflasche (-n) (35)

reunification die Wiedervereinigung (18)

Rhineland Palatinate Rheinland-Pfalz (17)

rice der Reis (15)

to ride (an animal) reiten, ritt, geritten (8/32); **to ride a bicycle** Rad fahren (fährt Rad), fuhr Rad, ist Rad gefahren (4)

right richtig (24)

right: human right das Menschenrecht (-e) (30)

right to vote das Wahlrecht (30)

rights: to have equal rights gleichberechtigt sein (30)

to ring klingeln (23)

river der Fluss (¨e) (9)

roll das Brötchen (-) (16)

roller skating das Rollschuhlaufen (23)

to rollerblade bladen (23)

romantic romantisch (1)

romantic film der Liebesfilm (-e) (36)

room das Zimmer (-) (3)

roughly ungefähr (11/29)

round trip hin und zurück (24)

row house das Reihenhaus (¨er) (4)

to row (a boat) rudern (23/32)

row die Reihe (-n) (30)

rug der Teppich (-e) (3)

rule die Regel (-n) (34)

Rumpelstiltskin das Rumpelstilzchen (12)

to run laufen (läuft), lief, ist gelaufen (3)

Russian (person) der Russe (-n masc.) / die Russin (-nen) (18)

S

sad traurig (1)

safe(ly) sicher (13)

to sail segeln (2)

sake: for the sake of zuliebe (+ dat.) (35)

salad der Salat (15)

salary das Gehalt (¨er) (13)

salmon Lachs (-e) (15)

salt das Salz (15)

salty salzig (19)

same egal (18)

sandal die Sandale (-n) (7)

Santa Claus der Weihnachtsmann (17)

satisfied satt (19); zufrieden (29)

Saturday der Samstag (1E)

sauerkraut das Sauerkraut (15)

sauna die Sauna (in die Sauna gehen) (8)

sausage die Wurst (¨e) (15)

to save erlösen (12); sparen (35)

Saxony (das) Sachsen (17)

Saxony-Anhalt Sachsen-Anhalt (17)

say: to have a say mitbestimmen (bestimmt mit) (27)

scarf der Schal (-s) (21)

schedule (daily) der Stundenplan (¨e) (10); **(travel)** der Fahrplan (¨e) (7)

school die Schule (-n) (10)

school bus der Schulbus (-se) (10)

school newspaper die Schülerzeitung (-en) (10)

science die Wissenschaft (-en) (27)

school: college preparatory high school das Gymnasium (Gymnasien) (10/27); **comprehensive school** die Gesamtschule (-n) (11/27); **extension school** die Volkshochschule (-n) (31);

vocational school die Realschule (-n) (11/27)
search die Suche (-n) (26)
to search suchen (19)
season die Jahreszeit (-en) (5)
seatbelt der Sicherheitsgurt (-e) (20)
secret das Geheimnis (-se) (36)
secret(ly) heimlich (33)
secure(ly) sicher (13)
to see sehen (sieht), sah, gesehen (3)
segment der Abschnitt (-e) (28)
seldom selten (4)
self-employed person der/die Selbstständige (*decl. adj.*) (14)
self-initiative die Eigeninitiative (14)
semester das Semester (-) (11/3E)
to send schicken (22)
sensation das Aufsehen (35)
sense der Sinn (-e) (29)
sensible; sensibly gescheit (21); sinnvoll (33)
to separate trennen (35)
separated (*adj.*) getrennt (25)
separation die Trennung (-en) (25)
September der September (5)
series die Reihe (-n) (30)
to set into motion bewegen (26); **to set up** aufbauen (baut auf) (29)
settlement die Siedlung (-en) (35)
seven sieben (1E)
seventeen siebzehn (1E)
seventy siebzig (1E)
service die Bedienung (15)
service, duty der Dienst, (-e) (14)
shameless unverschämt (10)
shape die Gestaltung (-en) (31)
to shape gestalten (26)
to share teilen (31)
she sie (1)
shelf das Regal (-e) (3)
to shine scheinen; **the sun is shining** die Sonne scheint (5)
ship das Schiff (-e) (7)
shirt das Hemd (-en) (7)
shoe der Schuh (-e) (7)
shopping das Einkaufen (16)
shopping list die Einkaufsliste (-n) (16)

short kurz (1)
shorts die Shorts (*pl.*) (7)
shoulder die Schulter (-n) (6)
show die Sendung (-en) (21)
to show zeigen (6)
shower die Dusche (-n) (3)
shy scheu (1)
shrimp cocktail der Krabbencocktail (-s) (15)
siblings die Geschwister (*pl.*) (1/25)
side dish die Beilage (-n) (15)
sign das Schild (-er) (16); das Zeichen (-) (26)
to sign up einschreiben (schreibt ein), schrieb ein, eingeschrieben (16)
to signify bedeuten (17)
silence die Ruhe (4)
silent ruhig (1)
silent film der Stummfilm (-e) (36)
silverware das Besteck (-e) (19)
simple einfach (2)
simply einfach (24)
simultaneous(ly) gleichzeitig (21)
to sing singen, sang, gesungen (5)
singer der Sänger (-) / die Sängerin (-nen) (13)
single ledig; single (14/25); **single parenting** allein erziehend (30)
single room das Einzelzimmer (-) (8)
sink das Waschbecken (-) (3)
sister die Schwester (-n) (1)
sister-in-law die Schwägerin (-nen) (25)
situation die Lage (-n) (18)
six sechs (1E)
sixteen sechzehn (1E)
sixty sechzig (1E)
size die Größe (-n) (21)
to ski Schi laufen (läuft Schi), lief Schi, ist Schi gelaufen (8)
skills die Kenntnisse (*pl.*) (14)
to skim überfliegen, überflog, überflogen (21)
skirt der Rock (¨e) (7)
sky der Himmel (9)
skyscraper das Hochhaus (¨er) (4)
to sleep schlafen (schläft), schlief, geschlafen (3)

to slice schneiden, schnitt, geschnitten (19)
small gering (29); **small garden** der Kleingarten (¨); **small town** die Kleinstadt (¨e) (4); das Dorf (¨er) (27)
to smell like riechen nach, roch, gerochen (33)
smoke der Rauch (35)
snack das Pausenbrot (-e) (10)
snack stand der Imbissstand (¨e) (15)
sneaker der Sportschuh (-e) (7)
to sneeze niesen (6)
to snow schneien; **it's snowing** es schneit (5)
snow der Schnee (5)
Snow White das Schneewittchen (12)
soccer der Fußball (2)
soccer game das Fußballspiel (-e) (16)
social science die Sozialkunde (11)
social support die Sozialleistung (-en) (29)
sock die Socke (-n) (7)
sofa das Sofa (-s) (3)
sole einzig (23)
son der Sohn (¨e) (1/25)
song das Lied (-er) (17)
soon bald (12/3E)
sooner eher (27)
sore throat die Halsschmerzen (*pl.*) (6)
sort die Art (-en) (26)
to sort sortieren (20)
sound film der Tonfilm (-e) (36)
soup die Suppe (-n) (15)
sour sauer (23)
spa das Bad (¨er) (33); **health spa** die Kur (-en) (33)
Spain (das) Spanien (9)
Spanish (*language*) das Spanisch (11)
to speak sprechen (spricht), sprach, gesprochen (3); **speak German, please!** sprecht bitte Deutsch! (1E); **speak more slowly, please!** sprechen Sie bitte langsamer! (1E)
specialized high school die Fachoberschule (-n) (11)

specialty dic Spezialität (-en) (15)
spectator der Zuschauer (-) / die Zuschauerin (-nen) (23)
speech: freedom of speech die Redefreiheit (30)
to spend (*time*) verbringen, verbrachte, verbracht (5/3E); **to spend the night** übernachten (3E)
spicy scharf (19)
sponge der Schwamm (¨e) (1E)
spoon der Löffel (-) (19)
sport: adventure sport die Extremsportart (-en) (32); **sport center** die Sporthalle (-n) (16)
sports der Sport (23); **sports field** der Sportplatz (¨e) (10); **type of sports** die Sportart (-en) (23/32)
spring der Frühling (-e) (5)
stage die Bühne (-n) (36)
to stage inszenieren (36)
stairs die Treppe (-n) (8)
to stand stehen, stand, gestanden; **to stand in line** Schlange stehen (16)
to start anfangen (fängt an), fing an, angefangen (23/31); aufnehmen (nimmt auf), nahm auf, aufgenommen (28)
station (channel) das Programm (-e) (21)
stationery store das Schreibwarengeschäft (-e) (22)
stay der Aufenthalt (7/33)
to stay bleiben, blieb, ist geblieben (9)
step der Schritt (-e) (13/34)
stepbrother der Stiefbruder (¨) (25)
stepdaughter die Stieftochter (¨) (12)
stepfather der Stiefvater (¨) (12)
stepmother die Stiefmutter (¨) (12)
stepson der Stiefsohn (¨e) (12)
stereo die Stereoanlage (-n) (3)
to stick to/with sich halten an (+ *acc.*) (hält), hielt, gehalten (34)
still ruhig (1/28)
to stimulate anregen (regt an) (31)
stimulation die Anregung (31)
to stir rühren (31)
stomach der Bauch (¨e) (6)

to stop aufhören (hört auf) (7/3E); anhalten (hält an), hielt an, angehalten (14)
store der Laden (¨) (16); das Geschäft (-e) (26)
store closing time der Ladenschluss (24)
story der Stock (-werke) (21)
story die Geschichte (-n) (11/28)
stove der Herd (-e) (3)
straight ahead geradeaus (22)
to straighten up aufräumen (räumt auf) (23)
strange komisch (10); fremd (24)
street die Straße (-n) (5)
streetcar die Straßenbahn (22)
strenuous anstrengend (23)
strict(ly) streng (20/27)
striped gestreift (21)
to stroll bummeln, bummelte, ist gebummelt (31)
to struggle kämpfen (30)
student (*at a Gymnasium*) der Gymnasiast (-en *masc.*) / die Gymnasiastin (-nen) (26); (*not in a university*) der Schüler (-) / die Schülerin (-nen) (1E/3E); (*university*) der Student (-en *masc.*) / die Studentin (-nen) (1E/3E)
student cafeteria die Mensa (*pl.* Mensen) (19)
student dormitory das Studentenwohnheim (-e) (19)
to study studieren (8)
study fees die Studiengebühren (*pl.*) (19)
style der Stil (-e) (27)
stylishly modisch (21)
subject das Fach (¨er) (11/27); **major subject** das Hauptfach (¨er) (11/3E); **minor subject** das Nebenfach (¨er) (11/3E)
to subscribe to abonnieren (21)
subtitle der Untertitel (-) (36)
suburb der Vorort (-e) (4)
subway die U-Bahn (-en) (22)
success der Erfolg (-e) (13/26)
suddenly plötzlich (12)
suffrage das Wahlrecht (30)

to suggest vorschlagen (schlägt vor), schlug vor, vorgeschlagen (22/3E)
suggestion der Vorschlag (¨e) (14)
suit der Anzug (¨e) (7)
to suit stehen (+ *dat.*) (21)
suitcase der Koffer (-) (7)
suited geeignet (22)
summer der Sommer (5)
summit der Gipfel (-) (17)
sun die Sonne (-n) (5)
to sunbathe in der Sonne liegen, lag, gelegen (8)
Sunday der Sonntag (1E)
superficial(ly) oberflächlich (21/36)
supermarket der Supermarkt (¨e) (4)
to supervise überwachen (32)
to support beistehen, stand bei, beigestanden (3E); fördern (36)
support die Fürsorge (-n) (25); **social support** die Sozialleistung (-en) (29)
to suppress unterdrücken (30)
surely sicherlich (29)
surprise die Überraschung (-en) (14)
to surprise überraschen (17)
surprised (*adj.*) überrascht (14)
to be surpised at sich wundern über (+ *acc.*) (28)
surroundings die Umgebung (4)
to survive überleben (25)
sweater der Pullover (-) (7)
Sweden (das) Schweden (9)
sweet süß (19)
to swim schwimmen, schwamm, geschwommen (2)
swimsuit der Badeanzug (¨e) (7)
swim trunks die Badehose (-n) (7)
Swiss (*person*) der Schweizer (-) / die Schweizerin (-nen) (18)
Switzerland die Schweiz (9)
symbol das Symbol (-e) (16)
system das System (-e) (19)

T

table der Tisch (-e) (3)
table tennis das Tischtennis (8)
taboo tabu (26)
to take nehmen (nimmt), nahm, genommen (3); **to take along**

mitnehmen (nimmt mit), nahm mit, mitgenommen (23); **to take care of** sorgen für (23); **to take care of the household** den Haushalt machen (23); **to take a course** einen Kurs belegen (11/3E); **to take leave** sich verabschieden (24); **to take notice** achten (33); **to take off** abfliegen (fliegt ab), flog ab, ist abgeflogen (24); **to take on** annehmen (nimmt an) nahm an, angenommen (34); **to take part in** teilnehmen an (+ *dat.*) (nimmt teil), nahm teil, teilgenommen (26); **to take place** stattfinden, fand statt, stattgefunden (17/27); **to take up** aufnehmen (nimmt auf), nahm auf, aufgenommen (28), beziehen, bezog, bezogen (36); **to take up time** Zeit in Anspruch nehmen (nimmt), nahm, genommen (33)

taken: this seat is taken besetzt: hier ist besetzt (15)

talk der Vortrag (¨e) (19/3E); **to give a talk** einen Vortrag halten (19/3E)

to talk (*gossip***)** quatschen (28); **to talk about** reden über (+ *acc.*) (10); diskutieren über (+ *acc.*) (26)

to tan sich bräunen (32)

tan beige (2)

to taste: that tastes good (to me) schmecken: das schmeckt (mir) gut (15)

tasty lecker (19)

tax die Steuer (-n) (29)

tea der Tee (-s) (2)

to teach lehren, Unterricht erteilen (20), unterrichten (11/27)

teacher der Lehrer (-) / die Lehrerin (-nen) (1E)

teaching method die Unterrichtsmethode (-n) (27)

team die Mannschaft (-en) (23/32); das Team (-s) (23)

technology die Technik (-en) (11)

teenager der/die Jugendliche (*decl. adj.*) (26)

telephone das Telefon (-e) (3)

television set der Fernseher (-) (3)

to tell mitteilen (teilt mit) (36)

ten zehn (1E)

tense spannend (23/32)

tent das Zelt (-e) (8)

terminal (*airport***)** das Terminal (-s) (24)

terrace die Terrasse (-n) (16)

to test prüfen (28)

theater das Theater (-) (2/36)

theater piece das Stück (-e) (36)

then dann (12)

thermometer das Thermometer (-) (6)

thesis work die Diplomarbeit (-en) (28)

they sie (1)

thief der Dieb (-e) (12)

to think denken, dachte, gedacht (6)

to think about denken an (+ *acc.*) dachte, gedacht (26); (***to have an opinion of***) meinen (3E)

thirteen dreizehn (1E)

thirty dreißig (1E)

thousand tausend (1E)

thought: freedom of thought die Gedankenfreiheit (30)

three drei (E)

throat der Hals (¨e) (6)

through durch (+ *acc.*) (5)

to throw away wegschmeißen, schmiss weg, weggeschmissen (*coll.*) (35)

Thuringia Thüringen (17)

Thursday der Donnerstag (1E)

ticket counter der Fahrkartenschalter (-) (7)

tie die Krawatte (-n) (7)

tights die Strumpfhose (-n) (21)

time: free time die Freizeit (16/3E); **point in time** das Mal (-e) (31); **time off (work)** der Feierabend (29)

tin can die Dose (-n) (20)

tinted gefärbt (21)

tiring ermüdend (21)

to the left/right links/rechts (8)

today heute (5)

today's heutig (28)

together zusammen (4); gemeinsam (28)

token das Zeichen (-) (26)

tomato die Tomate (-n) (16)

tomato sauce die Tomatensoße (-n) (19)

tooth der Zahn (¨e) (6)

topical aktuell (21)

to touch anfassen (fasst an) (31)

tough zäh (19)

town: small town das Dorf (¨er) (27)

toy das Spielzeug (-e) (17)

traceable spürbar (36)

track das Gleis (-e) (7)

trade der Handel (27)

trade school die Berufsfachschule (-n) (11)

traffic der Verkehr (35)

train der Zug (¨e), die Bahn (-en) (7)

to train trainieren (16)

train station der Bahnhof (¨e) (7)

train station platform das Gleis (-e)

trainee der/die Auszubildende (*decl. adj.*) (13)

training das Training (23)

training position die Ausbildungsstelle (-n) (13)

to transfer versetzen (16)

to translate übersetzen (28)

transportation: mode of transportation das Verkehrsmittel (-) (35)

trash der Abfall (20/35); der Müll (20/35)

to travel reisen, ist gereist (9)

traveler der/die Reisende (*decl. adj.*) (24)

traveling das Reisen (24)

to treat behandeln (30)

treatment: course of treatment die Kur (-en) (33)

tremendous(ly) gewaltig (34)

trenchcoat der Trenchcoat (-s) (7)

trick der Trick (-s) (14)

trip der Ausflug (¨e) (10); die Fahrt (-en) (24)

trip: to go on a trip verreisen (32)

trouble die Mühe (-n) (29)

trout die Forelle (-n) (15)

to try probieren (15)
to try on anprobieren (probiert an) (7)
T-shirt das T-Shirt (-s) (7)
Tuesday der Dienstag (1E)
tuition die Studiengebühren (19)
tuna der Thunfisch (-e) (15)
turbulent bewegt (27)
Turk der Türke (-n *masc.*) / die Türkin (-nen) (18)
to turn abbiegen (biegt ab), bog ab, abgebogen (22)
to turn (drive) in einbiegen (biegt ein), bog ein, eingebogen (22)
to turn (into) verwandeln (in + *acc.*) (12)
twelve zwölf (1E)
twenty zwanzig (1E)
twin der Zwilling (-e) (1)
two zwei (1E)
type die Art (-en) (26); **type of sport** die Sportart (-en) (23/32)

U

ugly hässlich (1)
unbiased unvoreingenommen (34)
uncertainty die Unsicherheit (-en) (27)
uncle der Onkel (-) (1/25)
uncongenial unsympatisch (1)
undecided(ly) unschlüssig (33)
undershirt das Unterhemd (-en) (21)
to understand begreifen, begriff, begriffen (29)
to undertake unternehmen (unternimmt), unternahm, unternommen (9/31); sich vornehmen (nimmt vor), nahm vor, vorgenommen (33)
underwear die Unterwäsche (7)
unemployed arbeitslos (1); **number of unemployed** die Arbeitslosenzahl (-en) (29)
unemployment die Arbeitslosigkeit (20)
unfriendly unfreundlich (1)
uninterested uninteressiert (1)
uninteresting uninteressant (1)
unique(ly) eigenartig (28)
to unite verbinden, verband, verbunden (29)

unity die Einheit (18)
university die Universität (-en) (11)
university study das Studium (Studien) (19/28)
unromantic unromantisch (1)
unusual ungewöhnlich (14)
unsatisfied unzufrieden (29)
upswing der Aufschwung (¨e) (29)
urban train die S-Bahn (-en) (22)
to urge mahnen (33)
us, to us uns (5)
to use nutzen (32); verbrauchen (20/35); verwenden (20)
usually normalerweise (32)
utensils: disposable utensils das Einweggeschirr (35)
to utter (sich) äußern (10)

V

vacation die Ferien (*pl.*) (32); der Urlaub (-e) (17/32)
vacation apartment die Ferienwohnung (-en) (8)
vacation camp das Ferienlager (-) (32)
vacation home das Ferienheim (-e) (32)
Valentine's Day der Valentinstag (5)
valley das Tal (¨er) (9)
valuable wertvoll (22)
to value something Wert legen auf (+ *acc.*) (27)
variable abwechslungsreich (14)
variety die Abwechslung (-en) (32)
various unterschiedlich (26)
veal cutlet das Wiener Schnitzel (-) (15)
vegetable das Gemüse (19/33)
vegetarian vegetarisch (33)
vicinity die Nähe (17/27); **in the vicinity** in der Nähe (17)
to view works of art Kunstwerke betrachten (8)
village das Dorf (¨er) (4)
violence, act of die Gewalttätigkeit (-en) (20)
violent(ly) gewalttätig (26)
violet violett (2)
visit der Aufenthalt (33); **visit to the doctor** der Arztbesuch (-e) (33)

to visit besuchen; (*as a sightseer*) besichtigen (8)
vocation die Berufung (-en) (28)
vocational school die Realschule (-n) (11/27)
to vote wählen (26)
voyage die Schiffsreise (-n) (32)

W

waiting area der Warteraum (¨e) (24)
waiting room das Wartezimmer (-) (33)
waitperson der Kellner (-) / die Kellnerin (-nen) (15)
to wake up aufwachen (wacht auf), ist aufgewacht (12)
to waken wecken (16)
to walk zu Fuß gehen, ging, ist gegangen (4)
wall die Wand (¨e) (1E); die Mauer (-n) (18)
war der Krieg (-e) (20)
warm warm (5)
warehouse das Warenhaus (¨er) (16)
to wash waschen (wäscht), wusch, gewaschen (16)
to wash the dishes das Geschirr spülen (3E)
waste der Abfall (¨e) (20/35)
to watch anschauen (schaut an); gucken (14); sich ansehen (sieht an), sah an, angesehen (21)
to watch out aufpassen (passt auf) (9/3E)
to watch television fernsehen (sieht fern), sah fern, ferngesehen (2)
water das Wasser (16)
way der Weg (-e) (22)
we wir (1)
to wear tragen (trägt), trug, getragen (5)
weather das Wetter (5)
Wednesday der Mittwoch (1E)
week die Woche (-n) (1E)
weekday der Wochentag (-e) (1E)
weekly wöchentlich (21)
welcome! herzlich willkommen! (24)

to welcome wilkommen heißen, hieß, geheißen (34)
well-behaved brav (1)
well-known bekannt (36)
wellness fund die Krankenkasse (33)
what is _____ in English/German? Wie heißt _____ auf Englisch/Deutsch? (1E)
while die Weile (16)
to whistle pfeifen, pfiff, gepfiffen (20)
white weiß (2)
wild irre (*coll.*) (32)
to win gewinnen, gewann, gewonnen (23/32)
wind der Wind (-e) (5)
window das Fenster (-) (1E)
windy windig (5)
winter der Winter (-) (5)

to wish wünschen (17)
witch die Hexe (-n) (12)
without ohne (+ *acc.*) (5)
woman die Frau (-en) (1)
women's movement die Frauenbewegung (-en) (30)
wonderful(ly) herrlich (32)
to work arbeiten (2)
work experience die Arbeitserfahrung (-en) (14); die Berufserfahrung (-en) (29)
workplace der Arbeitsplatz (¨e) (13/29)
world of work die Arbeitswelt (13)
worry die Sorge (-n) (24)
wound die Wunde (-n) (6)
to write schreiben, schrieb, geschrieben (9)
written exam Klausur (19)

X
xenophobia die Ausländerfeindlichkeit (20/34)

Y
yard der Hof (¨e) (31)
yellow gelb (2)
yesterday gestern (8)
you (*acc.*) dich; (*acc./dat.*) euch (5); (*form.*) Sie; (*inform. sg.*) du (1)
young jung (1)
young person der/die Jugendliche (*decl. adj.*) (26)
youth die Jugend (25)
youth hostel die Jugendherberge (-n) (8)

Z
zero null (1E)

INDEX

This index consists of two parts—Part 1: Grammar, Part 2: Topics. Everything related to grammar—terms, structure, usage, pronunciation, and so forth—appears in the first part. Topical subsections in the second part include Culture, Functions, Reading Strategies, Vocabulary, and Writing Strategies. Page numbers in italics refer to photos.

Part 1: Grammar

Part 2: Topics

Culture

Functions

Reading Strategies

Vocabulary

Writing Strategies

Grateful acknowledgment is made for use of the following:

Photographs: *Page 1* © Owen Franken/Stock Boston; *10* © Edgar Zippel/DAS Fotoarchiv; *14* © Knut Muller/DAS Fotoarchiv; *22* © Culver Pictures, Inc.; *30–31* © Beryl Goldberg Photographer; *34* © Stuart Cohen/The Image Works; *51* (*top*) © Stuart Cohen/The Image Works; *54* © Mike Mazzaschi/Stock Boston/PNI; *62* © California Institute of Technology and courtesy Hebrew University of Jerusalem; *73* © Verlag Jochen Kallhardt/Blue Box; *76–77* © D. & J. Heaton/Stock Boston; *80* © Dave Bartruff/Corbis Images; *88* © Michael & Patricia Fogden/Corbis Images; *90* © Wolfgang Kaehler; *97* (*top*) © Mike Mazzaschi/Stock Boston; *100* © Bundesbildstelle; *117* (*bottom*) © Adam Woolfitt/Corbis Images; *120* © Bundesbildstelle; *121* Culver Pictures, Inc.; *133* (1) © AKG London, (2) © Bildarchiv Preussischer Kulturbesitz, (3) © AKG London; *146* © Stuart Cohen/The Image Works; *154* © Ullstein BilderDienst/Gabriele Fromm; *162–163* © Robert E. Schwerzel/Stock Boston; *166* © Dagmar Fabricius/Stock Boston; *175* © Andreas Riedmiller/DAS Fotoarchiv; *183* (*top*) © M. Granitsas/ The Image Works; *186* © Owen Franken/Stock Boston; *190* © Sven Martson/The Image Works; *194* (*bottom*) © Willie L. Hill/Stock Boston; *208–209* © M. Pawlowski/images.de; *212* © Steve Raymer/Corbis; *220* © Gunter Peschel/Blue Box; *228–229* © D. Konnerth/Lichtblick/ images.de; *232* © Martin Fejer/images.de.; *240* © Sven Martson/The Image Works; *248–249* © Adam Woolfitt/Corbis; *252* © David Simson/Stock Boston; *260* © A. Bastian/CARO/images.de.

Readings: *Page 23* "meine grossmutter hatte kein gesicht" by Annemarie Zornack from *Stolperherz*. © Verlag Eremiten-Presse, 1988; *44* Notgroschen für das Sorgentelefon, JUMA; *63* "Der Stift," by Heinrich Spoerl in *Gesammelte Werke*. © Piper Verlag GmbH, München, 1963; *88* from *World Travel Guide*, http://german.travel-guides.com Copyright © Columbus Press, London; *90* "Die Freiheitspost" by Günther Anders; *108* reprinted with permission of *Leo Freizeitmagazin*; *109* "Der Lacher" by Heinrich Böll from *Erzählungen, Hörspiele, Aufsätze*. © 1994 Verlag Kiepenheuer & Witsch, Köln; *129* "Emanzipation" by Ingeburg Kanstein from *Papa, Charly hat gesagt* (Munich: Langenscheidt 1983); *141* from *Memoiren eines Clowns* by F. J. Bogner (Bern: Zytglogge, 1993), page 140. Reprinted with permission of the author; *154* http://www.yorkie.ch/cats/rat498.htw; *155* from *Nero Corleone* by Elke Heidenreich (Munich, Carl Hanser Verlag, 1995); *174* Ho Ga Tours; *176* "Der hellgraue Frühjahrsmantel," by Wolfgang Hildesheimer in *Lieblose Legenden*. © 1962 by Suhrkamp Verlag, Frankfurt am Main.

195 "Das neue Lauf-Einmaleins: 10 erste Schritte für Einsteiger from *Men's Health Deutschland*, Mai 1998, pp. 50–56; *220* information from *Alma*, 30 October 1998, Würzburg; *221* "Die Suche nach den Deutschen" by João Ubaldo Ribeiro from *Ein Brasilianer in Berlin*. Reprinted with permission of Suhrkamp Verlag; *240 JUMA* 1/98; *241* "Herr Munzel hört das Gras wachsen" by Achim Bröger and Bernd Küsters.

About the Authors

• •

Lida Daves-Schneider received her Ph.D. from Rutgers, the State University of New Jersey. She has taught at the University of Georgia, the University of Arkansas at Little Rock, Rutgers, Riverside Community College, and Washington College where she taught German language and literature, film and teacher education courses, and served as language lab coordinator. She spent a year in Berlin on the Fulbright Teaching Exchange Program. She is presently teaching German at Ayala High School in Chino Hills, California. She has given numerous presentations and workshops, both in the United States and abroad, about foreign language methods and materials. She co-authored ancillary materials for *Deutsch: Na klar!* and was a contributing writer for the main text of the third edition.

Karl Schneider is a native of Germany. He has been a teacher for 22 years in the Chino Valley Unified School District. He has taught Reading, German, and English as a Second Language. From 1985 to 1990 he worked as Curriculum Coordinator for Foreign Languages. He has served several terms as Mentor teacher in his district. Mr. Schneider has participated in several statewide foreign language curriculum development projects. He has reviewed textbooks as well as national exams. Mr. Schneider has also been a presenter at local, state, and national conferences. He was co-founder of the Inland Empire Foreign Language Association and served as President of that organization.

Daniela R. Dosch Fritz is receiving her Ph.D. in German Literature and Culture from the University of California at Berkeley. Her dissertation combines literary studies and second language acquisition research by employing theories of language and culture from both fields. She has taught German language and literature at the University of California at Berkeley, the University of Arizona in Tucson, and the Goethe-Institut in San Francisco.

Stephen L. Newton received his Ph.D. from the University of California at Berkeley in 1992. Since then he has been the Language Program Coordinator in the German Department at Berkeley. He has made contributions to various textbooks and conducted a variety of workshops to language teachers.

Robert Di Donato is professor of German and Chair of the German, Russian, and East Asian Languages Department at Miami University in Oxford, Ohio. He received his Ph.D. from the Ohio State University. He is lead author of *Deutsch: Na klar!*, a first-year German text, and has written articles about foreign language methodology. In addition, he has given numerous keynote speeches, workshops, and presentations, both in the United States and abroad, about foreign language methods and teacher education. He has also been a consultant for a number of college-level textbooks on foreign language pedagogy.